LLYTHYRAU'R WLADFA
CYFROL 2
(1945-2010)

LLYTHYRAU'R WLADFA

CYFROL 2

(1945-2010)

Golygydd:

Mari Emlyn

Argraffiad cyntaf: 2010

Rhif rhyngwladol: 978-1-84527-292-0

Mae'r cyhoeddwr yn cydnabod cefnogaeth ariannol
Cyngor Llyfrau Cymru

Cynllun clawr: Sion Ilar

Cyhoeddwyd gan Wasg Carreg Gwalch,
12 Iard yr Orsaf, Llanrwst, Conwy, LL26 0EH.
Ffôn: 01492 642031 Ffacs: 01492 641502
e-bost: llyfrau@carreg-gwalch.com
lle ar y we: www.carreg-gwalch.com

Cynnwys

Rhestr o'r llythyrau

PENNOD 1: 'Yma mae beddrodau'n tadau
Yma mae ein plant yn byw' (Llythyrau 1945-1965)

PENNOD 4: 'Dim chwaneg o Wladfa fach dawel a pawb yn hapus' (Llythyrau 1976-1983)

PENNOD 6: 'Yma o hyd' (Gohebiaethau 2000-2010)

Cacerolazo:
(172) Cerdyn post Cabo a Marina, 28 Ionawr 2001
(173) Llythyr Irma ac Ieuan M. Williams, 30 Mai 2002
(174) Llythyr Luned Vychan Roberts de González, Nadolig 2002
(175) Llythyr Gweneira Davies de Quevedo, 22 Mehefin 2003
(176) Llythyr Gweneira Davies de Quevedo, 10 Gorffennaf 2008

Gorsedd y Wladfa:
(177) Llythyr Irma ac Ieuan M. Williams, 8 Chwefror 2009

Gŵyl y Glaniad:
(178) Blog Lois Jones, 28 Gorffennaf 2009

'Y byd yn cael ei boeni':
(179) Llythyr Gweneira Davies de Quevedo, 28 Ebrill 2009
(180) E-bost Sion Davies
(181) E-bost Alwen Green de Sangiovanni, 3 Mawrth 2010

Achos o anghyfiawnder:
(182) E-bost John Roberts, 10 Mehefin 2009
(183) E-bost Erica Edwards Roberts, 11 Mehefin 2009
(184) E-bost Peter Dwyer, 9 Gorffennaf 2009
(185) E-bost Ieuan Wyn Jones, 5 Awst 2009

Cariad@iaith:
(186) Llythyr Luned Roberts de González, 21 Hydref 2000
(187) Llythyr Gweneira Davies de Quevedo, 2 Mai 2003
(188) E-bost Elena Davies de Arnold, 2001
(189) Llythyr Esyllt Nest Roberts, Mehefin 2004

Plant Patagonia:
(190) Llythyr John a Kathleen Roberts, 24 Tachwedd 2009
(191) Gweplyfr Vilma Thomas, 14 Chwefror 2010
(192) Gweplyfr Elain Mair 16 Mawrth 2010
(193) Gweplyfr Sibyl Hughes, 17 Mawrth 2010
(194) E-bost Maite Junyent, 4 Ionawr 2010
(195) E-bost Carys Thorne, 17 Ionawr 2010
(196) E-bost Alejandro Jones, 13 Ebrill 2008
(197) E-bost Owain Sion Gwent 31 Hydref 2008
(198) E-bost Alejandro Jones, 10 Tachwedd 2008
(199) E-bost Alejandro Jones, 16 Mawrth 2009
(200) E-bost Alejandro Jones, 31 Ionawr 2010

Rhagair

Un gyfrol o *Lythyrau'r Wladfa* oedd y bwriad gwreiddiol, ond oherwydd swm y deunydd a gasglwyd bu'n rhaid rhannu'r gyfrol yn ddwy. Ni fu prinder llythyrau y tro hwn ychwaith. Yn wir, ceir mwy o lythyrau yn y gyfrol hon nag yn y gyntaf, a gellid bod wedi dyblu'r nifer a geir yma hefyd, ond bu'n rhaid rhoi ffrwyn ar y dewis. Mae gan ddathliadau'r canmlwyddiant – a fu'n gyfrwng i adfywio bywyd Cymraeg a Chymreig y Wladfa – ran i'w chwarae yn y cynnydd a fu yn yr ohebiaeth rhwng y ddwy wlad.

Roedd dethol y llythyrau ar gyfer y gyfrol hon yn brofiad gwahanol i'r tro cyntaf. Yn un peth, roeddwn yn adnabod rhai o'r awduron yn bersonol, ac yn cael pleser a hiraeth wrth glywed eu lleisiau yn treiddio o'r tudalennau. Bu'r gwaith o chwilio am lythyrau gan wahanol bobl yn gyfle hefyd imi ehangu cylch fy nghydnabod. Mae gan y llythyr, hyd yn oed heddiw, y gallu i glymu pobl â'i gilydd. Bu Beryl Griffiths yn gymorth amhrisiadwy i mi wrth baratoi'r gyfrol hon. Nid oeddwn yn ei hadnabod cynt, ond rhoddodd lawer o'i hamser prin i'm cynorthwyo a bu'r ddwy ohonom yn cyfnewid atgofion am ein profiadau fel plant i ddwy fam a oedd wedi ffoli ar y Wladfa ac yn derbyn ymwelwyr o'r Ariannin yn gyson. Cydnabu'r ddwy ohonom ein bod, pan oeddem yn blant, wedi syrffedu ar glywed hanes y Gwladfawyr. Heddiw, a ninnau fymryn aeddfetach, braf oedd cael rhannu atgofion a gwerthfawrogi'r hyn a wnaeth pobl fel Elizabeth Jones, Braichceunant a Shân Emlyn (ymysg llawer o Gymry eraill) i gadw'r ddolen rhwng Cymru a'r Wladfa yn dynn. Fel y dywedodd Irma Hughes de Jones mewn llythyr at berthnasau iddi: 'O fam i ferch ar hyd y cenhedlaethau y trosglwyddir y gwerthoedd ynte?' (133)

Wrth fwrw trem yn ôl, rhaid cydnabod ein dyled i sawl unigolyn hirben a fynnodd warchod hen greiriau'r Cymry ym Mhatagonia. Gwelir enghraifft o hyn yn llythyr Mair ap Iwan Roberts (merch Llwyd ap Iwan a Myfanwy Ruffudd Jones, ac felly'n wyres i Michael D. Jones a Lewis Jones) at R. Bryn Williams, un arall a wnaeth gymaint i ddiogelu hanes y Wladfa. Dywed Mair ap Iwan Roberts wrth holi ym 1957 am hen ddogfennau'r Wladfa:

> Mae llawer o greiriau gwerthfawr ynglŷn a hanes boreu'r Wladfa i'w cael mewn cartrefi ar hyd y wlad, a'u perchenogion hwyrach, ddim yn gwybod eu gwerth; eraill yn ei prisio gymaint fel nad ydynt am ollwng gafael arnynt ar gyfrif yn y byd. (18)

Diau i fynydd o hen greiriau fynd i ddifancoll. Ymgais yw'r gyfrol hon (fel y gyntaf) i gadw llythyrau'r Wladfa yn ddiogel rhwng dau glawr, fel eu bod ar gael i'r sawl sydd â diddordeb ynddynt neu yn hanes y Wladfa yn gyffredinol. Mae'r llythyrau yn dystiolaeth uniongyrchol ac fe geir yn achlysurol rannu seiat brofiad drwy'r llythyrau. Mae gan bob llythyr ei stori, ei storm neu ei heulwen.

Ceir cyfeiriadau mynych yn llythyrau'r Wladfa fod yr awdur yn manteisio ar ymweliad rhywun o Gymru i gario'r llythyr yn ôl i'r Hen Wlad. Hyd yn oed heddiw, yn oes yr e-bost a'r gweplyfr, mae'n anodd ymweld â'r Wladfa heb i rywun o Gymru ofyn i chi gyrchu llythyr draw at ffrind neu berthynas. Ni ddewch yn ôl o'r Wladfa'n waglaw ychwaith. Bydd llythyr arall yn y bag ar y ffordd adref. Mae cyrchu llythyr yn ffordd wych o ddod i adnabod pobl. Bu'n rhaid i mi, ar fy ymweliad diwethaf â'r Wladfa yn 2007, gnocio drysau pobl nad adwaenwn mohonynt cynt er mwyn trosglwyddo llythyr iddynt. Dyna sut y cefais y fraint o gyfarfod pobl fel Delfina a Victor Ellis, Esquel. Cefais wefr o gael cydeistedd â hwy yng nghegin Bryn Amlwg a llun teulu Benjamin Pugh Roberts a Lizzie Freeman â'u pedwar plentyn ar ddeg yn crogi ar y pared uwch fy mhen. Dyma gael gweld awduron rhai o'r llythyrau y bûm yn eu darllen. Roeddwn wedi clywed eu lleisiau drwy eu llythyrau a dyma rŵan gael gweld eu lluniau. Yn goron ar y cyfan roeddwn i'n cael cyfarfod rhai o'u disgynyddion.

Braint i mi oedd cael darllen llythyrau gan Archentwyr ym mhen draw'r byd sydd, hyd heddiw, yn gweld yr angen i gyfathrebu drwy gyfrwng y Gymraeg â'u cyfeillion yng Nghymru. Bûm yn holi fy hun yn aml, oedd gwerth i gyhoeddi'r llythyrau hyn? Daeth un ateb wrth i mi bori drwy rifyn o'r *Drafod* o 1945 a dod ar draws y geiriau hyn gan J. W. Jones a ysgrifennai i'r *Cymro*: 'Buasai cyfrol o "Lythyrau o'r Wladfa" yn werth ei chyhoeddi' (*Y Drafod,* dydd Sadwrn, 2 Mehefin 1945, rhif 2,236).

Fy ngobaith yw y bydd darllen y llythyrau hyn yn ymestyn ein gwybodaeth am y Wladfa a'i thrigolion.

Diddorol oedd clywed yn ddiweddar i ŵr o'r Wladfa ddarllen llythyrau'r gyfrol gyntaf, *Llythyrau'r Wladfa 1865-1945,* a chanfod fod ganddo berthnasau yng Nghymru na wyddai cyn hynny am eu bodolaeth. Mae'r Gwladfawr hwn, mae'n debyg, wedi llwyddo i gyfarfod â'i deulu yng Nghymru. Pe bai ond am hynny, rwy'n ffyddiog bod gwerth i gyhoeddi'r llythyrau hyn. Eironi'r sefyllfa, fodd bynnag, oedd na allai aelodau'r teulu yng Nghymru siarad Cymraeg!

Rhyfeddod i mi oedd canfod fod pobl, rhai ohonynt yn ddieithriaid llwyr, yn sgil cais drwy lythyr neu e-bost, mor barod i dyrchu mewn hen focsys llythyrau neu luniau. Wrth wneud hynny roeddent yn cefnogi fy ymgyrch i gadw'r ohebiaeth hon rhwng y ddwy wlad yn ddiogel rhwng cloriau fy nghyfrolau. Diolch i bawb a roddodd fenthyg eu llythyrau a'u lluniau gwerthfawr i mi ac i'r rhai a aeth i'r drafferth o anfon eu he-byst, eu blogiau a'u gohebiaeth gweplyfr ataf wrth i mi baratoi'r gyfrol hon. Y mae fy ngwerthfawrogiad yn fawr hefyd i staff Llyfrgell Genedlaethol Cymru, Aberystwyth ac i Einion Thomas a staff Archifdy Prifysgol Cymru, Bangor am bob cefnogaeth a chymorth.

Y mae fy nyled yn fawr i'm golygydd Esyllt Nest Roberts de Lewis yn y Wladfa am ei thrylwyredd ac rwy'n ddiolchgar iddi hi a Gwasg Carreg Gwalch am gael y maen i'r wal. Rhaid diolch hefyd i'm cyfeilles Tegai Roberts yn y Gaiman am iddi unwaith eto, fel gyda'r gyfrol gyntaf, wirio rhai o'm camgymeriadau hanesyddol a ffeithiol. Roedd gwybod bod Curadur Amgueddfa'r Gaiman yn pori uwchben fy ngwaith yn rhoi tawelwch meddwl mawr i mi. Diolch o galon Tegai.

Hoffwn ddiolch yn bennaf i'm gŵr, Emyr am ei amynedd di-ben-draw a'i gymorth parod wrth i mi baratoi'r gyfrol hon a'r gyntaf, yn arbennig felly pan fyddai fy nghyfrifiadur a minnau'n strancio!

Cyflwynaf y gyfrol hon gyda'r parch a'r edmygedd mwyaf i Gymry'r Wladfa ddoe a heddiw.

Diolch i'r canlynol o'r Wladfa:

Elena Davies de Arnold, Benjamin Azzolini, Romina Azzolini, Sion Davies, Delfina a Victor Ellis, Maria Esther Evans, Mirna Ferreira, Mónica Fuentes, Fabio González, Luned Vychan Roberts de González, René Griffiths, Aira ac Elgar Hughes, Blanca Hughes, Irfonwy Hughes, May Williams de Hughes, Alejandro Jones, Cristine Jones, Elizabeth Lorena Jones, Lois Eluned Fychan Jones, Owen Tydur Jones, Catrin Morris de Junyent, Rini Griffiths de Knobel, Anne-Marie a Fabio Lewis, Meinir Evans de Lewis, Cabo a Marina, Lizzie Jones de Lloyd, Nel Owen, Ivonne Owen, Bibiana Portugues, Joyce Powell, Gweneira Davies de González de Quevedo, Esyllt Nest Roberts de Lewis, Tegai Roberts, Astrid de di Rosa, Alwen Green de Sangiovanni, Claris Griffiths de Schiavi, Iris Lloyd Spannaus, Alwina Thomas (Bs Aires), Vilma Thomas, Clare Whitehouse, Alen Evans de Williams, Irma a Ieuan M. Williams.

Ac o Gymru/Prydain:

Eirionedd Baskerville, Peter Dwyer, Owen Edwards, Sion ab Ifan

Edwards, Helen Ellis, Catrin Evans, Beti George, Beryl Griffiths, Nan Griffiths, Ceris Gruffudd, Owain Sion Gwent, Robin Gwyndaf, Guto Prys ap Gwynfor, Julia Hawkins, Helen Lloyd Hughes, Sioned Huws, John Wyn Jones, Ieuan Wyn Jones, William Vaughan Jones, Elfyn Llwyd, Elain Mair, Gareth Miles, Elvira Mossley, Rhiain Phillips, Mici Plwm, Alwena Price, Meira Elin Price, Ann Gruffydd Rhys, Sian Rees, Elin Rhys, Anne a Geraint Roberts, Erica Edwards de Roberts, John Roberts, John a Kathleen Roberts, Marian Elias Roberts, Betty a Ned Rowlands, Margaret Rees Williams.

Mari Emlyn,
Gorffennaf 2010

Rhagarweiniad

Un o anawsterau llunio'r gyfrol *Llythyrau'r Wladfa 1865-1945* oedd gwybod lle i ddechrau. Llythyr o ba gyfnod a pha fath o lythyr fyddai'n agor y gyfrol gyntaf? Anawsterau gwahanol a gododd gyda'r llythyrau mwy diweddar. Doedd dewis blwyddyn i agor y gyfrol hon ddim yn benbleth gan i'r gyfrol gyntaf gloi gyda helynt cau'r fynwent yn y Gaiman yn Nyffryn Camwy yn 1945. Roedd hi'n anochel felly y byddai'r gyfrol hon yn agor lle bu i'r llall gloi. Mae'n arwyddocaol mai llythyrau'n trafod cau'r hen fynwent, tranc yr iaith a marwolaeth sy'n agor y gyfrol hon. Fe'm trawyd gan y pwys a roddir ar farwolaeth mewn cynifer o lythyrau'r Wladfa. Mae nifer fawr o'r llythyrau personol a ddarllenais yn crybwyll rhywun neu rywrai a fu farw, a'r Gwladfawyr yn teimlo'r golled yn drwm wrth weld y garfan Gymraeg ym Mhatagonia yn nychu'n gyflym. Bu chwalu'r hen fynwent ynghyd â'r ffaith i'r llywodraeth ganolog feddiannu'r ffosydd ganol y 1940au yn ergyd greulon i'r hen Wladfawyr Cymreig. Roedd y genhedlaeth iau yn ystyried eu hunain yn Archentwyr bellach. Adlewyrchir hyn yn llythyr cyntaf y gyfrol hon gan 'Taid' at ei ŵyr, a oedd yn fyfyriwr yn Buenos Aires:

> Y mae yr hyn a ddigwyddodd gyda Hen Fynwent y Gaiman, wedi gadael craith na ddileuir yn hawdd oddiarnom; a chyn i'r helynt hwnnw orffen tawelu, dyma ymgais lechwraidd yn cael ei gwneud i fynd a'r camlesydd oddiarnom, heb gydnabod dim o'u gwerth. Yr wyf yn deall trwy dy dad, nad ydwyt ti yn edrych fel ninnau ar y pethau hyn; ac y mae hynny yn naturiol iawn, ond mi garwn wybod dy farn fel archentwr ar y pynciau llosg hyn ...

Codwyd y llythyr uchod o'r *Drafod*. Mae'r gyfrol gyntaf yn frith o lythyrau o'r wasg. Collwyd nifer o lythyrau personol cynnar y Wladfa yn sgil y cyfresi o lifogydd a darodd y sefydliad yn ystod y blynyddoedd cynnar. Er bod y wasg yn parhau i fod yn gyfrwng pwysig wrth i'r Gwladfawyr holi am athrawon, cyfeillion gohebol, llyfrau a gweinidogion i fynd yno i fwydo angen ysbrydol y sefydliad, doedd dim rhaid i mi ddibynnu mor drwm ar lythyrau'r wasg y tro hwn. Roedd swm y llythyrau personol a gefais eu benthyg yn syfrdanol, ac yn arbennig felly lythyrau'r cyfnod yn dilyn dathliadau'r canmlwyddiant ym 1965.

'Y blynyddoedd distaw' oedd pennawd fy mhennod olaf yn y gyfrol gyntaf a hwnnw'n ddyfyniad o un o lythyrau'r llenor Eluned Morgan.

Roedd hanner cyntaf yr ugeinfed ganrif yn y Wladfa yn gyfnod cymharol ddistaw o safbwynt y cyswllt rhwng y Wladfa a Chymru, a'r Gwladfawyr yn teimlo i'r Cymry gartref eu hesgeuluso. Ni fu mwy o ymfudo o Gymru i'r Wladfa wedi glanio'r *Orita* ym Mhorth Madryn ym 1911. Mae sawl rheswm posib pam na fu ymfudo mawr wedyn. Lai na chwe mis wedi glanio'r *Orita* ym mis Tachwedd 1911, fe suddodd y *Titanic*, y llong na fedrai suddo. Fe allai'r digwyddiad hwn fod wedi codi ofn ar bobl rhag ymfudo ar draws y môr. Yn fuan wedyn y dechreuodd y Rhyfel Byd Cyntaf, ac yn dilyn y drin honno, ymledodd y ffliw a hynny eto'n rhwystr rhag teithio. Dywed John Davies yn *Hanes Cymru* (t. 399): 'amcangyfrifir bod tua 3,000 o Gymry wedi ymsefydlu ym Mhatagonia erbyn 1914, pan ddaeth yr ymfudo i ben.'

Gyda chyn lleied â thair mil o Gymry yn y Wladfa, mae'n wyrth bod y Gymraeg wedi goroesi o gwbl. Bu farw yr olaf o ymfudwyr y *Mimosa*, sef Daniel Harris o Gwm Rhondda ym 1950, 85 mlynedd ar ôl y glaniad ym Mhorth Madryn. Roedd yn faban ar fwrdd y llong. Wrth ddarllen y llythyrau ar gyfer y gyfrol hon, roeddwn yn darllen llythyrau gan bedwaredd a phumed genhedlaeth y sefydlwyr, a llawer iawn ohonynt erioed wedi troedio tir Cymru.

Edwinodd Eisteddfod y Wladfa yn y 1950au tan iddi gael ei hatgyfodi ym 1965. Diolch i ddigwyddiadau megis dathliadau'r canmlwyddiant ym 1965 (a sefydlu Cymdeithas Cymry Ariannin ym 1939), fe ddaeth tro ar fyd a chryfhaodd y ddolen rhyngom. Fe ddarllenais i ddigon o lythyrau rhwng 1965 a 1966 i lenwi cyfrol gyfan. Dyna esbonio pam mai'r bennod sy'n cynnwys llythyrau 1965-1970 a'r un sy'n ei dilyn yw rhai o benodau mwyaf swmpus y gyfrol. Rhyfeddod i mi oedd darllen llythyrau gan ddisgynyddion y *Mimosa* (a minteioedd sawl llong arall) a ddaliai i deimlo, ganrif yn ddiweddarach, falchder a theyrngarwch anfesuradwy tuag at y Gymraeg.

Erbyn hyn mae'r Wladfa wedi hen arfer gweld byseidiau o ymwelwyr o Gymru ac mae'r croeso yno mor wresog â haul poeth mis Ionawr Patagonia. Bellach mae athrawon o Gymru yn mynd i ddysgu Cymraeg yn y Wladfa a daw myfyrwyr o'r Wladfa i Gymru'n flynyddol i loywi eu Cymraeg hwythau. Ym mis Mawrth 2006 agorwyd Ysgol yr Hendre yn Nhrelew i addysgu plant cynradd drwy gyfrwng y Gymraeg a'r Sbaeneg. Yn 2008 sefydlwyd Menter Iaith Patagonia ac un o'u gweithgareddau yw trefnu i griw o aelodau Urdd Gobaith Cymru ymweld yn flynyddol â'r Wladfa. Does dim dwywaith bod adfywiad syfrdanol wedi bod yn y Gymraeg yn y Wladfa yn ystod y blynyddoedd diwethaf.

Ystrydeb bellach yw dweud bod y byd wedi mynd yn llai, ond fel pob ystrydeb dda, mae 'na elfen o wirionedd ynddi. I rywun fel y llenor Eluned Morgan ar ddechrau'r ugeinfed ganrif, fe gymerai rhwng chwe wythnos a deufis i groesi o un wlad i'r llall. Erbyn dechrau'r unfed ganrif ar hugain gellir gadael Cymru heddiw a chyrraedd Trelew yfory! Yn yr un modd gellir e-bostio ar amrantiad heddiw o'i gymharu â disgwyl wythnosau, ac weithiau fisoedd, am lythyr.

Roedd y byd yn ail hanner yr ugeinfed ganrif a dechrau'r ganrif hon yn fyd tra gwahanol i fyd y Gwladfawyr cyn yr Ail Ryfel Byd. Cyn dechrau darllen llythyrau 1945-2010 hyd yn oed, hawdd oedd gweld bod cyfnod newydd ar droed. Roedd amlenni llythyrau'r gyfrol hon yn wahanol i amlenni'r gyfrol gyntaf. Dyma weld amlenni ag *Air Mail/Via Aerea* arnynt am y tro cyntaf. Cyflymodd y broses o anfon a derbyn llythyrau gan ddod â'r Wladfa a Chymru yn nes at ei gilydd. Mae sawl ffurf ar ohebiaeth ar gael i ni heddiw. Rydym yn gohebu bellach drwy ffacs, e-bost, Trydar (*Twitter*), Gweplyfr (*Facebook*) a thestun. Rydym yn byw mewn byd llawer cynt na byd cyfrol 1865-1945 a phawb yn ddiamynedd yn anfon eu negeseuon drwy gyfrwng y dull cyflymaf posib. Ble bynnag yr awn heddiw, mae'r e-bost yn ein dilyn ac wrth i gyfrifiaduron fynd yn llai ac yn llai, gall pobl heddiw wirio eu he-byst ar declynnau llaw nid yn unig yn y gwaith ond ar y bws, ar y trên, yn y caffi a hyd yn oed yn y bath! Mae'r profiad o eistedd i lawr gyda dalen lân ac ysgrifennu llythyr, ei roi mewn amlen a cherdded i'r post yn perthyn i oes arall bellach. Mae derbyn llythyr, a rhywun wedi mynd i drafferth i ysgrifennu pwt yn ei lawysgrifen ei hun, yn rhywbeth arbennig, ac erbyn hyn, ysywaeth, yn brofiad prin.

Yn sgil y datblygiadau modern ym maes gohebiaeth, mae'r angen am lythyrau wedi prinhau, ac felly gellir dadlau bod unrhyw lythyr bellach yn archifol. Gwelir gostyngiad yn niferoedd y 'llythyr' erbyn y bennod olaf, a chynnydd mewn gohebu electronig ar ffurf e-byst, blogiau a'r gweplyfr. Mae arddull yr ysgrifennu yn wahanol iawn yn y rhain wrth i'r ffurfiau cyfoes ddisodli'r llythyr traddodiadol.

Dynion yw awduron y rhan fwyaf o lythyrau'r gyfrol gyntaf, gydag Eluned yn un o'r ychydig leisiau benywaidd yn eu plith a hithau'n rhagori ar y grefft o ysgrifennu llythyr. Nid llythyrau gan arweinwyr y sefydliad a geir yma y tro hwn, ond yn bennaf leisiau pobl gyffredin y Wladfa a Chymru, ac yn sgil hynny mae natur gohebiaeth y gyfrol hon yn wahanol i'r gyntaf. Mae mwy o ferched y Wladfa yn ystod ail hanner y ganrif ddiwethaf wedi darganfod eu llais – ac mae'n werth gwrando arnynt. Mae llythyrau'r merched hyn yn datblygu i fod yn llythyrau llawer mwy agos atoch a cheir dogn o hiwmor achlysurol, nodwedd eithriadol o brin yn y llythyrau cynnar. Mae sawl un o'r llythyrau yma rhwng gwragedd na wnaethant gyfarfod erioed, ac eto'n cyfarch ei gilydd 'Annwyl Gyfeilles'. Nid ar chwarae bach yr âi rhai o'r merched hyn ati i ysgrifennu drwy gyfrwng y Gymraeg; golygai ymdrech fawr. Dywed Nel Owen o Drevelin yn ei llythyr at Mair ac Elizabeth Jones, Llanuwchllyn, ym 1977: 'maer llythyr yma i chwi eich dwy os byddwch yn fy neall maen costio dipin i sgwennu cymraeg ond dwyn eu siarad o waelod calon.' (125)

Beth bynnag fo'r 'gost', mae'n amlwg bod llawer o ferched y Wladfa ddoe a heddiw yn teimlo'r angen i ohebu â merched eraill yng Nghymru.

Fe brofodd merched y Wladfa galedi mawr yn y blynyddoedd cyntaf, er hyn bu llawer ohonynt fyw i oedran teg. Bathwyd enw arall ar Stryd Michael D. Jones yn y Gaiman, sef 'Hafn y Gweddwon' am i gynifer o'r merched oroesi eu gwŷr. Dywed Bronwen Macdonald o ardal Bryn Gwyn yn Nyffryn Camwy yn *Yr Enfys* (Mai/Mehefin 1969):

> Os am fyw yn hen dewch i Batagonia. Y mae Mrs Powell Jones, Trelew, wedi cyrraedd ei naw deg (90). Daeth ei thad Ritchard Jones, Glyn Du, yma gyda'r 'Mimosa' yn 1865. Ritchard Jones ac Edwin Roberts oedd y ddau gynta i briodi yn y Wladfa. Digwyddodd y ddwy briodas yr un diwrnod. Mrs. Robert Roberts, Bryn Gwyn, yn naw deg un (91), Mrs John A. Jenkin[1] yn naw deg dau (92), Mrs William Jones (peintiwr) yn naw deg (90) Bryn Crwn, Mrs Samuel Hughes, Gaiman, naw deg (90), Mrs Richard Williams, Bethesda, naw deg (90), Mrs John ap Hughes, Moreia, naw deg (90).[2]

Yn ogystal â bod yn gyfrwng i gyfathrebu, roedd i'r llythyr le pwysig yn natblygiad llenyddol y Wladfa. Pennwyd y llythyr fel ffurf ar gyfer testunau ysgrifenedig yr Eisteddfod. Yn y gyfrol gyntaf rwyf wedi cynnwys rhan o lythyr gan Meudwy (Lewis Evans) a enillodd wobr yn Eisteddfod 1899 am ysgrifennu llythyr at gyfaill yng Nghymru. Yn y gyfrol hon, gwelir un llythyr o gyfres gan Moelona Ll. Roberts de Drake (gorwyres Lewis Jones a Michael D. Jones) a ddaeth yn gydradd drydydd yn y gystadleuaeth ysgrifennu llythyr yn Eisteddfod y Wladfa bron i ganrif yn ddiweddarach ym 1998. Mae'r llythyrau olaf hyn wedi eu hysgrifennu yn Sbaeneg, ond yn cael eu llofnodi ar y diwedd gan 'Nain'. Ym 1993 yn Minieisteddfod Capel Bethel, y Gaiman, un o'r cystadlaethau ysgrifenedig oedd 'Llythyr oddi wrth un o'r Hen Wladfawyr at ei deulu yng Nghymru'. Mae rhai o'r llythyrau dychmygol hyn a ddaeth i'r brig wedi eu cyhoeddi yn rhifynnau'r cyfnod o'r *Drafod*. Cyfeirir, gyda llaw, at sefydlwyr cyntaf y *Mimosa* fel yr 'Hen Wladfawyr'.

Mewn llond dwrn o achosion gwrthwynebwyd i mi gyhoeddi llythyrau. Roedd sawl rheswm am hynny: un, mae'n debyg, oedd mai rhywbeth personol yw llythyr. Yn hyn o beth, mae'n rhaid i mi gytuno, ond onid dyna hanfod a gwerth sawl llythyr? Mae'r llythyrau yn gofeb i'w hawduron ac ysywaeth, mae'r arfer o lythyru bron wedi darfod. Yn wahanol i ni feidrolion, mae'r llythyr, o'i gadw'n ddiogel, yn dragwyddol. Drwy gyfrwng llythyrau cawn glywed gwir lais yr awdur, gan ddysgu am y byd yr oedd yn byw ynddo, a chawn y fraint o gyd-rannu rhai o'i emosiynau dyfnaf. Ysgrifennu o'r galon mae rhywun wrth ysgrifennu llythyr, fel arfer, ac nid ysgrifennu i greu argraff. Weithiau mae'r hyn nad yw'n cael ei ddweud yn llwyddo i fod yr un mor ingol â'r hyn sydd yn cael ei ddweud. Darllen y geiriau a darllen rhwng y llinellau a wnawn wrth ddarllen llythyr gan geisio rhoi ein hunain yn esgidiau'r sawl sy'n ysgrifennu a'r sawl y cyfeirir y llythyr tuag ato/ati. Gwneuthum bob ymgais posib i sicrhau caniatâd i gyhoeddi'r llythyrau a geir yn y gyfrol hon. Pan na lwyddais i gael ymateb neu pan fethais gysylltu â rhywun, dim ond y llythyrau na fyddai'n debygol o achosi loes nac embaras i neb y dewisais eu cyhoeddi.

Dichon y bydd ambell un yn synnu neu'n siomedig nad oes cyfeiriad at ryw ddigwyddiad penodol yn hanes y Wladfa, neu nad oes llythyr yn y gyfrol gan hwn a hwn neu hon a hon. Gofynnwyd i mi ar rai achosion prin, gan Wladfawyr a Chymry, beidio cyhoeddi ambell lythyr. Bu'n rhaid i mi barchu eu dymuniad. Gwaith poenus fu bwrw heibio drysorau o lythyrau, ond bu'n rhaid magu annhosturi. Bu'n rhaid hepgor llawer a bodloni yn y pen draw ar lyfr lloffion o hanes diweddar y Wladfa.

Roedd sawl rheswm am wrthwynebu cyhoeddi llythyr. Rwy'n siŵr i helynt y capeli yng nghanol y 1960au fod yn un ffactor gan i'r ddadl honno rwygo'r gymuned Gymraeg: ' ... y rhwyg cataclisimig a siglodd seiliau eglwysi'r Wladfa yng nghanol y 1960au ... ' (*Llwch*, t. 81). Rwy'n amau mai'r rhwyg hwn fu'r achos i aelod o un teulu yn y Wladfa wrthod yn bendant â gadael i mi ddarllen na chyhoeddi yr un o'i llythyrau. Yn wir, daeth ataf yn unswydd pan oeddwn yn y Wladfa yn 2007 gan ddweud wrthyf yn ffyrnig nad oeddwn, ar unrhyw gyfrif, i gyhoeddi llythyrau o'i heiddo hi, nac ychwaith i gyhoeddi unrhyw lythyr a fyddai'n ei henwi neu yn ei chrybwyll. Bu'n rhaid i mi barchu ei dymuniad – ond bu'n rhaid i mi hepgor neu olygu sawl llythyr, ac roedd hynny'n anffodus gan mai llythyrau yn ei chlodfori oedd y rhain i gyd bron yn ddieithriad.

Gwelir yn y bennod gyntaf lythyr gan Evan Thomas, golygydd *Y*

Drafod at Myfanwy Davies o Ruthun yn ymateb i'w cherydd hi am iddo gyhoeddi rhannau o'i llythyr yn *Y Drafod* heb ei chaniatâd. Mae eironi'r llythyr yn fendigedig ac fe roddodd wên fawr lydan ar fy wyneb pan ddarllenais i o gyntaf: 'Wedi i ni ein dau fynd, ac i bryfed y ddaear fwyta ein cyrff, hwyrach y daw rhyw chwilotwr heibio a dod o hyd i'n llythyrau, a'u cyhoeddi mewn cyfrol! Beth a ddywedwch am hyn? Y mae popeth yn bosibl ... ' (3)

A dyma fi'r chwilotwr wedi dod heibio!

Un anhawster wrth gasglu llythyrau o'r Wladfa oedd bod carfan fechan o'r Gwladfawyr yn poeni nad oedd eu Cymraeg ysgrifenedig yn ddigon da. Synnu roeddwn i, wrth ddarllen y llythyrau diweddar, fod eu Cymraeg mor raenus, yn enwedig o gofio na chawsai eu hawduron addysg Gymraeg ac na fu'r rhan fwyaf ohonynt erioed yng Nghymru. Nid llai na gwyrth yw bod yr iaith yn cael ei siarad, heb sôn am gael ei hysgrifennu ym Mhatagonia. Nid cywirdeb iaith neu ramadeg yw'r elfen bwysicaf mewn llythyr, yn wir gall canolbwyntio ar hynny fod yn llyffethair i lythyr difyr. Ysgrifennu ar lafar y bydd awdur llythyr yn aml, gan chwythu anadl einioes drwy'r inc. Yr hyn sydd yn hynod yw bod rhywun wedi mynd i drafferth i ysgrifennu pwt o hanes neu gyfarchiad at berthynas, gydnabod neu ffrind. Mae'r llythyrau hyn yn gyfrolau o fywyd go iawn.

Yr hyn a'm trawodd i wrth ddarllen llawer o'r llythyrau mwy diweddar yw'r ymlyniad cryf at berthyn a theulu. Mae hi'n jôc yng Nghymru ein bod yn awyddus i olrhain achau pob Cymro Cymraeg y down ar ei draws. Sawl gwaith y gofynnwyd y cwestiwn 'Pwy 'di dy fam a dy dad di?'. Efallai mai â mymryn o dafod mewn boch y gofynnir y cwestiwn yng Nghymru bellach, ond mae achau'r Gwladfawyr yn parhau i fod o dragwyddol bwys. Adlewyrchir y pwys a roddir ar achau mewn nifer o'r llythyrau ynghyd â'r chwithdod o wybod bod wyth mil o filltiroedd yn eu gwahanu oddi wrth eu perthnasau pell. Mae Alice Hughes, Dolavon, yn ysgrifennu am y tro cyntaf at berthynas iddi yn y Bala ym 1967 a hithau'n 83 mlwydd oed ar y pryd, gan ddweud: 'Piti garw ein bod wedi pasio cymaint o flynyddoedd heb wybod am ein gilydd.' (54)

Yr hyn sy'n rhyfeddod yw bod sawl un o ohebwyr y gyfrol hon yn gohebu â phobl yng Nghymru nad ydynt erioed wedi eu cyfarfod, ac eto mae'r ysgrifennu yn hynod o agos atoch. Mae'r cyfeillgarwch yn datblygu a chynhesu drwy lythyru.

Darllenais sawl llythyr a chais yn y wasg yn ymbil ar i weinidog o Gymru ddod i wasanaethu yn y Wladfa. Dengys hyn bod ôl dylanwad

Anghydffurfiaeth y bedwaredd ganrif ar bymtheg i'w weld yno hyd heddiw. Gellid dadlau bod crefydd yn un o'r prif resymau dros ymfudo o Gymru i Batagonia ac nad dim ond tlodi a rhesymau gwladgarol a symbylodd yr unigolion i ymsefydlu yr ochr arall i'r byd. Caniatâi cyfreithiau'r Ariannin ryddid crefyddol i'w deiliaid, ac yn hynny o beth fe gadwodd yr Ariannin at ei gair. Mae'n eironig felly mai crefydd oedd achos y rhwyg mawr yn y sefydliad yn ystod y 1960au. Daeth dathliadau'r canmlwyddiant i liniaru fymryn ar y briwiau.

Mae'r rhan fwyaf o'r llythyrau a welir yn y gyfrol hon yn llythyrau Cymraeg, ond penderfynais gynnwys ambell lythyr Saesneg ac un Sbaeneg hefyd. Y rheswm pennaf am hyn oedd eu bod yn ddifyr, ond hefyd er mwyn adlewyrchu'r sefyllfa ieithyddol yn y Wladfa ac yng Nghymru. Mae llythyrau gŵr o Sir Fôn at y diweddar Glyn Ceiriog Hughes o Drelew ym 1968 yn arwyddocaol. Byddai Glyn Ceiriog Hughes yn ysgrifennu llythyrau er mwyn ymarfer ei Gymraeg ysgrifenedig ond dyma'r ateb a gafodd mewn llythyr gan y Dr I. Mostyn Williams o Fiwmares: ' ... I am writing this letter in English as you can see, with the hope that it will give you a little practice, because no doubt you hear quite a lot of Welsh and Spanish every day ... ' (50)

Mae llythyrau Iris Lloyd Spannaus (gorwyres MDJ) wedi eu hysgrifennu yn Saesneg ond yn drysorau na allwn eu hepgor. Mae cynhesrwydd ei chymeriad, ei hiwmor a'i balchder yn ei thras yn treiddio drwy'r ohebiaeth.

Dywed golygydd *Y Drafod*, Evan Thomas yn *Yr Enfys* (Hydref 1950) mai 'Dim ond atgof yn niwl y blynyddoedd fydd breuddwyd Michael Jones o'r Bala yn fuan iawn'. Rydw i'n grediniol mai rhyfeddu fyddai MDJ fod y Gymraeg yn parhau i gael ei siarad yno o gwbl. Dychmygwch faint yn fwy o Gymry y buasai MDJ wedi llwyddo i'w perswadio i ymfudo i'r Wladfa pe bai ganddo'r e-bost fel arf yn hytrach na gorfod dibynnu ar anwadalwch y post? A beth am ddisgynyddion yr hen sefydlwyr? A yw eu hymlyniad, fel Archentwyr, at y Gymraeg yr un mor gryf â'u cyndeidiau? Ai teg yw hyd yn oed gofyn y cwestiwn? Onid yw'n wyrthiol bod y Gymraeg wedi goroesi yno, wyth mil o filltiroedd o Gymru? Mae'n anodd credu fod y Gymraeg yn dal i gael ei siarad yno o gwbl, yn enwedig o gofio i 234 o'r Gwladfawyr adael y Wladfa am Ganada yn 1902 wedi'r llifogydd ar ddiwedd y bedwaredd ganrif ar bymtheg a dechrau'r ugeinfed ganrif. Roedd mwy yn ymfudo o'r Wladfa i Ganada nag a ddaeth i'r Wladfa ar y *Mimosa* yn y lle cyntaf, ac eto nid oes neb yng Nghanada heddiw (hyd y gwn i), o ddisgynyddion criw'r *Orissa*, yn siarad Cymraeg. Mae'r Archentwyr hyn yn Ne America wedi mynnu glynu wrth hen draddodiadau'r sefydlwyr. Mae hyn i'w weld yn glir yn eu hymlyniad at y capeli, y gymanfa ganu a'r eisteddfod ac mae'r llythyrau yn frith o gyfeiriadau at y sefydliadau hyn. Diwrnod pwysicaf y calendr Cymreig yn y Wladfa yw Gŵyl y Glaniad. Wedi dathliadau'r canmlwyddiant fe roddwyd mwy o sylw i'r amgylchiad gan awdurdodau talaith Chubut ac erbyn hyn mae'r 28ain o Orffennaf yn ddydd gŵyl drwy'r dalaith gyfan.

Ychydig iawn o'r Archentwyr Cymraeg eu tras a fu yng Nghymru erioed ac eto fe ymhyfrydant yn eu Cymreictod. Dirywiad y peso a'r gorchwyddiant fu'n rhannol gyfrifol am i lawer beidio â dod draw i'r Hen Wlad, tra bod eraill yn ofni cael eu siomi. Lleisir hyn yn hyfryd yn soned Irma Hughes de Jones i Gymru:

> Pan ddelo'r dydd i ysgwyd llaw â thi
> 'Rwy'n erfyn, Gymru fach, na'm sioma i!

Hiraeth oedd yn llinyn arian drwy lythyrau'r gyfrol gyntaf. Ceir tinc cyson ohono yma hefyd, ond cariad a balchder sy'n cofleidio llythyrau'r gyfrol hon yn bennaf. Wedi dweud hynny, mae'r gorffennol yn teimlo'n agos yn rhai o'r llythyrau yma. Mae gwrhydri'r sefydlwyr cyntaf a'r briwiau o adael cartref a cheraint yn parhau'n loes i rai o awduron y llythyrau. Un enghraifft yw llythyr Elias Owen o'r Wladfa at hen gydnabod yng Nghymru c.1949: ' ... gwaith caled oedd chwalu y nyth dim ond y neb orfu ei wynebu all brofi mor drwm ydyw ... ' (6)

Fe ddywed R. Bryn Williams wrth gloi ei gyfrol amhrisiadwy *Y Wladfa* a gyhoeddwyd bron i hanner can mlynedd yn ôl: 'peth peryglus yw proffwydo, ond credaf y derfydd y Gymraeg fel iaith ymddiddan yno ymhen chwarter canrif, ond bydd yno rai yn gallu ei siarad ymhen hanner canrif.' (t. 298)

Roedd ei broffwydoliaeth yn o agos i'w lle. Ni fentraf i broffwydo a fydd y Gymraeg yn cael ei siarad yno ai peidio ymhen hanner canrif eto, ond nid wyf yn llwyr anobeithio. Mae llawer gennym ni fel Cymry i'w ddysgu gan ddyfalbarhad a gwrhydri'r Gwladfawyr. Tybed sut siâp fydd ar y Gymraeg yng Nghymru ymhen hanner canrif?

I mi mae hanes y Wladfa, 'un o fethiannau godidocaf cenedl y Cymry' (R. Bryn Williams, *Y Wladfa*), yn cael ei hadrodd orau o enau'r Gwladfawyr eu hunain. Nhw sydd wedi profi, ac sy'n dal i brofi'r wyrth o gynnal y Gymraeg a'r diwylliant Cymraeg wyth mil o filltiroedd o'r Hen Wlad.

Nodyn ar drefn, orgraff a golygu'r llythyrau

Trefnais y llythyrau'n gronolegol, ond mewn rhai achosion, gyda thoreth o lythyrau gan unigolyn neu deulu, fe'u gosodais dan enw'r awdur. Nid yw'n drefniad delfrydol gan ei bod yn anodd categoreiddio llythyrau'n dwt, boed y llythyrau'n rhai personol, preifat, neu wedi eu hysgrifennu ar gyfer eu cyhoeddi. Y llinyn mesur wrth benderfynu pa lythyr i'w gyhoeddi, fel arfer, oedd fy niddordeb yn ei gynnwys yn hytrach na phwy oedd ei awdur. Rhifais bob llythyr (yn hytrach na nodi dyddiad, awdur a tharddiad) fel y gallwn gyfeirio atynt o bryd i'w gilydd, gan ddynodi'r rhifau mewn cromfachau. (Ceir rhestr o'r holl lythyrau, wedi'u rhifo, ar ddechrau'r gyfrol.)

Rwyf wedi ceisio cynnwys cymaint o gefndir awduron y llythyrau ar ffurf troednodiadau i bob llythyr ag oedd yn bosib. Dewis y darllenydd yw cyfeirio at y troednodiadau neu beidio. Ysgrifennais ragarweiniad i bob pennod gan roi cymaint o gefndir perthnasol y cyfnod ag y medrwn.

Rwyf wedi cynnwys ambell i lythyr Saesneg ac un yn Sbaeneg. Nid wyf wedi cyfieithu'r llythyrau hyn oherwydd prinder gofod. Lwc y darllenydd yw a fedr ddeall Saesneg neu Sbaeneg ysgrifenedig. Pan fo geiriau Sbaeneg yn ymddangos yng nghorff rhai o'r llythyrau, ceir cyfieithiad iddynt yn y troednodiadau.

Gwelir dylanwad y Sbaeneg ar ysgrifennu rhai o'r llythyrwyr. Credaf y buaswn wedi difetha blas y llythyr wrth safoni'r iaith. Nid wyf wedi newid yr orgraff, gan fod yna hudoliaeth yn perthyn i'r acen Sbaeneg ar y Gymraeg. Un o'r enghreifftiau gorau o hyn yw llythyr Brusselas Lewis de Arrieta: 'Dim ragor am eddiw. Cofiwch escrebenu ... ' (33) Gadewais yr orgraff fel ag yr oedd yn y llythyrau, e.e. mae rhai yn sillafu 'Trevelin' ac eraill yn ei Gymreigio yn 'Trefelin'. Fe gopïais y llythyrau fel ag yr oeddent.

Bu'r siswrn yn ddiwyd wrth i mi olygu'n ddiarbed rai o'r llythyrau, er mwyn osgoi ailadrodd ac er mwyn ysgafnhau pwysau'r gyfrol. Lle golygais ddarnau o lythyr, rhoddais elipsau rhwng cromfachau (...) yn y bylchau hynny. Gwnaed cais gan un llythyrwr i hepgor un gair, a pherchais ei ddymuniad. Gwnaed cais gan un gohebwr i gyhoeddi'r llythyrau *verbatim*. Perchais ei ddymuniad yntau.

Gyda rhai llythyrau gwreiddiol, cefais drafferth i ddeall y llawysgrifen, ac felly mae bylchau mewn ambell i frawddeg. Dynodais y bylchau drwy ddefnyddio [?]. Efallai i mi wneud camgymeriad wrth geisio deall llawysgrifen ambell awdur ac os felly, rwy'n ymddiheuro.

Trefnais y penodau i ateb dibenion y llythyrau neu, gyda phenodau 3 a 4, i gyd-fynd â chyfnodau o fewn gwleidyddiaeth yr Ariannin gan i helyntion y cyfnodau hynny gael eu hadlewyrchu'n drwm yn y llythyrau.

Rhoddir enwau'r sawl a roddodd neu a fenthycodd y llythyrau i mi, neu darddiad pob llythyr, mewn cromfachau uwch eu pennau.

Talfyrrais rai enwau a ddefnyddir yn fynych fel a ganlyn:

Michael Daniel Jones	MDJ
Richard Bryn Williams	RBW
Barbra Llwyd Evans	BLlE
Meinir Evans de Lewis	Meinir
Elisa Dimol de Davies	Elisa
Gweneira Davies de Quevedo	Gweneira
Irma Hughes de Jones	Irma
Kyffin Williams	Kyffin
Glyn Ceiriog Hughes	Glyn Ceiriog
Eugenio René Griffiths	René
Elena Owen de Owen	Nel Owen
Delyth Llwyd Evans de Jones	Delyth Llwyd
Tegai Roberts	Tegai
Luned Fychan Roberts de González	Luned
Iris Myfanwy Lloyd Spannaus	Iris
Benjamin Pugh Roberts	Benjamin P. Roberts
Lizzie Freeman	L. Freeman
William Christmas Jones	Christmas Jones
Gwenonwy Berwyn de Jones	Gwenonwy
Elena Davies de Arnold	Elena
Llyfrgell Genedlaethol Cymru	LlGC

Nodiadau

[1] Mrs Lowisa Jenkins, gweddw John Jenkins, Bryn Gwyn a fu farw ym 1973 yn 97 mlwydd oed. Fe'i ganed ym Mhenbedw ym 1876. Daeth i'r Wladfa ym 1891. Roedd ganddi hi a'i gŵr 7 o blant. Yn ôl *Yr Enfys* (Hydref/Tachwedd 1973): ' ... daeth i'r Wladfa gyda modryb iddi, Mrs. Amos Williams, un o'r fintai gyntaf a ddaeth yma o Fangor ... Dywedai Mrs Jenkins mai dod yma i'r Wladfa wnaeth yn unig i fod yn gwmni i'w modryb ar y daith, ond ar ôl dod yma nid oedd dim tocyn i gael ar yr un llong oedd yn cychwyn o Borth Madryn am Gymru ... '

[2] Sara Williams. Bu farw 15 Medi 1970 yn 91 mlwydd oed. Fe'i ganed yn Nyffryn Ceiriog ym 1879. Yn ôl Glyn Ceiriog Hughes yn *Yr Enfys* (Chwefror/Mawrth 1971), roedd hi: ' ... yn ferch i Thomas Williams (o deulu Stôr y Glorian, Ffestiniog a Mary Jones o Ddyffryn Ceiriog) Daeth i'r Wladfa pan yn ddwy flwydd oed yn 1881.'

PENNOD 1

'Yma mae beddrodau'n tadau, Yma mae ein plant yn byw' (Llythyrau 1945-1965)

Blwyddyn ryfedd yn hanes y byd oedd 1945. Daeth yr Ail Ryfel Byd a'i erchyllterau i ben. Rhyddhawyd gwersylloedd carchar megis Bergen-Belsen, Buchenwald a Dachau. Saethodd Hitler ei hun ym Merlin ar 30 Ebrill 1945, a dienyddiwyd Mussolini ddeuddydd ynghynt. Lladdodd Himmler ei hun ychydig ddyddiau'n ddiweddarach. Bu farw Lloyd George a Roosevelt hwythau yn y flwyddyn hon. Daeth Harry S. Truman yn Arlywydd newydd Unol Daleithiau'r America, ac ym mis Gorffennaf 1945 ym Mhrydain, sicrhaodd Llafur fuddugoliaeth ysgubol yn yr etholiad cyffredinol, a Clement Attlee yn disodli Winston Churchill fel prif weinidog. Yn y flwyddyn eithriadol hon hefyd y dechreuodd cyfundrefn y Cenhedloedd Unedig ar ei gwaith. Dyna restr fer o rai o'r prif ddigwyddiadau ledled y byd ym 1945. Ond mae'n debyg mai'r hyn a ysgydwodd y byd i'w seiliau yn y flwyddyn hon oedd erchylltra Hiroshima a Nagasaki. Fu'r byd fyth yr un fath wedyn. Roedd dyn, am y tro cyntaf, wedi darganfod dull o roi diwedd ar fywyd ar y ddaear. Ychydig iawn o'r digwyddiadau cyfnewidiol hyn, fodd bynnag, sy'n cael eu hadlewyrchu yn llythyrau'r Gwladfawyr yn ystod y cyfnod hwn. Cydnabu Margaret Owen o'r Wladfa wrth drafod diwedd yr Ail Ryfel Byd mewn llythyr i Gymru (5) ym 1945 mai 'Ychydig mewn cymhariaeth mae yr heldrin ofnadwy wedi effeithio yma'.

Cyfeirir at y cyfnod rhwng 1945-1951 ym Mhrydain fel 'Oes y Llymder'. Dywed John Davies yn *Hanes Cymru* am y cyfnod hwn: 'Oherwydd yr argyfyngau cyllidol, bu'n rhaid dogni bara yn 1946 a thatws yn 1947, a chymaint y cwtogi ar y dogn dillad fel ei fod yn llai yn 1948 nag ydoedd adeg y rhyfel.' (t. 589)

Gwedd wahanol iawn oedd ar bethau yn yr Ariannin fel y dywed William Christmas Jones yn ei lythyr (10) ym 1946 wrth gyfeirio at y dogni ym Mhrydain o'i gymharu â llewyrch yr Ariannin: ' ... yn ôl a glywais ag a ddarllenaf, du iawn yw hi yna am ymborth a dillad yn brin a drud, nid felly yma a diolch fo am hynny, yr ydym yn nghanol llawnder ac ni welais i prinder yma tra yn teithio i fyny ir brifddinas, yn y trên ar omnibus mawr ... '

Mae ei lythyr yn byrlymu o hyder a balchder Archentaidd: ' ... a chredaf heddyw dydd nad oes yr un wlad dan haul cystal ag Argentina.'

Wedi dweud hyn, roedd yr Ariannin hithau yn wynebu cyfnod newydd o dan gysgod bygythiad Perón a'i gefnogwyr a'r Weriniaeth felly yn bur sigledig. Ym mis Hydref 1945 gorfodwyd Perón i ymddiswyddo fel Is-arlywydd ac fe'i carcharwyd. Trwy gymorth cadfridogion gwleidyddol Perón, llifodd torfeydd o undebwyr ar hyd strydoedd Buenos Aires. Yn ôl y sôn, chwaraeodd ei feistres, yr actores radio Eva Duarte, ran allweddol yn y chwarae. Bu'n rhaid i'r fyddin ildio, gan ryddhau Perón ddyddiau yn ddiweddarach. Yn etholiad arlywyddol 1946, enillodd Perón ac er i'r *Peronistas* geisio creu delwedd o gynnydd cymdeithasol, yn gefndir i hyn yr oedd gormes dwys. Defnyddiwyd y *descamisados*, criwiau tebyg i Grysau Duon Mussolini neu Grysau Brown Hitler, i ddisgyblu eu gelynion. Roedd eu dulliau yn dra thebyg i rai'r Natsïaid wrth iddynt guro eu gwrthwynebwyr, difrodi eiddo ynghyd â defnyddio dulliau treisgar a brawychus eraill. Ar yr wyneb, fodd bynnag, roedd yr Ariannin yn llewyrchus. Roedd galw mawr am ei hallforion amaethyddol drwy Ewrop. Manteisiodd Perón ar y llewyrch i wladoli amryw o ddiwydiannau, ac ym 1948 fe lofnododd siec enfawr i brynu'n ôl y rhwydwaith rheilffyrdd gan eu perchenogion Prydeinig. Ailetholwyd Perón ym 1951.

Unwaith eto, distaw iawn yw'r Gwladfawyr ar y pwnc hwn yn eu llythyrau. Efallai mai ofn oedd yn eu rhwystro rhag lleisio barn ar drefn lywodraethol newydd eu gwlad. Rhaid cofio bod deiliaid yr Ariannin yn cael eu trwytho yng nghenedlgarwch eu gwlad o oed ifanc iawn. Codir y faner Archentaidd bob bore ym mhob ysgol drwy'r Weriniaeth hyd heddiw ac fe genir cân o glod i'r faner. Nid tan lythyrau cyfnod y 1970au (gw. pennod 3 a 4) y lleisia'r Gwladfawyr eu hanniddigrwydd a'u rhwystredigaeth yn sgil helyntion diddiwedd eu hamryw lywodraethau. Ceir erthygl yn *Y Drafod* (19 Hydref 1945, rhif 2,305) yn egluro i'r papur ddioddef sensoriaeth:

> Yn hollol groes i'n dymuniadau ni chawsom yr wythnos o'r blaen gyhoeddi adroddiad o'r digwyddiadau mawr oedd yn cymeryd lle ym mywyd gwleidyddol y Weriniaeth. Yr oedd yr awdurdodau wedi ein hysbysu nad oeddys yn cymeradwyo ymdrin a'r digwyddiadau oedd wedi, ac yn cymeryd lle yn y Brifddinas. Yr oeddym eisoes wedi cael profion chwerw na wyr ein darllenwyr ddim amdanynt, a barnem mai'r goreu am y tro oedd bod yn ddistaw a disgwyl cyfle gwell.

Roedd y Gwladfawyr cynnar wedi sicrhau, drwy chwys a llafur mawr, system ddyfrhau effeithiol gan adeiladu rhwydwaith o ffosydd a chamlesi drwy'r dyffryn ac yn 1912 cynhaliwyd cyfarfod swyddogol cyntaf Cwmni Dyfrhau Unedig Camwy i weinyddu'r cynllun. Dyma gwmni gan ac ar gyfer y Gwladfawyr ac yn y Gymraeg y cedwid y cofnodion. Bu'r cwmni dyfrhau yn symbol o'u hymgais i gadw'u hannibyniaeth. Ym 1945 trawsfeddiannwyd adnoddau'r cwmni gan y llywodraeth ganolog a bu hynny'n ergyd drom i hyder a balchder y gymuned Gymraeg.

Mae llythyrau'r gyfrol gyntaf yn frith o gyfeiriadau at y mynych lifogydd a lethodd y dyffryn. Ni fu ymwared rhag y felltith hon yn y cyfnod mwy diweddar ychwaith. Bu gorlifiadau ym 1944, '45, '49, '58 ac ym 1961, gyda llifogydd 1958 gyda'r mwyaf dinistriol. Ni fu gorlif 1945 yn gymorth i godi calon neb, fel y dywed Irma Hughes de Jones mewn llythyr at ei chyfeilles (7) ym 1946:

> Blwyddyn ddu a fu 1945 yn hanes y Wladfa. Y mae llawer o ffermydd yng ngwaelod y dyffryn a'r dwr arnynt byth, a dim gobaith o ddim math o gynhaeaf i'r creaduriaid sydd piau nhw, eleni. Mae hi yn drist iawn ar lawer teulu 'rwy'n siwr, ac yn enwedig yrwan, pan mae popeth mor ddrud. Does dim ond dymuno bod yr hen afon wedi gwneud digon o strancs am un sbel.

Daeth y cyfnod modern hwn, fodd bynnag, â datblygiadau newydd yn ei sgil. Ym 1962 cwblhawyd argae mawr Florentino Ameghino ar afon Camwy. Bu'r argae newydd yn gyfrwng i ffrwyno'r llifogydd yn y gaeaf ac i ddyfrio'r ffosydd yn yr haf. Defnyddiwyd grym y dŵr hefyd i gynhyrchu trydan yn y dyffryn. Nid yw'n syndod, o gofio diflastod llifogydd y gorffennol, i'r Gwladfawyr groesawu'r datblygiad newydd hwn. Dywed Barbra Llwyd Evans mewn llythyr at ei theulu yng Nghymru (23) ym 1956, a'r argae ar ganol ei adeiladu:

> ... pan orphenir fe fydd yn lle pwysig iawn. Buom yno rhyw fl. neu ragor. Y mae yn lle rhamantus iawn ynghanol y creigiau – a gwaith rhyfeddol yn cael ei wneud. Gobeithio y bydd yn llwyddiant. Dywedir ymhen 2 flynedd y gellir cael electric light i oleuo pob tŷ yn y dyffryn yma!! gwell i chwi ddod yn ol. Y mae yr hen ddyffryn yn dod yn ei flaen yn dymhorol os nad fel arall.

Un canlyniad diweddarach i adeiladu'r argae hwn oedd iddo achosi i'r halen godi o'r tir gan ddifetha caeau ffrwythlon y dyffryn yn llwyr. Trafodir y felltith hon gan Gareth Alban Davies yn *Tan Tro Nesaf* (t. 34):

> Aeth y caeau a dyfodd wenith enwog Benjamin Brunt yn ysglyfaeth i'r halen, a phrofiad poenus un ffermwr o Gymro yn y saithdegau ydoedd colli perllan gyfan mewn llai na mis ... Adlewyrchir pa mor ddwys yw'r argyfwng yn yr ystadegau'n nodi'r tiroedd amaeth a effeithiwyd gan yr halen – yn y flwyddyn 1938, yr oedd yn 21%; erbyn 1951, cyrhaeddodd 34%; ac ym 1961, yr oedd yn 84.2%.

Erbyn 1952 roedd problemau economaidd yr Ariannin yn codi i'r wyneb a chwyddiant ar gynnydd. Yn yr un flwyddyn bu farw Evita. Bu hyn yn ergyd i'r wlad ac i'r arlywyddiaeth. Ym 1955 alltudiwyd Perón, yn sgil *coup* filwrol, i Sbaen a hyn yn esgor ar dri degawd o sawl rheolaeth filwrol drychinebus.

Daeth llawer tro ar fyd yn y cyfnod hwn ac adlewyrchir hynny yn y dull o ohebu. Cyn y 1940au ysgrifennwyd y rhan fwyaf o lythyrau ag ysgrifbin inc. Ym mis Mehefin 1940 ymfudodd golygydd papur newydd o Hwngari o'r enw László Bíró gyda chyfaill iddo, Juan Jorge Meyne i'r Ariannin o'r Almaen Natsïaidd. Gwnaed cais ganddynt am batent ar fath newydd o ysgrifbin. Erbyn 1945 gwerthwyd y *Birome* (cyfansoddair o Bíró a Meyne), gan gael gwared â hen flotiau inc ar lythyrau. Adnabyddir beiros yr Ariannin wrth yr enw hwn hyd heddiw. Ers 1990 dethlir pen-blwydd Bíró, sef 29 Medi, fel diwrnod y dyfeisiwr yn yr Ariannin. Erbyn canol y 1940au gwerthwyd beiros tebyg ym Mhrydain a thrwy Ewrop.

Defnyddir geiriau yn yr ohebiaeth ddiweddar a oedd yn ddieithr iawn adeg llythyrau mintai'r *Mimosa*. Fe ysgrifennwyd traean o lythyrau'r bennod hon ar 'deipreitar' ac fe grybwyllir y 'telegram' a'r 'telephone'. Cafwyd dangosiadau o ffilmiau o Gymru, a'r Gwladfawyr yn cael gweld, am y tro cyntaf, olygfeydd o hen wlad eu tadau. Hwyluswyd teithio yn y dyffryn a cheir cyfeiriadau at y 'pwlman' yn hytrach nag at geffyl a chart. Ym 1950 cafwyd gwasanaeth bysiau drwy'r dyffryn. Ym 1955, a'r Wladfa'n 90 oed, deddfwyd statws talaith i Diriogaeth Chubut a daeth gwelliannau i'r dalaith yn ei sgil. Cafwyd dathliadau yn y Wladfa ac anfonodd yr arlywydd, y Cadfridog Perón, delegram i longyfarch y trefnyddion am baratoi dathliad i gofio dewrder yr arloeswyr cyntaf. Yn yr un flwyddyn daeth W. R. Owen o'r BBC allan i'r Wladfa i recordio'r Gwladfawyr ar gyfer rhaglen radio i'w darlledu i ddathlu 90 mlynedd ers y glanio ym Mhorth Madryn. Yn dilyn hynny, daeth Nan Davies o'r BBC i'r Wladfa i ffilmio disgynyddion y Cymry. Mae llythyr Barbra Llwyd

Evans (24) yn disgrifio'r recordio yn hyfryd. Dyma wifren fyw o bersonoliaeth a chanddi'r ddawn i gyfleu sgwrs yn effeithiol a byw a hynny mewn Cymraeg rywiog braf.

Dechreuwyd ar yr arfer o baratoi disgiau o Gymru ar gyfer beirniadaethau'r eisteddfodau ac i anfon pregethau draw gan fod prinder dybryd o weinidogion Cymraeg yn y Wladfa. Ym 1949 cynhaliwyd Eisteddfod Gadeiriol dan nawdd y bobl ieuainc am y tro cyntaf. Disgrifir y defnydd o gramoffon yn *Yr Enfys* (Haf 1949):

> Peth arall newydd sbon i ni yma ydoedd cael gwrando ar lais Mr. J. T. Jones, Porthmadog, yn rhoi ei feirniadaeth trwy'r gramaffon, ar y cyfansoddiadau yng nghystadleuaeth y Gadair. Yr oedd distawrwydd perffaith ym mhob rhan o'r neuadd eang, a phob gair i'w glywed cyn blaened a phe bai'r beirniad ei hun yn bresennol ar y llwyfan.

Irma Hughes de Jones a gadeiriwyd y flwyddyn honno, a hynny am yr eildro. Enillodd gadair Eisteddfod y Wladfa saith gwaith – y tro cyntaf ym 1946 gyda'i phryddest 'Ynys y Trysor' a hithau'n wyth ar hugain oed. R. Bryn Williams a Nantlais Williams oedd y beirniaid. Ceir un llythyr o law Irma yn y bennod hon ac amryw eraill yn y penodau i ddilyn. Evan Thomas ddaeth yn ail agos i Irma ym 1949. Yr oedd yntau'n berchen ar ddwy gadair Eisteddfod y Wladfa. Ceir tri llythyr gan Evan Thomas ar ddechrau'r detholiad hwn o lythyrau'r Wladfa. Dywed RBW am Evan Thomas (*Awen Ariannin*, t. 40): 'Un o'r pethau mwyaf anffodus i'r Wladfa, o safbwynt y bywyd Cymraeg yno, oedd colli'r cyswllt a Chymru yn ystod y blynyddoedd 1915-1935, eithr adferwyd hynny i raddau gan ei ohebiaeth gyson ef ...'

Irma Hughes de Jones ac Evan Thomas – dau a roddodd wasanaeth amhrisiadwy i'r Gymraeg ac i'r bywyd diwylliannol yn y Wladfa a'r ddau, yn eu tro, yn olygyddion diwyd i bapur newydd hynaf Patagonia, sef *Y Drafod*, sy'n parhau hyd heddiw.

Yng nghyfarfod blynyddol Cymdeithas Cymry Ariannin yn y Bala ym 1962, penderfynwyd anfon recordiau Cymraeg i'r Wladfa yn fwy cyson. Gwelir sawl llythyr yn y gyfrol hon yn lleisio gwerthfawrogiad a mwynhad o wrando'r recordiau Cymraeg hyn. Datblygiad arall a fu o fudd i'r Gwladfawyr oedd y radio. Daeth y cyfrwng hwn â Chymru'n nes atynt. Ym 1963 sefydlwyd gorsaf radio yn Nhrelew a daeth y teledu yno flwyddyn yn ddiweddarach, ond prin iawn oedd y Gwladfawyr a oedd yn berchen ar deledu bryd hynny.

Cynhebrwng y Parchedig E.R.Williams yn mynd o fynwent Dolavon, Chwefror 14, 1952
(Trwy garedigrwydd Robin Gwyndaf)

Bu farw llawer o hoelion wyth y sefydliad Cymraeg yn ystod y cyfnod hwn, pobl fel y Parch. E. R. Williams a'r Parch. Tudur Evans. Ni cheir llythyr gan y Parch. E. R. Williams yn y detholiad hwn, ond y mae'n bresennol iawn gan i lawer o'r Gwladfawyr deimlo colled enfawr ar ei ôl. Nid oes dwywaith i'w gyfraniad i fywyd crefyddol a diwylliannol y Wladfa gael ei werthfawrogi gan ei thrigolion. Gwelir sawl cyfeiriad ato yn llythyrau'r bennod nesaf, e.e. llythyr Elisa Dimol de Davies ym 1966 (36): 'Colled ddyfrifol iawn gafodd y Wladfa pan hunodd y Parch E. R. Williams daeth neb i lenwi y bwlch hwnw mewn Cymdeithas.'

Bu farw Evan Thomas yn ddyn ifanc 34 mlwydd oed ym 1952. Roedd ei farwolaeth annhymig yn golled enbyd gan ei fod yn weithgar iawn dros y Gymraeg a'r diwylliant Cymraeg ym Mhatagonia. Gellid bod wedi gwneud â dynion fel Evan Thomas yng Nghymru i ddiogelu gwasg Gymraeg iach a chryf, nid yn unig yn y 1940au ond heddiw hefyd. Dyma a ddywed mewn llythyr o'r Wladfa at RBW yng Nghymru (4) ym 1951:

> Paham, dywedwch i mi, na threfna gwladgarwyr Cymru i gael papur dyddiol i'r genedl? Byddai yn gwneud gwell gwasanaeth na'r cyhoeddiadau crefyddol a llenyddol i gadw'r iaith yn fyw, papur a fyddai'n dod a hanes y byd, bob dydd, yn yr iaith

> Gymraeg, i aelwydydd Cymru. Cenedl difenter iawn ydym, a chenedl heb weledigaeth hefyd. Y mae'r cenhedloedd wedi trechu'r Cymry yn y Wladfa hefyd. Y mae hen gartrefu y Wladfa yn eiddo iddynt bellach, ac y maent yn gwneud arian iawn yma tra plant y Cymry yn ymfudo i chwilio am swyddi cynffongar yn y dinasoedd a'r merched i olchi potiau yn yr Ysbyty Prydeinig! Ac o glywed son amdanynt yn y cyrddau chwarter, ac ar lwyfan yr Eisteddfod, gallwch feddwl mai breninesau ydynt.

Un o ddelfrydau'r hen Wladfawyr oedd rhoi addysg i'w plant. Yn llythyr cyntaf y gyfrol hon, dywed 'Taid' wrth ei ŵyr:

> Yr wyt ti, a llawer o fechgyn eraill y Wladfa heddiw, yn cael manteision addysg na ddarfu i ni yr hen bobl erioed freuddwydio amdanynt. (...) Cenhedlaeth o weithwyr, ac nid o ysgolheigion a fagwyd yn y Wladfa gyntaf, ac er fod gweithwyr yn anhepgorol ymhob oes a gwlad, y mae angen y dynion dysgedig hefyd. Y mae llawer ohonom yn disgwyl y bydd gan y Wladfa yn fuan nifer fawr o bobl ieuainc dewr a galluog abl i'w hamddiffyn ymhob cyfyngder.

Fe fyddai awdur y llythyr hwn wedi gresynu felly o weld cau Ysgol Ganolraddol y Gaiman ychydig flynyddoedd yn ddiweddarach. Dyma'r ysgol y bu Eluned Morgan a'i chyfoedion mor ddygn yn ei sefydlu. Dywed RBW mewn un llythyr (20): 'Y mae adeilad yr hen Ysgol Ganolraddol yn Gaiman yn un o'r rhai gorau a adeiladwyd yn y Wladfa, ei hystafelloedd yn eang a golau a'i gwaith coed yn raenus. Dyma dyst arall i ddygnwch ac aberth y Cymry dros addysg a diwylliant.'

Caewyd Ysgol Ganolraddol y Gaiman ddechrau'r 1950au oherwydd prinder arian ynghyd â gostyngiad yn nifer y disgyblion. Fe ddefnyddiwyd yr adeilad rhwng 1951 a 1963 ar gyfer ysgol 'Monotecnic' – ysgol i ddysgu gwaith peirianyddol a thrydanol a hynny'n adlewyrchu'r newid yn yr oes. Agorwyd Coleg Cenedlaethol yn Nhrelew ym 1924 a llawer o rieni yn anfon eu plant yno gan gredu y byddai hynny'n rhoi gwell cyfleoedd iddynt ac er mwyn iddynt ennill cymhwyster i waith o safon.

Ond erbyn dechrau'r 1960au, a dathliadau'r canmlwyddiant ar y gorwel, roedd hiraeth am yr hen Ysgol Ganolraddol a ffurfiwyd Cymdeithas Gymraeg Addysg a Diwylliant y Wladfa. Ailagorodd Ysgol Ganolraddol y Gaiman ym 1963 gyda Luned Vychan Roberts de González yn brifathrawes arni.

O safbwynt Eisteddfod y Wladfa, roedd 1945 yn flwyddyn lewyrchus iddi. Disgrifia RBW yr Eisteddfod fel a ganlyn:

> Aeth yr eisteddfod i bentref Dolafon yn 1945, a'i chynnal mewn ystafell bymtheg llath wrth ddeugain, a honno'n orlawn drwy'r dydd. Ymgeisiodd dros gant a deg ar hugain ar y gwahanol destunau ynddi, a bernid ei bod yr orau a gafwyd yn y Wladfa ers blynyddoedd. (*Awen Ariannin*, t. 23)

I lawr yr allt yr aeth pethau'n fuan wedyn. Ni chynhaliwyd Eisteddfod y Wladfa wedi 1950 tan flwyddyn y canmlwyddiant ym 1965. Oni bai am ddathliadau 1965, mae'n amheus a fyddid wedi ei hatgyfodi o gwbl.

Mae tuedd i gredu, yn gam neu'n gymwys, i Gymru esgeuluso eu brodyr yn y Wladfa yn ystod y cyfnod hwn. Bid a fo am hynny, roedd aelodau pwyllgor Cymdeithas Cymry Ariannin yn brysur yn dyfeisio ffyrdd o roi cymorth i'r Gymraeg yn y Wladfa. Ym 1957, ar faes yr Eisteddfod Genedlaethol yn Llangefni, trafodwyd y posibilrwydd o drefnu ysgoloriaeth i Wladfawyr ddod i astudio'r Gymraeg ac i elwa o fywyd diwylliannol Cymru. Dyma egin y syniad o groesawu Gwladfawyr i Goleg Harlech. Ceir llythyrau gan rai o'r Gwladfawyr a aeth i Harlech yn y drydedd bennod. Yn Eisteddfod Llangefni ym 1957 hefyd y trafodwyd y syniad o ddathlu canmlwyddiant sefydlu'r Wladfa ac i anfon 'pererinion' o Gymru draw i'r Wladfa. Ym 1963 ffurfiwyd Pwyllgor Cenedlaethol yn Eisteddfod Genedlaethol Llandudno i drefnu dathliadau'r canmlwyddiant a gwelir ffrwyth y trafodaethau hynny yn y bennod nesaf.

Dwy o'r Wladfa a fu ar ymweliad â Chymru ym 1957 oedd Ann Griffiths, Troed yr Orsedd, Trevelin a Mary Harriet Williams (Mrs Iorwerth Williams), Trelew. Gwelir llythyr yr un gan y ddwy yn yr ail bennod. Dywedodd Ann Griffiths am ei harhosiad yn Rhostryfan, wedi iddi ddychwelyd i Batagonia: ' ... rhaid i ni godi'n fore, gan fod y dyn llaeth (lechero) a'r postman eisiau ein gweld, y postman yn enwedig, gan ei fod wedi cario fy llythyrau am flynyddoedd meddai ef.' (*Y Drafod*, 11 Ionawr 1957, rhif 2,713)

Beth bynnag oedd sefyllfa'r Gymraeg yn y Wladfa yn y cyfnod ar ôl yr Ail Ryfel Byd, roedd hi'n gyfnod cyffrous o safbwynt y Gymraeg yn ei mamwlad. Ym 1946 sefydlwyd Amgueddfa Sain Ffagan ar gyrion Caerdydd – canolfan ar gyfer astudiaethau gwerin Cymru. Ym 1962 traddododd Saunders Lewis ei ddarlith eiconig 'Tynged yr Iaith' ar y radio – y ddarlith a roddodd fod i Gymdeithas yr Iaith Gymraeg. Yn yr un cyfnod boddwyd Capel Celyn a hyn hefyd yn esgor ar ddeffroad gwleidyddol ymysg y Cymry. Os oedd y Gymraeg yn brwydro i gadw ei phen uwchben dyfroedd Patagonia, roedd gan Gymru waith nofio yn erbyn llif ei gwrthwynebwyr hefyd. Roedd gan y Gymraeg ei gelynion yn ei mamwlad. Nid pawb yng Nghymru oedd yn cefnogi'r ymgyrch i ddiogelu'r Gymraeg. Ysgrifenna Tom Powell o Faesteg ym 1951 at ei chwaer-yng-nghyfraith yn y Wladfa gan ddweud: 'I have never written in Welsh because there has never been the need.'

Â yn ei flaen i gwyno am y cenedlaetholwyr Cymraeg:

> This 'Plaid Cymru' crowd get [?] everywhere, they are on the B.B.C. that is radio and they have 'Welsh' editions – one daily London paper. Its [?] sickening to see and hear them. Their king is Saunders Lewis, now he has joined the Catholic Church and the whole crowd seem to be following him. They form societies within the church which they call 'Clych Catholig'. (17)

Byddai wedi bod yn ddiddorol gwybod beth oedd ymateb ei chwaer-yng-nghyfraith yn y Wladfa i'r geiriau uchod – pe byddai hi wedi medru darllen Saesneg.

Ym 1964, yn Eisteddfod Genedlaethol Cymru Abertawe, testun y gadair oedd awdl ar y testun 'Patagonia'. Mae'r ffaith mai dyma oedd y testun yn awgrymu nad oedd y Cymry gartref wedi llwyr anghofio'r Gwladfawyr. R. Bryn Williams (gyda'r ffugenw 'Gelli Grin') oedd yn fuddugol yn yr eisteddfod hon gyda'i arwrgerdd i'r anturiaeth. Diddorol yw nodi mai Dic Jones a ddaeth yn ail iddo. Yn Eisteddfod y Wladfa adeg dathliadau'r canmlwyddiant flwyddyn yn ddiweddarach, Dic Jones oedd yn fuddugol, a'r beirniad? Neb llai nag R. Bryn Williams. Dyma ddyfyniad o awdl fuddugol R. Bryn Williams:

> O'u haberth daeth ein gobaith,
> Eu poen a roes inni'r paith:
> A'n codi yn wŷr cedyrn
> A chwip y Pampero chwyrn:
> Erys dur oes y dewrion,
> Erys eu her i'r oes hon.

Roedd hi'n glamp o 'her' i Wladfawyr ail hanner yr ugeinfed ganrif gynnal y Gymraeg, ond dyna, rywsut, rywfodd, a wnaed.

Llythyr Taid

(1) Rhan o lythyr 'Taid' at ei ŵyr, Edward (myfyriwr yn Buenos Aires) yn gresynu at y dirywiad yn y bywyd diwylliannol a chrefyddol ac yn mynegi ei gred bod angen pobl ddysgedig ar y Wladfa. Nid oes awgrym yn *Y Drafod* pwy yn union oedd 'Taid'. Mae'n debyg mai llythyr dychmygol yn taro'r post i'r pared glywed yw hwn gan un a oedd yn ofidius iawn am gyflwr diwylliannol a chrefyddol y Wladfa.

(*Y Drafod,* 4 Mai 1945, rhif 2,282)

Annwyl Edward,
Er bod fy llaw yn hen a stiff erbyn hyn, mi wnaf fy nghorau i geisio danfon gair i ti yn awr. (...) Heddiw, y mae yn ddiwrnod oer a gwlawog, a chan nad oes modd symud o'r ty ceisiaf siarad a thi, yn ddychmygol fel hyn.

Dyma'r bedwaredd flwyddyn yn y Coleg i ti, yr wyf yn cofio yn dda dy weld yn cychwyn oddi cartref am y tro cyntaf, i fyned i efrydu yn y Brifddinas, ac yr oeddwn innau, fel dy fam a dy dad, yn teimlo yn anesmwyth wrth feddwl dy fod yn myned mor bell, ac i awyrgylch mor ddieithr yn nyddiau cynnar dy fywyd, ond heddiw yr wyf yn falch o glywed dy fod wedi ymddwyn bob amser yn weddus a pharchus. Os bydd dyn ieuanc yn ymddwyn felly oddicartref, y mae yn anrhydeddu yr aelwyd a'i fagodd, ac yn gwneud ei ran yn gymeradwy hefyd i anrhydeddu ei wlad a'i genedl. (...) Da genyf ddeall, fy annwyl Edward, dy fod ti, yn ol a glywaf, wedi cerdded y llwybr uniawn hyd eto. Ceisia hefyd fod yn fachgen da yn y dyfodol.

Yr wyt ti, a llawer o fechgyn eraill y Wladfa heddiw, yn cael manteision addysg na ddarfu i ni yr hen bobl erioed freuddwydio amdanynt. Gweithio yn galed yn nyfnder y pwll glo fu fy hanes i er pan oeddwn yn ddeuddeg oed, a gweithio o doriad gwawr hyd fachlud haul fu hanes dy dad er pan oedd yn blentyn ar y tyddyn yma, ac nid blin gennym ydyw ein bod wedi llafurio yn galed fel hyn ar hyd ein hoes. Nid ydym yn meddu ar lawer o drysorau y byd hwn, ond cawsom y fraint beth bynnag o allu dweud i ni ddarparu aelwydydd cysurus i'n plant. Cofia di mai nid hawdd oedd byw yma yn y Wladfa, pan oedd y dyffryn heb ei arloesi, a'r lle yn anialwch gwyllt. Nid gwaith bach o gwbl fu tynnu'r drain a thrin y tir, agor y ffosydd a chodi'r cartrefi, a gwneud ffyrdd o un pen o'r llall o'r dyffryn. Llawer o aberth a olygodd hyn, ond gallaf ddweyd wrthyt, i'r cyfan o'r gwaith gael ei wneud dan ganu. Dan ganu am mai llafur

cariad ydoedd, gan ein bod yn gweithio dan yr ymdeimlad mai nyni a'n hiliogaeth fyddai i fwynhau y ffrwyth i gyd. Wyddost ti ddim mor ofidius gennyf heddiw ydyw meddwl fod tyddynod hen arloeswyr y wlad yn cael eu gwerthu gan eu plant i'r estroniaid, a llawer o hen aelwydydd patriarchaidd y Wladfa wedi myned i ddwylo yr estroniaid hyn. Wrth fynd i'r dre ddoe, sylwn ar gartref un hen gyfaill cofiadwy; gwr fu a'i galon yn danbaid dros lwyddiant tymhorol ac ysbrydol y Wladfa, a thrist fyddai ganddo ef feddwl mai dieithriaid fyddai perchen ei hen gartref glan cymroaidd yn y genhedlaeth [?] hon. Y mae y Wladfa Gymreig yn brysur golli tir fy wyr annwyl, yr hen iaith yn diflannu, a dim byd effeithiol yn cael ei gwneud gan neb erddi.

Doedd dim ond dyrnaid fechan yn y Cwrdd Gweddi'r Sul diwethaf, ac am y Seiat, wel, y mae ei gogoniant hi wedi ymadael ers llawer dydd bellach. Yr oeddwn yn deall mai Cymry ieuainc oedd y mwyafrif o'r rhai oedd yn y ddawns y nos Sadwrn cynt ym mhrif neuadd y dref. Mor groes ydyw hyn i'r hyn oedd bywyd y Wladfa yn y gorffenol. Y pryd hwnnw paratoi ar gyfer y Saboth oedd priod waith nos Sadwrn, ac yr wyf yn cofio yn dda, fel yr oeddwn i a dy nain yn dysgu adnodau a phennillion cysegredig i dy dad ar y noson hon, a chofiaf hefyd amdano ef a dy fam yn gwneud hynny gyda thithau, ond yn awr darfu am hyn oll. Dim ond gwrando radio, a son am bethau gwirionach na'i gilydd a welaf, ac a glywaf yn awr bob nos Sadwrn ar aelwydydd y Wladfa. Yr wyf yn cofio yn dda fel y byddem i gyd, yn deulu mawr, ystalwm, yn hwylio i gyd i oedfa'r bore. Pawb yn ei ddillad parch, a rhyw naws dymunol, rhyw dawelwch nefolaidd yn sancteiddio'r dyffryn i gyd; ac nid dwndwr moduron a sgrechian fel y clywir ymhobman yn awr. Gobeithio y daw tro ar fyd eto, ac y cawn glywed odlau'r Diwygiad yn llenwi awelon Dyffryn Camwy, fel y digwyddodd ddeugain mlynedd yn ol. (...) Paid byth a bod yn rhy falch i fyned i addoli Duw a chydnabod Ei bresenoldeb yn y Greadigaeth. Mi wn am ddynion a merched sydd felly; y maent yn rhy falch i arddel eu crefydd a chydnabod eu Duw. Gwell ganddynt ddilyn y llifeiriant, heb sylweddoli mal distryw fydd eu diwedd anochel. Mor wahanol ydyw dynion mawr y byd. Clywais fod Lloyd George ynghanol berw a phrysurdeb y rhyfel mawr o'r blaen, yn crwydro heolydd Paris, fel y symlaf o'i thrigolion, gan chwilio am Gapel Ymneilltuol i addoli ynddo. Dyna i ti esiampl teilwng o'i chadw mewn cof.

Gwna yn fawr o dy addysg. Gresyn na fyddai gan y Wladfa

ddynion ieuainc dysgedig i'w harwain heddiw yn y groesffordd arw y mae yn oedi arni. (...) Nis gallem ni fforddio i roddi addysg ond pur elfennol i'n plant, nid oedd ysgolion o fewn y cylch, ac yr oedd gormod o waith ar y tyddynnod. Cenehedlaeth o weithwyr, ac nid o ysgolheigion a fagwyd yn y Wladfa gyntaf, ac er fod gweithwyr yn anhepgorol ymhob oes a gwlad, y mae angen y dynion dysgedig hefyd. Y mae llawer ohonom yn disgwyl y bydd gan y Wladfa yn fuan nifer fawr o bobl ieuainc dewr a galluog abl i'w hamddiffyn ymhob cyfyngder. Y mae yr hyn a ddigwyddodd gyda Hen Fynwent y Gaiman, wedi gadael craith na ddileuir yn hawdd oddiarnom; a chyn i'r helynt hwnnw orffen tawelu, dyma ymgais lechwraidd yn cael ei gwneud i fynd a'r camlesydd oddiarnom, heb gydnabod dim o'u gwerth. Yr wyf yn deall trwy dy dad, nad ydwyt ti yn edrych fel ninnau ar y pethau hyn; ac y mae hynny yn naturiol iawn, ond mi garwn wybod dy farn fel archentwr ar y pynciau llosg hyn.

Y mae yn mynd yn hwyr ar y nos, a'r coed tân yn brin ac yn ddrud, a minnau yn teimlo y gegin yn dechrau oeri. Wel, nos da, esgusoda fi am fod mor hirwyntog y tro hwn, ac unwaith eto, cofia fod yn hogyn da, byddaf yn disgwyl yn fawr am dy farn ar y pethau y soniais amdanynt.

Gyda chofion cynnes, yr eiddot yn gywir,
DY DAID

Evan Thomas

(2) Dyfyniadau o ran o lythyr gan Evan Thomas[3] yn trafod claddu un o aelodau'r 'hen stoc' ym mynwent newydd y Gaiman a charreg fedd Eluned Morgan.

(*Y Faner*, 16 Mai 1945)

Evan Thomas, Golygydd Y Drafod

Ddoe, yr oeddynt yn claddu ym mynwent newydd y Gaiman, un o blant Dyffryn Clwyd, ac un o dref Rhuthun. Robert A. Roberts oedd enw'r hen bererin. Cymeriad rhyfedd iawn ydoedd. Pan oedd yn ifanc cafodd ei siomi gyda'i gariad, ac ymollyngodd i'r ddiod. Daeth yn un o aelodau'r 'hen stoc', sef cwmni o bobl feddw a oedd yn dra adnabyddus yn y wlad tuag ugain mlynedd yn ôl. Yn 'Y Drafod' ddiwethaf y mae genyf ysgrif ar yr 'hen stoc', ac at Robert A. Roberts y mae'r cyfeiriad ar ddiwedd yr ysgrif[4]; ef oedd yr olaf o'r cwmni, ac yr oedd yn 74 mlwydd oed. Yn ôl a ddeallaf, hannoedd o deulu parchus iawn yn y gymdogaeth yna; dywedwyd wrthyf fwy nag unwaith i gefnder iddo fod yn faer yn nhref Rhuthun, a gweinidog gyda'r Wesleiaid oedd ei dad. Yr oedd yntau'n ddarllenwr mawr, ac yn ŵr bonheddig yng ngwir ystyr y gair. Nid oedd fawr neb ohonom yn gwybod am ei farw hyd yn hwyr ddoe a chladdwyd ef ar gôst y cyngor heb i neb ohonom gael gwybod am yr angladd, neu gallech fod yn siŵr y byddai llawer ohonom yno. Druan o'r hen 'Bob' – ni wnaeth ddrwg i neb erioed ond iddo ef ei hunan, ac yr wyf yn siwr y carai ef glywed ddarllen ychydig adnodau a chanu emyn ar lan ei fedd. Gallech fod yn siwr iddo freuddwydio llawer am Ddyffryn Clwyd yn ystod ei oes hir yn y Wladfa. Gwn iddo fod yma o leiaf am hanner canmlynedd. Boed dawel ei hun bellach. (...)

Pan oeddwn yn y fynwent y tro diwethaf, sylwais fod carreg wedi ei dodi ar fedd Eluned, carreg hardd iawn, a'r enw llawn, Eluned Morgan Jones, yn gerfiedig arni, ac yna, blwyddyn ei genedigaeth a

blwyddyn ei marwolaeth.[5] Buasai'n well gennyf i weled dim ond 'Eluned' yn unig yn gerfiedig arni, canys un Eluned yn unig, fel y dywedodd y Parch. R. Bryn Williams rywdro, a fagodd y Wladfa a Chymru erioed. Ni wn a ddywedais wrthych o'r blaen nad oedd Eluned yn hoffi cwmni merched. Gyda dynion yr oedd hi bob amser – Morgan Philip Jones[6], Gildas Evans, Hugh Griffith, Richard Nichols, ac felly yn y blaen. Y maent hwythau i gyd wedi cilio ar fyd amser erbyn hyn. Dadlau ar bynciau diwinyddol a wnaent fel rheol; yr oedd Eluned, fel y gwyddoch, yn un gul a rhagfarnllyd iawn yn ei daliadau crefyddol.

(3) Rhan o lythyr (wedi ei deipio) gan Evan Thomas at Myfanwy Davies, Rhuthun yn trafod bywyd diwylliannol y Wladfa.

(LlGC 18220D)

Gaiman, Chubut, Gorffennaf 7, 1948

Miss Myfanwy Davies. Llwyni. Llanfair Road. Rhuthun.

Annwyl Miss Davies;

Yr oeddwn yn disgwyl y teipreitar newydd cyn ateb eich llythyr olaf, yr hwn a ddaeth i law tua phythefnos neu dair wythnos yn ol. A gwaith cyntaf y periant bach newydd yw y llythyr hwn i chwi.

Yr oedd y peiriant oedd gennyf o'r blaen allan o order yn fynych, a llawer y rhegais uwch ei ben. Codi weithiau yn y bore gyda'r rhwymedigaeth o wneud dau neu dri o erthyglau i fyned gyda mi i'r swyddfa, ond oherwydd y peiriant ysgrifennu, yn methu a gorffen dim un, ac y mae fy llawysgrif mor ofnadwy o fler, fel nad oes brentis o argraffydd drwy yr holl weriniaeth a feiddiai ei ddeall! Y mae y peiriant newydd yma wedi costio tua £40 er mai un bychan ydyw. "Olivetti" yw y marc. Buasai yn well gennyf pe wedi llwyddo i gael "Remington" neu "Underwood". Yr wyf yn adnabod y rheiny yn burion. Yn sicr fod llawer ohonynt yn eich gwlad chwi (...)

Nid ydwyf wedi printio'r "Eisteddfodwr" ers tro.[7] Y mae yn galed iawn arnaf. Yr unig brentis sydd gennyf yn un newydd, ac yn mynd i'r ysgol yn y bore; ni chaf felly ond tair awr o'i wasanaeth yn y dydd. Gorfu i mi orffwyso y dydd o'r blaen, a pheidio argraffu y papurau, ac nid gorffwyso ychwaith, oherwydd yr oedd yn rhaid mynd heibio y cwsmeriaid i godi biliau arnynt!

Y mae Bryn Williams wedi anfon i mi ei gyfrol ddiwethaf.[8] Y mae yn dda, gallaf dybio. Beth a feddyliwch chwi am ryddiaith Eluned; onid oes ganddi ambell ddarn cofiadwy? Ychydig iawn o ryddiaith gyffelyb a welir gan lenorion y dydd heddiw yng Nghymru onide? (...)

Fe gyrraeddodd y pregethwr newydd a'i briod a'r plentyn bach, ac wedi aros am dair wythnos yn y dyffryn, y maent wedi myned am yr Andes.[9] Yno y mae maes Mr. Samuel. "Bachan o'r Sowth" ydyw, a'i Gymraeg yn swnio yn rhyfedd iawn i ni. Y mae yn llawer gwell ysgrifennwr nag yw o bregethwr. Arwynebol iawn oedd y pregethau a gawsom ganddo, ond yn ei areithiau yr oedd yn werth gwrando arno. Bu yn darlithio ar "Gymru Heddiw" yn y gwahanol gapelau, ac y roedd ganddo ddarlun clir a gobeithiol; gwahanol iawn i'r darlun a geir gan Kate Roberts mor fynych yn "Y Faner".[10] Yr wyf finnau yn

credu y buasai yn llawer gwell i Kate Roberts lenydda na newyddiadura. (...)

Bu yma y nos cyntaf y pregethodd yn y Wladfa. Yr oedd Dyfnallt Owen wedi ei siarsio yn fawr i'w gofio yn gynnes at "olygydd y Drafod", ac yr oedd Mr. Samuel wedi disgwyl cyfarfod a hen wr fel Dyfnallt ei hun! (...) Synnais yn fawr wrth glywed Mr. Samuel yn addef mai ychydig iawn a wyddai am Rhydwen Williams a Wyn Griffith; ac nid oedd wedi clywed son am J. T. Jones Porthmadog![11] Ymddangosai y peth bron yn anhygoel i mi! (...)

Ni bydd Eisteddfod eleni yn y Wladfa. Y mae y corau wedi blino a rhedeg bob blwyddyn. Amaethwyr yn byw wrth eu diwrnod gwaith yw yr aelodau, ac y mae yn hawdd cydymdeimlo a hwy. Ond nid wyf yn gweld yn iawn fod yn rhaid i'r Eisteddfod farw oherwydd nas gellir cael canu corawl. Ac o'r herwydd yr wyf wedi bod yn siarad ag amryw o bobl ieuainc i'r perwyl o gychwyn math o Eisteddfod newydd. Credaf fod gwir angen newid rhai pethau yn y drefn eisteddfodol ers tro. Yr ydym yn mynd i ofyn i Bwyllgor Eisteddfod Gadeiriol y Wladfa a fyddant yn fodlon rhoddi Cadair i ni, ond yn hytrach na dyfarnu hon am bryddest neu awdl, fe'i dyfernir am y gwaith gorau yn adran barddoniaeth. Y mae yn yr adran honno oddeutu 12 o gystadleuthau yn ol ein cynllun, ac un beirniad yn unig ar gyfer yr holl adran. Y mae gwobr ar gyfer pob cystadleuaeth, ond bydd y beirniad ar wahan i'r wobr honno yn dyfarnu y gadair i'r Wladfa. Anfonwch eich barn ar y cynllun newydd, a gofynnwch i Bryn Williams beth y mae ef yn ei feddwl, a chyda llaw y mae yn debyg mai iddo ef y gofynnir am feirniadu. (...)

Wel Miss Davies yr ydych yn greulon o gas. Pa ddrwg sydd i mi ddyfynnu o'ch llythyrau, ond peidio crybwyll eich enw (mi wnes hynny mewn llythyr diweddar i olygydd "Y Cymro"!) Owen M. Edwards, medd R. Bryn Williams a ddarganfyddodd Eluned. Wel, yr wyf fi yn chwennych y clod o ddarganfod Myfanwy Davies. Wedi i ni ein dau fynd, ac i bryfed y ddaear fwyta ein cyrff, hwyrach y daw rhyw chwilotwr heibio a dod o hyd i'n llythyrau, a'u cyhoeddi mewn cyfrol! Beth a ddywedwch am hyn? Y mae popeth yn bosibl. J. T. Jones Porthmadog a chwi yw y ddau lythyrwr gorau o'r llu niferys sydd yn ysgrifennu ataf; a daw Bryn Williams yn glos ar eich ol.

Y mae gennyf dan braf a phaced o swits wrth fy ochr. Er nad wyf yn smociwr, fe hoffwn danio sigaret, ond nid oes gennyf yr un wrth law, na siop yn agos, nac yn agor ar yr amser hyn o'r nos. (...)

Da chwi, peidiwch a bod mor ffol a dweud eich bod yn oedi

ysgrifennu oherwydd ofni i mi ddodi eich llythyrau yn Y Drafod!!!!

Cofiwch fi'n fawr at bawb, ac yn arbennig at y Parch Alun Garner os ddigwyddwch gael gafael arno.[12]

Yn gywir,

EVAN THOMAS

(4) Rhan o lythyr teipiedig Evan Thomas at R. Bryn Williams yn cwyno mai 'Cenedl ddifenter' yw'r Cymry yng Nghymru ac yn y Wladfa.
(LlGC 18220D)

Gaiman, Ionawr 26, 1951.

Parch R Bryn Williams
Annwyl Gyfaill:

Nid ydwyf wedi clywed gair o gwbl yn eich cylch ers tro. Gwelais eich ewythr wedi iddo ddod yn ol, ond y mae fel pe yn osgoi sgwrs, ac nid wyf finnau yn credu mewn pwyso ar neb.[13] O'r ychydig a glywais ganddo yr oedd yn hawdd casglu iddo fwynhau y daith yn fawr iawn.

A dderbyniasoch y rhifyn o'r Eisteddfodwr? Beth a feddyliech amdano? Cefais lythyr y dydd o'r blaen oddi wrth Dr. Kate Roberts ynglyn â'r anawsterau argraffu, prinder papur, etc.[14] Dywedai eich bod wedi dweud y byddai yn anodd i mi gael y caniatad oddi wrth Gyngor yr Eisteddfod Genedlaethol am o leiaf undydd a blwyddyn. Y mae'r hawlfraint wedi ei arwyddo gan Ernest Roberts yn fy meddiant er yr 17 o Fedi! Y mae gennyf syniad y byddai y Dyddlyfr yn gwerthu yn dda draw, canys er bod llawer wedi ei ysgrifennu *am y Wladfa*, ychydig iawn a gafwyd *o'r Wladfa*. Eithr bellach barnaf y bydd yn well imi beidio ei gyhoeddi.[15] Byddai llawer o Gymry groendenau'r wlad hon, yn arbennig pobl y capelu yma, yn ffromi yn arw wrthyf. Y mae llawer o'r pethau a groniclir ynddo, yn rhy fyw eto.

Paham, dywedwch i mi, na threfna gwladgarwyr Cymru i gael papur dyddiol i'r genedl? Byddai yn gwneud gwell gwasanaeth na'r cyhoeddiadau crefyddol a llenyddol i gadw'r iaith yn fyw, papur a fyddai'n dod a hanes y byd, bob dydd, yn yr iaith Gymraeg, i aelwydydd Cymru. Cenedl difenter iawn ydym, a chenedl heb weledigaeth hefyd. Y mae'r cenhedloedd wedi trechu'r Cymry yn y Wladfa hefyd. Y mae hen gartrefu y Wladfa yn eiddo iddynt bellach, ac y maent yn gwneud arian iawn yma tra plant y Cymry yn ymfudo i chwilio am swyddi cynffongar yn y dinasoedd a'r merched i olchi potiau yn yr Ysbyty Prydeinig! Ac o glywed son amdanynt yn y cyrddau chwarter, ac ar lwyfan yr Eisteddfod, gallwch feddwl mai brenhinesau ydynt! Teimlaf yn chwerw iawn wrth feddwl am y pethau hyn, ac yn chwerwach fyth wrth feddwl y byddwn yn hoffach o son am drigolion Palestina nac am ein cenedl ni ein hunain!

Y mae'n debyg y gwelaf chwi yn Llanrwst. Ychydig iawn o amser

a fyddaf draw. (...) Mynd i'r Eisteddfod Genedlaethol yn unig a fyddaf, a bwriadaf gychwyn oddiyma ar y 4ydd o Orffennaf yn yr Highland Princess, a chyrraedd Llundain, ar y 26. Y mae Syr Ifan Ab Owen Edwards am i mi roddi dwy ddarlith ar y Wladfa, a bydd yr Urdd yn talu amdanynt.

Yr oedd yn ddrwg iawn gennyf ddeall drwy eich ewythr eich bod wedi rhoddi heibio y bwriad o ddyfod yma. Yr oedd Pwyllgor Eisteddfod y Bobl Ieuainc wedi bwriadu tanysgrifio at eich costau gyda $2,500.00. Yr oedd y Bryddest a gadeiriwyd eleni yn y Wladfa yn salach hyd yn oed na baled Morris.[16] Y roedd ychydig o fiwsig o leiaf yn honno. Mi garwn glywed gair o'ch hynt, gyfaill.

Cofion caredig – Evan

Teulu Elias Owen

(5) Llythyr Margaret Owen (nith Elias Owen) o'r Wladfa at Margaret Rees Williams (Owen cyn priodi) yng Nghricieth. Er nad oes perthynas deuluol rhyngddynt, roedd teulu Elias Owen a theulu rhieni Margaret Rees Williams yn gymdogion a chyfeillion agos yng Nghapel Garmon a bu'r ddau deulu'n gohebu â'i gilydd am flynyddoedd maith. Aeth Margaret Owen gyda'i thad, Owen Owens Coetmor, a'i brawd, Elias Garmon Owen i'r Wladfa. Er iddi ymgartrefu yn y Wladfa, dioddefai hiraeth dwys am Gymru. Bu farw ar Ŵyl y Glaniad 1965. Mae'r llythyr hwn yn arddangos y pryder a fu am y rhyfel ar ddwy ochr yr Iwerydd.

(Cefais adysgrifennu llythyrau teulu Elias Owen gan Ann Gruffydd Rhys a'i mam, Margaret Rees Williams o Gricieth.)

Coetmor
Gaiman
Chubut

12/5/45

Anwyl Margaret a theulu oll.
Gan fod arnaf ofn nad ydyw y llythyr *special* addawedig byth wedi ei ysgrifenu, yr wyf fi yn ymgymeryd ag anfon gair bach eto. Diolch yn fawr am eich llythyr, ac am y llyfrau (Lloyd George[17] a [?]) Y maent wedi cyrhaedd ers tro ond fy mod i yn oedi ysgrifenu. Balch iawn ydym ni yma o ddyfod terfyn ar y rhyfel ofnadwy, ond beth am danoch chwi yna? Mae'n debyg ei bod yn lled gymysglyd llawenydd mawr i rai o gael eu perthynasau yn ol a miloedd eraill heb obaith eu gweled byth. Mae llawer o volunteers yn feibion a merched wedi myned o Argentina ac amryw ohonynt na ddeuant byth yn ol. Y mae un gwr pur bwysig yn Buenos Aires, ysgotyn o genedl or enw Sir William Mc Callum a chanddo bump o feibion yn y fyddin ar wythnos ddiweddaf daeth y newydd am farwolaeth y pedwerydd mab yn 21 oed yn ngogledd Italy. Y mae yr un tristwch yn gordoi teuluoedd y gwreng ar boneddig. Yr oeddym yn gwrando araith Mr Churchill yr un pryd a chwithau mae'n debyg.[18] Daeth trwodd yn berffaith glir. Wel bydd gan fawrion y gwledydd waith mawr i ddod a rhyw fath o drefn or tryblith ofnadwy. Gobeithiaf nad ydych wedi gorfod dioddef llawer o eisiau yna fel ag i ddweud ar eich hiechyd. Yr wyf yn deall fod prinder garw o rai pethau yn enwedig mewn rhai rhannau o'r wlad. Yr oeddwn yn falch o weled yn y papurau fod y

goleuadau yn cael eu rhoi eto, ar underground stations yn gorphen bod yn shelters. Mae y newyddion bron yn rhy dda i fod yn wir. Ychydig mewn cymhariaeth mae yr heldrin ofnadwy wedi effeithio yma. Wel byddaf yn disgwyl gair eto pan gewch hamdden. Bydd genych lawer i ddweud mae'n sicr. Yr oeddym yn deall eich bod wedi llwyddo i gael Rhyddfrydwr ir Senedd eto yn lle y Diweddar Earl Dwyfor.[19] Yr oedd diweddar dad y cenedlaetholwr sef Mr J Daniel[20] wedi bod yn weinidog yn yr Andes am flynyddoedd. Wel pa sut mae yr hen nain erbyn hyn?[21] Cofiwch ni ati yn fawr iawn a dywedwch wrthi fod dewyrth[22] yn dal yn reit dda ac yn cofio ati yn arw, a ninnau hefyd o ran hyny. Yr oedd dewyrth yn holi a ydyw Capten Evans yn fyw o hyd?[23] Dywedais y buaswn yn gofyn i chwi. Terfynaf ar hyn gan fawr obeithio y bydd i hyn o linellau eich cael yn iach a chysurus fel teulu.

Yn gywir iawn
Margaret Owens.

(6) Rhan o lythyr Elias Owen Gwyndy yn y Wladfa at Margaret Evans[24] yng Nghymru c.1949. Mae Elias Owen yn dwyn i gof ei ymadawiad â Chapel Garmon ar ei ffordd i'r Wladfa. Ymfudodd Elias Owen i'r Wladfa gyda dau frawd, John ac Owen Williams ym 1881.

(Trwy garedigrwydd wyres Margaret Evans sef Margaret Rees Williams, Cricieth a'i merch hithau, Ann Gruffydd Rhys.)

Gwyndu
Gaiman
Chubut
Argentina S.America

Mrs Margaret Evans
Anwyl hen gydnabod
Dyma fi yn anfon llythur attoch, am im weled yn un or papurau Cymreig oddi yna ysgrif am danoch, ar eich pen blwydd, math o longyfarchiad i chwi ydoedd. Yr oeddwn yn falch iawn o weled eich bod yn hoenus yn gwynebu y deg mlynedd diweddaf cyn cyraedd oed can mlynedd. Yn ddiweddar yr oeddwn yn meddwl am danoch, ai tybed sut yr oeddech? A sut fyd oedd arnoch ac a oeddech yn byw yn Llanrwst; dyma yr ateb wedi dod heb ei ddisgwyl yn ddamweiniol a pleser mawr genyf finau eich llongyfarch trwy y llythur hwn ac o waelod calon. Cysylltwch fi ac atgofion melys iawn or hen amser gynt. Yr oeddech fel un or teulu ar aelwyd Maes y Garnedd[25] a dim ond chwi a minau or hen deulu sydd yn aros. Fy Nhad[26] am Mam, Grace ac Owen[27] wedi mynd i ffordd yr holl ddaear. Cofiaf gyda hiraeth am yr hen amser – y Sul diweddaf yn yr hen gapel ar ffarwelio cynes John Jones y blaenor i ni sef John Wms a minnau (gwaith caled oedd chwalu y nyth dim ond y neb orfu ei wynebu all brofi mor drwm ydyw.) Y bore dydd Llun hwnw yn fore, codi cyn i hen deuluoedd y llan[28] godi, rhedais trwy y gwlith ar gwlaw i Tyn y Celyn[29] i ffarwelio a fy hen athraw John Andres yntau yn codi oi wely i ddymuno yn dda in gilydd. Yna Owen[30] gydar drol ar lugage trwy y gwlaw ar niwl yn cyraedd Bettws y Coed - yn y Station pwy oedd yn y Station yn ein disgwyl ond "Begw bach i ffarwelio a Lis bach Maesgarnedd"!![31] Do buom yn gyfeillion ffyddlon ar hyd ein hoes ac nis torir a melus gofio yr hen amser gynt – ac mor hapus yr ychydig amser pan oedd Evan Evans[32] yn byw yn Cae'r Berllan a myned i gyfarfod y [?] ieuangc yn Nhrefriw.

Pa sut mae Mrs Williams.[33] Cofiwch fi ati a dywedwch wrthi na chefais air oddiwrthi ers tro; hi fyddai yn gohebu dros Owen Wms[34]

ac yntau yn rhoddi rhyw bwt yn y diwedd. Rhyfedd meddwl am fy nau hen gyfaill wedi cymryd eu haden dros for a thir a treilio blynyddoedd lawer yma ar Andes &c ac wedi hyny yn troi yn ol ar eu hadenydd a disgyn yn y fynwent ger y bwthyn llei ganwyd C.Garmon. Blodeu tlws garwn gael ei roddi ar fedd y ddau oedd anwyl i mi. Sut mae eich teulu chwi o gwmpas Cricieth. Cefais amryw lythur oddiwrthynt. A yw William eich brawd ach chwaer yn fyw? A ydych yn gallu mynd i'r Capel. Bum inau yn myned i Seion[35] pan yn hogyn a meddwl mawr bob amser or Eglwys fel y fwyaf parchus a hardd. Yn Pen Bryn Llanddoged yr oeddem y pryd hwnw.[36] A ddymunech i mi anfon help i chwi os yw y byd yn galed arnoch gallwn anfon cynorthwy i chwi? Mae Margaret a Elias[37] yn byw o fewn rhyw haner milltir i mi a Jane Alice[38] ar teulu yn nes ataf na hyny (Alice merch Grace fy chwaer.) maent hwy yn bur hapus a cefnog. Mae Elias yn fy helpu fi gyda'r cyfrifon &c ac ef ydyw y cheffur ar daith ol a blaen. Maent yn gwybod fy mod yn anfon hwn atoch (…) ac y maent am i mi eu cofio atoch.

Os nad oes hwyl ysgrifenu ataf yn ol ewch chwi a Mrs O Wms at eich gilydd ac felly gallwn gael pwt o bregeth genych eich dwy gan gynwys hanes y cylchoedd. Gwelaf fod yna Eisteddfod Genedlaethol i fod yna yn 1951.[39]

Teimlo fy hun yn heneiddio yn arw yr wyf fi ac yn ceisio ("trefnu y ty").[40] Ni raid i mi gwyno yr wyf wedi derbyn llawer o fendithion, tra nad wyf yn haeddu dim ohonynt am dyled yn fawr im Creawdwr am Cynhaliwr.

Cofion goreu
E.Owen

Irma Hughes de Jones

(7) Rhan o lythyr Irma Hughes de Jones at Winifred ac Ifor Owen, Llanuwchllyn yn sôn am ei phriodas ag Ehedydd Iâl Jones, fis Medi 1945.

Mewn erthygl deyrnged i Winnie Owen, fe eglurodd Irma sut y daeth i ohebu â hi gyntaf ynghyd â'r cysylltiad teuluol rhyngddynt:

> Bu i mi glywed amdani gyntaf drwy Auntie Laura (Mrs. Joseph Davies) a oedd yn ferch i Richard Morris (Yr Hen Law) ac yntau yn briod ag Ann, unig chwaer fy hen daid innau, William Williams, Erw Fair yn y Wladfa, gynt o Cwmcloch, Beddgelert. 'Roedd y cysylltiad wedi ei gadw drwy'r holl flynyddoedd, er 1882, a fi oedd yn gohebu ag Auntie Laura ar y pryd. A dyma hi'n penderfynu fod Winnie a minnau i sgrifennu at ein gilydd, fel rhai o'r genhedlaeth ifanc yr adeg honno. 'Roedd Winnie yn ferch i ferch i'w chwaer hithau, Winnie arall a fuasai farw yn ifanc. (...) dyna ddechrau cyfeillgarwch oes rhwng Winnie a minnau. A llawer o freuddwydio fu gen i am gael mynd i Gymru a chyfarfod a hi ...

(Trwy garedigrwydd Owain Sion Gwent, ŵyr Winnie ac Ifor Owen.)

Chacra 193
Gaiman, Chubut
Rep. Argentina.
Ionawr 1af 1946.

Annwyl berth'nasau:

(...) Mae gen i newydd i chwi os nad ydych wedi clywed eisioes, – 'rwyf innau wedi priodi er pan ysgrifennais atoch o'r blaen, ond yn wahanol i chwi, Winnie, nid ydwyf fi wedi newid fy address, dim ond rhoi cynffon fach wrth fy enw.[41] (...)

Da iawn gen i glywed eich bod yn teimlo yn "braf a hapus" ac am a wn i nad allaf finnau ddweud yr un peth. Mi fyddaf yn meddwl weithiau y buasai fy mywyd yn wahanol iawn onibai am salwch hir mam[42], druan, a fu'n orweddiog fel y cofiwch am dros saith mlynedd, ac yn cofio'n aml am y pethau mawr oeddwn i am wneud erstalwm (wyt, wrth gwrs, yn tynnu am dy gant bellach, Irma) (...) 'Rwyf wedi bodloni bellach, ac ar wahân i ambell don o ddiflastod, yn teimlo'n ddifai. A fyddaf fi damed haws o boeni, rhaid gwneud y

gorau o'r gwaethaf. (...)

Wel, dyma fi yn dechrau eto, tra 'roedd y dwr yn poethi i olchi'r llestri y dechreuais! ... 'roedd hi mor boeth i wneud tân yma cyn cinio, cinio oer oedd gennym, gwell o lawer ar y tywydd yma, mi fyddaf bron a choginio fy hunan yn ogystal a'r bwyd weithiau. 'Roeddwn i wedi meddwl mynd allan o dan y coed i orffen y llythyr, gan feddwl y buasai hynny yn beth mwy "romantic" i wraig ifanc ei wneud wrth sgrifennu at ei pherthynasau ar ddiwrnod blwyddyn newydd, ond ma hi'n taranu'n *goblyn*, chwedl Crad, brawd yng nghyfraith William Jones[43], ac yn edrach fel tasa hi'n mynd i wneud coblyn o law, ac 'rwy'n credu mai doethach ydyw aros dan dô. Ie wir, mae hi'n dechrau tywallt hen wragedd a ffyn.

O ie, daeth William Jones a'r llyfrau Cymraeg i'm cof. Nid wyf wedi derbyn y parsel y cyfeiriwch ato eto, fel rheol y maent yn hwyrach yn eu rhannu na'r llythyrau. (...) Diolch yn fawr am anfon catalog, 'roedd tada yn falch iawn. Bum yn dweud wrtho brynhawn ddoe, 'rwyf yn mynd adref bob dydd, ar yr un ffarm yr ydwyf o hyd, ond bod tŷ arall gennyf. Ni chefais i lawer iawn o waith trefnu, a chysidro, achos tair ystafell sydd gennyf, a rheiny mor fach fel bod Ehedydd yn fy mhoeni weithiau mai i mi y gwnaed y ty ac nid iddo fo. Llawer o hwyl mae nhw wedi gael yma i gyd o dro i dro, fy mhlagio i fy mod i'n fach! ... I fynd yn ôl at y llyfrau, mi gaf weld pan ddaw'r catalog wrth gwrs. Yr ydym yn cael gweld y rhan fwyaf, mi gredaf, o'r llyfrau Cymraeg diweddar, trwy bod Evan Thomas mor garedig a rhoi eu benthyg inni, ond ychydig ohonynt sydd yn ein meddiant, ac 'rwyf yn ddiolchgar dros ben i chwi am eich cynnig caredig. (...) A fyddwch chwi yn gweld Y Drafod? Os na, mae'n debyg y carech ei chael. Gallaf drefnu i'w hanfon i chwi, os dymunwch. Braidd yn gymysglyd y mae pethau tua'r Swyddfa ar hyn o bryd, ond 'roedd Evan yma y diwrnod ar ôl y Nadolig, ac yn dweud ei fod yn gobeithio y gallent drefnu eto. Cyflog argraffydd mae o'n gael ac maent yn disgwyl iddo wneud gwaith golygydd yrwan hefyd, wel, mae yn ei wneud ers misoedd o ran hynny. Ond pan aeth o i drio gweld ynglyn a rhyw ychwanegiad at y cyflog i ateb y gwaith o olygu, mi gafodd yn atebiad gan un o'r perchenogion fod y pleser a gai yn y gwaith yn ddigon o dâl, os gwelwch yn dda! 'Roedd o wedi teimlo tipyn wrth gwrs, ac nid ydyw pethau wedi tawelu o bell eto. (...)

Llawen iawn oeddwn o gael y cerdyn post oddiwrth Delynores Eryri, mi 'sgrifennaf bwt ati hithau un o'r dyddiau yma pan gaf fi gyfle. Digon posibl ei bod yn perthyn i mi, mi wn fod gan taid, (Wm

Williams) berthynasau, cyndryd, os cofiaf yn iawn, o'r cyfenw Evans. Mi fyddai yn ysgrifennu i Nebraska at rai ohonynt, dau frawd a aeth allan yno. Yr oedd ganddo berth'nasau yn Milwaukee hefyd, Mrs Ellis a fyddai yn ysgrifennu ato ac at mam a neini[44] ar ôl hynny. Cofiaf iddi ddweud unwaith, – "ceisiaf anfon gair unwaith y flwyddyn tra gallaf" ac fe wnaeth hefyd. Y mae blynyddoedd lawer er hynnu bellach, ond efallai bod rhai hen lythyrau yma o hyd yn rhywle. Y drwg ydyw bod tada wedi llosgi lawer iawn rhag eu bod yn llenwi'r lle, wel mae rheswm ganddo rywsut wrth gwrs, ond er eu bod yn llanast, eu cadw byddaf fi fel rheol.[45]

Mae fy llaw yn dechrau blino, diffyg arferiad welwch chi, mae hi wedi glawio hefyd, yn goblyn i gyd (Crad) y dwr yn un llynnoedd bach yma ac acw ac ager yn codi or ddaear lyb. Mae'r haul yn y golwg eto. Rwyf am baratoi "mate" erbyn y cyfyd fy ngŵr! ... o'i "siesta". Prin yr ydwyf wedi gorffen arfer i ddweud "mi esposo" am dano fo eto wrth bobol yn lle "mi novio," ar y dechrau 'roeddwn i yn ei glywed yn swnio mor rhyfedd rywsut.

Diolch yn fawr am fy ngwahodd atoch. Does gen i ond gobeithio y daw'r diwrnod hwnnw rywdro er mai go anobeithiol mae pethau yn edrych yrwan. Dyna falch y buaswn. Mi garwn innau yn fawr iawn pe gallech chwithau ddod drosodd i adnabod y Wladfa, ei drwg a'i da, drosoch eich hunain. Canmol y lle yma bydd Tada bob amser, er mai un o Gymru ydyw o, a'i fod dros ei ddeg ar hugain oed yn dod yma. Chaiff neb ddweud dim yn fach am y Wladfa yn ei glyw o 'chwaith. Wn i ddim sut le welech chwi yma, ond mi liciwn yn arw i chwi ddod yma, am dro beth bynnag. Siawns na ddaw teithio yn fwy hwylus o hyn ymlaen ac y gwelaf fi chwi yn cyrraedd. Mi gewch groeso calon pan ddowch. (...)

Wel, dyma fi'n tynnu at y terfyn, 'rwy'n maddau o galon i chwi, Winnie, am fod dipyn yn hir yn fy ateb (...) Ond unwaith mewn oes mae'r prysurdeb *mawr* yma'n dod i'n rhan, ynte Winnie? Daeth fy mrawd yn ôl y 30 o Fawrth, y dydd cyn eich priodas. O, ie, mi wisgais i ffrog newydd i ddathlu'ch priodas chwi, er fy mod i mor bell! (...)

Ta ta, cofion cynnes iawn, ac os yn hwylus atebwch yn go fuan

Irma (Hughes de Jones)

Wrth fwrw cip eto dros eich llythyrau, sylwaf eich bod yn son am orlif y gaeaf diwethaf. Do yn wir, fe wnaeth ddifrod mawr, ac y mae wedi peri llawer iawn, iawn, o golledion. Yn ffodus, ni bu i ni ddioddef llawer oddiwrtho. Fe orlifwyd, do, agos i hanner y ffarm, ond ciliodd y dwr ymhen rhai dyddiau ac felly ni ddifethwyd y tir.

'Roedd tipyn o ofn arnom ni hefyd! ... gweld y dwr yn dal i godi, codi'n uwch o hyd, a dim ond "cob" y gamlas yn ei ddal yn ôl. A newyddion drwg yn dal i ddod bob dydd, o diar, 'roedd hi'n annifyr. Felly bu pethau am ryw wythnos, ac i orffen y cwbwl, dyma hi yn dechrau glawio ... Ond fel bu'n lwc, mi ostyngodd yr afon y diwrnod wedyn a dyna dipyn o obaith o'r diwedd. Blwyddyn ddu a fu 1945 yn hanes y Wladfa. Y mae llawer o ffermydd yng ngwaelod y dyffryn a'r dwr arnynt byth, a dim gobaith o ddim math o gynhaeaf i'r creaduriaid sydd piau nhw, eleni. Mae hi yn drist iawn ar lawer teulu 'rwy'n siwr, ac yn enwedig yrwan, pan mae popeth mor ddrud. Does dim ond dymuno bod yr hen afon wedi gwneud digon o strancs am un sbel. (...)

Sylwaf hefyd, eich bod chwi, Ivor, yn gorffen clawr llyfr i Bryn Williams, *Straeon Patagonia* mae'n debyg, yntê? Cafodd tada lythyr oddiwrtho sbel yn ôl, yn dweud ei fod yn bwriadu cynnwys peth o'n gwaith ni yma yn ei lyfr Cerddi Patagonia. *Lliwiau'r Hydref* a ddewisodd o'm heiddo i, ac i ddweud y gwir yn onest 'doeddwn i ddim yn rhyw foddlon iawn 'chwaith ar y dechrau. 'Roedd o wedi newid tipyn arni welwch chi, ac wrth ei bod hi wedi dod allan yn y Cymro o'r blaen (...) mae llawer wedi ei gweld eisoes fel y roedd heb ei newid. Nid fy mod i'n ddigon hunanol i feddwl fy hun agos mor alluog a Richie, ond jest ei bod yn fwy gwreiddiol, dyna i gyd, neu iddo grybwyll yn y rhagymadrodd ei fod yn eu cywiro. Bu arnaf awydd 'sgrifennu ato, ond 'roedd tada yn dweud am imi beidio, ei fod o'n gwybod yn well beth sy'n siwtio Cymru heddiw na ni, a'i fod yn dda iawn yn trafferthu cymaint dros y Wladfa ac yn cymryd diddordeb ynom. (...) Mi fuasem yn falch iawn o'i weld, ond 'rwy'n siwr y gwêl o'r lle yma wedi newid yn arw er pan aeth oddiyma i Gymru. "Wedi mynd yn rhyw le Spanish iawn" a fydd tada yn ddweud yn aml. Ond ymhob ystyr arall, wedi cynhyddu a gwella y mae'r dyffryn fe glywir llawer yn dweud ei fod yn un o'r lleoedd mwyaf dymunol i fyw ynddo heddiw, ar gyfrif y tawelwch a'r llonydd a geir yma. (...)

Wel, o ddifrif y tro yma, ta ta a chofion cynnes

Irma

Bobl bach, dyma lith, yntê, hefyd; gobeithio na flinwch wrth ei ddarllen!

Y Parch. Tudur Evans

(8) Llythyr y Parch. Tudur Evans[46] o Ddyffryn Camwy at Brychan Evans[47] yn yr Andes yn derbyn y gwahoddiad i wasanaethu Eglwys Bethel, Trevelin dros dro.

(Rhoddwyd y llythyr hwn i mi gan Alen Evans de Williams, merch ieuengaf Mary a Brychan Evans, pan oeddwn yn y Wladfa yn 2007. Gweler ei llun yn *Llythyrau'r Wladfa 1865-1945*.)

Dedwyddfa
Gaiman
Tachwedd 23 /45

Br Brychan Evans
Gyfaill Hoff
Derbyniais eich llythyr caredig dros Eglwys Bethel y Cwm yn ein gwahodd i ddyfod yna i'ch gwasanaethu am fis neu ddau. Diolch yn fawr iawn am eich gwahoddiad caredig.

Wedi cymeryd wythnos i ystyried y mater credaf mai derbyn eich galwad fyddai oreu. Felly, bwriadwn fod yna, erbyn y trydydd neu'r pedwerydd Sul yn Rhagfyr, fel y gallwn drefnu ein taith efo Miguelito.[48]

Bwriada Mrs Evans[49] ac Ifano[50] ddyfod efo mi. Felly a ellwch drefnu i ni fedru aros yn Nhy'r Capel fel o'r blaen.[51]

Danfonaf wefreb i chwi eto pan yn cychwyn. Pleser fydd cyfarfod y brodyr a'r chwiorydd crefyddol yn y Cwm ac Esquel unwaith eto os Duw ai myn.

Cofion cu atoch oll
Yn gywir
Tudur Evans

(9) Rhan o lythyr y Parch. Tudur Evans o Ddyffryn Camwy at Mr a Mrs Brychan Evans yn yr Andes yn gwrthod gwahoddiad i wasanaethu yn Eglwysi'r cwm.

(Trwy garedigrwydd Alen Evans de Williams.)

Dedwyddfa
Gaiman
19/1/55

Mr a Mrs Brychan Evans
Diolch i chwi am eich llythyr diddorol dderbyniais ar y 15fed cyfisol; yn estyn gwahoddiad croesawgar i ni ein dau, dros Eglwysi Bro Hydref i ddyfod ar ymweliad a chwi yr haf hwn eto, ac i gael mwynhau "Gwyl Dewi" "Cymanfa Ganu" a'r "Cwrdd Diolchgarwch" ddechreu Ebrill. Teimlwn yn dra diolchgar i chwi fel Eglwysi, am hyn oll.

Eithr er yn cael iechyd ragorol y mae Mrs Evans a minnau yn teimlo pwysau'r blynyddoedd erbyn hyn.

Rhai misoedd yn ol teimlem hawyddfryd cryf i ymweld ar hen "Fro Hyfryd" unwaith eto i ddiolch yn bersonol am eich cyfraniadau haelionus i ni yn ein henaint a'ch serch ddi wrthdaro tuag atom. Ond teimlem fel Hezeiah "mi a gerddaf yn araf" (Esiah 38/15.) Felly gwell i chwi beidio a gwneud dim trefniadau, na chastau, ar ein cyfer y tro hwn, gan y credwn mae aros gartref fydd y goreu i ni ein dau.[52] Dichon y cewch glywed fy llais ar y Radio oddeutu "Gwyl Dewi" gan i mi ar y dydd cyntaf o'r Flwyddyn, ar gais Mr Penry Williams o Gymru, (un o gynrychiolwyr y B.B.C) recordio ychydig o'm hanes mewn atebion iw ofyniadau ef. Hefyd y Sul dilynol yn y bore, daeth ef a'r Parch Paul S.Williams[53] i Recordio fy mhregeth o Bulpud Bethel Gaiman, heb yn wybod i mi. Roedd Mrs Evans yn canu hefyd efo'r Gynulleidfa y bore hwnnw, Alwina wrth yr Organ, a Llewelyn Griffiths yn arwain. (...)

Beth yw eich rhagolygon yna am Weinidog o Gymru erbyn hyn? Credaf eich bod ddigon unol i weithredu yn Anibynnol ar y Wladfa yn y mater oll bwysig hwnw. Parhewch i weddio "Llawer a ddichon taer weddi y cyfiawn". Gwnawn ninnau ein goreu gyda chwi. Pa ddiben ymhelaethu:- gwyddoch ein serch an dymuniadau goreu i chwi fel Eglwysi heb enwi neb. Gofynech am atebiad prydlon, a dyma fi wedi ceisio cyflawni mewn ychydig eiriau o galon lawn.

Fyth yn gywir
Tudur Evans ai Briod

Y Cymry'n cymysgu er mwyn lles masnachol

(10) Rhan o lythyr gan Williams Christmas Jones at Richard Griffith (Carneddog, 1861-1947) yn canmol yr Ariannin ac yn nodi bod angen cymysgu gyda'r Archentwyr. (Gw. llythyrau 27 a 28 gan ei wraig Gwenonwy Berwyn de Jones.) Cyfrannai'n achlysurol i'r *Drafod* o dan yr enw 'Nadolig'.

(Helen Ellis, gor-nith Christmas Jones a dynnodd fy sylw at y llythyrau sydd yn Llyfrgell Genedlaethol Cymru, Aberystwyth. Ceir dau lythyr ganddo yn *Llythyrau'r Wladfa 1865-1945* ac mae llythyr 27 gan ei wraig Gwenonwy Berwyn de Jones yn y gyfrol hon yn cyfeirio at ei farwolaeth.)

(LlGC 16704 D)

30 Awst 1946 — **Estancia La Primavera**[54]
El Pajarito
Chubut
Sud America

Anwyl Gyfaill
Eich epistol gwych yn cynwys amrywiol newyddion i law yn ddiogel ers dros ddau fis, ond yr oeddwn i a'r wraig wedi gadael cartref ers dechreu Mehefin fel yr oeddwn wedi cynllunio i aros y gaiaf yn y dyffryn am ychydig ac wedyn myned ymlaen i Buenos Aires yn nechre mis Awst ir Arddangosfa fawr flynyddol gynhelir yn ein prif ddinas, felly fe ddaeth y mab[55] ar llythyr gyd ag ef, dyna y rheswm mawr i mi fethu a chael amser yn gynt iw ateb, rhaid yw i chwi faddeu am fod mor hir ac oedi cymaint. (...)

Nid wyf yr un syniad a chwi nar hen sefydlwyr cyntaf mai anghen gwlad i ni fel Cymry sydd eisiau heddyw dydd; nid ydym fel Cymry yn gallu dadblygu ein hunain rhaid yw i ni gymysgu er mwyn lles masnachol rhaid dysgu amryw wahanol ieithoedd a bwrw i fewn fel dinesydd i amrywiol ofynion y wlad y trigwn ynddi, a chredaf heddyw dydd nad oes yr un wlad dan haul cystal ag Argentina, mae dros pedwar deg o flwyddi ers pan rhoddais fy nhroed gyntaf yma ac rwyf wedi talu ymweliad ar "hen wlad anwyl Cymru ddwy waith yn ystod yr amser hyny ac edrychaf fi ar wraig ymlaen etto os byw ac iach cael rhoi tro etto, byr feallai fydd hyny, yn ol a glywais ag a ddarllenaf, du iawn yw hi yna am ymborth a dillad yn brin a drud, nid felly yma a diolch fo am hyny, yr ydym yn nghanol llawnder ac ni welais i prinder yma tra yn teithio i fyny ir brifddinas, yn y tren ar

omnibus mawr cymerodd ni ddaudydd yn y tren a diwrnod mewn omnibus a dau ddiwrnod yn ein modur ein hunain i gyrhaedd yr omnibus, cefais Arddangosfa or fath oreu a chyfarfyddais a Chymro Mr Elwyn Jones o Deheudir Cymru un or Beirniaid yn adran yr Hereford, nis gallai siarad Cymraeg ond yr oedd y wraig yn *Real South Walian.* Cafodd glod mawr fel Beirniad a gwnaeth waith mawr iawn mewn tridiau o amser, dywed ef ei hunan nas gwelsai well *Hereford* yn ei oes "*y pennau gwynion*" fel y gelwir ganddon ni yma: a gwerthwyd y *Champion Tarw* am $70,000 doleri rhyw bum mil o punnau o arian Cymru, cafwyd prisiau rhyfeddol o uchel ac aeth un *Tarw Byrgorn* ir swm mawr o $140,000.00 o doleri y wlad yma bron i Deng mil o bunau. (...) Cefais wythnos gyfan o grwydro tu fewn i furiau yr Arddangosfa mewn *Parc Mawr* or enw Palermo (...) Eleni dathlai ei 60 mlwydd oed ac yr oedd y trefniadau yn gampus (...)

Pan yn ysgrifenu heddyw yr wyf ar ddyffryn y Camwy yn aros bwriadwn gychwyn yn ol gartref yr wythnos nesaf am y Primavera felly manteisiais y prydnawn yma i anfon gair rhag ofn y bydd gormod o waith yn fy nisgwyl pan gyrhaeddaf gartref.

Cefais ymgom fawr ar Br Evan Thomas golygydd y Drafod telais ymweliad ar swyddfa a rhoddais iddo ychydig om syniadau am yr "Arddangosfa" gwyddwn mae hyny oedd arno eisiau fwyaf dywedais wrtho fy mod wedi derbyn llythyr oddi wrthych ac ar fedr ysgrifenu atoch, *cofiwch fi atto* meddai, mae ef yn llawn brys newydd orphen Rhaglen yr Eisteddfod or wasg ac yn fawr ei helynt ai dwrw.

Terfynaf gyd am cofion cywir a llawer o ddiolch a mawr hyderu y bydd fy nghefnder o Ffynon Gower wedi anfon gair i mi erbyn y cyrhaeddaf gartref. Ef yw yr unig un o hen Deulu Penlan, hyny yw yn uniongyrchol ef yn fab i *Johnie Penlan* a finnau yn fab i *Jane Penlan,* dau arall or teulu oedd *Edward* a *Dafydd.*

Bydd gair yn wir dderbyniol os caniata amser i chwi i ysgrifenu

Cofion puraf oddiwrth gyfaill

Wm Cristmas Jones

Eisteddfod y Wladfa 1947

(11) Llythyr Cynan (Albert Evans Jones) o Gymru at Mr David Jones, Trelew, Ysgrifennydd Eisteddfod y Wladfa 1947. Roedd Cynan yn feirniad barddoniaeth Eisteddfod y Wladfa 1947. Enillodd Cynan gadair Eisteddfod y Wladfa ym 1924 a 1927.

(Cyhoeddwyd yn *Y Drafod*, 25 Mawrth 1948, rhif 2,419)

Penmaen, Menai Bridge, Tachwedd 8.

Anfonais i chwi gyda'r "Air Mail" ddoe fy meirniadaethau ynghyda'r cyfansoddiadau buddugol. Heddiw dychwelaf gyda hwn y cyfansoddiadau aflwyddiannus.

Gallaf eich sicrhau fy mod wedi cael pleser a diddordeb neilltuol wrth ddarllen gwaith beirdd y Wladfa. Gresyn fod cyn lleied o ymgeiswyr, ond am y buddugwyr fe ddylai eich Eisteddfod fod yn falch ohonynt.

Cedwais yn gaeth at yr amod "Ni wobrwyir oni bydd teilyngdod", canys ni thybiaf fod ystyr na gwerth o gwbl mewn arddel gwaith ag anrhydedd eisteddfodol oni chyrrhaeddir safon deilwng; ac yn sicr, y mae'r Bryddest a'r Englyn a'r Delyneg yn Eisteddfod y Wladfa eleni nid yn unig yn glod i ymlyniad ein brodyr ym Mhatagonia wrth y famiaith, ond yn gyfansoddiadau a ddaliai eu tir wrth gyfansoddiadau unrhyw eisteddfod daleithiol yng Nghymru.[56]

Dymunaf gan hynny eich llongyfarch yn ddiffuant ar y safon gan hyderu y cewch chwi Eisteddfod ragorol yn Nhrelew ar Dachwedd 29. Byddaf fi yn Ngwyl Cerdd Dant y Felinheli[57] y dwthwn hwnnw, ond yn meddwl amdanoch dros y lli, ac yn dweud tipyn o hanes eich antur wrth gynulliad yr Wyl.

Yr eiddoch yn bur iawn,
CYNAN

'Wyt ti yn cofio?'

(12) Llythyrau Frances Ellis Roberts[58] o'r Wladfa at ei chyfaill bore oes yng Nghymru, Catherine Jane Jones.[59] Roedd Frances a Catherine yn blant efo'i gilydd yn y Wladfa cyn i'r ddau deulu ymfudo i Ganada ym 1902. Dychwelodd Frances i'r Wladfa i ofalu am blant ei chwaer ac aeth teulu Catherine, ar ôl gweld nad oedd darpariaeth ar eu cyfer yn Saskatchewan, i ymgartrefu yn Lerpwl. 14 oed oedd Catherine yn gadael y Wladfa. Dim ond Cymraeg a Sbaeneg siaradai Catherine wedi cyrraedd Lerpwl.

(Cefais gopïau o'r llythyrau gan wyres Catherine Jane Jones sef Catrin Evans, Llanfairfechan.)

Trelew
Medi 11.1947

Annwyl Gyfeilles,

(...) Dymuna Harri a finnau anfon ein cydymdeimlad llwyraf a chwi fel teulu, yn y brofedigaeth o golli dy annwyl fam.[60] Daeth hiraeth mawr drosof pan glywais y newydd, hiraeth am danoch oll fel teulu, buom yn gyfeillion mor agos, flynyddau yn ol.[61]

Buoch yn ffodus iawn yn cael cadw dy fam cyhyd, collasom ni mam pan oeddem mor ieuanc.[62]

Da iawn genyf glywed am lwyddiant dy feibion, Bendith Duw arnynt, ac ar eu gwaith, mae digon o angen dynion i bregethu efengyl Iesu Grist yn y byd heddiw.

Hefyd dy frawd Erastus, clywais beth o'i hanes ef rai blynyddau yn ol, trwy gyfeillion.[63] Da gennyf ddeall mae gyda'r Wesleyaid y mae. Wesley ydwyf fi o hyd, er nad oes yr un Capel Wesley yn y Wladfa.

Dim ond dau Weinidog sydd yn Wladfa ar hyn o bryd, y Parch Tudur Evans, ar Parch E.R. Williams, un o Llanarmon yn Iâl ydi Mr Williams.[64]

Mae gennym ni chwech o blant, pedair merch a dau fachgen[65], y mab hynaf a dwy or merched yn briod. Cawsant oll addysg iawn, ysgol Saesneg yn gyntaf, yna aethant i'r Coleg Cenedlaethol yma yn Nhrelew ac oddiyno i Buenos Aires i orphen. Yn yr university yn Buenos Aires y mae y ferch ieuengaf (Evelyn) ar hyn o bryd, bydd yn gorphen eleni. Gallant siarad y tair iaith *Spanish*, Saesneg a *Chymraeg* yn llithrig, a rhai ieithioedd eraill yn enwedig Evelyn, gan mae mewn History, Literature a ieithoedd y mae hi wedi specialisio.

Teulu John Eryrys Jones ac Ann Harrison, Gaiman 1901.
Frances yw'r ferch yng nghanol y llun.
O'r chwith: Myfanwy, Frances, David Iâl, Cynan a Penry.
Yn eistedd: Flavia, John Eryrys Jones, Ann Harrison a Tudeg.
(Trwy garedigrwydd Catrin Evans)

Teulu Jonathan a Hannah Evans.
Catherine Jane yw'r ferch yng nghanol y llun.
(Trwy garedigrwydd Catrin Evans)

Ond Cymraeg siaradant ai gilydd bob amser. Fuaset ti byth yn adnabod y lle yma, mae wedi newid llawer er pan oeddem ni yn blant. A'r bobl wedi newid, Lladinwyr yn y mwyafrif yma yn awr, a dipyn o bob cenedl ar y ddaear, Iddewon, Twrcs, Almaenwyr, Ffrench, Bulgariaid lawer iawn, Poles a Russians etc.

Y dyffryn lawer yn harddach yn enwedig yn ystod yr haf, llawer chwaneg o goed a blodau, rhai ffermydd cyfan dan goed afalau a ffrwythau eraill. Mae afalau Chubut yn enwog drwy'r Weriniaeth.

Trelew yn dref fawr a phwysig rhwng deg a deuddeg mil o boblogaeth. Mae yma lawer o adeiladau heirdd, pedair ysgol elfennol genedlaethol, dwy ysgol gyda'r pabyddion, un i ferched ac un i fechgyn. Boarding School Saesneg, Coleg Cenedlaethol ac ysgol normalaidd, Comercial School, a dechreu y flwyddyn nesaf, byddant yn agor ysgol arall yma, Arts and Crafts School. Mae yma ddau bank, yn y Genedl, a'r London and South American Bank. Ceisiaf ddarluniau o'r lle erbyn y tro nesaf.

Y Gaiman hefyd wedi newid llawer, ond deil lawer mwy Cymreigaidd na Trelew, a hefyd yn fwy cartrefol, hoffaf fyned yno am dro, ac af yn aml iawn, gan mae yno y mae Dei yn byw, teulu Cynan[66], a llu o hen gyfeillion. Y tro diwethaf y bum i fynny, bum yn ymweled a Edith Evans[67] gynt, Mrs Caswallon Williams, siaradem ac atgofion lawer am danat ti a'th deulu, anfonai Edith ei chofion anwylaf atat. Collodd ei phriod mis Mawrth diwethaf, mae'n siwr dy fod yn cofio Caswallon yn dda, bachgen hoffus iawn oedd, a dyn da, a dymunol hyd ddiwedd ei oes. (...)

Mae yma un o ferched dy ewythr Boaz Roberts[68] yn byw yn Nhrelew, gwraig weddw ydyw, a phedwar o blant ganddi, Matilda ydyw ei henw, Mrs Roberts oedd ei henw priod, collodd ei phriod pan oedd ei phlant yn fach. Mae wedi gweithio yn galed i'w mhagu a rhoi ysgol iddynt, ond yn awr y mae y plant yn dechreu dod yn help iddi yr hynaf yn gweithio mewn ystordy ac yn dal ymlaen yn y comercial school yn y nos, yr ail fachgen yn gweithio mewn shiop lyfrau, y ferch Morfudd, yn dysgu gwnio, a'r bachgen bach lleiaf yn yr ysgol elfenol hyd yn hyn. Sarah, merch hynaf dy ewythr yn briod, ac yn byw yn Bryn Gwyn, a Hannah ei chwaer, yn briod ac yn byw heb fod ymhell oddiwrthi. Byddwn yn arfer gweled Sarah yn aml erys talwm, ond nid ydwyf wedi ei gweld erys rhai blynyddau.

Mae y rhan fwyaf o hen bobl y Gaiman wedi mynd, y ddau olaf i'n gadael oedd Mrs Daniel Evans[69] y flwyddyn ddiwethaf, a James H. Rowlands[70], mis Mai y flwyddyn hon.

Dyna hyfryd fuasau cael cwrdd a chael ymgom, dyna fynd dros yr hen amser fyddai.

Cofia fi at dy briod,[71] credaf i mi ei gyfarfod ddwywaith, cofiaf ef yn dda.

Dymuna Harri anfon ei gofion goreu atoch.

Gyda chofion anwylaf
Dy ffrynd Frances
Dyma fy nghyfeiriad yn llawn
Mrs Harri Ellis Roberts
Urquiza 326
Trelew
Chubut
Argentina

(13) Rhan o lythyr arall gan Frances Ellis Roberts at Catherine Jane Jones yn procio ei chof am hen ffrindiau Gwladfaol ac yn sôn am ddathlu capel y Gaiman yn 70 oed.

(Trwy garedigrwydd Catrin Evans, Llanfairfechan.)

Urquiza 326
Trelew
Chubut
Argentina
Dec.14.1947

Annwyl Catherine Jane,
Dyna hyfryd oedd derbyn llythur oddiwrthyt. (...) Rhoddais yr ysgrif o eiddo dy frawd i Dei, ac aeth ef a fo i fynny i Mrs Day[72], bum yn siarad a hi y dydd o'r blaen a holai os oeddwn wedi clywed rhywbeth o'ch hanes yn ddiweddar.

Dyna ryfedd na fuaset yn cofio Edith Evans, merch Daniel Evans, byddem bob amser yn ffrindiau mawr, a chystadleuaeth galed rhyngom pwy fuasai yn dysgu mwyaf o adnodau erbyn bob dydd Sul. Wyt ti ddim yn cofio pan oedd Mrs Davydd Jenkins yn athrawes ysgol Sul arnom. Am ferched William Jones y Gof, mae Maria y ferch hynaf yn byw yn Bryn Gwyn, bu yn briod a Cyrus Evans, Maes yr Haf[73], ond mae hi yn weddw erys blynyddoedd. Ann wedi ei chladdu erys rhyw saith mlynedd; boddodd dwy ferch i Ann, tra yn ymdrochi yn y mor yn agos i Rawson, ac ni bu Ann byth yn iawn ar ol hynny, os wyt yn cofio un fach ddwys iawn oedd hi bob amser. Ellen yn briod a Tom Saunders, ac yn byw i fynny yn Esquel, wrth draed mynyddoedd yr Andes, bu Harri a finnau am dro yn yr Andes mis Mawrth diwethaf, a bum yn ymweled a Ellen, mae yn edrych yn ifanc, yn hen un fach gron nice. Cefais groesaw mawr. Nid oeddem wedi gweled ein gilydd erys rhyw ugain mlynedd. Byddaf yn ysgrifenu ati hi un o'r dyddiau yma, ac anfonaf dy gofion iddi hi. (...)

Ar yr unfedarddeg or mis diweddaf bu dathlu pen blwydd Capel y Gaiman yn saith deg oed. Yn y flwyddyn 1877 yr adeiladwyd y Capel cyntaf. Wyt ti yn ei gofio? Yr hen gapel cerrig ar bwys y fynwent.[74] Credaf mai ar ol i fintai y Vesta gyrhaedd yma, y gwnaed y capel lle yr arferem ni fynd. Mae hwnw yn dal yn gryf o hyd, er ei bod wedi adeiladu capel newydd hardd yn ei ymyl, ceisaf gael darlun o honynt i'w hanfon i ti.

Cymanfa Ganu fu ganddynt i ddathlu, a bu darllen cofnodion a

hanes yr Eglwys o'i sefydliad. Cwrddais lawer or hen ffrindiau ddydd y Gymanfa. Roeddynt wedi dod o bell ac agos yno, gresyn na fuaset tithau wedi cael dod, bu amrhyw yn holi am danat, merched Daniel Evans Cranogwen Griffiths[75], merched John Griffiths, Drofa Hesgog etc a llawer yn mynd dros atgofion am dy Dad a dy fam.

Cynhaliwyd Eisteddfod y Wladfa yn Nhrelew eleni ar y 29 or mis diweddaf. Cafwyd eithaf Eisteddfod er bod llawer o broffwydo yn ei herbyn wedi bod. Ofnaf y bydd raid iddynt cyn hir, roi llawer or testynau yn iaith y wlad, os byddant am gael rhai i gystadlu, gan fod llawer o blant y Cymry yma, er ei bod yn siarad Cymraeg yn iawn, eto ofn mentro i wneud dim cyhoeddus, na ysgrifenu yn Gymraeg. Wrth gwrs y mae eithriadau, ond ychydig ydyw ei nifer. Gwr ieuanc enillodd y Gadair, Evan Thomas, wyr i'r hen Davydd Thomas Treorci gynt, wyt ti yn cofio yr hen Davydd yn gwneud brics yn yr hen dwll mawr hwnw ar lan y ffôs, ar gyfer ein tŷ ni. Roeddet yn gofyn pwy oedd yn byw yn eich hen dŷ chwi, teulu or enw Restucci, y gwr yn Italian wedi ei gladdu, y wraig yn Gymraes. Mae ein hen dy ni yn y teulu o hyd, gan mai Gladys, merch Sarah Hannah[76] iw ei berchenog presenol.

Cefais lythur oddiwrth Flavia[77] fy chwaer, dywedai dy fod wedi bod yn ymweled a hi, a dy fod yn edrych yn dda ac yn ifanc, er dy fod yn cwyno wrthyf fi, fod dy wallt yn wyn, a dy fod yn Nain, rydw innau yn Nain hefyd, a'm gwallt yn britho, ond rydw i yn dal i deimlo reit ifanc, ond pan fyddaf yn digwydd bod yn sâl, byddaf yn dweud 'radeg yno, fy mod yn mynd yn hên, bydd Carlota yn dweud ei bod hi'n mynd yn hynach, ond wnaiff hi byth gydnabod ei bod yn hên.

Clywsom nad yw ein Gweinidog ni am ddod atom, dyna drueni, mae digon oi angen, gobeithio y daw'r Gweinidog sydd i fynd i Cwm Hyfryd. Mae mor anhawdd cael dod allan yma'n awr, yn enwedig i offeiriaid a gweinidogion, gesyd y llywodraeth yma bob math o rwystrau ar eu ffordd, os na fyddant yn Roman Catholics.

Rydwyf wedi bod yn poeni tybed a orfu i ti dalu am fy llythyr diwethaf, nith fach i Harri sydd yn aros gyda ni i fynd i'r ysgol, aeth a'r llythur i'r post, a rydw'i yn siwr ar faint dalodd am stamps, dy fod ti wedi gorfod talu yn y pen yna, erfyniaf faddeuant os felly y bu.

Nadolig lawen, a blwyddyn newydd dda i chwi i gyd.

Enfyn Harri ei gofion goreu, cofion at dy briod a chofion anwylaf a chofleidiau i ti Frances.

Bu y Parch Tudur Evans a minnau yn cael ymgom hir y dydd or blaen, a ti ar teulu oedd prif destun y sgwrs, adgofion dibendraw, am amser y lli mawr etc. Gwyn fyd na fuasem yn gallem cael sgwrs, pe dim ond ar y telephone.

(14) Rhan o lythyr cydymdeimlad gan Frances Ellis Roberts at Catherine Jane Jones ac yn sôn am ailagor capel Rawson.

(Trwy garedigrwydd Catrin Evans, Llanfairfechan.)

Urquiza 326
Trelew
Chubut
Dec. 29. 1951

Annwyl Ffrynd

Roedd yn dda iawn gennyf dderbyn dy lythur ddoe. Roeddwn wedi bod eisieu ysgrifenu atat, ond ni wyddwn i ba gyfeiriad iw anfon. Derbyniais lythur oddiwrth Flavia[78] yn hysbysu am ymadawiad Bob.[79] Mae ein cydymdeimlad yn fawr tuag atat yn dy ofid a hiraeth. Profedigaeth blin iawn ydyw colli cydymaith annwyl. Ond mae cofio dyn da yn gysur mawr, a byddaf yn meddwl yn aml yr achos diolch sydd genym yn aml am briod caredig a thirion.

Fy nghôf i am Bob yn wastad, fydd fel dyn ieuanc dymunol a hoffus, er i mi weled ei lun wedi myned yn hynnach, eto yn ieuanc y daw o flaen fy llygaid bob amser.

Gresyn na fuasai un o'r meibion yn byw yn nes atat, buasai hynny yn llawer o help i ti beidio teimlo mor unig.

Nid wyf wedi gweld Mrs Day erys rhai misoedd mewn cwrdd coffa i'r diweddar Elias Owen y gwelais hi ddiweddaf yn Nghapel Bryn Gwyn.

Dymuna Morgan Jenkins a Carlota arnaf anfon ei cofion anwylaf atat, a cydymdeimlad llwyraf a ti. Roedd Carlota a finnau yn meddwl mor *nice* fuasau gallu dod yn bersonol i ymweled a ti, mae papur a ink yn bethau mor oeraidd, ond mae'n dda iawn wrthynt pan yn bell. (...)

Clywais hanes mab Samuel Hughes wedi bod ar ymweliad ar Hen Wlad, ond nis gwelais ef. Mae'n siwr dy fod yn cofio ei dâd, pan yr oeddem ni yn blant roedd Sam Hughes yn dysgu ei grefft fel saer coed, gyda Robert Edwards yn y Gaiman, ac fel Sam saer yr adwaenid, roedd yn fab i Mrs Mariani[80] ai gwr cyntaf, Davydd Hughes, wedi hynny priododd gyda Lizzie Daniels, merch Thomas Daniels o Bryn Gwyn. Bu Sam farw erys blynyddoedd, rwyf yn adwaen ei wraig a rhai or merched yn iawn, ond nis adwaen y bachgen yma.[81]

Ar y 21 or mis diweddaf bum mewn cyfarfod ail agor hen Gapel

Rawson, sydd wedi bod yn nghau am dros hanner can mlynnedd. Llawer gwaith y darfu ni basio heibio iddo ar ein ffordd i lan mor, a dolur llygaid oedd gweled yr olwg druenus oedd arno. Yn ddiweddar aeth amryw deuluoedd o Gymry i fyw i Rawson, rhai o'r dynion yn gweithio ar y railway, a llawer gyda'r llywodraeth a mae'n amlwg i sêl dros dŷ yr Arglwydd ddeffro yn eu calonau, buont yn gweithio yn galed i geisio cael trefn a modd i ailagor y Capel. Clywodd Rhaglaw y Diriogaeth am y peth, ac er mae pabydd ydyw, rhoddodd ddynion a defnyddiau yn rhâd iddynt i wneud y Capel i fynny yn ddestlus. Roedd yn edrych fel adeilad newydd, Capel bach ydyw, ond yn ddigon o faint i wasanaeth y Cymry yn Rawson ac o Gwmpas. Roedd yn edrych yn lân a destlus. Bu'r cyrddau drwy'r dydd yn hyfryd iawn.

Rhaid i mi derfynu, gyda chofion anwylaf oddiwrth Harri a minnau a dymuniadau am i ti gael nerth i ddal dy brofedigaeth, llawer o gariad attat

Frances

Mae'r Parch Tudur Evans i ffwrdd yn yr Andes ar hyn o bryd, bydd yn drist ganddo glywed am dy ofid. Mae bob amser yn holi am danot.

F

Gwirioneddau llosg

(15) Llythyr gogleisiol gan un yn galw ei hun yn 'John Jerry' yn cwyno am ddifaterwch y Gwladfawyr.

(Cyhoeddwyd yn *Y Drafod*, 31 Mawrth 1950, rhif 2,516)

'LLYTHYR AMSEROL'

Gorfod Begio.

Bonwr Golygydd:

Welais i 'rioed ffasiwn beth! Y mae yn rhaid i chwi fegio ar bawb i gymryd rhan mewn corau neu gyfarfodydd yn awr. Heb fegio chewch chi ddim byd gan neb. Ac y mae yma lawer o bobl sydd yn hoff o weled y begio a chynffona iddynt. Yr wyf fi wedi blino a cheisio casglu cor. Does na neb yn dod, os na fyddwch yn mynd i'w gweld deng waith o leiaf. Yr ydym yn cyhoeddi ysgol gan, ond does neb yn dod ar ei chyfyl, ond clywaf wedyn rai yn dweud; "wahoddodd o ddim ohonof fi, a fi wedi arfer canu yn y cor erioed."

Y mae hyn yn beth sydd yn gwneud i ddyn golli ei ras, a dweud geiriau mawr. Peth arall sydd yn dal yn ddigon uchel ei ben ydyw teuluyddiaeth. Os na fydd na rywun o'u teulu nhw ne' o'u ffrindia nhw yn arwain ddaw Mr na phlant Mr na wyrion Mr ddim yn agos o gwbl. Os mai un o'r hafn fydd yn arwain welwch chi neb o dop anial y dre yn agos a felly ymlaen. Hen fai capelyddol ydyw hwn.

Wel y mae'n debyg nad yw fy nerfs i heddiw ar delerau i ysgrifennu, rhag dweud rhagor o wirioneddau llosg, mi dewaf y fan hon.

Yr eiddoch mewn hwyliau drwg,
JOHN JERRY

Maggie Powell

(16) Llythyr Ellen Pugh Roberts de Hopkins o Drelew (chwaer Benjamin P. Roberts) at ei nith Margaret Roberts de Powell yn yr Andes yn cydymdeimlo â hi ar ôl iddi golli ei gŵr, Nessiah Powell. Mae peth amryfusedd ynglŷn â'r dyddiadau gan i Nessiah Powell farw 7 Mai 1950 yn 56 mlwydd oed ac fe ysgrifennwyd y llythyr hwn ddiwrnod ynghynt. Mae'n debyg i awdur y llythyr wneud camgymeriad, ac iddi ei ysgrifennu ddiwrnod neu ddau yn ddiweddarach. Gadawyd Margaret Roberts de Powell yn weddw â thri o blant bach: Edward, Norman a Joyce. (Gw. llythyr rhif 71 gan Elin Pugh Roberts yn *Llythyrau'r Wladfa 1865-1945*.)

(Cefais adysgrifennu llythyrau'r teulu hwn gan Joyce Powell, Esquel, wyres Benjamin Roberts, tra oeddwn yn Esquel yn 2007.)

Trelew 457 B Rivadavia
6th of May

Wel Maggie fach trist iawn ydi ysgrifenu yma heddyw a finnau yr un mor sal am ysgrifenu hefyd alla i byth a deyd wrtha ti fel y teimlais i pan ddaeth y telegram yn dweyd am dano er fy mod wedi clywed nad oedd yn dda diwrnod roeddet ti yn priodi y peth ydw i yn fethu ddeall ydi sut na fase y Doctor wedi ffendio allan yn gynt er mwyn cael cymeryd gofal gefor pethau yn te ond rhaid boddloni a thrio bod yn barod pan ddaw yr alwad dyna y pwnc nawr yn te tipin o salwch sydd yma rwan hefyd mae y diptheria yma o hyd. Yn y Gaiman mae o waetha. Mae Gyrus wedi ei gladdu er dydd Sadwrn buodd yn yr Hospital am rai dyddiau stroke gafodd o & Mrs R Loyd Kent yn cael ei chladdu Dydd Sul hithau yn dioddef er llawer o amser. Pan oeddym ni yn mynd i eistedd wrth y bwrdd cinio dydd Sul pwy landiodd ond Connie[82] ar Plant yr oedd hi yn helynt yma doedd yma ddim digon o le na digon o ginio gorfod i Connie ai chriw fynd i'r Hotel yr oedd y plant yn hynod o falch i weld ei Mham.

Dywed wrth Lottie ag Emrys fod Alwina[83] yn ardderchog welais i ddim son am ddigaloni o gwbl arni hi mae nhw yn helpu am y goreu pan fyddan nhw yn dod yma. Mae Trelew yma yn mynd yn waeth o hyd mae yma hogia 13 i fyny amryw o honyn nhw yn y garchar am ddwyn a rhai mawr wedi dwyn Auto just yn newydd ac wedi pasiando tipin o gwmpas y dre yma mynd i lawr at y llyn ai

dwmblo ai adael yno. Wel Blant bach oes gyda fi ond pob llwyddiant i chwi eich dau a chofion lawer attoch oddiwrth i a Ida[84]. Oddiwrth Modryb Nel

Wel Maggie druan mi eis allan i edrych am Mrs Charles Thomas y dydd Iau or blaen heb ddeyd dim byd wrth Ida am bostio y llythyrau ond mi gofiodd hi amdanyn nhw ond oedd ddim yn gwybod beth i roi ar dy un di dyma fo wedi bod yma am wythnos ond mi tria i o fory fel y roeddet ti wedi deyd ond dwi yn ofni mai riw lythyrau rhyfedd iawn ydw i wedi neyd chofiais i ddim cymaint a diolch am y jelly nice oeddech chi wedi yru i mi yr oedd yn gwneyd i mi feddwl am yr Hen Wlad diolch yn fawr amdano does yma ddim un newydd werth iw yru lle sal iawn sydd yn Trelew yma am newyddion yr oeddwn i a Mrs Pritchard wedi meddwl am Gymanfa Ganu y Gaiman ond maen beryg y bydd raid i ni roi fyny hefor tywydd oer yma mae hi yn ofnadwy o oer yma heddyw. Wel hyn am y tro gyda chofion lawer oddiwrth

Modryb Nel

Mi fuo Mrs Pugh a Gwalia yma y pnawn yma ar deisien briodas diolch yn fawr i chi am gofio amdanom.

(17) Rhan o lythyr Tom Powell, Maesteg, at ei chwaer-yng-nghyfraith, Maggie Powell yn yr Andes. (Gw. llythyr gan ei wraig Dorothy Powell yn *Llythyrau'r Wladfa 1865-1945*.) Mae talpiau o'r llythyr hwn ar goll. Mae rhannau helaeth o'r llythyr yn Saesneg gan nad oedd yr awdur erioed wedi ysgrifennu yn y Gymraeg am nad oedd wedi gweld yr angen. Mae hi'n annhebygol y byddai Maggie Powell wedi deall llawer o'r llythyr.

(Trwy garedigrwydd Joyce Powell.)

Rosslyn
Priory House
Maesteg
Feb 1st 1956

Anwyl chwaer yng nghyfraith,

Yr oen yn falch iawn y gael gaer oddi wrth chwi, ac yn dda iawn genyf y glewad bod ychwi ar plant bach yn oll iach. Yr wyf yn Cymro gwael iawn, nwedyd ysgryfni in Cymraeg. You must excuse my effort to write in Welsh, I have never written in Welsh because there has never been the need.

Thanks for the snaps, they were quite good but perhaps not so clear as I would like them to be. You have there very nice children, what a pity that Nesiah did not live to help you in the rearing of the children also to enjoy seeing them grow up. Anyway you have something to work for, and try to give them all a good Education. This (Education) is better than all the money in the world and is the one thing that no one can take away from them.

My wife Dorothy is still very ill and wishes me to thank you for your best wishes. I'm sorry to not have written before, but believe me, had no time – too busy. I never dreamt that there was so much to do in the house. It is quite true – a woman's work is never done. (...)

I had been listening on the radio to some talks by W.R.Owen on his visit to Patagonia, and he also saw a film taken by him during his visit to S.America – "Ar Taith y Wladfa". It was shown on the television *(rhan sylweddol o'r llythyr yn annealladwy)* **... and sons, daughter of S.Walians can't have a job – our schools with the result that they have to go to England to earn a living. This "Plaid Cymru" crowd get [?] everywhere, they are on the B.B.C. that is radio and they have "Welsh" editions – one daily London paper. Its [?] sickening to see and hear them. Their king is Saunders Lewis, now he has joined the Catholic Church and the whole crowd seem to be**

following him. They form societies within the church which they call "Clych Catholig", you'll find a cutting in this letter.

This is a end attempt to write to you. I've been very busy. We are in the middle of a deep freeze, what with burst pipes in our water supply it has been very awkward. It has been the coldest winter for 5 years and we are not out of it yet. Yes indeed we had a tough time during the war. I suppose you've heard all about that.
I'm enclosin some snaps for you of the family so as to give you an idea what we are like. I do hope you can understand my writing my written Welsh is hopeless. I can read Welsh much better than write it.

Give our best wishes to your Mother,[85] what a fine age she has reached.

All our love from sister and brother-in-law
Dorothy and Tom

Diogelu hen greiriau

(18) Rhan o lythyr Mair ap Iwan Roberts[86] (merch Llwyd ap Iwan a Myfanwy Ruffudd Jones, ac felly'n wyres i M. D. Jones ac i Lewis Jones) at R. Bryn Williams yn gofyn am gymorth i ganfod a diogelu hen ddogfennau Gwladfaol, yn arbennig y ddogfen gyfansoddiadol wreiddiol.

(LlGC 18220D)

Gaiman, Chubut, Argentina. Gorff. 1957
Parch. R.Bryn Williams, Llyfrgell Genedlaethol

Anwyl Gyfaill

Mae angen help arnom i ddod i hyd i hên 'document' gwladfaol sydd, mae arnom ofn, wedi mynd i goll yn y Wladfa, ond a all fod ar gael yn y Llyfrgell Genedlaethol. Wrth ystyried y peth neithiwr, daeth i mi fel gweledigaeth, mai chwi oedd y person tebycaf o allu ein helpu, ac y buasech, a barnu oddi wrth ein profiad blaenorol o honoch, yn sicr o wneud unrhyw beth o fewn eich gallu. Y 'document' a geisiwn yw copi o hên gyfansoddiad cyntaf y Wladfa;[87] y rheolau oedd gan yr Hên Wladfawyr i'w llywodraethu eu hunain yn y blynyddoedd cyntaf. Mae yn amlwg fod y cyfryw reolau yr adeg honno (Gweler pennod 14 o lyfr L.J) Hoffem yn fawr gael copi o honynt. Mae rheswm arbennig am y diddordeb yma ar hyn o bryd, ac i egluro yn well nag y gallaf fi wneud, amgauaf cutting o'r 'Regional, papur Spaeneg ein tref. Daw yr un nodiad allan yn Gymraeg yn y Drafod nesaf.[88] Os yw'r peth a geisiwn ar gael, ne os yw'r ysgrif yn faith, awgrymaf gopïo y rhan bwysicaf ar bapur teneu a'i anfon gyda'r air-mail, ac anfon y gweddill gyda'r post cyffredin. Os golyga hyn gostau mawr, mae amryw bersonau o'r Wladfa yng Nghymru eleni, a fuasai yn fodlon talu'r gost draw a setlo i ni pan ddont adre – Mr Elias Garmon Owen, neu Miss Ann Griffiths. Credaf y gallech gael eu cyfeiriadau drwy Mr W.R.Owen B.B.C Caerdydd. (...)

Mae llawer o greiriau gwerthfawr ynglŷn a hanes boreu'r Wladfa i'w cael mewn cartrefi ar hyd y wlad, a'u perchenogion hwyrach, ddim yn gwybod eu gwerth; eraill yn ei prisio gymaint fel nad ydynt am ollwng gafael arnynt ar gyfrif yn y byd. Mae gan gymydog i ni, – Mr Alan Berry, ŵyr i'r Parch. D.Lloyd Jones, – un o lyfrau cofnodion yr hen lysoedd Barn Gwladfaol, diddorol dros ben. Mae gwir angen cael rhyw ffordd i ddiogelu yr ysgrifau hyn a gobeithio y

ceir ffordd cyn iddi fynd yn rhy ddiweddar.

Nid wyf am orffen y llythyr yma heb ddweyd ychydig am 'Lyfrgell Goffa Eluned Morgan'. Mae'r llyfrgell yn bodoli ac wedi cael cartref yn adeilad yr Ysgol Ganolraddol. Cynnwys y llyfrau newydd a anfonasoch chwi[89] (ac nid ydym eto wedi ystyried ein dyled ddifesur i chwi am y trysorau hyn) ynghyd a'r llyfrau a berthyn i'r hên "ddarllenfa", wedi eu trefnu yn dda iawn, hawdd cael gafael ar unrhyw lyfr, gyda rheolau ar gyfer benthyg &c. Ond, ysywaeth, ychydig o ddefnyddio sydd arnynt. Bu cryn ddarllen ar y llyfrau newydd, pan ddaethant – gan rai pobl. Ond nid yw'r diddordeb yn gyffredinol o gwbl. Ar y llaw arall, y mae diddordeb yn hanes y Wladfa ar gynnydd ymhlith y Lladinwyr yn ogystal a'r Cymry. Yng nghapel y Gaiman, y nos o'r blaen, cawsom ddarlith ar hanes bore'r Wladfa gan Miss Evelyn Roberts, merch Mr Harri Roberts, Trelew. Creodd ddiddordeb mawr. Mae dymuniad am ei chael yn Spanish.

Gyda chofion cynnes a phob dymuniad da, yr eiddoch yn gywir

Mair ap I Roberts

Crwydro Patagonia

Llun R.Bryn Williams gan yr arlunydd Delyth Llwyd.
Gw. llythyr 88 ganddi ato
(Trwy garedigrwydd Nan Griffiths)

(19) Detholiad o lythyrau o *Crwydro Patagonia,* R. Bryn Williams (1902-1981), a gyhoeddwyd ym 1960. Ym 1959 enillodd R. Bryn Williams ysgoloriaeth Leverhulme i'w alluogi i wneud ymchwil yn yr Ariannin. Dywed RBW yn ei ragair i'r gyfrol:

> Er nad yw Patagonia yn rhan o Gymru, derbyniwyd y llyfr hwn i gyfres 'Crwydro Cymru' fel teyrnged i'r Gwladfawyr sy'n dal i siarad ein hiaith ym mhendraw'r byd. (...) Detholiad sydd yma o'm llythyrau at Nan, fy merch, a bernais mai gwell oedd cadw ar arddull bersonol y rheini.

Ysgrifenna RBW y llythyr cyntaf o Buenos Aires.

Tachwedd 22ain (1959)

... Nid oes llawer i'w adrodd y tro yma, oherwydd bûm yn brysur y dyddiau diwethaf. Bûm yn chwilio am wybodaeth yn *Archivo General de la Nacion,* ac yn *La Biblioteca del Congreso,* a chael llawer iawn o ddeunydd newydd. Y mae swyn yn y gwaith, yn arbennig wrth weld patrwm yr hanes yn dyfod yn gliriach a chyflawnach. Mae awdurdodau Ariannin yn hynod o gwrtais a charedig, ac nid oes pall ar eu cymorth, oherwydd maent yn awyddus iawn i gael y darn hwn o hanes y genedl sydd heb ei ysgrifennu hyd yn hyn. Gwlad ifanc yw, ond yn dechrau ymffrostio yn ei gorffennol, ac yn llawn edmygedd o'r Cymry a wnaeth gymaint i ddatblygu Patagonia.

Bu gohebwyr *La Nacion* a'r *Buneos Aires Herald*[90] yn sgwrsio â mi, a chyhoeddwyd llithiau eithaf diddorol am fy ymweliad yn eu papurau.

Cefais brofiad arbennig iawn echnos o weld ffilm a wnaethpwyd yma yn disgrifio tyfiant y ddinas, ac yn rhoi darlun o'i bywyd yn

nechrau'r ganrif. Ymdrinid â'r modd y daeth y Tango yn fiwsig poblogaidd gan y mawrion ac wrth wrando ar y caneuon hyn cofiais am y rhai a genid pan oeddwn yn blentyn. Braidd yn henffasiwn oedd y stori, gyda llawer o sentiment, ond cymaint rhagorach hynny na'r hyn a geir mewn ffilmiau Saesneg, y rhai sy'n sôn byth a beunydd am dristwch bywyd a hanes lladd a llarpio y bywyd modern. A phrofiad hyfryd neithiwr oedd mynd i gyfarfod o'r "Gymdeithas Chubut," a chyfarfod â rhai a oedd yn blant gyda mi yn Nhrelew. Lladinwyr oeddynt yn siarad dim ond Sbaeneg, ond rhyfeddwn at eu hymffrost ym mro eu mebyd a'r Cymry a sefydlodd Batagonia. Ddifyrred oedd y sôn am hen gampau mebyd a throeon trwstan y dyddiau hynny, a deuai'r atgofion yn ôl imi yn llifeiriant byw. Buont daer iawn ar imi aros yma, ac mae'r demtasiwn yn fawr gan imi deimlo mai yma mae fy ngwreiddiau, er imi dreulio y rhan fwyaf o'm bywyd yng Nghymru ...

(20) Roedd RBW wedi cyrraedd y Gaiman erbyn y Nadolig ac i gartref ei deulu, sef Bodiwan yn ardal Bryn Crwn. Dyma ran o'r llythyr cynhwysfawr a ddaeth o'r fan honno.

Rhagfyr 31ain

... A dyma hi yn ddydd olaf y flwyddyn fythgofiadwy hon yn fy mywyd. Aeth y Nadolig heibio heb i mi sylweddoli hynny bron, gan mor annhebyg yr ŵyl yma i'r hyn a geir yng Nghymru. Ceisiwn ddychmygu'r prysurdeb mawr yno, y paratoi ffwdanus, y gwario ar gardiau ac anrhegion di-fudd, y gor-fwyta a'r yfed, a'r diflastod wedi gorffen y cwbl. Yma nid oedd dim o'r pethau hyn. Y peth anhawsaf i'w ddychymygu oedd eich tywydd, oherwydd yma y mae'r dydd ar ei hwyaf, yr wybren yn berffaith glir heb awgrym o law, yr haul yn gynnes a'r awel yn ysgafn a hyfryd o'r môr. Y dydd cyn y Nadolig bûm yn helpu'r bechgyn i gynaeafu a mydylu gwair, a hynny ar gae a oedd yn ugain acer betrual.

Yr unig beth a oedd yn atgoffa dyn o'r Nadolig oedd y cyfarfodydd a gynhelid yn y gwahanol ardaloedd. Euthum i lawr i Drelew ar y trydydd ar hugain o Ragfyr, a chael y fraint o arwain cyfarfod yn Neuadd Dewi Sant, a hwnnw yn parhau am dros ddwy awr, a phob gair ynddo yn Gymraeg. Mae'n wir nad oedd y plant yn gallu siarad yr iaith, ond yr oedd rhai o ferched ifanc yr Ysgol Sul wedi ymdrechu'n galed i ddysgu adroddiadau a dadleuon a chaneuon iddynt, ac yr oedd graen ar y cwbl, er bod yr aceniad yn Sbeinig. Eithr yr hyn y sylwais fwyaf arno oedd ymffrost y plant eu hunain yn eu gallu i adrodd a chanu yn yr heniaith. Gwn yn dda am yr anhawster i gael plant rhai o drefi Cymru i wneuthur yr un peth, oherwydd yno y duedd yw ymffrostio yn eu hanwybodaeth o'r iaith. Petai Cymry yn ymffrostio mwy yn eu hetifeddiaeth buasai llawer gwell gobaith am barhad eu traddodiadau. Mewn tref y mae ei mwyafrif llethol bellach yn Sbaeniaid, synnais weld cynulliad o tua dau gant yn llenwi'r ystafell ac yn mwynhau'r cwbl. Y mae yn y Wladfa gannoedd o bobl ifanc sydd yn siarad y ddwy iaith mor raenus â'i gilydd, ac oherwydd hynny credaf y bydd yma siarad Cymraeg yn y Wladfa ymhen hanner canrif eto. Yn wir, clywais fwy o Gymraeg mewn siopau yn Nhrelew ac yn y bysus nag a glywais mewn trefi fel Rhuthun a'r Wyddgrug.

Cefais gyffelyb brofiad mewn ardaloedd eraill, a golygfa hyfryd oedd gweld cae o amgylch y capeli yn llawn cerbydau a cheffylau. Yr oedd y capeli eu hunain yn llawn, a'r cyfarfodydd yn ddymunol.

Mae'r plant yn tueddu i acennu rhai geiriau yn y dull Sbeinig, ac yn meddalu rhai cytseiniau, ac eto erys effaith tafodieithoedd eu tadau arnynt, tafodieithoedd o bob rhan o Gymru. Yna'r sgwrsio rhydd ar ôl cyfarfod heb ganfod rhithyn o snobyddiaeth ymysg y bobl wledig ac annwyl hyn. Ac i goroni'r mwynhad, gweld tua dwsin o lanciau yn carlamu ar geffylau heini tuag adref, fel yn nyddiau fy ieuenctid.

Bore Sadwrn crwydrais heibio i'r fferm y bûm yn was bach ynddi, a chofio cysgu allan yn yr awyr agored a gwrando ar fiwsig gitâr o'r lle y gwersyllai *tropas*[91] ar eu taith o'r Andes. Yna croesi'r afon a cherdded hyd lwybr troed trwy'r goedwig nes cyrraedd at dŷ unig mewn gardd, a chyfarch Deiniol, y cynganeddwr gorau a gafodd y Wladfa erioed.[92] Er ei fod bellach yn gant namyn deg oed, y mae'n heinif ei gorff, ei iaith yn gyfoethog a'i feddwl yn chwim. Bu yng Nghymru am naw mlynedd, ac wedi dychwelyd oddi yno ni bu yn Wladfäwr selog, ni thrafferthodd i ddysgu'r Sbaeneg, a chyfaddefodd ei fod yn un o'r rhai 'styfnig a wrthwynebodd y gorlif estron, a'i adael yn unig ar y traeth. Cwynai oherwydd fod cen yn tyfu dros ei lygad, ac yn ei rwystro i ddarllen. Profiad dwys oedd gwrando arno'n adrodd ei englynion diwethaf imi.

> 'Rwy'n byw a bod mewn dinodedd – yn ddall
>   Ac yn ddiymgeledd;
> Difwyniant yw fy annedd,
> Gwael yw byw yn disgwyl bedd.

Rai blynyddoedd yn ôl, ddwy flynedd wedi marw ei wraig, canodd y cywydd hwn:

> O'r anhygar unigedd
> Ochain bûm a chwi'n y bedd:
> A Mai ni rydd im mwyach
> Ddedwyddyd un funud fach;
> Yn nyddiau cur anodd cau
> Rhwyg hiraeth ar y gorau;
> O'm loes dwfn mi wylais, do,
> Ddwy flynedd yn ddiflino.

Ac wrth sôn am ei unigrwydd, adroddodd wrthyf yr englyn hwn, a gyfansoddodd pan oedd yn ddeg a phedwar ugain:

Deiniol, hen gymrawd unig, – mae'n edrych
Mewn oedran arbennig,
Byw yw'r bardd heb air o'i big
Yn feudwy angofiedig.

Y mae adeilad yr hen Ysgol Ganolraddol yn Gaiman yn un o'r rhai gorau a adeiladwyd yn y Wladfa, ei hystafelloedd yn eang a golau a'i gwaith coed yn raenus. Dyma dyst arall i ddygnwch ac aberth y Cymry dros addysg a diwylliant. (...) Da oedd gennyf glywed rhai o wŷr llywodraeth y dalaith yn sôn am ail-gychwyn yr ysgol hon i roi addysg ychwanegol i'r rhai a orffennodd eu cwrs yn yr Ysgol Genedlaethol. Bwriedir i'r iaith Gymraeg fod yn un o'r pynciau ynddi, dysgir hefyd hanes Cymru a'r Wladfa, a thrwy hynny sicrhau parhad yr hen draddodiadau a sefydliadau a'r dull o fyw Cymreig. Ystyrir bellach fod y rhain yn rhan o etifeddiaeth Ariannin, ac y bydd eu diogelu yn cyfoethogi bywyd y Weriniaeth, hyd yn oed petai'r iaith Gymraeg yn darfod yn llwyr yn y Wladfa. (...)

Don Ambrosio

(21) Rhan o lythyr ffraeth gan Emrys Hughes at R. Bryn Williams. Bu RBW yn lletya gydag ef wrth baratoi *Crwydro Patagonia* ddechrau 1960. Dywed RBW amdano yn ei gyfrol:

> Adwaenir ef yn yr Andes fel Don Ambrosio, a mawr yw ei barch gan Ladinwyr a Chymry fel ei gilydd. Mae'n fab i Glan Caeron (...) a roes wasanaeth gwerthfawr i'r sefydliad fel amaethwr, postfeistr, ysgolfeistr, golygydd, bardd cadeiriol a choronog, ac fel archdderwydd ...

Bu farw Emrys Hughes mewn damwain car ym 1971 yn 78 mlwydd oed.

(LlGC 18220D)

9 de Julio 640
Esquel
Chubut
23 - 10 - 60

Parch R. Bryn Williams
Gyfaill Hoff.
Wele fi or diwedd yn ceisio ateb eich caredig lythyr, dderbyniais ddechreu'r gaeaf, drwg genyf fod mor hir cyn ei ateb, y rheswm cyntaf am wn i, ydiw i mi ei gael cyn i mi gychwyn am ein holidays, ag yn meddwl yr un pryd, na fuasau yn eich dal yn B.A, ond pryn bynag rhaid *pedir disculpas*[93] ag wedin wrth gwrs, nid ydoedd eich adres genif, neu yr ydoedd genyf ddigon o amser i escrifeni atoch, ond dim iw wneyd, ond aros nes cael eich Dirreción or "Hen Wlad", ond gallaf sicarhau ei fod wedi bod dipin o boen a chur pen i mi, just na fedrwn ddyweyd, iddo fod yn ddigon, o achos i mi fadal oddiwrth fy ngwraig[94] (Seňora) yr ydoedd yn delio, cofiwch eich bod eisieu ateb Parch B Williams neu o fewn ychydig ddyddiau, yr ydach chwi byth wedi ateb Parch B Williams, ag yn y diwedd mae dyn yn mynd i deimlo, nad oes llawer o bwys ganddo pa un ai biw neu farw y bydd, ond or diwedd dyma fi wedi cael yr adres, hefo y Bonwr Mathew Jones, yr ydoedd mor falch o gael llythyr oddiwrthych, a hogyn bach wedi cael esgidiau newydd:

Aethom ni ein dai, ffwrdd ddechreu'r gaeaf sef yn Mihefin, daethym yn ôl ddiwedd mis Hydref, cawsom hwyl ardderchog,

aethum gyntaf ir Dyffryn hwyl iawn yno, ag oddiyno yn ein modur ir Azul i Dŷ y ferch ar mab ynghyfraeth[95], mae ef yn Gyfrifydd *Contador* yno yn banco Londres, aethym oddiyno i B.A. ir "Gwyl Glaniad", ar Exposicion yn Palermo nice iawn, clywsoch maen debyg ir Tarw Champion Aberdeen Angus gael ei werthi am un miliwn ar ddeg, a'r Hwrdd Cordiale am filiwn dai gant chwedeg o filoedd (...)

Yr ydwyf adref fy hunan heddiw, mae'r Sra wedi mynd ir yscol Sul, ag oddiyno i le ei mam dyna'r rheol yma ar ddydd Sul, clawd iawn ydiw yma, dim byd ond ychydig ysgol Sul, a diolch ir gwragedd am hyni:-

Fwy na thebyg eich bod wedi clywed am farwolaeth Merfyn Williams, mab Richard Williams Twyn Carno. Cafodd Peritonitis, buodd farw yn Trelew 3 diwrnod ar ôl yr *Operacion*:-

Fe es ynglyn ach Het (Sombrero) ac fe ei cefais yn ddiogel, dipin o hôl gwysgo ydoedd arni braidd yn fudur, wrth gwrs yr ydoedd wedi ei gadael yn y "Pullman".

Wel gyfaill, rhaid tynu at y terfyn, gobeithio y gwnewch basio heibio gwallau y llythyr yma, yr ydwyf yn teimlo fel pe bawn wedi dweyd lot o ddim byd, a tali yn ddryd am yri dim byd, ddim llawer o beth, *claro*, ydwyf fi yn iawn i wneyd certificado am hwrdd neu ddafad.

Cofion fyrdd atoch
Emrys Hughes.

Anfon recordiadau

(22) Rhan o lythyr Dan Lewis[97] o Buenos Aires at R. Bryn Williams ar bapur tenau mewn teip coch yn lleisio'i werthfawrogiad o'r tapiau a anfonwyd o Gymru. Daeth Dan Lewis i'r Wladfa o Aberdâr yn 19 mlwydd oed.

(LlGC 18220D)

To read place on a sheet of white paper Dan

Peru 630, Buenos Aires
Hydref 20, 1960

Annwyl Gyfaill,

Paid a dychrynnu, nid wyf wedi troi'n Gomiwnist eto. Mae'r ochr ddu i'm rhuban wedi treulio i'r fan na fuaset yn medru dehongli beth wyf am ddweyd wrthyt. Dyna'r cwbl. Daeth y 'tapes' i'm llaw wedi eu hir disgwyl tua mis neu lai yn ol. Nis gwn paham fuont mor hir cyn cyrhaedd i'r wlad yma. Mi a'i cefais yr ail ddiwrnod ar ol iddynt ddod i law yn y British Council. Bum yn troi a throsi i geisio cael benthyg peiriant i'w chwarae am ddyddiau lawer, ac ar ol cael addewid gan gyfeillion gwamal, na ellid ddibynnu arnynt, fel y trodd allan, penderfynais fyn'd i weld cyfaill immi, sy'n awr yn "first secretary – information" – yn y "Consulate" a bu hwnnw mor garedig a channiatau imi wahodd y rhai deimlai ddiddordeb i ystafell yn y Consulate. Bum yno heddyw, nifer ohonom o dri o'r gloch tan wedi pump yn gwrando ar y "recordings". Y peth cyntaf sydd gennyf yw dy longyfarch am y syniad ac am dy waith rhagorol di'n bersonol. Cawsom lawer iawn o fwyniant o wrando'r cyfarchiadau. Yr oedd John Williams ac Elisa gyda ni a gallaf dy sicrhau eu bod hwy yn ddiolchgar iawn am yr holl ymdrech gan iddynt gael clywed Olga, Lewis a Dwd[98]. Nid wyf am ymhelaethu ynglyn a'r eitemau ond rhaid imi ddweyd fod Harold a Valmai yn "We'll walk together" yn swynol a hyfryd.[99] (...) Yr oedd sgwrs Valmai (fel arfer) yn gampus, a hyfryd iawn i mi a Tish[100] oedd clywed Eiddwen ac Aneurin, Mrs. Jones Rhyl ac Helen a hefyd Mrs E.R.Williams. Nid oedd y 'tape' a'r 'International' yn rhyw dda iawn, ond gwn am yr anfanteision o geisio recordio mewn lleoedd nad ydynt wedi eu addasu at y fath waith. Yr oedd y recordiad a dy sgwrs ar Wyl y Glaniad yn neullduol o dda, serch hynny. Gofynnaist a oeddet yn esbonio y Cymry Archentaidd. Dwedaf dy fod, i'm tyb i, wedi llwyddo'n ardderchog.

Credaf mae ardderchog o beth fuasai manteisio ar y cyfrwng hwn mor aml a bydd modd. Beth feddyliet am gael rhyw bregeth neu ddwy gan bregethwyr enwog wedi eu recordio, a'u anfon yn union gyrchol i'r Wladfa. Ti wyddost wrth gwrs nad ydyw mwyafrif o'r genhedlaeth ddiweddaf a bron neb o'r genhedlaeth hon yn deall yn ddigon da i fedru eu mwynhau'n llawn. Ond y mae rhai o'r rhai hynaf fuasai'n siwr o gael bendith o'u gwrando. Yn niffyg medru anfon gweinidogion iddynt, buasai'r pregethau, ys dywed y Sais yn "next best thing". (...)

Wel r'hen gyfaill rhaid tewi am y tro. Cyduna Tish gyda mi i dy longyfarch ac i ddymuno pob llwyddiant iti ymhob un o'th ymdrechion.

Yn gywir ac yn ddiffuant.

Dy gyfaill

Dan

Dan Lewis

Cofion serchog at bawb all fod yn awyddys o wybod ein bod ar "dir y byw"

Dan

Barbra Llwyd Evans

(23) Rhan o lythyr gan Barbra Llwyd Evans[101] (1884-1977) o'r Wladfa at deulu Eiddwen Evans Humphreys,[102] ei nith, yng Nghymru yn cyfeirio at yr argae mawr arfaethedig.

(Cefais fenthyg llythyrau Barbra Llwyd Evans gan Ivonne Owen tra oeddwn yn y Wladfa yn 2007.)

Frondeg
Bryn Gwyn
Rhag 30 1956

Anwyl Gefnder a chyfneither a theulu oll.
(...) Dyma hi yn ddiwedd blwyddyn unwaith eto. Rhyw deimlo yn drist yr ydym ni y rhai "mewn oed" fel rheol ac yn rhyw "gyfrif ein dyddiau" ar ifanc fel arall yn dyheu am weld diwedd blwyddyn ac yn llawn gobeithion at y flwyddyn newydd. Wel da genyf ddweud i ni gael J.O.E.[103] adref unwaith eto er mai llesg iawn ydyw. Daeth Blodwen[104] ag ef rhyw bythefnos yn ol ... Y mae yn ddistaw iawn ac ni all symud. Talwyn[105] a Blod sydd yn gofalu am dano ac y maent yn gwneud yn rhagorol iawn. Gallaf finau ddweyd fel chwithau fod y plant y pedwar yn ofalus ac yn ceisio gwneud eu goreu i ni – a diolchwn yn fawr iddynt am hyny. Bu Delyth[106] gyda ni dros y Nadolig yr oll yn iawn ...

Pnawn ddoe bu Rev Paul Wms – Cenhadwr Americanaidd sydd gyda ni ac yn un dymunol iawn. Gresyn na all siarad Cymraeg. Daeth a Rev Peregrine i edrych am danom.[107] Cefais ei glywed yn pregethu bore Sul yn Mryn Gwyn rhyw dair 8nos yn ol a mwynheais ei bregeth yn fawr iawn. dat – 6 – 5.ad oedd ei destyn. Gobeithio yn fawr y caiff bob help yma. Y mae gryn dipyn yn anhawddach i weithio yn ein plith nag a fu – hefyd y mae iechyd Rev T.Evans wedi torri i lawr fel nas gall roddi fawr o help iddo – y mae wedi cael ymosodiad tebyg iawn i J.O.E. ond y mae yn gallu cerdded ychydig gyda'i ffon ond ei fraich chwith yn ddiffrwyth. (...) Y mae amryw "Sosial" a cyngherddau wedi eu gwneud i groesawu Mr. Peregrine. Un distaw iawn ydyw wrth siarad a pregethu. Efallai daw yn well wrth gartrefu yn ein plith. (...)

Bu yr Admiral Rojas o B.A. ar wib drwy y dyffryn yma rai dyddiau yn ol. Bu yn gweld y Dique[108] – cwyno yr oedd eu bod yn ara deg iawn gyda'r gwaith – ond pan orphenir fe fydd yn lle pwysig iawn. Buom yno rhyw fl. neu ragor. Y mae yn lle rhamantus iawn ynghanol y

creigiau – a gwaith rhyfeddol yn cael ei wneud.

Gobeithio y bydd yn llwyddiant. Dywedir ymhen 2 flynedd y gellir cael electric light i oleuo pob tŷ yn y dyffryn yma!! gwell i chwi ddod yn ol. Y mae yr hen ddyffryn yn dod yn ei flaen yn dymhorol os nad fel arall. Gwell i mi derfynu ar hyn y tro yma gan obeithio eich bod oll fel teulu yn "iawn" yna a diolch yn fawr i Eiddwen am ei llythyr ar Calendr ac i chwithau am y Cerdyn Nadolig ... Cofion annwyl iawn at Meg[109] a chwithau oll

Yn gywir eich Gyfnither.

(24) Rhan o lythyr Barbra Llwyd Evans o'r Wladfa at deulu Eiddwen Humphreys yng Nghymru c.1961-1962 yn rhoi hanes y recordio gyda Nan Davies o'r BBC.

Annwyl Deulu.
(...) Pnawn echdoe daeth Miss N. Davies[110] a Mr Thomos[111] yma dros y BBC i recordio a tynu lluniau. (...) Rhyw funud union wyf yn ei gael. Ysgrifenais ychydig ac yr wyf wedi bod y pnawn yma yn practeisio o flaen y cloc fel "John Jones ar Cloc" – rhag ofn ir speech fynd yn rhy hir. Y maent yn brysur iawn bob dydd. (...) Gobeithio y cant lwyddiant ar eu gwaith a siwr y byddwch oll yna yn disgwyl yn fawr am y recordiau ar lluniau. (...)

Bum yn Salem pnawn ddoe yn *Recordio* er ei bod yn Sul. Y mae y bobl BBC yn brysur iawn bob dydd. Fe ddewiswyd Salem er mwyn tawelwch. Nid oes Ysgol Sul yno [?] dim cynnulliad ond pan fydd pregeth.

Yr wyf yn meddwl y buasai Eiddwen yn cael defnydd Drama fer wrth ein gweled yno – Nos Sadwrn, wedi ir bechgyn yma fynd i ryw Gyfarfod Politicaidd oedd ganddynt ar gyfer yr Etholiad, cauais y drysau a tynais y *Blinds* i lawr ar y ffenestri. Rhoddais y clock bach ar y bwrdd. Ysgrifenais yr hyn fwriadwn ddweyd wrthych yna a dyna gosb oedd rhoddi y cwbl i lawr ar gyfer dim ond munud o amser. Efallai y cawswn ryw haner "minad" yn rhagor. Ni fu genyf erioed ofn "siarad gormod" or blaen. Wedyn darllen a gweld fod y *speech* yn rhy hir. Tynu darn allan, darllen, wedyn tynu rhagor allan. Lwcus nad oedd neb yn gwrando neu fe fuasent yn meddwl fy mod yn mynd yn "*simpil*" or diwedd fe ddaeth y ffitio y munud a ½ mynd drosto wedyn a dal i edrych ar y *cloc* er mwyn trio ei gofio.

Cwrdd a'r BBC wrth Salem, amryw yn eistedd allan ynghysgod y coed. Pawb yn ddistaw a difrifol yr olwg, ac yn aros ei tyrn i fynd o flaen eu gwell. Yn fy nilyn daeth Richard James ar wraig yn gwmni iddo – o Bethesda yn dweyd yn ddistaw wrthyf "yr wyf wedi chwsu lot ers 8nos wrth feddwl am y busnes yma". Or diwedd galwyd arnaf ymlaen "Gwedwch wrtho i nawr yr hyn i chi am Recordo" – meddai Miss Davies. Gwnaethum hyny – "Na, wnaiff e ddim mae'n rhy debyg i bregeth." Yr oeddym yn gorfod eistedd yn yr haul er mwyn cael llun a rhwng pob peth fe chwysais inau. Bu raid rhoi ychydig hanes rhyw 50 ml yn ol a hyny ar fyr rybudd. Wn i ddim sut olwg fydd arnaf na beth ddwedais yn iawn. Galwyd ar R James. Gwelwn ef a papur oi flaen yn darllen ei wers – Miss Davies yn dod "Dim papur,

os gwelwch yn dda. Wnaiff hyny mo'r tro" Mrs James yn edrych yn fwy pryderus na Richard. "well i chwi ei adael iddo ei ddarllen" "Ol reit darllenwch e, ond wnaf fi mo'i Recordo" – Richard yn ei ddarllen a wir yr oedd yn werth ei glywed yr oedd wedi ei *deipio* yn ofalus. "Dewch draw da fi i manco" – Richard yn dal ei afael yn y papur. "Na fe cadwch chi hwna" Mrs J yn dweyd "Cadwch o Richard, does gen i hi ddim isio hwna" - R yn ei gadw yn araf ac yn ei dilyn – wedyn Miss D yn tynu sgwrs hefo fo a Richard yn dechre dod ato'i hun yn handlo ei ddwylaw i gadarnhau rhyw sylwadau. Mrs J. yn gwaeddi "Richad Richad. Rhowch ych dwylo i lawr" R yn ufuddhau ac yn eu rhoddi y tu ol iw gefn Miss D yn pwyntio at y gader ar ddau yn eistedd i lawr yn cael bob i *sigarett* ac yn cael *smôc* yn yr haul – or diwedd aethant ati wedyn, credaf iddo lwyddo y tro yma, ond yr oedd Mrs James yn anesmwyth ofnadwy druan ohoni – yr oeddwn yn cofio am ystori yr iar ydych chwi yn cofio Willie?

Daeth R. ataf dan sychu y chwys "dyna i chi fusnes ofnadwy ydyw hwn. Wyddwn i ar y ddaear beth iw ddweyd ar ol colli y papur." Siwr fod Miss Davies yn cael lot o hwyl am ein penau yma. Y mae yn gwybod ei gwaith yn iawn – dywedai pe buasai yn gwybod sut le sydd yma a "siwd bobl" a chael "whêch mis" o amser y buasent yn codi *ffilm* gwerth ei chael. (...) Gobeithio y cewch hwyl in gwrando.[112] Yr wyf wedi chwerthin lot wrth ddweyd yr hanes wrth y boys yma. (...)

Terfynaf ar hyn. Derbyniwch fy ngofion am dymuniadau goreu a diolch yn fawr i "Sal a Wil" am gofio am danom.

B.Ll.E

Nel fach y Bwcs

(25) Rhan o lythyr Ellen Davies de Jones (1870-1965) at Gwenonwy Berwyn de Jones a William Christmas Jones yn dymuno pen-blwydd hapus i Christmas, yn diolch am y *Drafodau* ac yn dymuno pob llwyddiant i Frederick Green, mab Gwenonwy, ar ei briodas arfaethedig â Vera Griffiths.

(Trwy garedigrwydd Alwen Green de Sangiovanni.)

Graigwen
Felindre
Nr Llandyssul
Cardiganshire
South Wales.
Tach 22ain 1950.

Ein Hanwyl Gyfeillion

Derbyniom eich caredig lythyr ar yr 17 ail-ar-bymtheg or mis hwn, felly gwelwch fy môd yn ei ateb yn fuan, gan i ni weled yn y papyr dyddiol, os na fuasem yn postio cyn yr 24ain or mis hwn, na fuasent yn cyrhaedd erbyn nadolig, a chan fod Mr Jones yn cael ei Benblwydd y diwrnod hwnw hefyd, y mae'n ddyledswydd arnom ni, ar Llywodraeth Arianin ei drosglwyddo mewn pryd, ac fe ddymunwn ni i chwi Benblwydd Hapys a llawer ohonynt eto, a cofiwch chwi Gweno, wneyd Pancws ir (Pancecs) Gwr, ac efallai Plum Pudding, os bydd yn fachgen da. Diolch yn fawr i chwi am y Birthday Card bach tlws ddanfonasoch i mi. (...) Hefyd daeth y Bwndel Drafodau; yr un pryd. Diolch yn fawr, yr wyf wedi cael cipolwg arnynt i gyd, ond yr wyf am gael golwg manylach arnynt, yna anfonwn hwy ich Chwaer yn ddiffael. Y mae un olwg drostynt yn ddigon i Tom[113] yma, ond nid felly fi, rhaid i mi gael ail a thrydydd edrych arnynt, ac aros yn hir, uwchben ambell rhan o honynt, ar meddwl ar côf yn Patagonia dros fy mhen.

Cas gŵr na charo y wlad ai magodd ynte? Wel os cawn fyw, danfonwn y Goleuad i chwi ar ol Calan. Yr oeddech yn dweyd eich bod wedi cael Holidays i lawr yn y dyffryn, buoch yn fwy lwcus na ni, chawsom ni ddim ond ambell ddiwrnod mewn cwrdd Dathlu, Daucanmlwyddiant y Capel lle cafodd fy Anwyl Fam ei magu, ac y mae ei henw ar Gareg fêdd yn y Fonwent hono, er yn pydru yn Patagonia.[114] Fel yna y mae hi, y mae genym i gyd rhyw fanau mwy Cysegredig nai gilydd onid oes? (...)

Wel yn awr te, at y peth pwysig yn y llythyr i gyd sef fod Fredi wedi mentro i gymeryd Gwraig[115]; menter mawr onte or ddwy ochr, ond rhaid mentro, neu enill dim. Wel Dymunwn eu llwyddiant yn fawr. Y mae'n dda genyf ddeall fy mod yn adnabod ei phobl or ddwy ochr, rwy'n cofio teulu Talyllyn i gyd, ac hefyd teulu John Griffiths[116] gyda ni yma, ac rwyf bron yn siwr eu bod wedi bod yn aros gyda ni, yn Llandyssul. (...) Os yw Griffith[117] byw, gofynwch iddo, a fu ef yn aros gyda ni. Bu Marged[118] eu chwaer yn aros gyda ni hefyd, ac Enyr ei Mâb, ble mae ef yn awr?[119] Hefyd fe briododd Mary Elisabeth, merch William Hughes y (Butcher gynt)[120] a un o fechgyn John Griffiths.[121] Ble maent hwy yn awr? Bu Henry Hughes yn ol yma, gwelais ef yn Llanwrtyd, ac fe dynom ein luniau. Group o Wladfawyr, wel yr wyf ar ddisperod er's amser. Rhaid dod yn ôl.

(...) Y roeddwn yn gweled yn y Drafod am y Cwrdd Dathlu Penblwydd Elias Owen, ar Farddoniaeth, ar ganmoliaeth a gafodd, nis gallaf fi ond dweyd: Amen ir cyfan ddywedwyd amdano. Yr oeddwn i wedi meddwl cael gweld Cledwyn Ap Aeron[122], ond yr oeddem ein dau yn methu mynd ir Eisteddfod, wedi mynd yn rhy hen. Gwelaf ei fod wedi cael croeso mawr, pan gyrhaeddodd ef ai Wraig yn ôl, ac yn y wlad hon hefyd yn ôl yr hanes. Dymunaf eu llwyddiant eto, ac y byddant o fendith ir Wladfa. Ai un o blant y Wladfa yw ei wraig?[123] (...) Bu farw gwr Martha Trihongl yn ddiweddar, yr wyf wedi ysgrifennu ati ond heb gael atebiad hyd yn hyn. Y mae ei merch yn Briod. Nid oedd yn iach ers llawer dydd.

E.J.

(26) Rhan o lythyr Ellen Davies de Jones at Gwenonwy a Christmas Jones yn diolch iddynt am anfon *Y Drafod* ac am y cerdyn pen-blwydd ati yn 89 oed. Mae hi'n cofio ymweliad MDJ â'r Wladfa a hynny ar ddiwrnod angladd ei Mam.

(Trwy garedigrwydd Alwen Green de Sangiovanni.)

Y Llwyn Llanfyllin, Montgomery shire. N.Wales.Ionawr 27.*1960* – *neu Y Graigwen*, pan ddof yn well eto. (...)

Fy annwyl Hen Gyfeillion. Dyma fi heno, yn diolch yn fawr i chwi am y 3 Drafod ar llythyr ar cerdyn penblwydd a dderbyniais oddiwrthych. (...) Er fe fyddwch yn synnu clywed fy mod i mewn Hall fawr yn *Caerdydd Dinas Cymru* pan dderbyniais rhain a Rhaid i mi egluro i chwi, goreu gallaf sut y digwyddodd hyn. Yr oeddwn i yn aros yma; gyda W.John[124] ar teulu, pan y daeth un or swyddogion y B.B.C heibio, ac yn siarad pobpeth drwyddi draw, ac fe ofynodd i mi, a ddowch chwi i Gaerdydd, i siarad ar y *Teledu* sef y Telefition, ac yr ydym am gael rhywun fedr siarad Cymraeg arno ar y 12fed o Rhagfyr, ac yr oeddwn yn deall eich bod wedi cael eich penblwydd ddoe yn 89 oed, o na meddwn, feddyliais i erioed am fynd i siarad ar y *Televition*, ac fe wasgodd arnaf i addaw myned, a ffwrdd a fi dranoeth am merch-yn -nghyfraith gyda mi, yn gyru'r car. Cyrhaeddom yn gynar, y mae chwaer fy merch- yn-nghyfraith yn byw yn Caerdydd ac felly yr oedd lle i aros y nos yno, a chan fy mod yn teimlo yn weddol galonog, heb gymeryd amser i fynd yn *nervous*, euthum drwy fy *lesson* yn dda, a chael canmoliaeth, yr oeddent wedi deall fy mod wedi gweld y Proffesor Michael D. Jones or Bala, yn Patagonia (...) a phan gyrhaeddodd y llong i geg yr Afon, aeth ugeiniau or preswylwyr iw gyfarfod ar geffylau, a cheffyl hardd ir Professor. A phwy oedd y Proffesor? Neb llai na Tad *Llwyd ap Iwan* a Tad *Dr Mihangel ap Iwan*. A hyny yn digwydd dydd angladd fy annwyl Fam[125]. Yr oedd yr angladd yn cychwyn or ty, pan oedd y Proffessor ai gwmni yn pasio o Bentre Sydyn i Fynwent y Gaiman, felly gwelwch paham yr wyf yn cofio'r amgylchiadau hyn mor fanwl er yn 11 mlwydd oed y pryd hwnw. Nid anghofiaf hwn tra gallaf gofio rhywbeth. A chan mai Hen adgofion oedd y testdun, yr oedd hwn yn dod yn fwy manwl na dim arall im côf, a hwnw yn gôf prudd *iawn*. (...) A yw Ellen Roberts byw yn awr, os ydyw cofiwch fi ati hi ac *Alice* ei merch a phawb fydd yn holi am danaf heb eu henwi. Yr wyf yna o ran fy meddwl yn aml. (...)

Wel wrth edrych dros eich llythyr, ddaeth yn gymysg ar Drafod

diweddaf dywedodd Maggie Freeman, Mrs Gwilym, Jones, Cartre [?] a Mrs Evans Maengwyn – Mrs Caswallon Jones, Glyndu, ei bod yn cofio am y cwpaneidiau te a gafodd, gyda Mrs Hopkin Howells a minau. Diolchwch iddi am gofio hyn, nid wyf fi yn cofio i mi fod mor garedig, ond y mae llyfr y Diarhebion yn dweyd, nad yw y *Galon hael* yn *cofio* ei *chymhwynasau,* a Diolch am hyny. Carwn rhoi cwpanaid melus iddynt eto, byddwn wrth fy môdd yn gwneud hyny, ond erbyn hyn, rwyn gorfod dangos im cyfeillasau ble maer bwyd ac am iddynt dendio eu hunain, ac y maent yn gwneyd yn ddiddig, am helpu inau wedyn, yn y fargen. Do daeth atgofion gant, un nos fel '*Engyl Heibio*' a chofiwn am y rhain fu'n peri i mi gofio, nes bo'r dagrau'n treiglo. Rwy'n cofio Mr a Mrs Freeman ar teulu, yn enwedig y plant hynaf – yr oeddent yn deulu lluosog os wyf yn cofio'n iawn, rwyn cofio Myfanwy Humphreys a yw hi byw yn awr? Os ydyw cofiwch fi ati, rwyn cofio Mary Humphreys hefyd.[126] Yr oedd hi yn dal a smart a minau yn rhyw damaid yn ei hymyl, ond erbyn heddyw yn grwm fy ngwar a ffoenys iawn (…)

Cofion at Awen, merch Dilys.[127] Gobeithio y bydd hi yn well ar ol newid aer. Cofion fyrdd

Ellen xxx

Gwenonwy Berwyn de Jones

(27) Llythyr Gwenonwy Berwyn de Jones[128] (1891-1972) at Florence Williams de Hughes[129] yn diolch am ei llythyr o gydymdeimlad wedi iddi golli ei gŵr, William Christmas Jones.

(Trwy garedigrwydd Alwen Green de Sangiovanni.)

10-10-61
Pennant Trevelin Chubut

Annwyl gyfeilles Florences.

Llawer o ddiolch i chwi am eich llythur o gydymdeimlad a ni, yn ein hawr dywyll. Yr eiddoch chwi oedd y gyntav, or lliaws a dderbyniasom, a dyna valch oeddwn, o weld bod cymaint yn cofio am danav. Ni fum yn brin o gynorthwy na chwmni hyd heddiw, er vod Fred[130], a Charlie[131] i ffwrdd yn B Aires; mi rhoedd y meddyg yn sicrau iddo, y buasau Willie yn dal rhai misoedd a gallau hubu hyd dechrau gauaf efyd, ond daeth dyddiau oer a eira, a gwaethygodd mewn diwrnod. Ni fu yn ei welu, ond diwrnod, a bwytodd eu swper am ½ hawr wedi saith, a mi rhoedd yn vy ngadael am 1 y borau – yn tawel, au bwysau ar vy ysgwydd au law yn vy llaw. Nita[132] a Megan Jones[133] gyda mi, gevais nerth rhyfeddol, Florences, iw dal felly nes daeth Metron y Sala[134] i whend y gymwynas olaf iddo; ag mi rhoedd yn edych yn glws yn eu olaf gwsg.

Dywedau Fred, eich bod am dyvod i vynnu yr Haf yma, gobeithio, mae felly y bydd ag y bydda finau wedi cael gorphen ein Tŷ i cael eich groesawu a cawn vyned at eu orphwysfa i chwi cael gweled llecyn mor hardd y mae yn gysgu eu olaf hun.

Mi rhydym, yn byw, ar hun o bryd, mewn un ystafell fawr, ein tair, ond yn rait gusurus. (...)

Mr a Mrs Morris, wedi dychwelyd ers 3 wythnos, wedi bod flwyddyn a hanner yn deithio a cennadu, ag yn nawr, wyrthi eu gorau yma. Nita wedi mynd i'r Bregeth, ½ wedi 2, a bydd yn myned ir Ysgolgan am 5 eto. Normita[135] yn gusgu, felly caf bob tawelwch i ysgryfennu.

Disgwyliaf Fred ar teulu i Dê, mae y 4ar bach wedi bod tan frech yr ieir; a Fred ddim yn dda er phan mae yn ol, wedi cael taith galed yn ol tros y paith, efo Camion newydd – ond bydd i lawr yna, tua diwedd y mis yma, efo Vera a 2 or plant – 2 yr henav yma gyda ni i vyned ir ysgol. Os bydd y *ystreck* wedi eu therfynu ynte? Go dywyll y mae bethau ynte? (...)

Rhyfedd genym, veddwl nad wyf wedi cael gair oddiwyrth vy nghyveilles Irma, nau Thad oedd yn gymaint gyfaill i Willie, a ni welaus air yn y Dravod o goffa iddo – os yn hulus i chwi, dywedwch wyrth Irma.

Mi rhoeddwn wedi ysgrifenu tydalen, i orphen y llythur yma, ond cyraeddodd Fred ar teulu brydnawn sul – a vy gollodd yn y cynyrviad o paratoy te a mae rhaid tervynu ar frys. Bydd Biboy fel adnabyddir gan bawb; mab vy brawd Wyn[136] iw, maent yn symud i Trelew.

Wel af ymlaen i chwi ofyn i Irma os bydd rhiw air o goffa i vy niweddar briod, bydd gystled a anvon tair Dravod i mi.

Cofion cynnes oddiwyrth Fred a Vera
Gyda hiraeth, yn ffyddlawn eich gyfeilles
Gwenonwy

(28) Rhan o lythyr Gwenonwy Berwyn de Jones at Florence May Williams de Hughes ac atodiad at Irma Hughes de Jones yn rhoi hanes y teulu ac yn poeni am ddyfodol bregus '*Y Dravod*.'[137]

(Trwy garedigrwydd Alwen Green de Sangiovanni.)

La Primavera: hyd y 15 o Chwefol-
21.or 1.63

Annwyl Florence.

Derbyniaius eich caredig llythyr, cyn dyvod o Trevelin, llawer o ddiolch i chwi, deuaus yma ychydid ddyddiau yn ol efo Fred, Charley a Nita. Mae y lle yma yn hyfryd iawn eleni, digon o "Guintas"[138] ond dim ffrwythau eraill. Bydd Fred yn troi yn ol yfory efo Charley. Byddwn yn myned a Charley ir Ysgol internado, Ingles i Bariloche yn diwedd Chwefrol a soniech chwithau am ddyvod i fynnu – feallau y byasech yn offi dyvod yn mlaen efo ni; Yn y *Camion*[139] y byddwn am deithio, a gneud 'Campin'. Mi rhydyn wedi gwadd Uriena[140] – i ddyvod – a mae A Dodd[141], cyfnder Fred i ddyvod efyd.

Nid yw ein Ty Ni[142] wedi eu orphen, trwy vod plankiau wedi eu dwyn, a mae y contractor yn gwaithio ar Pennant[143] ar hun o bryd – ag yn ganmol y gunuaf gwair, felly Fred yn brysur iawn – a minnau yma, yn edrych ar ol, gneud BAŃO[144] newydd ir Devaid.

Dim newyddion yma, bawb mewn iechyd gan fawr obeithio eich bod chwithau yr un – vy cofion gynnes i Ronie y *Sra.*[145] Am serch arferol i vy ngyfeilles annwyl

Yn bur. G B de Jones.

Carwn un beth, os byddwch yn dyvod i fynnu, gofynwch i Ellen W de Thomas, am venthyg y *Dol gymraes* i mi cael eu chopio, gymeraf ofal o honni, fel geneth vach i mi – vy ngofio iddint.[146]

Blwyddyn Newydd Dda i chwi

Sra Irma H de Jones

Vy annwyl Irma – Manteisiaf i rhoi cynfon bach i chwi gwn eich bod yr un o hyd ac yn amal; gevais air oddiwyrth Ivor Roberts[147] yn rhiw crybwyll, am fyrfio cwmni newydd i cario Y Dravod allan yn amlach – ag yn neullldyol eu chadw yn fyw. Mae genyf ofyn, mae eu thranc a welwn os na whneir rhiwbeth ganon – cael eich barn Irma os bydd sigyrwydd am rhiw welliant. Mi wyddoch ein bod yn barod i gynorthwyo; mi garwn cael ysgwrs fawr a chwi ond, mi rhydym yn brysur iawn ar hun o bryd i deithio. Gwn na whnewch digio Irma

fach. Mi rhydech yn hen trymp – maddeuwch y nodyn brysur yma – mae y ty yn llawn o bobl diarth.

Mi rhoedd 3 Dravod yn unig wedi cyraedd Trevelin yr 8 nos diweddav. Ni cawsom ni yr un – felly mae yna rhiw difaterwch garw, yn rhiwle. Mi yr rhwyf yn gneud vy ngoreu iw chadw yn fyw, ond ma bobl yn digaloni.

Dda oedd genym ddeall eich bod wedi cael adferiad yn BA bob bendith yn y flwyddyn newydd yma – a gobeithio vod Dada yn mwynau y tywydd braf yma – a vod y genethod wedi bod yn llwyddiannus yn yr Ysgol.

Vy ngofion annwylaf
Modryb Gweno

Nodiadau

[3] Evan Thomas, golygydd *Y Drafod*. Bu farw ym 1952 yn 34 mlwydd oed. (Gw. llythyr rhif 122 ganddo yn *Llythyrau'r Wladfa 1865-1945*.)

[4] Yn *Y Drafod* (dydd Gwener, 9 Mawrth 1945, rhif 2,274) ceir ysgrif gan Evan Thomas o dan y pennawd 'Yr Hen Stoc'. Mae Evan Thomas yn cloi ei ysgrif drwy grybwyll (heb enwi) R. A. Roberts:

> Gwelais weddill olaf yr hen stoc, yn hen a musgrell yn cyfeirio ei gamau araf ac ansicr, a'r nos wedi ei ddal. I mi, yr oedd yn ddarlun byw o'r patriarch hwnnw y canodd Crwys amdano:
>
> Rhyw weddill o fywyd blinedig
> Wedi gorffen mynd yn hen.
>
> Wedi cyrraedd hyd at ddrws y bwthyn gwag a llwm rhoes ei bwys i lawr ar y llawr oer a chaled, a chysgodd ... Sylwais yn hir arno. Gwenai'r henwr yn ei gwsg, fel pe'n breuddwydio fod y cwmni yno yn gryno fel cynt, yn llawen a difyr, cadwynau amser wedi eu dryllio, a'r gorffennol i gyd wedi dod yn ôl!!!
>
> Y mae y darlun yn mynnu aros yn fy nghof, ac yn dweyd wrthyf o hyd mai nid mewn 'parchusrwydd' yn unig y gorffwys mawredd enaid dyn ...

[5] Y llenor, Eluned Morgan (1870-1938).

[6] Morgan Philip Jones (1866-1933). Bu'n Archdderwydd Eisteddfod y Wladfa ac yn olygydd *Y Drafod*.

[7] Cyhoeddwyd rhai rhifynnau o'r cylchgrawn hwn gan Evan Thomas. Ef hefyd oedd sylfaenydd a golygydd *El Regional*, y papur newydd Sbaeneg.

[8] *Eluned Morgan Bywgraffiad a Detholiad* gan R. Bryn Williams a argraffwyd gan Wasg Gomer, Ionawr 1948.

[9] Y Parch. Harri T. Samuel, Rhaeadr Gŵy. Daeth gyda'i wraig a'i fab i'r Wladfa ym mis Mai 1948. Dychwelodd y tri i Gymru ym mis Mawrth 1949. Yn y cyfarfod croeso i'r Parch. H. T. Samuel yn Nhrelew, dywedodd yn ei araith: '*Edrychwch arnaf fel llythyr o Gymru at y Wladfa; llythyr yn clymu ein doe a'n heddiw ...* '

[10] Dyfynnodd Evan Thomas yn *Y Drafod* o lythyr a dderbyniodd gan Kate Roberts (*Y Drafod*, 23 Awst 1946, rhif 2,346): '*Os yw'r Gymraeg yn cael trafferth i fyw yng Nghymru yn ei bro gynefin, wel, yn sicr, mae'n galed iawn arni yn y Wladfa ... Credaf y bydd y Gymraeg wedi diflannu'n llwyr o ran fawr o Gymru ymhen un genhedlaeth eto ...* '

[11] Bardd a newyddiadurwr. Bu'n feirniad yn Eisteddfod y Wladfa 1949. Irma Hughes de Jones a enillodd y gadair. Enillodd J. T. Jones gadair Eisteddfod Genedlaethol Cymru, Bae Colwyn ym 1947.

[12] Aeth y Parch. Alun Garner o Gymru i wasanaethu Capel Bethel, y Gaiman ym 1927. Dychwelodd ef a'i wraig i Gymru ym 1937.

[13] Mae'n debyg mai cyfeirio a wna at Evan Owen Williams, ewythr R. Bryn Williams.

[14] Mewn llythyr ato gan Kate Roberts ac a gyhoeddwyd gan Evan Thomas yn *Y Drafod* (23 Awst 1946, rhif 2,346) dywed hithau:

> Mae'r sefyllfa yn ddrwg iawn ynglyn a chyhoeddi llyfrau ar hyn o bryd. Prinder papur, prinder dynion, prinder peiriannau a phrinder llafur i drwsio'r peiriannau ... Nid oes bosibl cael dynion i wneud gwaith, ond y mae digonedd o swyddogion i edrych ar ôl pobl eraill, ac y mae digon o bapur i'w gael ar gyfer ffurflenni'r llywodraeth ...

[15] Daeth Evan Thomas yn gydradd gyntaf ar y gystadleuaeth cyfansoddi dyddiadur yn Eisteddfod Genedlaethol Cymru Caerffili ym 1950.

[16] Elved Thomas a enillodd gadair Eisteddfod y Wladfa yn y Gaiman ym 1950. Enillodd Morris ap Hughes (1890-1975) gadair Eisteddfod y Wladfa dair gwaith a chadair Eisteddfod Gadeiriol y Bobl Ieuainc a gynhaliwyd yn Nhrelew ym mis Ebrill 1950.

Evan Thomas ddaeth yn ail agos iddo. RBW oedd y beirniad. Dywedodd RBW yn ei feirniadaeth am y faled:

> Y gerdd orau eleni yw baled i Lofruddiaeth Aaron Jenkins. Mae hon yn faled wych, yn nhraddodiad hen faledi Cymru. Credaf y buasai'n uchel yng nghystadleuaeth y Faled yn yr Eisteddfod Genedlaethol hyd yn oed. Yn fy marn i dyma'r peth gorau a ddaeth o'r Wladfa mewn barddoniaeth ers talwm iawn. (*Yr Enfys*, haf 1950)

17 Bu farw Lloyd George 26 Mawrth 1945 yn 82 mlwydd oed.

18 Mae'n debyg mai cyfeiriad yw hwn at araith Winston Churchill ar 8 Mai 1945, diwrnod VE: '... in all our long history we have never seen a greater day than this ...'

19 Bu farw Lloyd George ym mis Mawrth 1945 ac achosodd hyn is-etholiad. Dim ond y Blaid Ryddfrydol a Phlaid Cymru ymladdodd am y sedd, gyda Seaborne Davies, y Rhyddfrydwr yn trechu J. E. Daniel o Blaid Cymru. Ni fu Seaborne Davies yn AS am amser hir gan iddo golli yn yr etholiad cyffredinol ar y 5ed o Orffennaf i'r Ceidwadwr David Price-White.

20 J. E. Daniel (1902-1962), aelod blaenllaw o Blaid Cymru ac yn olynydd i Saunders Lewis fel Llywydd/Cadeirydd.

21 Margaret Evans, Llanrwst, o Gapel Garmon yn wreiddiol. Nain Margaret Rees Williams.

22 Elias Owen, Gwyndy a fu farw ym 1951 yn 91 mlwydd oed.

23 Gŵr modryb Margaret Rees Williams.

24 Nain Margaret Rees Williams.

25 Cartref Elias Owen yng Nghapel Garmon.

26 Cafodd tad Elias Owen, sef Elias Owen, ei droi allan o'i fferm ar Ystad Gwydyr yn Nolwyddelan am bleidleisio dros Syr Love Jones Parry yn yr etholiad yn erbyn mab yr Arglwydd Penrhyn ym 1868. Symudodd ei rieni i Gapel Garmon.

27 Grace Jones ac Owen Owens – chwaer a brawd Elias. Bu farw Owen Owens Coetmor ym 1932 yn 82 mlwydd oed.

28 'Y Llan' fyddai'r enw lleol ar Capel Garmon.

29 Fferm gyfagos yng Nghapel Garmon.

30 Brawd yr awdur.

31 Mae'n debyg mai Margaret Evans yn blentyn oedd 'Begw bach' ac mai cyfeirio ato'i hun wna'r awdur wrth sôn am 'Lis bach'.

32 Gŵr Margaret Evans.

33 Ellen Williams, gweddw Owen Williams.

34 Owen Williams, a ymfudodd gydag Elias Owen i Batagonia tua 1880. Dychwelodd i Gymru ym 1919 a bu farw yno ym 1948. (Gw. llythyr rhif 62 ganddo yn *Llythyrau'r Wladfa 1865-1945*.)

35 Seion, Capel Mawr Llanrwst.

36 Mewn llythyr arall gan Elias Owen dywed: 'Yr oeddwn yn byw yn Bryn Rhydd, ger Maenan. Byr fu fy arhosiad (...) oherwydd i'm rhieni symud i Ben-y-Bryn, ger Plas Madog, ac i mi oddi yno gael fy anfon i ysgol Llanddoged. I gapel Tan-y-Celyn yr aem yn Bryn Rhydd, ond o Ben-y-Bryn i'r Capel Mawr, Llanrwst.'

37 Margaret ac Elias Garmon Owen, plant Owen Owens, brawd yr awdur.

38 Jane Alice, merch Grace Jones, chwaer yr awdur.

39 Eisteddfod Genedlaethol Llanrwst. Rhoddwyd cadair yr Eisteddfod gan Gymry'r Wladfa a'r goron gan Mr R. Gwilym Roberts (Awelfab), Llywydd Cymdeithas Dewi Sant, Buenos Aires.

40 Bu Elias Owen farw 30 Mai 1951.

41 Priododd Winnie (Catherine Winifred Jones, 1920-1991) ag Ifor Owen ar 31 Mawrth 1945. Priododd Irma Hughes (1918-2003) ag Ehedydd Iâl Jones ym mis Medi 1945.

42 Hannah Mary Ulsen de Hughes oedd mam Irma. (Gw. llythyr 100 ganddi yn *Llythyrau'r Wladfa 1865-1945*.) Bu farw ym 1942.

[43] *William Jones,* nofel gan T. Rowland Hughes. 'Crad' oedd brawd-yng-nghyfraith William Jones: ' ... un go fyr ei dymer a diofal ei dafod.'

[44] Mary Williams, hen nain Irma oedd 'Neini'.

[45] Arthur Hughes, mab y nofelydd, newyddiadurwraig ac ymgyrchwraig dros hawliau merched Annie Harriet Hughes (*alias* Gwyneth Vaughan 1852-1910) a thad Irma Hughes de Jones. Roedd yn ysgolhaig. Yn dilyn marwolaeth ei fam, perswadiodd Eluned Morgan, cyfeilles i Gwyneth Vaughan, ef i ymfudo i'r Wladfa er mwyn adfer ei iechyd. Daeth Arthur Hughes i'r Wladfa ar fwrdd y llong *Orita* ym 1911. Priododd â gweddw ifanc o'r enw Hannah Mary Ulsen de Durousset. Ganed iddynt 4 o blant: Irma, Arel, Oine a Camber. Dywedodd Arthur Hughes yn *Y Drafod* (12 Ionawr 1945, rhif 2,266): 'Pan fyddaf fi wedi cael fy llond o fwynhad yn fy mhapurau a'm hysgrifau, i'r tân y byddant yn mynd, i ferwi'r tecell ... '

[46] Y Parchedig Tudur Evans (1877-1959), mab Hannah a'r Parchedig J. Caerenig Evans. Roedd y rhieni ymhlith trigolion cyntaf y Gaiman. Bu'r Parch. Tudur Evans yn weinidog yn Nyffryn Camwy rhwng 1910 a 1920, ac yn Nhrevelin o 1921 tan 1933, ac eto yn Nyffryn Camwy o 1933 tan ei farwolaeth ym 1959. Enillodd gadair Eisteddfod y Wladfa ym 1928.

[47] Brychan Evans (1882-1972), mab hynaf Esther a Thomas Dalar Evans.

[48] Dywed Eluned am Miguelito: ' ... yr un sy'n cario teithwyr yn wythnosol ... ' (*Tyred Drosodd*, t. 149) Dywed RBW amdano ym 1960: 'Euthum i fyny gyda'r bws **Miguelito** sy'n eiddo i Rwsiad hoffus a wnaeth y siwrnai'n wythnosol ers deng mlynedd ar hugain.' (*Crwydro Patagonia*, t. 49)

[49] Mrs Tudur Evans, sef Margaret Ann Williams de Evans (1881-1970). Fe'i ganed yng Nghaerfyrddin. Daeth i'r Wladfa i briodi'r Parch. Tudur Evans ym 1912.

[50] Ifano Evans, mab yr awdur. Dadorchuddiodd gofgolofn i'w rieni ym mynwent y Gaiman ar 18 Hydref 1976.

[51] Dywed Alen Evans de Williams i'r Parch. Tudur Evans a'i briod fyw yn Nhŷ Capel Trevelin am 12 mlynedd rhwng 1921 a 1933. Dywed eu mab, Ifano Evans mewn ysgrif yn *Yr Enfys* (Mai 1965) mai y deuddeng mlynedd yn yr Andes oedd 'yr amser hapusaf a gafodd fy rhieni'.

[52] Aeth y Parch. Tudur Evans a'i wraig am dro i'r Andes ym 1956 am ychydig wythnosau o seibiant ac i gyfrannu tuag at waith eglwysi Cwm Hyfryd ac Esquel. Aeth y ddau gydag Elias Garmon Owen a Morgan Jenkins o Drelew am y tro cyntaf mewn awyren gan gwtogi'r daith yn sylweddol.

[53] Paul S. Williams, brodor o Pennsylvania, UDA. Roedd ei dad yn Gymro o Aberystwyth a ymfudodd i'r America. Nid oedd Paul Williams yn siarad Cymraeg.

[54] Fferm 'Cwm y Gwanwyn' ger Rhyd yr Indiaid. Mae Gwenonwy Berwyn de Jones, gwraig Christmas Jones a merch Richard J. Berwyn ac Elizabeth Pritchard (gw. llythyrau Berwyn, rhif 12, 15, 18, 19, 24 a 91 yn *Llythyrau'r Wladfa 1865-1945*) yn disgrifio'r fferm: 'Mae o'n lle mawr, La Primavera, wyth lig bob ffordd, ond 'dydy o ddim yn gamp da, cofiwch, dim ond lle i ryw bum cant o ddefaid ... ' (*Tan Tro Nesaf*, t. 115)

[55] Frederick Green, mab i wraig Christmas Jones sef Gwenonwy a'i gŵr cyntaf John Charles Green. Daeth John Charles Green i'r Wladfa yn 13 oed tua 1887. Bu farw o'r teiffoid pan oedd ei fab Fred Green yn 7 mis oed a'i wraig Gwenonwy yn 22 mlwydd oed.

[56] Evan Thomas enillodd y gadair am yr eildro.

[57] Cynhaliwyd yr Ŵyl Gerdd Dant gyntaf yn y Felinheli ym 1947.

[58] Roedd Frances (a aned ym 1890) yn ferch i John Eryrys Jones ac Anne Harrison. (Gw. hanes y teulu yn *Atgofion am y Wladfa*, Valmai Jones.)

[59] Catherine Jane Jones, merch Jonathan (1855-1933) a Hannah Evans (1862-1947). Ganed yn Nhrelew ym 1888 a bu farw yn Aber-fan ym 1978.

[60] Hannah Evans (Roberts gynt), mam Catherine Jane. Bu farw yn Lerpwl 18 Chwefror 1947 yn 84 mlwydd oed.

[61] Aeth Jonathan a Hannah Evans a'u merch Winifred ar y *Vesta* i Batagonia ynghyd â dau frawd Hannah, sef Boaz a Hugh Roberts. Roedd Jonathan a Hannah yn byw yn

Lerpwl cyn hyn ond yn wreiddiol o Ddyffryn Clwyd. Ffrind pennaf Jonathan oedd John Eryrys Jones (tad Frances, awdur y llythyr) a oedd hefyd ar y *Vesta* ym 1886. Roedd Frances a Catherine Jane yn blant efo'i gilydd yn y Wladfa cyn i'r ddau deulu ymfudo i Ganada ym 1902.

62 Bu farw ei mam, Anne Harrison ym 1901 yn 46 mlwydd oed pan oedd Frances yn 11 mlwydd oed.

63 Y Parch. Erastus Evans (1901-1969). Fe'i ganed yn y Gaiman a bu farw yn Llundain. Roedd yn weinidog gyda'r Wesleyaid Saesneg.

64 Bu farw'r Parch E. R. Williams ym 1952. Bu colofn ganddo yn *Yr Enfys* (1948-1951) o dan yr enw 'Waldo'.

65 Gwyneth Vaughan, Dilys Marian, Arthur Raymond, Muriel, Frances Evelyn a John Harrison

66 Brodyr Frances oedd David Iâl (a briododd â Lizzie Rebecca Maliphant) a Cynan (a briododd â Lizzie Jane Smith.) Enwau'r brodyr a'r chwiorydd eraill oedd Sarah Hannah, Penri, Myfanwy, Tudeg a Flavia.

67 Edith Evans, merch Mary a Daniel Rhys Evans. Ganed Edith ym 1889.

68 Boaz Roberts, brawd Hannah Roberts – mam Catherine Jane. Bu'n deiliwr yn Rawson.

69 Bu farw Mrs Daniel Evans yn 1946 yn 87 mlwydd oed. Roedd yn ferch i Tom Morgan Jones.

70 James Hugh Rowlands, 'Bryn Eirin' (1865-1947). Ganed yn Ninas Mawddwy. Ymfudodd i Batagonia ym 1886 ar fwrdd y *Vesta*. (Gw. llythyr rhif 105 ganddo yn *Llythyrau'r Wladfa 1865-1945*.)

71 Robert John Jones (Bob), roedd yn yrrwr i gwmni *Morris and Jones* ac yn flaenor yng Nghapel Annibynwyr Great Mersey Street yn Lerpwl.

72 Margaret May Roberts a briododd â Morgan Day. Hi gadwodd Ysgol Ganolraddol y Gaiman i fynd cyn iddi gau ar ddiwedd y 1940au. Bu farw 6 Medi 1977.

73 Cyrus Evans, un o deulu lluosog William Evans, Maes yr Haf o ardal Bryn Gwyn.

74 Ym 1877 adeiladwyd Eglwys Annibynnol Gaiman, sef capel o gerrig â tho gwellt. Y gweinidog cyntaf oedd y Parch. John Caerenig Evans. Gan i'r capel hwn ddirywio fe adeiladwyd capel arall yn ei le tua 1884, yr ochr arall i'r afon. Fe'i gelwir heddiw yn 'Hen Gapel'. Eliza Evans de Williams, chwaer y gweinidog, a roddodd y tir ar yr amod fod y capel i'w enwi'n 'Bethel' ar ôl ei chapel hi yng Nghymru. Ym 1913 adeiladwyd capel mwy. Hwn yw'r capel mwyaf yn y Wladfa heddiw.

75 Cranogwen Griffiths, merch Mary a William Thomas Griffiths. Fe'i ganed yn 1889.

76 Sarah Hannah (1879-1909), priod Isaac Davies a chwaer yr awdur. Roedd Gwladys (a briododd â César Ramirez Calderón) yn un o 6 o'u plant.

77 Flavia (1896-1977), priod Daniel Whitley a chwaer yr awdur.

78 Roedd Flavia Whitley, chwaer yr awdures, yn byw yn Nhanyfron, Wrecsam.

79 Bob (Robert John Jones), gŵr Catherine Jane Jones.

80 Daeth Catherine Mariani allan i'r Wladfa o Ddowlais ym 1875. Wedi iddi golli ei gŵr cyntaf, Dafydd Hughes, priododd Catherine (Davies gynt) gyda Joseph Mariani. Samuel 'Saer' oedd ei phlentyn ieuengaf o 5 gyda Dafydd Hughes. Cafodd 2 ferch gyda Joseph Mariani

81 Cafodd Samuel Hughes a Lizzie Daniel 7 o blant: Lilian, Emily, Irian, Doris, David, Edgar ac Awrel.

82 Constance Freeman de Owen (1897-1990), merch ieuengaf Mary Ann Freeman a William Freeman.

83 Lottie Roberts de Hughes, chwaer Maggie Powell a merch Benjamin Roberts a Lizzie Freeman; Emrys Hughes, ei gŵr (a adnabyddid hefyd fel 'Don Ambrosio'), mab hynaf William Henry Hughes 'Glan Caeron' (gw. llythyr rhif 106 gan Glan Caeron yn *Llythyrau'r Wladfa 1865-1945*); Alwina Hughes de Thomas, eu merch a gwraig Elwy Thomas.

84 Ida Hopkins, merch Ellen Pugh Roberts de Hopkins.

85 Lizzie Freeman (1875-1962), merch Mary Ann Freeman a William Freeman.

[86] Roedd Mair ap Iwan Roberts yn 13 oed pan lofruddiwyd ei thad, Llwyd ap Iwan. (Gw. llythyr 81 yn *Llythyrau'r Wladfa 1865-1945* yn disgrifio'r llofruddiaeth.) Yn 1911 aeth Mair i Gymru gyda'i modryb Eluned Morgan i dderbyn addysg, cyn dychwelyd i'r Wladfa ym 1918. Roedd hi'n fam i Moelona, Tegai, Arturo, Mihangel a Luned Vychan. Bu farw ym 1971 yn 75 mlwydd oed.

[87] Ceir adysgrifiad o Gyfansoddiad y Wladfa yn *Y Wladfa* (RBW, tt. 310-312). Ymddangosodd y Cyfansoddiad yn *Baner ac Amserau Cymru*, 12 Gorffennaf 1871.

[88] Yn *Y Drafod* (20 Gorffennaf 1957, rhif 2,702) ceir erthygl gan Iâl yn crybwyll llythyr yn Sbaeneg gan Owen C. Evans o Lerpwl yn sôn iddo deipio holl waith Deiniol (yr englynwr o'r Wladfa) a'i anfon i LlGC. Gorffen Iâl ei erthygl drwy ddweud: 'Tybiais y buasai'r nodiadau hyn o ddiddordeb i ddarllenwyr Y Drafod sy'n credu bod gan y Wladfa gyfoeth o lenyddiaeth sy'n haeddu ei ddiogelu rhag difancoll ac fel cofgolofn ir Fintai gyntaf.'

[89] Dywed R. Bryn Williams ym 1959 yn *Crwydro Patagonia* (t. 42): 'Defnyddir un o ystafelloedd yr ysgol yn Llyfrgell Gymraeg, a theimlwn yn falch imi gael rhan yn ei sefydlu ddeng mlynedd yn ôl, pan anfonais gopi newydd o bob llyfr Cymraeg a oedd ar y farchnad ar y pryd iddi ... '

[90] Dau o bapurau newydd Buenos Aires.

[91] Nifer o wagenni yn ymuno i gario gwlân a nwyddau dros y paith (*convoy*).

[92] D. R. Daniel, o Gwm Rhondda yn wreiddiol. Aeth i'r Wladfa pan oedd yn blentyn ym 1875.

[93] '*Pedir disculpas*' – 'gofyn maddeuant'/'ymddiheuro'.

[94] Ei wraig Lottie Roberts, merch Benjamin Pugh Roberts a Lizzie Freeman.

[95] Ei ferch Alwina Thomas a'i phriod, Elwy Thomas a weithiai yn y banc yn Buenos Aires. Roedd gan Lottie ac Emrys Hughes 4 o blant i gyd: Caeron, Ivor, Elgar ac Alwina.

[96] Merfyn Williams 1913-4.10.1960 a Richard Williams ei dad a fu farw ym 1944 yn 67 mlwydd oed.

[97] Dan Lewis oedd Cadeirydd Pwyllgor Lleol Buenos Aires i ddathlu'r canmlwyddiant.

[98] Judith Ellen Williams. Bu farw ym 1964.

[99] Gw. troednodyn 250, llythyr 69.

[100] Letitia Jones de Lewis – gwraig Dan Lewis. Roedd hi'n ferch i David Jones 'Maes Comet' a oedd yn un o'r fintai gyntaf ym 1865. (Ceir mwy o'i hanes yn llythyr 93 gan Dan Lewis.)

[101] Barbra Llwyd Evans, neu Mrs J. O. Evans. Roedd yn delynores ddawnus. Ysgrifennodd RBW erthygl amdani i *Barn* (Chwefror 1978) o dan y teitl 'Barbra Llwyd Evans':

> Merch i Robert Jones, brawd fy Nain, oedd Barbra Llwyd, ac felly yr oedd hi'n gyfneither i'm Mam ... Ganed ei thad yn Fucheswen ym Mlaenau Ffestiniog yn y flwyddyn 1850. (...) Mentrodd drosodd i'r Wladfa yn y flwyddyn 1871, pan oedd yn un ar hugain oed. Arloesodd fferm yn ardal BrynGwyn, ei galw yn Fucheswen, ac yno y bu hyd ei farw yn y flwyddyn 1912. (...) Ganed mab iddo o'i briodas gyntaf, a merch o'r ail sef Barbra Llwyd (...) Yr oedd cryn dipyn o ddawn y llenor yn Robert Jones (...) Cyhoeddwyd straeon ganddo dan yr enw 'Cyrnol Jones' (...) Priododd Barbra Llwyd ag un arall oedd yn dipyn o lenor yn y Wladfa, sef John Owen Evans. Enillodd y wobr am stori yn Eisteddfod Trelew yn y flwyddyn 1937, ac a gyhoeddwyd yn y Drafod yn ystod 1938-1939 (...) ac yr oedd gan Barbra Llwyd hithau gryn ddawn lenyddol, fel y dengys ei llythyrau ...

[102] Eiddwen Evans Humphreys, nith i Barbra Llwyd Evans, a merch i Sally a William M. Evans. Fe'i ganed yn y Wladfa. Roedd ei thad, William M. Evans yn gerddor ac yn arweinydd medrus yn y Wladfa. Ym 1938 aeth W. M. Evans, ei wraig a'i 2 ferch, Eiddwen a Megan, i fyw i Frongoch yng Nghymru. Roedd Eiddwen yn 10 oed pan ymfudodd i Gymru. Roedd Eiddwen yn gyfnither i R. Bryn Williams. Eiddwen Humphreys oedd un o sylfaenwyr Cymdeithas Cymry Ariannin.

[103] John Owen Evans, priod B. Ll. Evans. Bu farw ym 1957.

[104] Blodwen, merch B. Ll. Evans.

[105] Robert Talwyn, mab B. Ll. Evans.

[106] Delyth Llwyd (Mrs Herbert Powell Jones), yr arlunydd a merch B. Ll. Evans. (Gw. llythyr 88 ganddi.) Bu farw ym 1986.

[107] Y Parch. D. J. Peregrine. Brodor o Gaerfyrddin a aeth yn weinidog i'r Wladfa ym 1956. Enillodd gadair Eisteddfod y Wladfa ym 1966 a 1967.

[108] '*Dique*' – y gair Sbaeneg am 'argae'.

[109] Megan Evans de Vidal, chwaer Eiddwen. Priododd Megan â Peter Vidal Salaberry, Llysgennad Uruguay yn Bonn, yr Almaen.

[110] Nan Davies o Dregaron, cynhyrchydd gyda'r BBC.

[111] John Ormond Thomas.

[112] Yn ei 'llythyr' 'Gair o Walia' i'r *Drafod* (22 Gorffennaf 1963, rhif 8780), dywed Valmai Jones am drydedd rhaglen 'Y Gymru Bell': 'Yna clywsom Mrs John Owen Evans yn ateb cwestiynau yn bwyllog ac urddasol ... Da ydoedd clywed Mr. Richard James yn son am yr Eisteddfodau flynyddoedd yn ol, y cyrddau cystadleuol a llenyddol ... '

[113] Thomas Jones, gŵr Ellen Davies de Jones. Bu farw yn 86 mlwydd oed ym 1956.

[114] Claddwyd mam Ellen Davies de Jones, sef Hannah Davies, Llain-las, ym mynwent y Gaiman. Bu farw 30 Ionawr 1888 yn 36 mlwydd oed.

[115] Priododd Fred Green â Vera Griffiths, 8 Medi 1950.

[116] John Griffiths (1846-1929) a'i briod Catherine Harris (1846-1902).

[117] Griffith Griffiths, mab Catherine a John Griffiths. Priododd ag Elizabeth Mary Williams a chawsant 6 o blant: Penar, Edwin, Mair, Vera, Ann a Gwili.

[118] Margaret Griffiths de Jones. Gwraig Griffith Jones, Bryn Gwyn. Cawsant 6 o blant: Dewi, Dyfed, Bronwen, Nest, Penar ac Enyr.

[119] Aeth Enyr yn athro i Luton yn Lloegr.

[120] William John Hughes – mab Elizabeth Jones (Betsi Hughes – gw. llythyr 25 ganddi yn *Llythyrau'r Wladfa 1865-1945*) a John Hughes. Roedd William John yn 10 oed ar y *Mimosa*. Wyth niwrnod ar ôl glanio bu farw ei frawd Henry yn 17 mis oed, ac yna ymhen 3 mis bu farw ei chwaer, Myfanwy yn 4 oed. Lai na blwyddyn ar ôl glanio (fis Mawrth 1866) bu faw ei dad John Hughes yn 30 oed. Magodd Betsi Hughes ei 2 fab William John a John Samuel ar ei phen ei hun. Priododd William John â Mary Ann Jones a chawsant 7 o blant: Mary Elizabeth, Henry, Phillip, Jane, George, Gwilym ac Ellen.

[121] Priododd Mary Elizabeth Hughes (Choele-Choel) ag Oliver Griffiths a chawsant 10 o blant: Eunice, Eluned, Eurgain, Eirig, Elvyn, Emig, Einion, Ednyved, Euros ac Eirlys.

[122] Clydwyn Ap Aeron Jones y cerddor, mab Ellen ac Aeron Jones, Rhymni, Bryn Crwn.

[123] Cafodd Clydwyn Ap Aeron ddwy wraig: Eileen Williams ac yna Alicia Ferrari.

[124] William John, ei mab a fu farw ym 1988.

[125] Hannah Davies a fu farw ym 1888.

[126] Mary Humphreys de Davies, y gyntaf-anedig o blant Cymru yn y Wladfa. Fe'i henwyd yn Mary er cof am ferch fach William a Catherine Jones. Hysbyswyd ei thad (Maurice Humphreys a oedd wedi mynd gyda chriw o ddynion tua'r dyffryn) ddeuddydd yn ddiweddarach am enedigaeth ei ferch fach. Galwyd y bryniau gerllaw yn Bryniau Meri i ddathlu genedigaeth plentyn cyntaf y Wladfa. (Gw. *Yr Hirdaith*, t. 82) Myfanwy Humphreys de Alsúa oedd ei chwaer.

[127] Dilys Berwyn, chwaer Gwenonwy Berwyn de Jones. Awen oedd ei merch hynaf a ddioddefai o afiechyd i'w system nerfau; Uriena oedd ei hail ferch. Dywed Fred Green am ei fam (*Pethau Patagonia*, t. 52):

> Er mai myfi oedd ei hunig blentyn magodd fy mam ragor o blant ar ein haelwyd nag y gallaf eu cyfrif y funud hon. Un ohonynt oedd fy nghyfnither Uriena. Yr oedd dealltwriaeth rhwng fy mam a'i chwaer Dilys pe digwyddai rhywbeth i'r naill y buasai'r llall yn gofalu am y plant. Bu farw fy Modryb Dilys yn ifanc, ysywaeth, ac felly daeth ei merch fach hi atom i fyw ...

[128] Ganed Gwenonwy Berwyn de Jones ym Mherllan Helyg ger Tre-rawson. Ei rhieni oedd Richard Jones Berwyn ac Elizabeth Pritchard. Hi oedd deuddegfed plentyn y ddau a phedwerydd plentyn ar ddeg Elizabeth Pritchard. Bu farw 19 Medi 1972 a'i chladdu ym mynwent y teulu ar fferm Pennant ger Trevelin.

[129] Florence May Williams de Hughes (gw. llythyr 134 ganddi).

[130] Frederick Green, mab Gwenonwy a'i gŵr cyntaf John Charles Green.

[131] Charlie, mab hynaf Fred Green a Vera Griffiths.

[132] Nita López de Troncosco o Ryd yr Indiaid. Merch o dras frodorol a fabwysiadwyd gan Gwenonwy a Christmas Jones. Siaradai Gymraeg yn rhugl. Dywed Gwenonwy am Nita (*Tan Tro Nesaf,* t. 116) ei bod hi ' ... yn darllen Y Cymro gystal â mi ... '.

[133] Megan Jones, merch Esther (wyres Hannah a Richard Jones 'Glyn Du' a ddaeth i'r Wladfa ar y *Mimosa*) ac Albert Jones 'Kansas'. Cawsant 7 o blant: Herbert, Dennis, Megan, Nelly, Olwen, Amelia a Delwyn.

[134] Nyrs o'r ysbyty a fyddai'n dod i weinyddu'r claf a rhoi'r corff i'r arch.

[135] Norma López, merch Nita, a anfarwolwyd gan ddarlun Kyffin Williams ohoni. (Gw. *Portraits,* Kyffin Williams.)

[136] Wyn Jones Berwyn a briododd â Gwen Ellen Thomas. Cawsant 4 o blant: Urien, Stella, Einion Wyn a Mimosa.

[137] Bu Irma Hughes de Jones yn cyfrannu'n gyson i'r *Drafod,* ac yna ym 1952, pan fu farw'r golygydd, Evan Thomas, cytunodd Irma i ymgymryd â'r gwaith. Bu'n olygydd ar *Y Drafod* tan ei marwolaeth yn 2003.

[138] '*Guindas*' – math o geirios bychain surion.

[139] '*Camion*' – y gair Sbaeneg am 'lori'.

[140] Uriena Ynver Rhys de Lewis, merch Dilys Berwyn a Llewelyn Berry Rhys. Bu farw Dilys Berwyn pan oedd Uriena yn 4 oed ac fe gafodd ei magu gan ei modryb Gwenonwy Berwyn de Jones.

[141] Arthur Dodd, cefnder i Fred Green. Roedd Arthur Dodd yn fab i Harriet Mary, chwaer John Charles Green.

[142] Mae Kyffin Williams yn disgrifio Tŷ Ni, Trevelin yn *Portraits*: 'Ty Ni was a small architectural box which stood isolated in the middle of a patch of very rough ground covered with dull, coarse bushes.' Yma yr ymgartrefodd Gwenonwy.

[143] Cartref Fred Green oedd Pennant a adeiladwyd ym 1953. Ceir disgrifiad ohono yn *Pethau Patagonia* t. 66. Wrth gloi ei gyfrol, dywed Fred Green ym 1984 (t. 124): 'Y rheol ar aelwyd Pennant ar hyd y blynyddoedd yw mai'r Gymraeg yn unig a siaredir yma ar wahân i'r adegau hynny pan ddaw ymwelwyr sydd ddim yn deall yr iaith heibio i ni.'

[144] '*Baño*' – y gair Sbaeneg am 'baddon'/'bath'.

[145] Ronnie Hughes, mab Florence May Williams de Hughes. (Gw. llythyr 171 gan ei wraig Blanca Hughes.)

[146] Roedd Gwenonwy am i Nita weu doliau Cymreig yn barod ar gyfer dathliadau'r canmlwyddiant. Dywed Kyffin Williams am Tŷ Ni yn ei erthygl 'An Artist in Welsh Patagonia' yn yr *Anglo Welsh Review,* rhif 18:

> The walls were covered with pictures and objects that somehow united Cwm Hyfryd with the distant land of Wales. There were Welsh calendars and a plaque with the words 'Cristo fue muerto por nuestros pecados.' There were ox horns, a puma skin and elaborately framed pictures of the Happy Valley at Llandudno. There were Welsh and Swiss dolls and Indian carpets, but most important of all were the photographs of the family and they were framed singly or in groups and gazed on with great reverence by Nita, Norma and Pauli. (t. 27)

[147] Ivor Wellington Roberts, mab Ceridwen a Samuel Roberts. Roedd yn ŵyr i Edwin Cynrig Roberts. Priododd â gweddw o'r enw Ana Watson ac ymgartrefu yn Nhrelew. Ymddiddorai mewn hanes ac fe drosglwyddodd gopïau o'r *Drafod* i'r amgueddfa yn y Gaiman.

PENNOD 2

Y canmlwyddiant (Llythyrau 1965-1970)

Degawd dyrys oedd y 1960au yng Nghymru. Ganol y degawd, ar yr 21ain o Hydref 1965 cynhaliwyd seremoni i agor yn swyddogol Gronfa Ddŵr Llyn Tryweryn. Yn dilyn gwarth boddi Capel Celyn, Tryweryn (ac araith eiconig 'Tynged yr Iaith' Saunders Lewis ym 1962) daeth y Gymraeg yn fater gwleidyddol. Roedd Cymru yn newid a'r Gymraeg ar groesffordd. Daeth achlysur arwisgo'r Tywysog Siarl yng nghastell Caernarfon ym 1969 i ychwanegu at ferw'r cyfnod. Dywed Alan Llwyd (*Barddoniaeth y Chwedegau, Astudiaeth Lenyddol-hanesyddol*, t. 3):

> Cenedl yn crwydro'n ddigyfeiriad rhwng dau begwn oedd Cymru yn y Chwedegau, brwynen rhwng deuwynt: y gorffennol sefydlog, digyfnewid o'i hôl, y dyfodol ansicr o'i blaen. Er pob dyhead i lynu wrth yr hen, yr oedd y newydd yn ei gwthio ymlaen, nes i'r tyndra esgor ar nerfusrwydd ac ofn.

Gallai'r geiriau yma'n hawdd iawn fod wedi eu cyfeirio hefyd at Gymry'r Wladfa yn ystod y cyfnod hwn. Yn y bennod hon fe'n cyflwynir i gymeriad hynaws Elisa Dimol de Davies. Enillodd ar sawl cystadleuaeth ysgrifenedig yn eisteddfodau'r Wladfa ac yn y gystadleuaeth i rai o'r Wladfa yn Eisteddfod Genedlaethol Cymru. Wrth ei chyflwyno fel un o enillwyr cystadleuaeth Eisteddfod Genedlaethol Cymru, Caerdydd, dywed R. Bryn Williams amdani yn *Atgofion o Batagonia*: 'Y rhyfeddod yw fod gwraig a anwyd mewn pabell ar y paith yn y flwyddyn 1895, ac na bu erioed yng Nghymru, yn ysgrifennu Cymraeg mor raenus ... '

Roedd hi'n llythyrwraig doreithiog. Mewn llythyr (36) a ysgrifennwyd ym 1966 dywed Elisa: ' ... mae yn drist iawn meddwl mae darfod yn gyflym iawn mae y Gymraeg yn y Wladfa: yr hen Golofnau wedi mynd, ar Cymry wedi priodi gyda gwahanol genhedloedd eraill, – a dim diddordeb yn y rhai ifanc i ddysgu Cymraeg.'

Mae ei llythyrau yn drysorau ac mae'n ymateb yn ddi-flewyn ar dafod i ddigwyddiadau'r cyfnod. Diddorol yw ei hymateb i ddyn yn glanio ar y lleuad ym 1969:

> Y brwdfrydedd mawr sydd drwy y Byd heddyw yw fod dynion wedi cyrraedd ir Lleuad. Rhywbeth difydd iawn yn ol fy meddwl

> i ydyw rhyw orchest fel yna. (...) Gwario miliynau o arian er mwyn gwneyd enw mawr yw Gwlad ai dynion: a meddwl fod miloedd o Ddynion diniwed yn cael ei lladd bob dydd mewn llefydd eraill ynte? (...) Buasau yn dda iawn cael Diwygiad a Tywalltiad o'r Ysbryd Glân am unwaith eto i ddanghos fod Llaw Duw yn rheoli y Byd. (39)

Nid oes llawer o dystiolaeth o 'dywalltiad yr Ysbryd Glân' yn y Wladfa yn llythyrau canol y 1960au. Synhwyrir tyndra rhwng y gorffennol saff a'r dyfodol ansicr wrth i ohebwyr llythyrau'r Wladfa drafod helynt capeli'r dyffryn. Anghydfod oedd hwn yn sgil ymyrraeth cenhadaeth Eglwys Fethodistaidd yr Ariannin yn y capeli Cymraeg, a hynny'n rhwygo'r gymdeithas Gymraeg yn Nyffryn Camwy ganol '60au'r ganrif ddiwethaf. Roedd llawer o enwadau yn y Wladfa a chan y rhan fwyaf ohonynt genhadon i hel eu praidd i'w heglwysi eu hunain, ond digwyddai hyn yn bennaf ymysg y Lladinwyr. Daeth cenhadon yr Eglwys Fethodistaidd i ganol capeli'r Cymry.

Nid yw'n fwriad gen i i geisio dadansoddi'r hanes; mae'n achos rhy gymhleth a'r cymhlethdod yn dwysáu wrth i rai o'r Gwladfawyr barhau hyd yn oed heddiw i fod yn gyndyn iawn o drafod y mater. Gellid cymharu canlyniad storm y capeli yn Nyffryn Camwy i'r effaith a gafodd streic Chwarel y Penrhyn ar deuluoedd Dyffryn Ogwen yng Nghymru ddechrau'r ugeinfed ganrif, lle ceir peth drwgdeimlad rhwng teuluoedd hyd yn oed heddiw. Mae'n eironig mai crefydd oedd un o'r prif resymau dros ymfudo o Gymru i Batagonia, a chrefydd, gan mlynedd yn ddiweddarach, yn gyfrifol am rwygo'r gymdeithas Gymraeg.

Gofynnwyd i mi hepgor sawl llythyr a oedd yn trafod y pwnc sensitif hwn, ac felly pigion o'r hanes a geir yn y llythyrau y cefais ganiatâd i'w cynnwys yn y gyfrol hon. Roedd y llythyrau a hepgorwyd yn chwerw a phethau mawrion yn cael eu honni. Does ryfedd yn y byd fod disgynyddion y gohebwyr yma yn gyndyn o gyhoeddi llythyrau oedd mor fileinig am eu cymdogion. Cyfeiriwyd at amryw oedd wedi uno efo'r Methodistiaid fel 'pobl ffals' a 'chyfrwys' a oedd yn 'dwyn' y bobl ifanc o'r capeli Cymraeg. Fe'u cyhuddwyd o beidio â chefnogi dathliadau'r canmlwyddiant ac wedyn i'r 'Ffariseaid' yma fod 'fel pryfaid' o gwmpas y Cymry wedi iddynt lanio. Cyhuddwyd rhai a wrthododd ymuno â'r Methodistiaid o fod yn 'llawn gwenwyn' yn 'blentynnaidd' a 'chul'. Efallai mai un o gamgymeriadau mwyaf y Gwladfawyr o'r dechrau'n deg oedd bod yn orddibynnol ar Gymru am arweiniad ac am weinidogion. Pan na ddaeth ymateb i'w galwadau am bregethwyr o Gymru yn ystod y cyfnod hwn, fe ddywedodd un mewn llythyr o'r Wladfa gan gyfeirio at y Methodistiaid: 'gwell ydyw i ni fod heb neb na mynd o dan draed pobl salach na ni'.

Beth bynnag fo gwirionedd yr hanes, cafodd sawl un o'r ddwy garfan eu brifo'n angerddol yn ystod yr anghydfod hwn. Dywed RBW yn ei golofn 'Gair o'r Wladfa' yn *Y Cymro*, 8 Chwefror 1968: 'y gymdeithas Gymraeg, y Wladfa adnabu fy nghenhedlaeth i, honno sydd yn marw, ac yn marw'n gyflym a phoenus. A'r peth tristaf yw mai crefydd yw achos ei thranc ... '

Gadawodd y rhwyg hwn bobl – a merched yn arbennig – yn hiraethu am y gorffennol ac yn gresynu at y dirywiad yn y capeli Cymraeg. Dyma ddywed Mary Harriet Williams, Trelew mewn llythyr at J. P. Jones (47) ym mis Chwefror 1969:

> ... Mae yn ddydd Sul a dim byd yn y capel heddiw, dyna drist mae yn mynd arnom yn aml heb gwrdd, dyrnad bach o ferched ydym ni sy dal yn ffyddlon neb or dynion am rhoi dim help i ni, mae yn biti na fiase rhywyn yn dod atom o Gymru in gwasanaethi, mae yn debyg fod Duw wedi eu angofio, rhan fwyaf or capeli wedi cai. Mor wahanol pan oeddym ni yn ifanc y capeli yn llawn tair gwaith bob Sul.

Draw yng Nghwm Hyfryd roedd bywyd diwylliannol y Wladfa yn dirywio hefyd. Ysgrifennodd Ann Griffiths, Trevelin, Cwm Hyfryd yn *Yr Enfys* ym mis Mai 1965 am Gymry Cwm Hyfryd:

> Barnaf mai rhyw dri deg y cant o'r boblogaeth sydd yn Gymry o waed, ac fel y gellir disgwyl, llai na hynny yn arfer yr iaith, a llai fyth yn hyddysg ynddi. Blin gennyf ddweud os bydd pethau yn dirywio mewn perthynas â'r iaith yr ugain mlynedd nesaf fel y gwnaethant yr ugain mlynedd diwethaf, ofnir na chlywir fawr o Gymraeg gan y plant, pa un a fyddant yn ei deall ai peidio ... Ni chynhaliwyd yr eisteddfod flynyddol yma ers pum mlynedd ar hugain ...

Roedd hi'n ysgrifennu'r geiriau yma rai misoedd cyn i 73 o Gymry hedfan i Batagonia i ymuno yn nathliadau canmlwyddiant glaniad y *Mimosa*. W. R. Owen (BBC) oedd trefnydd swyddogol y Bererindod, dan nawdd Cymdeithas Cymry Ariannin. Roedd dydd Mawrth, 26 Hydref 1965 yn ddiwrnod bythgofiadwy yn hanes y Wladfa pan laniodd awyren Aerolinas Argentina yn Nhrelew gyda'r 'Pererinion' fel y galwyd

Y Gwladfawyr yn disgwyl i'r Cymry lanio ym maes awyr Trelew, 26, Hydref 1965
(Trwy garedigrwydd Robin Gwyndaf)

y Cymry. Dywedodd Bronwen MacDonald yn ei cholofn yn *Yr Enfys* (Chwefror 1966):

> Er mai am wythnos yn unig y bu'r fintai bresennol yma y mae wedi ein deffro eto am dipyn beth bynnag ac wedi dod â Chymru yn llawer iawn yn nes atom. Gwnaeth llawer iawn o gyfeillion, ac y mae disgwyl mawr y dyddiau yma am lythyrau o bob rhan o Gymru ...

Tystiodd nifer i ambell Wladfawr, yn dilyn ymweliad y 'Pererinion' â'r Wladfa, ddechrau siarad Cymraeg, er na wyddai llawer cynt eu bod yn medru'r iaith o gwbl. Yn rhyfedd iawn, ac yn eironig, o'r holl sefydliadau a gynrychiolwyd gan y Cymry a aeth i'r Wladfa ym 1965, nid oedd yno'r un gweinidog ond diolch i lwyddiant dathliadau'r canmlwyddiant fe liniarwyd dipyn ar friwiau rhwyg y capeli.

Synhwyrir yr adfywiad a fu yn sgil dathliadau'r canmlwyddiant yn y llythyrau. Mae'r llythyrau hyn yn chwa o awel iach. Am y tro cyntaf gwelir hiwmor yn llythyrau'r Wladfa, peth a fu'n arwyddocaol o brin yn llythyrau'r blynyddoedd cynnar caled. Ceir teimlad newydd o falchder a hyder yn eu tras a thalwyd teyrnged swyddogol i'r arloeswyr cyntaf a laniodd ym Mhorth Madryn wrth i Swyddfa Hysbysrwydd Llywodraeth Ariannin ddosbarthu dwy filiwn o stampiau a darlun o'r *Mimosa* arnynt. Mae'n arwyddocaol mai ar ffurf stamp y talwyd y deyrnged hon o gofio mor anhraethol bwysig oedd derbyn llythyrau i'r sefydlwyr cyntaf yn eu gwlad newydd.

Stamp y canmlwyddiant
(Trwy garedigrwydd Myrddin ap Dafydd)

Un canlyniad i'r ymweliad o Gymru oedd yr agwedd mwy goddefol tuag at yr iaith Gymraeg yn Chubut yn ogystal â storm o lythyru rhwng y ddwy wlad. Roedd rhai o'r llythyrwyr hyn yn ysgrifennu yn Gymraeg am y tro cyntaf. Mae Iris Lloyd Spannaus (gorwyres i Michael D. Jones a Lewis Jones) yn ymddiheuro am fethu ag ysgrifennu yn Gymraeg gan ddweud yn ei llythyr (41) ym 1968: ' ... My mind flies with the Welsh words but my hands won't write them.'

Roedd rhai o Gymru heb werthfawrogi pwysigrwydd gohebu yn y Gymraeg at y Gwladfawyr. Dyma sut y cyfarchodd Cymro Cymraeg o Ynys Môn, Wladfawr o Drelew: ' ... I am writing this letter in English as you can see with the hope that it will give you a little practice, because no doubt you hear quite a lot of Welsh and Spanish every day of your lives.' (50)

Roedd anfon a derbyn llythyrau yn falm i lawer. Dywed Meinir Evans de Lewis wrth ysgrifennu at Margaret Rees Williams yng Nghricieth: '... mi faswn yn teimlo yn inig iawn rŵan tasa chi yn stopio sgrifennu ataf,' (63)

Ni ddaeth y llythyru i ben rhyngddynt. Yn wir, mae'r ddwy yn dal i ohebu hyd heddiw, a'r ddwy mewn gwth o oedran. Gwelir llythyrau eraill gan Meinir at Margaret yn y penodau sydd i ddilyn. Ym 1965 y dechreuodd Meinir Evans de Lewis o Drevelin – wyres Thomas Dalar Evans (gw. llythyr 92 ganddo yn *Llythyrau'r Wladfa 1865-1945*) –

lythyru â Margaret Rees Williams yng Nghricieth. Mae'r llythyr cyntaf a ysgrifennodd Meinir yn cyfeirio at ei chyfeilles gohebu newydd fel 'Mrs Margaret' ond wrth i'r ddwy ddod yn ffrindiau drwy lythyr, gwelir y ffurfioldeb yn ildio i naturioldeb a'r 'Mrs Margaret' yn cael ei ddisodli gan 'Annwyl Marged' neu 'Magie'. Mae'n ddifyr dilyn datblygiad y cyfeillgarwch drwy gyfrwng eu llythyrau a chlustfeinio ar sgwrs rhwng dwy gyfeilles na wnaeth gyfarfod tan i Meinir ymweld â'r Hen Wlad am y tro cyntaf ddeng mlynedd yn ddiweddarach ym 1975. Dyma wireddu breuddwyd oes i Meinir ac ni chafodd ei siomi.

Merched yw'r mwyafrif o awduron y bennod hon. Mae llythyrau Cymraeg gan ddynion o'r Wladfa yn y cyfnod hwn yn brin. Dywed Meinir mewn llythyr at Margaret ym mis Mai, 1968: 'Mi fydd yn waith go anodd cael dyn ifanc i sgrifennu yn Gymraeg, mi fasa yn haws or hanner cael merch (...) Does fawr neb yn sgrifennu Cymraeg yma, (or dynion felly).'

Teg yw dweud i ddathliadau'r canmlwyddiant roi hwb yr oedd mawr ei angen i'r Gymraeg ac i fywyd diwylliannol y Wladfa. Nid oedd Eisteddfod wedi ei chynnal yn y Wladfa ers 1950, ond ar 30 Hydref 1965 cynhaliwyd Eisteddfod y Canmlwyddiant yn Neuadd Dewi Sant, Trelew. Y Prifardd Dic Jones o Gymru a enillodd y gadair ac fe'i cynrychiolwyd gan Kenneth Evans (Drofa Dulog). Bu Kenneth Evans yn gweithio ar fferm y Cilie yn Sir Aberteifi am bedwar mis ym 1962. Cludwyd cadair Dic Jones i Flaenannerch o'r Wladfa ar fwrdd y llong *Amazon*. (Gw. llythyr 177 yn sôn am ymweliad Dic Jones â'r Wladfa).

Wedi'r canmlwyddiant, cynhaliwyd yr eisteddfod hon yn flynyddol ar ôl bwlch o bymtheg mlynedd. Flwyddyn yn ddiweddarach cynhaliwyd eisteddfod 1966 yn y Gaiman. Eisteddfod yn llawn emosiwn oedd hon. Cyhoeddodd un o arweinyddion yr eisteddfod, Elvey MacDonald, y newydd trist am drychineb Aberfan (21 Hydref, 1966) pan laddwyd 116 o blant a 32 o oedolion. Cododd torf Eisteddfod y Wladfa ar ei thraed fel arwydd o barch a chydymdeimlad a gwnaed casgliad tuag at Gronfa Aberfan. Darllenais sawl llythyr yn cyfeirio at y digwyddiad trist hwn. Daeth peth llawenydd i'r eisteddfod wrth i'r Parch. D. J. Peregrine (brodor o Sir Gaerfyrddin a fu'n weinidog ar eglwysi Cymraeg Esquel a Threvelin) ennill y gadair. Ef hefyd a'i henillodd yn eisteddfod 1967.

Daeth llawer o Wladfawyr i gysylltiad â pherthnasau iddynt yng Nghymru yn sgil ymweliad y 'Pererinion' â'r Wladfa ym 1965. Dwysaodd yr ymdeimlad o berthyn ac adlewyrchir hyn yn adran llythyrau *Disgynyddion teulu Catherine a Dafydd Jones Ddolfawr*. Roedd

Alice Hughes, Dolavon, a hithau'n hen ferch dros ei phedwar ugain oed, wedi gwirioni o ddeall bod ganddi berthnasau yn dal yn fyw yng Nghymru, ac mae'n ysgrifennu atynt ym 1967: 'Yr oeddwn yn falch bod fy llythyr yn dderbyniol, rhyfedd fel yr ydym yn dod yn berthynasau agos, heb yn wybod in gilydd. (...)'(55)

Oedd, roedd yr arfer o lythyru yn parhau i fod yn gyswllt pwysig rhwng y ddwy wlad. Plediodd Almed Brunt de Griffiths mewn llythyr at ei theulu yng Nghymru ym 1966: 'Cofiwch ateb pan fydd amser, peidiwch an anghofio am y byd.' (53)

Llythyrau o bryder a chwerwder ynghylch helyntion y capeli yn gymysg â llythyrau o lawenydd yn sgil dathliadau'r canmlwyddiant a geir yn bennaf yn y bennod hon. Yn ogystal â hyn ceir mymryn o hanes ymweliad Kyffin â'r Wladfa ym 1968 a disgrifiad hynod o'i ymarweddiad gan Barbra Llwyd Evans, llythyrwraig nodedig arall. Ceir llythyrau gan Kyffin ei hun yn y bennod nesaf yn nodi pwysigrwydd ei ymweliad â'r Wladfa iddo ef fel unigolyn ac fel arlunydd.

Crybwyllir y newidiadau a oedd ar droed yn y Wladfa mewn amryw o'r llythyrau a ddarllenais. Codwyd ffatri yn y Gaiman ar gyfer cwmni o'r enw Soriano a oedd yn troi gwymon yn bowdwr er mwyn gwneud gelatin. Aeth amryw o'r Gwladfawyr yno i gael gwaith. Datblygiad arall oedd bod trydan yn goleuo llawer o ffermydd y dyffryn erbyn diwedd y 1960au. Yn ystod y cyfnod hwn hefyd y dechreuwyd gwrando ar ganu Cymraeg drwy'r radio efo Elvey MacDonald ac yna Miss Tegai Roberts,[148] curadur Amgueddfa'r Gaiman, yn cyflwyno. Roedd cael clywed canu Cymraeg yn rhoi pleser digamsyniol i lawer o'r hen Wladfawyr ac mae Tegai yn parhau â'r gwaith o gyflwyno recordiau Cymraeg ar y radio, a'r rhaglen yn dal yn hynod boblogaidd ymysg gwrandawyr Cymraeg a di-Gymraeg.

Llythyrau yn cofnodi digwyddiadau, yn cydymdeimlo, yn cyd-lawenhau, yn cwyno ac yn canmol yw llawer o'r llythyrau a ddarllenais. Mae i bob llythyr ei werth archifol, hyd yn oed os mai llythyr yn trafod y tywydd a geir, yn enwedig o gofio pwysigrwydd y tywydd i fywyd yn y Wladfa. Weithiau, fodd bynnag, darllenais drysor o lythyr, a'r trysor hwnnw sy'n agor y bennod hon. Llythyr gan y bersonoliaeth hyfryd a rhyfeddol honno Irma Hughes de Jones ydyw hwn. I'r sawl sy'n anghyfarwydd ag Irma (a enillodd gadair Eisteddfod y Wladfa saith gwaith) ceir troednodiadau i'w llythyrau yn olrhain rhywfaint o'i hanes. (Am fwy o gefndir Irma, buddiol fyddai darllen rhagymadrodd Cathrin Williams i'r gyfrol *Edau Gyfrodedd.*) Bu Irma'n olygydd *Y Drafod* am yn agos i hanner canrif a merch ac wyres i Irma yw dwy o'r tair o olygyddion sydd gan *Y Drafod* heddiw. Ceir llythyr gan nain Irma, sef Laura Williams de Ulsen, a'i mam, sef Hannah Mary, yn cofnodi geni Irma yn y gyfrol gyntaf o *Lythyrau'r Wladfa 1865-1945* (gw. llythyrau rhif 99 a 100). Yn y llythyr dilynol ganddi at RBW, disgrifia Irma y cefndir i lunio ei soned boblogaidd i Gymru. Treiddia ei phersonoliaeth hyfryd drwy'r llythyr. Wrth ei ddarllen am y tro cyntaf, anghofiwn fy mod yn darllen llythyr. Roedd y dweud yn ymdebygu i stori fer, neu ymson, a dawn y cyfarwydd yn ogystal â'r bardd yn amlygu ei hun. Fe'i cyhoeddwyd yn rhifyn cyntaf y papur Gwladfaol *Yr Eisteddfodwr*, 16 Tachwedd 1946. Ymddangosodd y soned am y tro cyntaf yng Nghymru yn *Y Llinyn Arian* ym 1947. Llyfr i ddathlu pen-blwydd Urdd Gobaith Cymru yn 25 oed oedd hwn. Anfonodd Irma gopi o'r soned at Winnie ac Ifor Owen, Llanuwchllyn ym 1970 gan gynnig iddynt y gallent ei rhoi yn rhodd i'r Urdd neu ei defnyddio mewn arwerthiant llawysgrifau i godi arian at Jiwbilî'r Urdd. Rwyf wedi cynnwys ei soned yma yn llawysgrifen Irma fel rhagymadrodd i gefndir ei chreu.

DRAFOD
...ódico Galés.Castellano
...NDADO EL AÑO 1891
GAIMAN
CHUBUT

I Gymru

Yn fy mreuddwydion, ganwaith, crwydrais i
Dy frynian a'th ddyffrynnoedd, 'mlaen ac ôl,
Clywais dy glychau'n canu dan y lli
Casglais dy flodau gwylltion hyd y ddôl,
Gwrandewais gân y fronfraith yn y coed,
Nodau y gwcw a glywais oddi draw,
Teimlais ddaear Cwm Rhondda dan fy nhroed,
Gwelais Eryri yn y niwl a'r glaw:
Yma daw'r deffro; minnau, holi a wnaf.
Ai hud y pellter a'th wna di mor dlws
Fel pan hiraethwn aeaf am yr haf,
Neu weled gardd drwy wydrau lliw y drws?
Pan ddelo'r dydd i ysgwyd llaw â thi
'Rwy'n erfyn, Gymru fach, na'm siomi i!

Irma.
1946

Soned Irma Hughes de Jones 'I Gymru'
(Trwy garedigrwydd Owain Sion Gwent)

'I Gymru'

(29) Rhan o lythyr Irma Hughes de Jones at R. Bryn Williams (wedi ei deipio) yn rhoi cefndir y soned a ysgrifennodd hi *'I Gymru'*.
(LlGC19035 E.1)

Gaiman, Mehefin 15, 1965

Mr.R.Bryn Williams
Annwyl Gyfaill:
(...) 'Rwyf yn teimlo yn hynod o falch, ac yn ei gael yn anrhydedd mawr fod mynd ar fy soned "I Gymru" yn yr Hen Wlad. 'Doedd gen i ddim llawer o ffydd yr adeg honno, mae'n siwr, erbyn heddiw gwn na fydd i Gymru fy siomi, yn ol pob golwg *os* y bydd i mi gael y fraint o'i hadnabod ryw dro.[149]

Gan ei bod yn boblogaidd, efallai nad anniddorol a fyddai i chwi gael gwybod o dan ba amgylchiadau y lluniwyd hi. Mi fyddaf fi fy hun yn hoff iawn o gael gwybod manylion agos atom am bethau o'r fath, ac efallai bod eraill yr un modd.

Prynhawn Sadwrn oedd hi, y nawfed o Dachwedd 1946, a ninnau, Arel fy chwaer a minnau a Laura Irma, (Laurita) fy hogan fach gyntaf, a anwyd yr 12 o Fedi 1946, wedi mynd am dro i'r Gaiman. Y prif beth oedd cael mynd i gyrlio fy ngwallt, i fod yn drefnus erbyn yr Eisteddfod oedd i'w chynnal y Sadwrn dilynol, yr 16 o Dachwedd. Buom am ychydig mewn pwyllgor, perthynol i'r Eisteddfod hefyd. Cofiaf fy mod yn eistedd wrth ochr Mrs. William Owen Evans (Siân Fwyn Siân) yn hwnnw. 'Roedd Evan Thomas yno wrth gwrs, a dyma fo yn gofyn i mi am gyfraniad i'r "Eisteddfodwr" a fwriadai ei ddwyn allan yr wythnos wedyn ar gyfer dydd mawr yr Eisteddfod. Rhyw fath o gylchgrawn bychan yn delio a phethau Eisteddfodol.

Y Sul trannoeth, yr oedd yn Sul pregethwr yng nghapel Treorci. Y 'roeddwn i am fedyddio Laurita, (hogan fach ddel mam, O! mi oedd hi yn glws, fi sy'n dweud!), a gwisgo amdani yr un ffrog ag am bedyddiwyd innau a'm brawd a'm dwy chwaer ynddi. Arel fy chwaer wedi ei threfnu a'i golchi a'i smwddio yn hyfryd ar gyfer y diwrnod. Fi fy hun ddim yn gwneud, rhag *ofn* i mi gael anlwc!

A'r noson honno ar ol swper, tra pawb arall yn cysgu, a Laurita mor ddiniwed ag angel bach yn y "cochecito"[150] wrth law yn y "Cocina"[151] hefo mi, a finnau, drwy fy mod wedi bod i ffwrdd y pnawn, heb wneud teisen at y Sul, wrthi yn paratoi i wneud hynny

yn y nos, 'roeddwn i yn dal i feddwl beth a allwn i ei baratoi ar gyfer yr "Eisteddfodwr" yma.

Mi wnes y deisen, – teisen wen, efo dim ond gwyn yr wyau, "Torta de Plata", o'r rectario Royal, drwy fod y Sul dilynnol yn un arbennig iawn oherwydd bedydd Laurita, ac ar ol rhoddi y deisen yn y stof, tra yn disgwyl iddi hi grasu, dyma fi yn eistedd i lawr wrth y bwrdd ac yn ysgrifennu y soned "I Gymru". 'Chydig a feddyliwn y byddai iddi "gymeryd" mor dda, 'roedd pethau felly ymhell iawn o'm byd yr adeg honno. Ysgrifennu o'm calon, – fel bob amser o ran hynny, – a theimlo, (modestia aparte) fy hun yn reit foddlon arni ar y diwedd. Yr unig linell nad oedd yn hollol wrth fy modd oedd: "neu weled gardd drwy wydrau lliw y drws". Yr hyn a geisiwn i ei gyfleu i ddechrau oedd gweld adlewyrchiad gardd, neu unrhyw olygfa arall mewn gwydr drws, fel y gwelir weithiau mewn llyn tawel, a phethau yn edrych yn dlysach nag y maent mewn gwirionedd, ond fel yna y gadawyd hi i mi fan yr "*Awen*" os felly mae pethau.

Sut bynnag am hynny, yr hyn a ddaw i'm cof i bob tro y clywaf son am y soned yma ydyw y nos Sadwrn honno yn fy "rancho".[152] Arogl y deisen wen yn crasu yn y stof, gwanwyn braf o'r tu allan, a Laurita bach mam yn cysgu yn dawel wrth fy ochr, a'r ffrog wen yn barod at yforu.

Y mae pob rhyddid i chwi wneud y defnydd a fynnoch o'r stori wir yma. Un "Dato"[153] arall. Ar y Sadwrn dilynol, er na wyddwn hynny ar y pryd yr oeddwn i gael ennill cadair yr Eisteddfod am "Ynys y Trysor" o dan eich beirniadaeth chwi ...[154]

I newid testun. Y mae yn dda iawn gennyf eich bod chwithau a'r plant yn dyfod i edrych amdanom cyn diwedd y flwyddyn yma. Ynglyn a'n bod wedi cael ein hanghofio gan Gymru ... wel ... credaf fod bai o bobtu ... Nid af i ymhelaethu ar y pwnc yma.

Y mae yn ddrwg gennyf ddweud wrthych nad ydyw Tada ddim mor dda ag y dymunwn iddo fod yn ddiweddar yma. Y mae dan law y meddyg, Arteriosclerosis arno. Yr wyf yn gwneud popeth a allaf iddo, ond y mae o mewn oed mawr, wedi gadael ei 87 er mis Ionawr diwethaf, ac heb fod yn ddyn cryf iawn erioed. Ond yr ydym wedi bod efo'n gilydd ar hyd fy oes, a mae o yn para yn gwmni ac yn lot o gysur i ni o hyd, nes fy mod yn teimlo yn chwith iawn o'i weld heb fod mor hapus ag arfer. Y mae yn cofio atoch ac yn gobeithio eich bod wedi gwella yn iawn ar ol bod yn yr ysbyty beth amser yn ol.

Nid ydyw y llythyr yma yn dod allan yn rhyw daclus iawn am ryw reswm neu'i gilydd. Fe ddwedodd Mr.Peregrine unwaith y dywedir

fod gweithiwr sal yn beio ei arfau gwaith, ond nid hynny yn hollol a wnaf i ond dweud nad ydwyf i ddim yn rhyw lawer o deipydd, hyd yn hyn, ac felly ddim yn gallu mynd ymlaen yn gyflym, gyflym, fel y dylir a gwneud. Fodd bynnag y mae yn llawer a llai llafurus nag ysgrifennu efo llaw, ac os rhywbeth yn blaenach hefyd, onid ydyw.

Diolch yn fawr am y caniatad i gyhoeddi yr Awdl.[155] Y mae pawb yn gyffredinol wedi ei mwynhau, ambell un yma ac acw, heb ddeall barddoniaeth ddim wedi cael cystal hwyl ag a ddylent arni. Ond clywais am eraill, megis Salisbury Evans, wedi dotio arni, ac un ddynes yn dweud wrthyf, ei bod wedi cael mwy fyth o bleser ynddi "ar ol i rywun fel y fo, sydd yn deall barddoniaeth ei darllen hi i mi." Wrth gwrs, y mae y gynghanedd yn glysach bob amser gennyf innau i'w chlywed nag i'w darllen. (...)

Y mae yn amser terfynu hefyd, llawer iawn o gofion a *diolch yn fawr* am y llyfrau, Cewch air eto pan gyrhaeddant

Hasta Siempre
Irma

Y canmlwyddiant

(30) Rhan o lythyr R. Bryn Williams at Saunders Lewis yn gwarchod y Gwladfawyr rhag beirniadaeth gan y Cymry.
(LlGC 22725E)

"Camwy"
Llanbadarn Fawr
Aberystwyth
27 Ebrill 1965

Annwyl Mr Lewis,
Carwn ddiolch o galon i chi am eich cyfeiriadau caredig at fy nhipyn gwaith llenyddol. Y mae cael eich cymeradwyaeth chi yn fwy o ysbrydiaeth na dim arall i ddal ati.[156]

Ond fy amcan yn ysgrifennu atoch heddiw yw apelio dros y B.B.C. Y maent am roi cryn sylw i ddathliad canmlwyddiant y Wladfa eleni. Un o'u rhaglenni fydd teyrnged hanner awr ar radio sain i Eluned Morgan – ar raglen "I Ferched yn bennaf." Fel yr unig un o lenorion a beirniaid Cymru a ysgrifennodd amdani, buaswn yn falch iawn pe cytunech i ddweud gair am ei gwaith. (...)

Gyda llaw, caf annerch Cym. Hanes Meirion y Sadwrn, ac yno ac yng Nghyfarfod Dathlu Caernarfon bwriadaf ymosod ar y rhai a ddywed mai y bobl a arhosodd yng Nghymru oedd y gwir arwyr – y llyfriaid hynny a adawodd i'r genedl wywo dan eu dwylo. 'Roedd y Gymraeg yn gyfrwng trafod mewn Senedd ac ysgol, dysgid y Sbaeneg trwy *gyfrwng* y Gymraeg pan oedd y *Welsh Not* mewn bri yng Nghymru. Mae Cymru druan yn dal i ddisgwyl am rhyw adroddiad ynghylch rhoi statws swyddogol i'r iaith Gymraeg. Dysgid rhifyddeg, nid mathemateg, yn ysgolion y Wladfa yn 1870. Mae Cymru yn ofni mentro dysgu hynny trwy gyfrwng y Gymraeg heddiw.

Dim ond un o ddisgynyddion Michael D Jones, yn ôl a ddywedodd hi ei hun wrthyf, sy'n gallu siarad Cymraeg yng Nghymru heddiw, ond y mae ugeiniau o'i ddisgynyddion yn ei siarad yn groyw yn y Wladfa heddiw.

Ond rhaid i mi dewi, neu bydd yr hyn a fwriadwn yn nodyn yn troi yn anerchiad! P'run bynnag, diolch ichi am eich cefnogaeth i'r bobl a fu mor ddewr a ffyddlon ym Mhatagonia, er maint eu hanawsterau.

Cofion cywir iawn
Bryn Williams.

Y Cymry a'r Gwladfawyr yn cyfarch ei gilydd ym maes awyr Trelew, 26, Hydref 1965
(Trwy garedigrwydd Robin Gwyndaf)

(31) Rhan o lythyr Euros[157] ac Olwen Hughes[158] at J. P. Jones, Pontllyfni. Pan oedd mab J. P. Jones, sef William Vaughan Jones yn ddisgybl yn Ysgol Ramadeg Caernarfon, gwnaed cais gan ei athrawes daearyddiaeth, Laura Humphreys Jones yn *Y Drafod* (24 Mai 1946, rhif 2,333) am lythyrau rhwng ei disgyblion a rhai Gwladfawyr. Daeth cais gan ffermwr o'r Wladfa i gael llythyru â ffermwr o Gymru. Bu J. P. Jones yn llythyru â'r ffermwr hwnnw, sef Euros Hughes, Trelew. Bu Euros Hughes hefyd yn destun rhai o bortreadau Kyffin Williams pan ymwelodd â'r Wladfa yn sgil ysgoloriaeth gan Ymddiriedolaeth Goffa Winston Churchill ym 1968. (Gw. *Gwladfa Kyffin* t. 90; cyfeirnod y llun: PG2834/28)

(Trwy garedigrwydd William Vaughan Jones, Llyn y Gele, Pontllyfni – mab J. P. Jones.)

5 - 11 - 65

Mr J.P.Jones. Anwyl Gyfaill.

(...) Derbyniais eich llythur ddoe, minau newydd gael fy ngwynt ataf rol ymadawiad y (Pererinion), *dyna fydd eu henwau o hyn ymlaen.* Maent heddiw ar ymweliad a Esquel a Cwm Hyfryd yn yr Andes a diamau y bydd iddynt groeso ac amser difir yno. Yfory byddant yn ymweld a Bariloche darfu imi dywedid wrth un ohonynt

mae dyma y man clysaf yn y byd, a dywedodd nage hwnw iw Dyffryn Clwyd. Carwn ei weld yntau. Bum mewn cysylltiad agos a hwy tra buont yma gan imi fod yn un or rhai oedd yn eu lletua, a chefais yr hyn a gyfrifaf yn fraint o dderbyn im cartref siml y brawd Mr John Roberts[159] ac wrth ei anfon ef yma ac acw cefais fwynhau llawer iawn or cyrddau cynhaliwyd yn ystod eu ymweliad. Credaf iddynt gael derbyniad tywysogaidd gan eu cyd-genedl a hefyd gan y llywodraeth ac nid anghofir byth genym ni na hwythau y cyfeillgarwch dirodres ymddanghosai o bob tu. Roedd y program oedd wedi ei drefnu ar eu cyfer mor eang fel nad oedd ganddynt ddim amser i gael eu gwynt, ac am hyny ni chaiff neb gyfle i roi croeso personol i fawr neb ohonynt. Ond llwyddais i gael awr wâg i groesawy eich cyfaill chwi (a minau) Mr Alwyn H Jones i gael cypaned o de ar frys rhwng dau cyfarfod.[160] Cawsom amser difir, caiff ef adrodd y gweddill. Ymlith y criw roedd llawer o Caernarfon, roeddynt oll yn adnabod W.Vaughan ond rhai yn inig oedd yn adnabod ei dad, ond roedd pawb wedi clywed son am dano, meddyliais inau hwyrach ei fod yn hoff o bery *son am dano hyd y fro* ceisiwch ymweliad gyda Mr Alwyn a John Roberts a rhoddwch fy nghofion cynes cynes iddynt yr un pryd, nis gallaf byth eu anghofio.

Mae eu ymddanghosiad cartrefol ai parodrwydd i fod yn hollol gartrefol yn mhob man wedi synu pawb sydd yn foddlon cydnabod eu bod yn llawer mwy diwilliedig a chyfoethog na neb yma, ond credaf na fydd yr ymweliad yma symbyliad i greu ddymuniad am gael mwy o lawer o gyffyrddiad rhyngom. Mae llawer or genod yn barod i hedeg drosodd, heb sôn am hen greaduriad fel ni. Hwyrach y gwawria'r dydd y cawn gwrdd.

Cofiwch y byddaf yn discwil gair gyda y cewch gyfle i gael yr hanes gan y (Pererinion) er cael eu barn.

Gresyn na fyasech wedi anturio gyda hwy (...)

Mae y Parch Roberts wedi cynefino yn dda ar wlad bellach ond mae yr anghydfod crefyddol sydd yma wedi ei droi beth or neilldy, gan fod yn rhaid iddo gyflawni ei gytundeb ar Gymdeithas sydd wedi ei gyflogi, mae yn bregethwr dda ac yn gadarn ei gred pregetha yn Gymraeg ac yn Sbaeneg. Mae y Parch Peregrine yn yr Andes, ond daw yma dros y gaeaf, nid iw ei iechyd yn caniatau iddo weithio llawer. Gan erfyn eich maddeuant am y tro gyda chofion cynes atoch eich tri ag at bob (*Pererin*) oddi wrth

Euros a Olwen.

(32) Rhan o lythyr Robin Gwyndaf a gyhoeddwyd yn *Baner ac Amserau Cymru,* dydd Iau, 16 Rhagfyr 1965. Gwahoddwyd Robin Gwyndaf gan Gwilym R. Jones ym 1965 i ysgrifennu'n wythnosol i'r *Faner* er mwyn cael cofnod o ddathliadau'r canmlwyddiant.

(*Baner ac Amserau Cymru* 16 Rhagfyr 1965)

Twyn Carno,
Gaiman,
Chubut,
Ariannin
Nos Wener, Hydref 29ain, 1965

Annwyl Dad a Mam
A phawb gartre':
Ni wn sut i ddechrau'r llythyr hwn. Y mae cymaint wedi digwydd yn ystod y tridiau olaf hyn ac y mae fy meddwl ar chwal.

Ydych chi'n cofio i mi ddod gartre o'r ysgol un dydd yn llanc i gyd a chyhoeddi: "Mae Mistar Lloyd Titsiar wedi dweud, Mam, na ' 'dech chi ddim i ddechre llythyr efo 'Dim ond gair bach'?" Heno 'roeddwn i'n mynd i herio gorchymyn fy hen athro. Y mae'r amser mor fyr ac 'roeddwn i'n mynd i ddechrau gydag agoriad ffwrdd-a-hi: "Dim ond gair bach gan obeithio bod pawb ar i fyny a ..." Ond mi gofiais yn sydyn am fy llythyr olaf. Gair bach oedd hwnnw i fod hefyd, ond aeth y 'gair bach' yn druth hir!

Heno, fodd bynnag, fe fydd fy llythyr yn llawer byrrach. Gwn fod Huwcyn Cwsg eisioes yn ymystwyrian o'm cylch. Yn wir, 'rydym ni wedi cael popeth gan Gymry da Patagonia ond cwsg! "Bydd bws y Gaiman yn gadael bore fory am wyth o'r gloch," ebe llais W.R.Owen, ein trefnydd gweithgar, nos Iau. Wyth o'r gloch a hithau'n oriau mân y bore arnon ni'n cael mynd i glwydo y noson gynt.

Wrth gwrs, ni chychwynnodd y bws am wyth! Sôn amdanom ni yng Nghymru ar ei hôl hi yn cyrraedd y lle a'r lle, dowch i Batagonia! Ac eto, codi'n gynnar neu beidio, 'roeddwn i'n falch fore Mercher o hanner awr wrth gefn. Y mae rhyw dawelwch hyfryd o gwmpas y Gaiman a'r bore hwn o Wanwyn, er bod wyneb neu ddau i'w weld yn loetran yma ac acw ac ambell chwa o wynt yn aflonyddu ar y llwch, nid oedd dim i dorri ar hedd y dre fach ac yr oedd rhodio ar hyd y stryd lydan yn wefr. (...) Pan oeddwn i ar fin troi i'r chwith i stryd arall daeth Luned Roberts de Gonzales heibio a'r wên dyner

Luned Gonzáles a Tegai Roberts y tu allan i'w cartref Plas y Graig, Gaiman
(Trwy garedigrwydd Robin Gwyndaf)

ar ei hwyneb mor dawel â'r bore ei hun. Y mae hi yn or-wyres i Michael D Jones a Lewis Jones. Ei chwaer Tegai sydd yn gofalu am Amgueddfa Hanesyddol y Wladfa. Cynigiodd fynd â mi i gael cip ar yr Amgueddfa a oedd yn union wrth ein hymyl – rhan o adeilad yr hen Ysgol Ganolraddol yn y Gaiman, un o adeiladau gorau'r Wladfa.

Gweld amgueddfa am wyth o'r gloch y bore, meddech chi, y mae'n rhaid 'mod i'n un rhyfedd. Ond, coeliwch fi, wrth syllu ar offer a gwisg a llawysgrifen rhai o'r ymfudwyr cynnar y bore hwn, daeth y gorffennol yn fyw iawn imi. (...) Gwelwn gaib a rhaw o'm blaen. Yr oedd rhwd y blynyddoedd arnyn nhw a daeth imi ddarlun o fachgen ifanc yn y flwyddyn 1868 yn ceisio crafu bywoliaeth iddo ef a'i deulu o'r tir llwm.

Gadael yr Amgueddfa a sylwi ar fy ffordd allan ar y delyn deirres yng nghornel y Llyfrgell, yr unig delyn yn y Wladfa, a'r delyn hon heb dannau arni mwy.[161] Mor hawdd y gallai'r ffaith fy nhristhau. Ond y drws nesa' i'r Llyfrgell yr oedd dosbarth o blant, y cyfan yn gwisgo cotiau llaes gwyn – y *guardapolvo* – i'w cadw rhag y llwch (*polvo*). Pan welson nhw'r ymwelydd o Gymru yn ystod gwers gyntaf y bore fel hyn, yr oedd eu croeso swil imi yn pefrio yn eu llygaid. Anghofiais dro am dannau coll y delyn. Mor hawdd oedd bwrw trem i'r dyfodol.

A ddaw rhywun o Gymru i'r Gaiman gyda'i delyn? Fe gaiff groeso twymgalon gan blant y Wladfa yn enwedig ar ol iddyn nhw ryfeddu at Osian Ellis a'i delyn hardd ef. Ac eto. Heb delyn, heb ganeuon Cymraeg, heb lyfrau Cymraeg, heb hyd yn oed yr iaith Gymraeg, gwelwn blant y dosbarth hwn a phlant y Wladfa yn llawen ac yn fodlon braf eu byd. Ni welan nhw eu colli am na welson nhw

erioed mo'u gwerth. Ac wedi meddwl, pwy o blant y Wladfa na allai fod yn hapus a hwythau'n byw mewn gwlad fel Ariannin a'r dyfodol o'u blaen.

Ond dacw fws y Gaiman wedi cyrraedd. Yr oedd gennym ddiwrnod mawr o'n blaen: ymweld â Phorth Madryn lle glaniodd y Cymry ar y Mimosa ganrif yn ôl. Wrth gael ein hysgwyd ar hyd y ffordd raeanog, rhyfeddwn at gryfder corff y bws i wrthsefyll hyrddiadau'r cerrig mân a sgytiadau'r pantiau. Ond pan oedden ni hanner ffordd rhwng Trelew a Madryn, penderfynodd y bws rhyfeddol, neu'r *pullman* fel y gelwir ef yn y Wladfa, aros i gael ei wynt ato.

Mary Humphreys de Davies – y Gymraes gyntaf a aned yn y Wladfa. Daw'r llun o albwm lluniau Elisa Dimol de Davies (Trwy garedigrwydd Robin Gwyndaf)

Awr a hanner o hoe ar ganol y Paith, dyna i chi brofiad. (...) Ofer siarad na sgrifennu i geisio disgrifio ehangder a moelni'r Paith. Prin y gellir amgyffred ei hyd a'i led hyd yn oed wrth sefyllian yn hir ar ei ganol, fel y bu raid i ni. (...) A bore Iau, wrth aros am y dyn bach glas ei wisg drwsio'r bws a syllu ar Fryniau Meri tu cefn inni a Thwr Joseph yn fryncyn pigfain yn y pellter o'n blaen, daeth i mi ddarlun o rai o'r Cymry ar ôl glanio ym Madryn yn crwydro'n ddiamcan ar y Paith i chwilio am y dyffryn cyfoethog y clywson nhw sôn amdano.

Gwelwn y llanc o Aberystwyth, Dafydd Williams, yn crwydro'n rhy bell ac yn marw o newyn ger y Llyn Mawr.

Gwelwn fachgen ifanc arall, Joseph Seth Jones, ar goll ac ar fin marw yn ymlusgo'n flinedig i ben y bryncyn yn y pellter ac ar ei lawenydd yn gweld môr o'i flaen.[162]

A gwelwn un ar ddeg o wŷr ar drengi ar eu taith yn ôl i Fadryn a dau arall yn eu cyfarfod gyda bwyd a'r newydd da fod gwraig un o'r cwmni – Morris Humphreys – wedi geni plentyn o'r enw Meri yn un o'r ogofau ym Madryn, y plentyn cynta' i'w eni yn y Wladfa.[163] A dychymygwn un o'r tri ar ddeg yn dweud: "Galwn y bryniau hyn y 'Fryniau Meri".

Dyna drueni i'r llanc o Aberystwyth farw mor gynnar. Wrth aros am y bws cofiais am ei barodi ar y Deg Gorchymyn a luniodd fel

R. Bryn Williams yn annerch y Pererinion ym Mhorth Madryn
(Trwy garedigrwydd Robin Gwyndaf)

rhan o Holwyddoreg ogleisiol i ddifyrru'r teithwyr ar eu taith hir o Gymru. Mor gyfoes yw'r dychan. Dyma'r ail orchymyn:
Na wna i ti Wladfa Gymreig mewn un llanerch sydd dan y nefoedd uchod, neu y sydd ar y ddaear isod, nac yng ngwaelod y mor, na than y ddaear. Na ddysga iaith dy fam, ac na chefnoga lenyddiaeth dy wlad. Canys myfi y Sais wyf ddyn eiddigus, yn troi y Tenantiaid o'u ffermydd am genhedlaethau, or rhai ag sydd yn dangos, y gronyn lleiaf o annibyniaeth ysbryd, ac yn dangos ychydig ffafr weithiau i'r rhai sydd yn ymlusgo ar eu torau yn y llwch o'm blaen ac yn 'votio' fel y gwelwyf yn dda."[164]

Ond y mae hoe awr a hanner y bws ar ben. Cyrredd Madryn a sefyll wrth droed y golofn fawr i gofio'r Cymry a laniodd yno ganrif yn ôl. Gweld Indiad bychan carpiog ei wisg yn loetran o gwmpas gyda bag bach yn ei law yn holi hwn a holi'r llall a neb i'w weld yn ei ateb. Mynd ato am sgwrs er nad oedd ganddo sgwrs dim ond un gân hir:

"Be wyt ti isio, 'mach i?"

"Iso peso, Syr. Plis ga i beso?"

Cerdded o'r bysiau i lawr at y traeth a gweld yr ogofâu a'r celloedd yn y creigiau a fu'n gartre' dros dro i'r Cymry ar ôl glanio.

Gwrando ar sgwrs fyw R. Bryn Williams yn ail greu'r hanes a chlywed Olwen Lewis o Gaergybi yn canu'r hen benillion 'Ar lan y môr ... ' a'r llais mor bêr a chlir fel petai am rychwantu'r maith filltiroedd dros y môr bob cam i Ynys Môn.

Ond dyma fi bron wedi ymadael â Phorth Madryn heb ddweud gair am y cinio a gawsom ni yno. Sôn am ginio oedd hwnnw! 'Lwnsh Morwrol,' yn ôl y rhaglen swyddogol: cinio o gyrsiau lawer wedi'i baratoi o wahanol bysgod cregyn. Sawl awr y buom ni wrth y bwrdd? Dwyawr? Teirawr? Nis gwn. Yr oedd fel y cinio hud yn Harlech gynt. (...)

Rhan o hud y pryd hwn o fwyd oedd y sgwrs a gefais i gyda Neved Jones o Drelew.[165] Er pan gyrhaeddais y Wladfa bûm yn osgoi sôn am grefydd. Mor hawdd yw cael camargraff. Mor hawdd yw brifo. Ond y prynhawn hwn ym Madryn ym mhresenoldeb gostyngeiddrwydd ac onestrwydd y wraig hon o Drelew, fe giliodd fy ofnau.

" ... Mae hi'n wewyr enaid i mi fod rhai teuluoedd yn gadael yr hen gapeli Cymraeg i ymuno a'r Methodistiaid Americanaidd. Fe rown i'r byd petai modd inni fod yn un. 'Dw i eisie bod yn un. Ond be' wnawn ni? Be' wna i? Mae 'nghalon i'n cael ei rhwygo'n ddwy. Mae arna i hiraeth am deimlo'r peth byw – yr Iesu byw yn llenwi mywyd i a mae ... "

Ond rhaid i mi ymatal. (...)

Tan y tro nesa,' felly. Neu, chadel Cymry Patagonia, *hasta luego*.

Cofion annwyl iawn,

G.

Brusselas Lewis de Arrieta yn sgwrsio â Dafydd Wigley a Robin Gwyndaf yn Esquel 1965
(Trwy garedigrwydd Robin Gwyndaf)

(33) Llythyr Brusselas Lewis de Arrieta[166] o Esquel at Robin Gwyndaf wedi iddo ddychwelyd i Gaerdydd. Gadawodd y 'Pererinion' o Gymru argraff ddofn ar y Gwladfawyr.

(Adysgrifennais o'r llythyr gwreiddiol gan Robin Gwyndaf.)

Esquel. Nov 13 1965

Anwyl Robin

Gobeithio eich bod wedi cael taith lawen yn ol eich cartref. Yr ydim wedi cofio llawer am y dyddiau neis daru i ni pasio yn eich cwmni tra y fioch yma en Esquel. Piti garw bod yr amser wedi bod mor fir. Yr ydim yn drist i gid. Nid oes gydani ddigon iw ddweid eich bod chwi i gid yn gwmnu ragorol. Piti garw na gaswn y braint eto i gail gid gwrdd a pasio amser bleseris ag neis fel ar peth sid wedi pasio ond main debig fid raid i amser mawr i pasio ac walle bith. Nid yr ydim yn gwibod sid y mau pethau iw ddod.

Maddeiwch i mi am y Cymraig sal sidd genif, walle gwnewch ei niall.

Ond ta pa ffordd y mai raid i mi escrebenu i chwi ac yr rydwif am ddweid pan mor drist yr ydim yma ar eich ol.

Dim ragor am eddiw. Cofiwch escrebenu pa daith gesoch yn ol i Lundain a Cymru.

Cofion goreu a chynais atoch oddi wrth eich cyfeilles
Argentina Brusselas

(34) Rhan o lythyr teipiedig Irma Hughes de Jones at Winnie ac Ifor Owen a'r plant.

(Trwy garedigrwydd Owain Sion Gwent.)

Chacra 193
Gaiman (Chubut)
Argentina
Ionawr 16, 1966

At Ivor, Winnie a'r plant:
Annwyl berthynasau:
(...) Y mae blwyddyn y dathlu trosodd, ond fel y dywedwyd, nid yw y gwaith a ddechreuwyd yn ystod y flwyddyn yn gorffen gyd a hi, mewn gwirionedd gobeithiwn ni mai cychwyn cyfnod o adfywiad ac o ddiddordeb llawnach yn ein gilydd a gawsom y flwyddyn ddiwethaf. Ac y bydd hynny yn dal ymlaen am lawer blwyddyn, hyd nes cyflawni yr ail ganrif am ymhellach eto! Ydym ni yn disgwyl gormod?

(...) Cawsom gerdyn oddiwrth Mr a Mrs. Tom Jones hefyd. Dyna i chi bobl ddymunol, ac yr wyf yn eithriadol o falch o fod wedi cael eu cyfarfod. *Mae* yna bobl annwyl i'w cael yn y byd yma ond oes? Ac yr oeddwn i yn teimlo fel pe byddwn i wedi eu hadnabod erioed rywfodd. Piti i'r amser fod mor fyr, ond nid oedd bosibl iddi fod yn wahanol, mae'n debyg. (...)

Cawsom ail-agor Capel Treorci o'r diwedd. Cymanfa Ganu, dyna'r peth hawddaf a mwyaf di-dramgwydd i'r mwyafrif mae'n debyg. Ond gobeithio y byddant yn gweld eu ffordd yn glir i gadw moddion ynddo wedi ei gael fel hyn, mor neis. Y mae yn ein cadw gyd a'n gilydd rywfodd fel rhyw un teulu mawr. Pan nad oes capel y mae wythnosau a misoedd weithiau yn pasio heb i'r cymdogion weld ei gilydd, llawer llai gael moddion gras yng nghwmni ei gilydd. (...)

Y mae yma ddechrau paratoi hefyd ar gyfer Eisteddfod 1966. Y mae y Pwyllgor Cyffredinol a'r Is-bwyllgorau wedi cyd-gyfarfod amryw droeon ac y mae y rhaglen ar waith ac yn mynd ymlaen yn hwylus. (...)

Y mae llythyrau yn dal i ddod i law oddiwrth rai o'r "Pererinion". Yr ydym yn falch o ddeall eu bod wedi cael eu plesio yma, ac y cyfan. A gobeithio nad hwn fydd y tro olaf y daw yma gynrychiolaeth o Gymru mewn dull mor hapus i gyd-lawenhau a ni.

Dim rhagor am heddiw. Cofion annwyl a phob dymuniad da i'r

cwbl ohonoch, ac at bawb sy'n cofio amdanom.

Irma

Elisa Dimol de Davies

Elisa Dimol de Davies ym 1975 yn 80 oed
(Trwy garedigrwydd Robin Gwyndaf)

(35) Llythyr Elisa Dimol de Davies (1895-1980) at Robin Gwyndaf yn sôn am ei chysylltiadau teuluol. Cefais fenthyg oddeutu drigain o lythyrau Elisa Dimol de Davies gan Robin Gwyndaf.

(Trwy garedigrwydd Robin Gwyndaf.)

Chwev – 25 – 1966

Annwyl Gyfaill R. Gwyndaf Jones

Gyda llawenydd mawr y derbyniasom eich caredig lythur. Oeddym yn falch iawn o ddeall eich bod wedi cyraedd eich cartref yn ddiogel ar ol y daith frysiog ynte?

Teimlo oeddym yn y Wladfa y buasem wedi hoffi cael eich cwmni yn llawer chwaneg. Ond gobeithiwn os gwel Duw yn dda y cawn gydgwrdd ag amryw o honoch eto. Nis gwn beth i ysgrifenu atoch, am fod bobpeth sydd ffordd yma yn ddiarth i chi.

Credaf y byddai yn well i mi roddi ychydig o hanes fy nheulu i gychwyn: yr wyf fi yn wyres i Thomas Pennant Dimol[167] daeth yma gyda Mintai y Mimosa.[168] Priododd gyda Elizabeth Pritchard a ddaeth yma yn ferch ifanc ar y Mimosa. Ganwyd iddynt ddau o blant sef Gwladus ag Arthur Llewelyn sef fy Nhâd[169] – ond pan oedd fy Nhâd yn flwydd oed aeth Taid Dimol gyda Cymry eraill mewn llong i Montevideo i nòl bwydydd ir Gwladfawyr oedd yn Rawson.[170] Ond collwyd y llong a chafodd neb wybod chwaneg am y teithwyr. Priododd fy Nhad gyda chwaer i "Llew Tegid" a chwaer i "Penllyn".[171] Digon tebyg eich bod wedi darllen llawer o'i Emynau yn y Caniedydd Cynulleidfaol William Jones Penllyn (Colwyn Bay). A digon tebyg eich bod wedi clywed hanes Lewis Jones sef (Llew Tegid) fel Bardd enwog, ac Arweinydd Eisteddfodau, mae y ddau wedi huno ers blynyddau. Wel ganwyd pedwar o blant i Arthur Llewelyn Dimol ag Elizabeth Ellen Jones, sef Gwladus, Blodwen Camwy, Lewis Pennant a finau, yr unig un sydd ar ol heddiw yn 71 mlwydd oed. Yn y flwyddyn 1920 – Priodais gyda D.J.Davies ond

Thomas Pennant Dimol
(Daw'r llun o albwm Elisa Dimol de Davies. Trwy garedigrwydd Robin Gwyndaf)

collais fy mhriod er's wyth mlynedd yn ol colled fawr i fi oedd ei golli, Dyn caredig a da i bawb ac yn Dad ardderchog i'r Plant, wedi rhoddi addysg ir Plant yn ol ein gallu. Yr hynaf ydy Arthur Glyn, Gweneira, Irvonwy ag Hansel y tri diweddaf yn Athrawon Cenedlaethol a'r pedwar wedi priodi, ond dim gyda Cymry. Ond nid y Rhienu sydd i ddewis gwr na gwraig meddai y Plant wrthyf fi. Ond mae y pedwar yn siarad Cymraeg yn ardderchog. Ond mae Gweneira yn darllen ac ysgrifenu Cymraeg yn well na'r tri arall. Gweneira Davies González de Quevedo[172] ydy hi rwan. Mae ganddi ddau o blant. Rhai da iawn am ddysgu ond dim awydd dysgu Cymraeg, rhyw feddwl fod yr iaith yn anhawdd, a dyna pam mae y Gymraeg yn colli yn y Wladfa, dim Arweinyddion a dim diddordeb yn y rhai Ifanc i gadw yr iaith. (...) Byddaf yn chwilio am y Faner i gael golwg ar eich ysgrif.[173]

Cofion mawr iawn atoch
E.D Davies a Gweneira.

(36) Rhan o lythyr Elisa Dimol de Davies at Robin Gwyndaf yn gresynu at ddirywiad y Gymraeg yn y Wladfa ac yn rhoi hanes albwm lluniau teulu ei mam.

(Trwy garedigrwydd Robin Gwyndaf.)

Albwm teulu Elisa Dimol de Davies
(Trwy garedigrwydd Robin Gwyndaf)

Medi 25 – 1966
Annwyl Ffrynd R.Gwyndaf:

(...) Oeddwn yn falch iawn fod Gwynfor Evans wedi enill o Blaid Cymru[174]: deallaf fod pawb yn gweithio ac yn pledio yr iaith Gymraeg yn yr Hen Wlad. Ond mae yn drist iawn meddwl mae darfod yn gyflym iawn mae y Gymraeg yn y Wladfa: yr hen Golofnau wedi mynd, ar Cymry wedi priodi gyda gwahanol genhedloedd eraill, – a dim diddordeb yn y rhai ifanc i ddysgu Cymraeg. Colled ddyfrifol iawn gafodd y Wladfa pan hunodd y Parch E.R.Williams daeth neb i lenwi y bwlch hwnw mewn Cymdeithas. Arweinydd y Plant ar Bobol Ifanc wedi mynd, byth i ddod yn nôl: Tyffoid gafodd fy Mam, ac am hyny llosgwyd bob peth oedd yn perthyn iddi: mae genyf un Albwm bach o'r teulu, os caf gyfle ryw ddiwrnod iw anfon i chi mi wnaf Gwyndaf.[175]

Yn Llnuwlyn Ffryddgymen ganwyd a dyna oedd cartref ei Thad ai Mham[176] tybed y gallasech gael rhywbeth ar ol teulu Llew Tegid?[177] 3 Edge Hill Garth Bangor. Dyna oedd eu cartref. Ond erbyn heddiw oes neb o honynt yn fyw – oedd ganddo lawer o Gadeiriau wedi eu hennill mewn Eisteddfodau. Llewelyn oedd y diweddaf, Athraw oedd nis gwn os oedd ganddo deulu ai peidio mewn ty Hen Bobol fuodd ei fam farw. Mae yn ddrwg iawn genyf nas gallaf roddi dim manylion i chi am danynt. Collwyd eu bachgen Gwylim yn Rhyfel Frainc, ac Enid Nurse yn y Groes Goch bron yr un amser, ac yn fuan iawn bu farw ei tad sef Llew Tegid, ac yn fuan iawn o hiraeth am ei thad, marwodd Ketty y ferch hynaf, Athrawes

Elizabeth Ellen Jones. Daw'r llun o albwm Elisa Dimol de Davies (Trwy garedigrwydd Robin Gwyndaf)

enwog iawn oedd hi. Oedd son fod Llew Tegid yn un da am wneyd gwaith saer. Cerfio gyda cyllell boced oedd ei ffansi.
Wel dyna un mis ar ddeg er pan gawsom eich adnabod, pryd ydych am ddod eto Gwyndaf?
Mae'r Eisteddfod i fod mis Hydref, ond ychydig iawn o baratoi sydd ar ei chyfer. Cawsom weld lluniau neis iawn o'r Hen Wlad gyda Osian Hughes.[178] (...)
Wel cofion mawr atoch

Oddiwrth
Eich Ffrynd
E.D de Davies

(37) Llythyr Elisa Dimol de Davies at Robin Gwyndaf yn ymateb i drychineb Aberfan.

(Trwy garedigrwydd Robin Gwyndaf.)

Hydref 22 – 1966

Annwyl ffrynd R.Gwyndaf:

Blwyddyn i heddiw oedd prysurdeb a llawenydd mawr yn y Wladfa yn disgwyl y Pererinion o'r Hen Wlad: Ond nid felly gallwn ni deimlo heddiw. Wedi cael y newyddion ar y radio ar Papurau dyddiol, y fath Drychineb sydd wedi digwydd yn Aberfan: yr holl rieni wedi colli eu hannwyl blant, ar Athrawon gyda nhw. Gallwn ni ddychmygu fod yr olygfa yn dorcalonus: Ond peth arall hollol ydyw bod yn ganol y gwlaw, a methu canfod eu hanwyliaid na gobaith am hyny byth mwy. Yr wyf fi fel Mam o'r Wladfa (Patagonia) yn anfon cydymdeimlad a pawb o honynt gan obeithio y cant nerth i ddal y brofedigaeth fawr: "Nid oes sicrwydd am yforu. Heddiw ydyw amser Duw" – o hyd ynte Gwyndaf? Buaswn yn ddiolchgar i chi am gael y Faner i gael yr hanes yn Gymraeg. Cofion fyrdd

Oddiwrth Eich Ffrynd
Elisa Dimol de Davies.

Elisa Dimol de Davies gyda'i hŵyr cyntaf, Walter, 10, Awst, 1958
(Trwy garedigrwydd Robin Gwyndaf)

(38) Rhan o lythyr Elisa Dimol de Davies at Robin Gwyndaf yn ymhelaethu ar hanes yr albwm lluniau.

(Trwy garedigrwydd Robin Gwyndaf.)

Ebrill 27 1967

Annwyl Ffrind Gwyndaf

Llawenydd mawr oedd yma pan gawsom eich llythur, wedi ei ddyddio 14 a ninau yn ei dderbyn y 20, difyr iawn oedd hanes eich teulu, mae gyda eich mam run faint o wyrion a finau, nis gwn os dywedais or blaen bod y Plant ar wyrion wedi bod yma i gyd yn mis Chwevror yn Penblwydd eu Nain, ond oeddwn i yn teimlo yn bur drist – am fod dim ond un gair sef *Nain,* ond fel yna mae rwan ynte? Saesneg yn yr Hen Wlâd ac ysbaeneg yn y Wladfa, y cymraeg yn colli fwy bob blwyddyn. Gymaint oedd Michael D.Jones wedi edrych yn mlaen am gael Gwladfa Gymreig. (...)

Albwm fy Mam.

Nis gallaf roddi dim hanes am dano i chwi Gwyndaf am y rheswm yma, credaf mai yn y flwyddyn 1888 priododd fy mam[179] gyda Arthur Llewelyn Dimol, a pan oeddwn i yn 4 oed marwodd fy Nhád, ac aethum inau i fyw gyda Ewythr a modryb[180], ond rwan pan yn 70 mlwydd oed, gefais i yr Albwm gan Mrs Gwenonwy Berwyn de Jones:[181]

Pan farwodd fy Mam yn y flwyddyn 1904 aeth teulu Berwyn i fyw i ffarm Taid sef Thomas Pennant Dimol. A pan farwodd Berwyn a Nain dyna ddechreu rhanu y ffarm, a deid mae 10 hectarea oedd i ni ein tri – yn lle haner y ffarm achos mae taid Dimol oedd perchenog y ffarm: ond dechreuodd fy chwaer Camwy Gyfreithio yn eu herbyn,[182] ac felly chwi welwch fod yr Albwm yma wedi ei gadw efo teulu Berwyn, lle bod gyda ni ddim danghosiad fel teulu, ar weithred y ffarm efo nhw hefyd: Ond hyd y dydd heddiw oes dim byd wedi setlo eto: yn ol bob tebyg bydd y Cyfreithwyr wedi llyncu gwerth y ffarm. Ond oeddwn yn adnabod y lluniau am fod gyda fy Ewythr Owen brawd Mam Albwm tebyg gyda hanes y teulu. (...)

Wel Gwyndaf rhaid tynu at y terfyn rwan. (...) a cofiwch o hyd unrhyw hanes o'r Wladfa byddaf yn barod i roddi help yn ol fy ngallu (...)

Oddiwrth eich Cyfeillion
E.D.de Davies a Gweneira

(39) Rhan o lythyr Elisa Dimol de Davies at Eleri a Robin Gwyndaf yn mynegi ei barn am anfon dynion i'r lleuad.

(Trwy garedigrwydd Robin Gwyndaf.)

Gorffenaf 23 1969

Annwyl Gyfeillion Gwyndaf ag Eleri

(...) Mawrth 14 ydyw y llythyr diweddaf gawsom oddiwrthych atebais hwnw, ac anfonais lythur arall dechreu Mehefin i ddweyd y buasau Mrs Irma Hughes de Jones yn myned am yr "Hen Wlad" erbyn Arwisgiad y Tywysog. Gobeithiaf eich bod wedi cael ei chwmni erbyn hyn: ac wedi derbyn yr amlen fawr. Da genyf glywed fod y Diwrnod mawr yr Arwisgiad wedi pasio yn llwyddianus er cymaint y Bygythion ynte? Sicr genyf ei fod wedi bod yn amser pryderus iawn ir Frenhines Elizabeth ar Tywysog.

Y brwdfrydedd mawr sydd drwy y Byd heddyw yw fod dynion wedi cyrraedd ir Lleuad. Rhywbeth difydd iawn yn ol fy meddwl i ydyw rhyw orchest fel yna. Beth ydyw eich meddwl chwi Gwyndaf? Gwario miliynau o arian er mwyn gwneyd enw mawr yw Gwlad ai dynion: a meddwl fod miloedd o Ddynion diniwed yn cael ei lladd bob dydd mewn llefydd eraill ynte? A Bobol Ifanc a plant bach yn gorfod dioddef o achos mympwy y Dynion Mawr naill eisieu fod yn uwch na'r llall o hyd. Buasau yn dda iawn cael Diwygiad a Tywalltiad o'r Ysbryd Glán am unwaith eto i ddanghos fod Llaw Duw yn rheoli y Byd.

Yr wyf yn teimlo yn drist iawn llawer diwrnod Gwyndaf: wrth feddwl nad ydyw plant na Bobl Ifanc yn gwerthfawrogu Capel na pregeth y Dydd heddiw. (...)

Derbyniwch ein cofion annwylaf atoch eich dau

Oddiwrth

Elisa Dimol de Davies

Teulu Iris ar achlysur geni Edgar – Mai 29, 1969
(Trwy garedigrwydd Robin Gwyndaf)

Iris Myfanwy Lloyd Spannaus

(40) Detholiad o ohebiaeth Iris Lloyd Spannaus[183] at Robin Gwyndaf.

Nid oes dyddiad ar y cerdyn hwn ond yn niwedd y 1960au y'i hysgrifennwyd. Aeth Iris ar ei hymweliad cyntaf â Chymru ym 1981. Wedi dychwelyd i'r Ariannin, ysgrifennodd o Buenos Aires at Robin Gwyndaf a'i wraig Eleri yn y flwyddyn honno a dweud:

> To see Robin after so many years was also a thrill, especially to realize that our friendship was still there untouched. It's not very easy to express ourselves with an ocean between us and with only a pen and a piece of paper to "talk" in our behalf, but I want you both to know that even when we have been so little together I have learnt to love you as a family and also as individuals.

(Trwy garedigrwydd Robin Gwyndaf.)

Annwyl Robin
Dyma fu yn trio ysgrifeni ychydig yn Gymraeg. Gan bod hon oedd yr iaith oeddan yn siarad pan buost yn Chubut.

Yr geiriau yma fydd yr "presant" fydda i yn gyrru i ti yr Nadolig yma. Ydwyf yn siŵr fyddat yn deall pa mor anodd ydyw i mi gwnaed hyn, na pam ydwyf yn gofyn i ti darllen hwn felsa rhyw fath o plentyn sydd ddum wedi mynd ur ysgol sud yn ysgrefynu.

Paid a dangos o i neb ne, be fysaf yr bobl meddwl os "great grand child" o Michael D. Jones yn gyrru carden mor difrufol!

May the Lord keep and bless you for ever and ever.

I love you very much

P.S. Will you write a letter soon?

(41) Rhan o lythyr Iris at Robin Gwyndaf yn diolch iddo am ei gymorth yn olrhain ei hachau ac yn mynegi ei hiraeth a'i hunigrwydd.

(Trwy garedigrwydd Robin Gwyndaf.)

PASO DE LOS LIBRES[184]
13/2/68

Dear Robin,

(...) First of all thank you very much (ddiolch yn fawr iawn i ti!! Huna I wrote it!) for all the dates you sent me they are really important and they give a point to follow with my work.[185] **I've almost finished with everything up to my grandparents. Who were they? Well, Llwyd ap Iwan and Myfanwy Ryffydd Jones and they had six children not five Mihangel, Alen (that's my mother) Llewelyn, Mair, Tegid and Mwyny. So I'm Myfanwy because of Nain and I'm *so* intelligent because of auntie Luned (we never called her Eluned). Now, I never met her because she died in Gaiman when I was four and we lived in Cwm Hyfryd. My eldest brother knew her and they talked and talked about her to us because she was very kind and she understood children. Something Nain never did because she was too proud and ... how could I tell you? I always loved her, but it was very difficult to get near her. For instance, I was obviously her favourite grandchild and yet never remember myself sitting on her lap. I have been all my life terribly efusive, kissing and hugging all the family all the time but I wouldn't dare bother Nain. Well my brothers and Mamy say that auntie Luned was quite the opposite and she died single! I can't understand it! I would have liked to know her because so many times my mother have told me "there you are, preaching, talking so loud about what you think is right no matter who is in front of you. Auntie Luned in her shoes!!" and if in a way I have her temper, why I lack her genious I wonder?**

Yes Robin I have intelligent, pious ancestors, and they make me feel responsible, because if they were so, I having their blood should be something great and I'm a simple Mrs Spannaus with four kids, loads of homework to do and not a bit out of common. Good its me studying them and not the opposite! (...)

29/2/68 A fortnight had past since I started this letter and as I'm having a bit of time before cooking the supper I'll talk with you. (...)

You know that this last time I only had to use the dictionary three times with your letter. That means my Welsh is really

improving or ... that you are using more English. But anyway Robin go on writing in Welsh. I just can't think of you in English. (isn't it funny?)

Now listen Mr Robin Gwyndaf don't take me as an excuse to miss the chapel! So you *had* to stay home to write to me. I should feel flattered but I'm afraid I feel guilty anyway thank you (widdost ti bod Iris yn dynes bwysig iawn. Mae Robin yn sefill adref yn ysgrifeni ati yn lle mynd ir gapel!) Oh Goodness its awful to write something you don't know. My mind flies with the Welsh words but my hands won't write them (...)

I'm afaid I sound quite silly today because I am terribly homesick (baby mawr!) Yesterday was mamy's birthday and all my brothers and sisters are in Esquel (we are seven) with tea and I'm the only one who couldn't go.[186] Besides I still cant settle, my house is OK everything tidy and in its place but I'm brooding for my friends and family. I suppose I should be accustomed after so many changes (8 different places in 14 years) but then I'm getting too old to go on changing friends every two years. This I'm telling you is something I keep within my heart because I don't want my husband to worry about it. He is in the habit of seeing me always coping with everything and I'm afraid he would feel bewildered if suddenly I tell him I feel lonely but that's exactly how I feel.

Oh! What a shame writing all this to someone who is so far away, but then that's friendship for, no?

You should be here now to see my bedroom! I came here to be alone to write and one by one all my children came and now there are two on my bed reading and the two youngest playing on the floor. Children are beautiful! They are the reason of my life you know! But then if I'm a good mother I better go and feed them.

Thank you Robin for your letters and help and sorry for this foolish letter.

Love
Iris (...)

(42) Rhan o lythyr Iris at Robin Gwyndaf yn mynegi ei rhwystredigaeth ac yn gresynu ei bod hi'n colli ei Chymraeg.

(Trwy garedigrwydd Robin Gwyndaf.)

4th August 1968

Anwyl Robin:

I really feel awkward writing this in English, you are the only person to whom I write in this language and it's so long since I wrote to you ... (what a shame!) (...)

Little by little I'm getting used to this place. As we are in winter there are no heat, nor mosquitoes to worry me so I can enjoy everything more. I have good friends again and if I can't get too intimate with any of them (which is something really strange because I'm usually friendly, but I think that in a way I'm defending myself because I don't want to feel so broken hearted again when I'll have to part from them again next year). Anyway again I have friends to whom I can talk to, invite to tea etc etc.

Now my mother[187] is with us, she is staying for another fortnight so again I'm speaking Welsh after seven months of hadn't uttered a word in that language and to my desperation she said that my "Cymraeg yn mynd mwy lletwyth pob blwyddyn" (is it ok?) But what can I do to keep it? You are the only person who writes in Welsh to me and mamy is the only one who speaks with me and sometimes I don't see her during long intervals. This time for instance we didn't see each other during 16 months. It's really a pity that there are no schools where to learn how to read and speak Welsh because its so much easier to keep the language then! I know that my English is far from being perfect, but I can write it and I'm always reading books and that is a wonderful way to keep the English even if I can practice it speaking. But unfortunately I can't read Welsh, I've tried with some books my mother have but its impossible. I should begin from the very a.b.c.

A wonderful way of learning it would be a trip to Wales!? But of course I can't, but as I'm absolutely certain that some day I'll go I already accept the invitation to stay with you and Elery. So keep the room clean! No books, no llanast! That's my bedroom! But tell Elery not to worry about, I'll make my bed every day and also clean my bedroom. OK? (...)

Well Robin anwyl, you are good enough to assure me that you

understand my letters so once again thank you for writing (...) We'll keep our friendship with letters until we can meet and talk again.

Give my love to Elery (...)

Love
Iris

Helynt y capeli

(43) Rhan o lythyr Ieuan M. Williams at ei gefnder, R. Bryn Williams yn cyfeirio at helyntion paratoadau'r canmlwyddiant a'r rhwyg yn y capeli.
(LlGC 19035 E11)

Bod Iwan
Chwefror 14 1965

Annwyl Richie,
(...) Cefais ychydig o'ch hanes ddoe gan Ifan Evans. Dywedodd eich bod yn beirniadu'r farddoniaeth yn yr eisteddfod a'ch bod yn bwriadu dod drosodd gyda'r trip. Ardderchog. Cawn eich gweld beth bynnag taw faint o amser i gael sgwrs. Nis gwn faint o baratoi fydd yma erbyn yr eisteddfod. Newydd ddod allan y mae y rhaglen ac mae'r gymdeithas gymraeg yn y Wladfa wedi cael ei gwenwyno yn ofnadwy yn ystod y flwyddyn ddiweddaf yma a hyny gan rhyw ychydig o fobl sydd yn ceisio bod yn Welsh Nationalists ac heb fod wedi helpu i'w chadw yn fyw, y rhan fwyaf ohonynt, a'r rhai hyny sydd yn trefnu ar gyfer dathlu y canmlwyddiant. Onibae fod y Llywodraeth yn ymgymeryd a'r costau bron i gyd (a hyny yn helaeth iawn) mae'n debyg na fuasau yma fawr o ddathlu.

Siwr eich bod wedi clywed am yr helyntion ynglyn ar capeli a'r eglwys fethodistaidd. (...) Codwyd helyntion rhai o'r capeli y flwyddyn diweddaf ynglyn a'r costau teithiol i'r gweinidogion oedd yr Eglwys Fethodistaidd yn gofyn oddiar yr Undeb. Galwyd cwrdd gan y Bishop a daethant i ddealltwriaeth a seinio contract. Erbyn diwedd y flwyddyn ni ddaeth yr eglwysi hyny i fyny a'i haddewidion a phenderfynasant yn Pwyllgor yr Undeb nad oeddynt yn seinio dim rhagor ac i bethau ddal ymlaen fel yr oeddynt heb gyfrifoldeb o gwbl. Yng ngwyneb hyn daeth y Bishop yma eto i bwyllgor neu yn hytrach "Cwrdd cyffredinol yr Undeb" a dywedodd os nad oeddynt am ymgymeryd a chyfrifoldeb o gwbl eu bod hwy yn ymneulltuo ac yn agor eu heglwysi eu hun ac felly y bu. Maent wedi ffurfio eglwysi yn Nolavon, Gaiman, Trelew a Madryn a tri o weinidogion sef dau yn Ysbaeneg a Mr Roberts a'r Genhades Mair Davies o Gymru a Clydwen Jones at ei gwasanaeth a'r capeli Cymraeg yn awr heb yr un os nad ydynt am ofyn am wasanaeth y gweinidogion hyn a thalu am eu cludiad a'u gwasanaeth pan fydd ganddynt amser allan o'u gwasanaethau eu hun. Y mae Bryn Gwyn wedi uno a'r Eglwys Fethodistaidd. Dyma'r capeli oedd yn ei herbyn: Trelew, Treorci,

Drofa Dulog, Lle Cul, Bethesda a Dolavon. A trist yw dweud fod y rhai hyn i gyd ond Trelew heb wasanaeth o gwbl y rhan fwyaf o'r suliau yn awr. Credaf mai mympwy rhyw bedwar neu bump o fobl yw hyn i gyd a hyny o genfigen at y gwaith oedd y lleill yn gwneud ac yn bennaf oll o achos y Côr oedd gan Mrs Stroud yn Nolavon. Eu hesgus i ddechreu oedd fod y gwasanaethau yn Ysbaeneg a'u bod yn lladd y Gymraeg. Wel, anfonwyd i nôl Mr Peregrine ac wedi i'w dymor ef ddod i ben daeth Mr Roberts allan, yna cwyno eu bod eisieu meddianu'r Capeli am ei bod yn cynnyg i'r Undeb ddod dan eu nawdd yn lle gweithio am y personeria juridica (nad ydynt byth wedi ei gael) a phan welsant eu bod yn codi eu heglwysi eu hun cwynant yn awr eu bod yn mynd a'r bobl ifanc ac mae hyny yn siwr o ddigwydd a mwy byth o achos yr helyntion hyn i gyd. Mae rhai wedi mynd mor bell a siarad pob math o *gabledd* am y gweinidogion a'r rhai oedd yn ceisio eu helpu ac yn eu helpu fel eglwys Fethodistaidd ond helpu'r gwaith oeddynt yn ei wneyd yma. Bron na fuaswn yn dweud fod cymdeithas gymraeg y Wladfa yn mynd i orffen gyda'r canmlwyddiant. Mae yma bethau chwithig iawn yn cael ei gwneud gyda'r rhai sydd yn trefnu. Pobl nad ydym wedi ei gweld ers pymtheg neu ugain mlynedd yn gwneyd dim, yn flaenllaw iawn yn awr.

Dro yn ol daeth allan yn y papur newydd fod yr "Embajada Brittanica" yn talu costau dau "Universitario" fyddai yn medru cymraeg a saenseg i fynd i Gymru am dri mis. Clywais fod yna bedwar yn ymgeisio. Yna cyhoeddasant eich bod chwi fel cymdeithas yna yn talu costau i bedwar rhwng 25 a 35 oed fyddai yn medru cymraeg. Mae yna dros ugain wedi anfon eu henwau i mewn. Maer amser wedi dod i ben ers wythnos bron ac fe fydd yr enwau allan yn fuan mi gredaf. Cawn weld pwy gaiff fynd.[188] Mae Edmwnd a mi wedi anfon i mewn.[189] Ni wn sut y maent yn eu dewis. Fe fyddant yn cychwyn oddi yma tua canol mis tan tua diwedd Awst. I gael newid tipyn ar y stori derbyniodd Edmwnd amryw o recordiau cymraeg oddiwrth Arianina Jones ac yn eu plith record o'r Eisteddfod Genedlaethol ddiweddaf a seremoni'r cadeirio arno. Mae rhyw "emocion" yn mynd ar rhywun wrth eu wrando. Mae Arianina wedi dewis cyfres dda o records iddo. Un o Gymanfa Ganu Llundain, un o Bafiliwn Caernarvon, un arall o David Lloyd a chorau meibion, Jac a Wil ac amryw eraill. (...)

Gresyn na fuasau "Y Wladfa" wedi cael ei gyfieithu. Fe fuasau gwethu da arno eleni. (...)

Apetuosamante
Ieuan

(44) Rhan o lythyr Barbra Llwyd Evans at Eiddwen Humphreys yn trafod effaith y storm yn y capeli.

(Trwy garedigrwydd Ivonne Owen.)

Ion. 13. 1968.

Annwyl Eiddwen.

(...) Bu Bryn yn edrych am danaf un diwrnod.[190] Cerddodd or Gaiman ar fore poeth. Bu yn crwydro o gwmpas wedi colli y ffordd a cyraedd tua un ar ddeg, wedi cychwyn er's dwy awr medde fo yn chwys diferol ac wedi blino – a neb wedi digwydd ei basio i roddi lifft iddo – bu gyda ni hyd gyda'r nos (...) Nid oedd hwyl yn y byd arno – gweld popeth yn dywyll – newid mawr wedi cymeryd lle yn ystod dwy flynedd ar Gymraeg yn prysur ddarfod. Y mae wedi dechreu ysg ir "Cymro" ac yn mynd i "ddweyd yn blaen sefyllfa y Wladfa fel y mae heddyw" felly gofalwch am gael gweled y Cymro, cewch felly weled ei farn ef arnom. Yr oeddwn yn ceisio ei berswadio i gymeryd amser ac mai hwyl "Job-aidd" oedd arno. Na, roedd wedi penderfynu mynd yn ei ol yn fuan nac am ddod i B.Gwyn nac un man arall – "doedd neb ei eisio yma" – ond am fynd i Esquel – aros yno am ychydig a troi yn ol oddiyno – heb alw yma – ac yn ol i Gymru. Ond nos Wener yr un wythnos pwy oedd yn ein Capel yn gweled darluniau o Gymru gan Elvey Mc ond Bryn – yn edrych yn siriol ar Velan wedi mynd – ond i Esquel yr oedd yn cychwyn ddoe – efallai y bydd gwell hwyl arno yno.[191]

Ynglyn am barn am gael Athraw neu Weinidog yma – fel ag y dywedais yr wyf yn teimlo – fe fydd raid iddynt fod yn medru siarad Sbaeneg. Rwyf yn gweld y Cenhadon yma yn gweithio yn egniol gyda'r bobl ifanc yma ac yn llwyddo gyda hwy. Tybiem fel aelodau mai hyny fyddai oreu a hyny heb ranu – un fam ieuangc ddywedodd wrthyf "piti hefyd ein bod wedi uno a hwy" – er eu bod fel tad a mam yn Gymry – Sbaeneg oedd iaith yr aelwyd ar plant ddim am siarad Cymraeg. Beth oedd gwerth gwasanaeth Cymraeg i rai fel yna? Fel y mae gyda ni rwan, y mae Llyfr Emynau Cymraeg a Sbaeneg yn cael eu defnyddio bob Sul ar Cenhadon yn mwynhau y canu Cymraeg yn well na'n plant ein hunain. Y peth goreu gyda ni ym Mryn Gwyn – ein bod oll yn ffrindiau ac yn cyd-weithio yn hapus a mwy o siarad Cymraeg na dim arall ar wahan ir plant fel nad ydym yn teimlo dim o effaith y "Storm" rhanol yw pob Eglwys arall, rhai yn fanatic yn erbyn y Cenhadon. Y maent yn rhoddi cyhoeddiad i Miss Mair Davies pan fydd ganddi gyfle iw roddi – er ei bod yn genhades o dan

yr un gymdeithas – am ei bod yn pregethu yn Gymraeg.[192] Y mae hi gyda ni un Sul o bob mis ar gwasanaeth yn Gymraeg a dwy Emyn yn Sbaeneg. Credaf y gallesid fod wedi cael hyn i bob Eglwys pe wedi edrych ar bethau yn iawn – ond yn lle hyny – roedd raid digio fel plant bach a bod yn gâs wrth rai yn barnu yn wahanol, rhoi lle ir ysbryd drwg yn fwy na dim arall gyda'r canlyniad fod y rhai nad ydynt Aelodau yn unman yn "beirniadu" – ac yn troi cefn ar yr Eglwysi – fel yna y mae yma Eiddwen. Cawn weled beth fydd barn Bryn arnom yn y "Cymro" yr oedd yn gaddo pethau mawr a hallt. (…)

Terfynaf ar hyn gan ddymuno yn dda ichwi ac y cewch nerth i ofalu am eich tad tra fydd.[193]

Cofion annwyl iawn atoch ac at Meg ach tad
Bydd llythyr yn dderbyniol bob amser
Yn gywir eich modryb

(45) Rhan o lythyr Barbra Llwyd Evans at Eiddwen Humphreys yn sôn am ddathlu pen-blwydd Capel Seion, Bryn Gwyn yn 80ain oed, crybwyll yr ymwelwyr o Gymru ynghyd â helynt y capeli.

(Trwy garedigrwydd Ivonne Owen.)

Ty Ni
Medi 22 1968

Annwyl Eiddwen.

(...) Yr un pryd ar llythyr yma, bwriadaf anfon llun o honom ddiwrnod Dathliad Penb. ein Capel Seion yn 80 gan fawr obeithio y cyrhaedda yn ddiogel.[194] Ychydig iawn fyddwch yn ei adwaen – deng ml ar hugain er pan aethoch i Gymru – cymaint o newid sydd – pe ond ymhlith ein teulu ein hunain. (...)

Daeth Hilda a bachgen ifanc o Gymro sydd wedi bod am flwyddyn yn y Malvinas – mab Gwynfor Evans – yn rhoddi gwersi Sbaeneg mewn ysgol yno – Guto Evans yw ei enw, a chan fod gan H. fodur ac yn barod iawn i fyned a dieithriaid o gwmpas i "weled y wlad" – daethant yma – a gwnes gwpanaid o de iddynt yn dipyn o groeso.[195] Nid oedd y Malvinas yn lle braf i fyw yno – lle gwyntog iawn ond dim llwch – fawr iawn o gymdeithas yno Sul gwyl na gwaith – gweision sydd yno fwyaf yn edrych ar ol y defaid – ar Meistriaid neu y perchenogion yn byw yn rhywle arall, Lloegr efallai – dywedai yr hoffai gael dod yn ol yma eto, gwell golwg ar bawb a phobpeth nag oedd wedi ei feddwl. Yr 8nos ddiweddaf daeth pobl y *Rugby* ar ymweliad a ni. Cawsant hwythau cyn gymaint o groeso ag a ellid roddi iddynt yn ystod rhyw 4-5 diwrnod y buont yma – cyfarfod arbenig yn Tabernacl Trelew ac yn St David – swper hwyliog iawn – mewn ystafell fawr sydd wedi ei gwneud yn agos i Pont yr Hendre ar gyfer pob math o adloniant. Bu yno "Noson Lawen" mewn gwirionedd a Mr Alun Wms oedd y prif *glown* yno.[196] Y mae son mawr am dano yn canu ac yn actio y Beatles. Yr oedd yn hwyliog iawn mewn sosial yn y Gaiman meddai Gerallt – yn canu a gwneud pob math o gampiau ar y Piano – yn feistr ar y gwaith, a rwan, yr wyf bron a meddwl mai un fel yna fuasai yn gwneud yn well na *pregethwr*.

Wel ynglyn a mater y Gweinidog y mae yn anhawdd iawn gwybod beth na phwy sydd oreu i ddyfod allan yma. Ond rwyf yn sicr y bydd raid i bwy bynag ddaw y bydd raid iddo fedru Sbaeneg – yn enwedig at y plant ar bobl ifanc – er engraipht – gofynwch i blentyn Fuoch chwi yn y Capel ddoe? Yr ateb fydd "ia" – "si"

Sbaeneg. Y maent yn 'deall' mae'n wir – ond ni siaradant Gymraeg os na fydd raid. Y mae Bryn yn lled agos iw le rwyn meddwl ac y gellwch ddibynu arno (...)

Ynglyn ar Capeli – y mae y Capeli i gyd yn rhyw fath o lynu neu hongian wrth yr Undeb. Bryn Gwyn yn unig sydd wedi myned yn unol at y Gymdeithas Fethodistaidd Americanaidd. Dywedai Rev. Maldwyn Roberts pan yn rhoddi y cynig o flaen yr Eglwys – "Beth bynag wnewch chwi – ai derbyn – neu fel arall – byddwch yn unol – peidiwch a rhanu." Chware teg iddo – bu yn deg iawn rhag dylanwadu arnom unrhyw ffordd – ac yn unol iawn y trodd pethau ond wyf yn meddwl fod rhaniad ymhob Eglwys, rhai aelodau wedi myned allan o Eglwys "carmel" Dolavon – "Bethesda" yn erbyn y Cenhadon – Bryn crwn – yn rhanog – ond yn ddioddefgar ac yn cyd-weithio – "Gaiman" Teulu Bob Wms Aberystwyth – Teulu Mcdonald rhieni Elvey – wedi mynd allan – teulu Henry Jones – Drovana Evans ac amryw eraill o rai ifanc = rhai mwyaf gweithgar yn yr Eglwys wedi cael adeilad a fwriadwyd yn "galpon" i gadw Modur – gan Hector Madonald ond sydd wedi ei gwneud i ddal cynnulliad o rhyw gant mwy neu lai – lle cynhelir Ysgol Sul a Pregeth bob nos Sul. "Treorci" dipyn yn rhanog ond yn cyd-ddwyn. Trelew yn rhanog. "Moriah" wedi cau drws ond yn ddiweddar wedi boddloni ir Cenhadon gynal Ysgol Sul – "Nazareth" D.Dulog heb fawr ddim byd yno. "Salem" dros yr Undeb yn selog dim yno ar y Sul – ond pregeth gan Mr Watkins S.Army pan fedr gael amser i fynd yno. Y mae y rhaniad ymhob Eglwys ond yn y Gaiman y mae waethaf. (...) *Gweddill y llythyr ar goll.*

(46) Rhan o lythyr Euros ac Olwen Hughes at J. P. Jones yn trafod crefydd a bywyd Cymraeg y dyffryn.

(Trwy garedigrwydd William Vaughan Jones, Llyn y Gele, Pontllyfni.)

16 – 8 – 68

Mr J.P. Jones
Anwyl Gyfaill
(...) Mae ymgais am gadw Eisteddfod yma tua diwedd Hydref, ac mae hyny yn danghos fod y Gymraig yn gwrthod cilio or tir ac mae'r Argentinwyr yn uno yn dda ymhob cystadleuaeth fydd ar y Rhaglen ar eu cyfer.

Cawn raglen yn Gymraeg ar y Radio 3 gwaith yr wythnos trwy law Cymdeithas y Camwy Gaiman, a chawn glywed llawer o recordia oddi yna corau, a Chymanfaoedd Canu maent yn bethau gwerthfawr iawn i ni yma, nis gellir eu prisio. (...)

Awn at Grefydd: yr inig Bregethwr Cymraig sydd yma iw Mr Watkins ac mae yn cadw gwasanaeth pan fydd ganddo amser yn y Capeli sydd ar hyd y Dyffryn heb wneid dim sulw o ba enwad ydynt, ac mae yn priodi ac yn claddu y rhai sydd yn dymuno'r gwasanaeth yn Gymraeg, ac mae llawer angen eu priodi au claddu gan y Gwinidog er nad ydynt wedi meddwl dim am dano hyd fyddant ei angen, nac wedi cyfranu yr un dima i gadw ei gorff ai enaid gydai gylidd hyd y byddant yn galw am dano. Mae y Parch Maldwyn Roberts wedi ein gadael, mae ar hyn o bryd yn Canada, ac mae Miss Mair Davis yma ar ei Gwiliau wedi 5 mlynedd o wasanaeth da a chaled yma ac mae wedi dyscu'r Ysbaeneg yn ddigon da hyd yn ôd i bregethu ac mae yn werth gwrando arni yn unrhyw iaith, a chredaf y daw eto am dymor atom, mae pawb yn dymuno fellu, a bydd pawb Methodist neu beidio yn ei derbyn o galon, nid oes gan neb air bach am Mair, mae wedi gwneid ei lle yn gynes yn mhob Capal ac aelwyd trwy y Wladfa. (...)

Gobeithio fod Wm V er ei brysurdeb yn llwyddo i gadw cwmni i chwi, mae bod yn inig yn llethol onid iw? (...) Byddwch barod i faddeu pan ddaw hyn o lythur i law, am fod mor hir ac am eu wallau. Gydar cofion cynesaf atoch eich dau

Oddi wrth
Euros ac Olwen

(47) Rhan o lythyr Mary H. Williams[197] at J. P. Jones yn gresynu at y dirywiad yn y capeli.

(Trwy garedigrwydd William Vaughan Jones, Llyn y Gele, Pontllyfni.)

Chwefror 16 1969

Annwyl gyfaill J.P.Jones,

(...) diolch i chwi am fod mor ffyddlon bob amser ac anfon y papirau o hyd, byddaf yn darllen llawer ac yn dotio atoch yn dadleu cymaint ach gilydd yng nghylch peth hyn ar peth arall ac yn diwedd yn collir dydd, dyna helint efor arwisgo onite, gobeithio na ddigwyddith dim drwg na neb yn cael ei ladd, nei fydd mwy o helint. (...)

Mae yn ddydd Sul a dim byd yn y capel heddiw, dyna drist mae yn mynd arnom yn aml heb gwrdd, dyrnad bach o ferched ydym ni sy dal yn ffyddlon neb or dynion am rhoi dim help i ni, mae yn biti na fiase rhywyn yn dod atom o Gymru in gwasanaethi, mae yn debyg fod Duw wedi eu angofio, rhan fwyaf or capeli wedi cai. Mor wahanol pan oeddym ni yn ifanc y capeli yn llawn tair gwaith bob Sul.

Mae r Carnaval yn dal mewn bri mawr yn y Wlad yma o hyd, mae wedi dechreu er nos Sadwrn ac yn dal tan nos fori, bobl yn gwario eu arian am ddim ond lol wirion.

Cefais lythyr oddiwrth y Parch Peregrine es pethefnos nol, yn dweyd ei fod yn well ac wedi dechreu pregethi eto, ond yn gorfod mynd nol i Lundan mis Ebrill, ddim yn siwr os bydd yn cael Oparecion ai peidio, biti garw fod dyn mor dda, mor wan ei iechyd, un sy yn werth siarad ag ef, mae ganddo ffynonell o wybodaith, darllenwr mawr iawn, siwr ei fod wedi darllen llawer gormod ar ei les, mae yn unig yma ar ei ol, neb i droi ato i gael rhyw wybodaith arbenig pan fyddwn mewn penbleth beth i wneyd a ffordd i wneyd, oedd ef bob amser yn barod i rhoi help.

Mae yma ddyn wedi dod o Gymru Mr Tom Grafel o Cydweli[198], nid wyf wedi ei weld eto bydd yma am fis ac yn bwriadi mynd ir Andes, gobeithio caf ei gwrdd a cael sgwrs ganddo, mae yma lawer wedi dod in gweld yn ddiweddar, gobeithio bydd ganddynyt air da i ni ar lle. A ydych chwi yn dal at y penderfyniad o beidio dod gan feddwl eich bod yn rhy hen? Newidiwch eich meddwl a dowch yn eich blaen mis Hydref yma, dyn ifanc ydych eto, mae r cymdoges sy drws nesaf wedi cael ei 90 oed, gweld, clywed ai meddwl yn ardderchog, faint ydych chwi rwan, credaf fy mod i dipin hynach,

(...) mi fiaswn yn licio eich gweld yn dod yma i edrych am danom. Byddaf yn disgwyl glamp mawr o lythyr ac hanes bopeth (...) nos da cofion annwyl

Mary H Williams

Elisa Dimol de Davies, Lidia Garavano ac Alice Hughes, 1969
(Trwy garedigrwydd Beryl Griffiths)

(48) Rhan o lythyr Alice Hughes, Dolavon (1883-1973) at Elizabeth Jones, Braichceunant, y Bala yn trafod y capel a'r Gymraeg yn colli tir. Ni fu Alice Hughes erioed yng Nghymru. (Gw. llythyrau 54, 55, 56 a 57 ganddi hefyd.)

(Trwy garedigrwydd Beryl Griffiths, merch Elizabeth Jones.)

Dolavon
Mehefin 21 1968

Anwyl Berthynas

Dyma fi ar ol hir oedi yn myned atti etto i ysgrifenu pwt bach o lythyr attoch, derbyniais eich llythyr, ar newyddiaduron y Tyst, ond derbyniais i mor llyfr. Nis gwn os oeddech wedi ei anfon ai peidio. Yr wyf yn cael y Cymro. Gwelaf i chwi gael Eisteddfod lwyddianus iawn yn mhob ystyr. (...)

Mae yn ddydd Sul heddyw, ac heb fod yn yr un Capel o gwbl, mae ein Capel ni wedi cau, dim digon o bobl i gynal yr achos yn gymraeg. Mae yma Eglwys Vesodistiaid yn ymyl, a mae Ieuengtyd wedi mynd i hono bron i gyd, y gwasanaeth yr iaith ysbaeneg. Mae y Cymraeg yn colli tir yn arw y blynyddoedd diweddaf yma, fel mae pethau gwaethaf modd. Wyrach y daw pethau yn well gobeithio'r

goreu (...)

Yr wyf yn gweld fod y cymraeg yn colli tir yn arw yma hefyd. Yr wyf yn synu braidd mae genych chwi arweinyddion blaenllaw ich helpu yna, oedd gyda ni mo hyny yma, wedi colli y rhai hynu yn ddiweddar, a dim rhai yn codi yn ei lle. Ond diolch fod posibl addoli yn mhob iaith. Ond gwelaf yn ôl y Cymro eich bod chwi yn cael ysgolion yn gymraeg i hyforddi plant mae hyny yn lwcus iawn. Terfynaf y llythyr yma ar hyn y tro yma a gobeithio eich bod i gyd mewn iechyd arferol. Cofion cynes attoch eich perthynas Alice

Gobeithio y daw y llythyr blêr yma i law, cewch un gwell y tro nesaf.

(49) Rhan o lythyr wedi ei deipio gan yr Uwchgapten Edward Owen Watkins at Mrs Williams, Bron Eifion, Pencaenewydd, ger Pwllheli yn disgrifio'r wlad. Aeth 'Major Watkins' i weithio gyda Byddin yr Iachawdwriaeth i Chubut. Treuliodd un mlynedd ar hugain yn y Wladfa.

(Trwy garedigrwydd John a Kathleen Roberts, Y Ffôr, Pwllheli.)

Ejercito de Salvacion
(Hogar Estudiantil)
San Martin 964
Trelew (Chubut)
Argentina
12.6.68

Anwyl Mrs Williams,
Diolch yn fawr iawn am eich llythyr, r'oedd yn surprise mawr. Mae pob llythyr oddi cartref yn derbyniol bob amser (...) Yr unig un sydd yn sgrifenu ydyw Ted "Tyddyn Cestyll" – chwareteg iddo, mae yn ysgrifenu unwaith ne ddwy bob blwyddyn. (...)

Mae yn siwr y caf weled lawer o newid yn Pencaenewydd ar cylch pan ddown yn ol mis Gorffennaf 1969. Ychydig iawn o bobl a fyddaf yn eu hadnabod mae yn debyg.

(...) Students Home sydd gennym yma yn Trelew. 22 o blant sydd yn byw ymhell yn y wlad, ac felly mae angen cartref ganddynt tra maent yn yr ysgol. Mae gennym Hall lle yr ydym yn cynnal gwasanaeth ac Ysgol Sul gyda 50 o blant, y cwbl yn Spanish wrth gwrs.

Mae yn wlad fawr, nid yw taith o 50-100 milltir yn ddim byd, ma cymaint a hyny rhwng un fferm ar llall, allan or dyffryn ac yn aml mae tuag 10-16 milltir or ffordd ir ty. Pob blwyddyn byddaf yn gwneud taith drwy Patagonia i gasglu donations oddiwrth bobl sydd yn cyfranu ers blynyddoedd. Mae yn daith ddifyr iawn, o Drelew i Rio Gallego ar ben isa y wlad yn Tierra del Fuego, 1 mil o filltiroedd. Galw yn yr estancias neu ffermydd mawr gyda 5000 – 35000 o ddefaid. Mae y rhan fwyaf or ffermwyr yn Scotts, eu teidiau wedi dod yma flynyddoedd yn ol fel daeth y Cymru yma y Ddyffryn Chubut. Wrth deithio gwelwn lawer o anifeiliaid gwylltion, y Gwanacos neu Llama, Ostrich, llwynogod lawer, a llawer o anifeiliaid bach.

Rhyw fis yn ol daliais Armadillo, ac yn awr mae yn ddof ac yn bwyta o fy llaw ac yn sefyll ar ei ddwy droed ol i fegio am fwyd. Y dydd or blaen aeth ar goll am ddau niwrnod ond canfuom mai wedi

dod ir ty yr oedd ac wedi mynd i gysgu ir cwpwrdd dillad. (...)

Yn awr yr ydym wedi prynnu darn o dir wrth ochr y lle yma ac am godi clinic ar gyfer y bobl dlawd, ac ysgol fach i blant sydd yn methu cael lle yn yr ysgolion. Mae dull yr ysgolion yn wahanol iawn yma, dim ond haner diwrnod mae y plant yn yr ysgol, un lot yn y bore o 8-12 a lot arall y prydnawn am 1 dan 5, a maent mor llawn fel mae llawer yn methu cael mynd i mewn yn enwedig y plant tlawd, a mwyafrif o honynt yn methu a darllen, felly nid yw yr athrawon eisiau trafferthu gyda hwynt.

Yr oeddych yn dweyd eich bod wedi gweld yn y Cymro fy mod yn pregethu yn gymraeg a saesneg. Wel ma yma 12 o gapeli yn Nyffryn Camwy yma ond nid oes ganddynt yr un gweinidog, felly maent yn dibynnu arnaf fi y helpu i gael gwasanaeth. Rwyf wedi gwneud dwy briodas, bedyddio plant, ac wrth gwrs claddu llawer. Pob un sydd eisiau angladd yn gymraeg maent yn dod ataf fi. Maent yn byw yn hen yma, ychydig yn ol bu farw dyn yn 92 a ddoe cleddais ddyn oedd yn 85.

Mae Llewelyn Griffiths blaenor yn Bethel Gaiman yn 85 ac nid yw yn colli un oedfa, ac ef fydd yn codi canu ym mhob angladd or bron. Os am gyneilleidfa dda cewch hwynt mewn angladd, fe ddaw yna 150-250 ynghyd bob amser, ond ychydig iawn sydd yn dod ir capeli ar y sul. Yr unig eglwysi sydd yn cael gwasaneth bob nos sul yw Tabernacl Trelew, Bethel Gaiman, Bryn Gwyn a Bryn Crwn. Bydd y gweddill yn cael rhywdro pan y gallaf fynd, ond rwyf yn Tabernacl a Bethel un waith bob mis. Yr ydym yn cynal gwasanaeth yn saesneg un waith bob mis yn ein Hall ni ar gyfer yr ychydig Saeson sydd yma ond y mwyafrif a ddaw yw y Cymru sydd yn deall Saesneg. Ond ein gwasanaeth ni ar nos Sul yn spanish mae, ar ysgol hefyd.

Wel mae y llythyr yma am fynd yn epistol, felly mae yn rhaid i mi dewi.

(...) Cofion cynes oddiwrth y wraig. Byddaf yn falch iawn o gael llythyr pan fydd gennych amser i ysgrifennu.

Cofion cynes,
Yr eiddoch yn gywir,
Edward Owen.

'A little practice ... '

(50) Rhan o lythyr Dr Iorwerth Mostyn Williams[199] at May a Glyn Ceiriog Hughes[200] (brawd Euros Hughes) yn diolch am y croeso a gafodd pan fu ar ymweliad ym 1967 ac yn eu hysbysu o ymweliad yr arlunydd Kyffin Williams.

(Derbyniais gopi o'r llythyr hwn gan weddw Glyn Ceiriog Hughes sef May Williams de Hughes, merch Mary H. Williams.)

18th February 1968

The Bryn
Beaumaris
Anglesey
North Wales
Great Britain

Dear Mr and Mrs Hughes,

First of all, I want to thank you both for your kindness and hospitality to me while I was in the Chubut valley. Your were both very kind indeed to me and I shall be ever grateful, especially to Mr Hughes for the way he took me around in his car to various places.

I am writing this letter in English as you can see with the hope that it will give you a little practice, because no doubt you hear quite a lot of Welsh and Spanish every day of your lives. If it proves a little too difficult there will always be some one who can help you out. I did think of writing in Welsh, but this would have been some what more difficult for me, as I am much more fluent in the English language.

Perhaps I should let you know that you are going to have another visitor from Wales going out to the Colony before very long. He is a Mr Cyffin Williams a well known Welsh artist who lives within a mile or two of me in Anglesey. He spends quite a bit of his time in London where he teaches Art, and also has a studio in Chelsea which is the Artists' quarter in London. I don't think he speaks Welsh, and I am sure he can't speak Spanish, as I am rather wondering how he is going to manage when he eventually arrives in Chubut. Mr Williams has had a Winston Churchill grant, and with this grant he intends going to Y Wladfa to paint and draw, scenes, places and people so as to have a pictorial record for posterity of the Welsh Settlement in Patagonia. (...) I hope you will meet him. I am going to tell him how kind and helpful the people are in the

Colony.[201]

My trip was made all the more enjoyable because of people like yourselves, and I am sure you will afford him the same friendliness. (...)

I wrote to Mr Matthew Henry Jones[202] to his old address in Pellegrin 103 last week. Has he moved house yet?

Again thanking you and all the best for 1968.

Yours sincerely

I. Mostyn Williams.

Dafydd Jones Ddolfawr ar ei geffyl
(Trwy garedigrwydd Beryl Griffiths)

Disgynyddion teulu Catherine a Dafydd Jones Ddolfawr

(51) Teithiodd Dafydd Jones Ddolfawr, Llanuwchllyn i Batagonia gyda'i wraig Catherine, Tŷ Uchaf, Llandderfel a'u tri phlentyn Robert Owen, Jane a Mary ym 1882. Roedd brawd Catherine, sef Edward Owen, Maesllaned (un o arloeswyr y Wladfa) wedi hwylio i'r Wladfa o'u blaenau ym 1874.

Ym 1965 aeth Ethel a Tom Jones, Llanuwchllyn ar ymweliad â'r Wladfa, gan gyrchu llythyr gan Elizabeth Jones, Braichceunant, Llanuwchllyn i'w drosglwyddo i'w theulu yn y Wladfa. Dechreuodd hyn ar gorwynt o lythyru rhwng disgynyddion teulu Dafydd Jones Ddolfawr ar ddwy ochr yr Iwerydd ac mae'r cyswllt yn parhau'n gryf rhwng aelodau'r teulu lluosog hwn hyd heddiw.

Roedd Robert Jones, brawd Dafydd Jones

Catherine Jones y tu allan i Ddolfawr yn y Wladfa yn 82 mlwydd oed
(Trwy garedigrwydd Guto Prys ap Gwynfor)

Merch Catherine a Dafydd Jones Ddolfawr, sef Mary Jones de Griffiths yw'r hen wraig yng nghanol y llun, ynghyd a'i gŵr sef William Gerlan Griffiths, y ddau wedi'u hamgylchynu gan eu plant, eu plant yng-nghyfraith a'u hwyrion a'u hwyresau a'u gor-wyrion.

Y rhes uchaf, o'r chwith: Aidel Griffiths (mab Bryn ac Almed Brunt de Griffiths a gor-ŵyr Catherine a Dafydd Jones Ddolfawr); Dafydd Griffiths (mab Mary a William ac ŵyr Catherine a Dafydd Jones Ddolfawr); Owen Griffiths (mab Mary a William ac ŵyr Catherine a Dafydd Jones Ddolfawr); Bryn Griffiths (mab Mary a William ac ŵyr Catherine a Dafydd Jones Ddolfawr); Alun Griffiths (mab Mary a William ac ŵyr Catherine a Dafydd Jones Ddolfawr); Elfed Griffiths (mab Mary a William ac ŵyr Catherine a Dafydd Jones Ddolfawr); Lewis Griffiths (mab Mary a William ac ŵyr Catherine a Dafydd Jones Ddolfawr.)

Yr ail res, o'r chwith: Oscar Griffiths (mab Elfed ac Owenna Griffiths a gor-ŵyr Catherine a Dafydd Jones Ddolfawr); Almed Brunt de Griffiths (gwraig Bryn Griffiths); Aeron Morgan (gŵr Maud Griffiths); Maud Griffiths (merch Mary a William ac wyres Catherine a Dafydd Jones Ddolfawr); Buddug/Bila Griffiths (merch Mary a William ac wyres Catherine a Dafydd Jones Ddolfawr); Rini Griffiths de Knobel (merch Owen ac Eurwen Davies de Griffiths a gor-wyres Catherine a Dafydd Jones Ddolfawr); Alice Hughes (cyfneither Mary Jones a nith i Catherine a Dafydd Jones Ddolfawr);Claris Griffiths (merch Bryn ac Almed Brunt de Griffiths a gor-wyres Catherine a Dafydd Jones Ddolfawr); Eurwen Davies de Griffiths (gwraig Owen Griffiths); Doreen Griffiths (merch Owen ac Eurwen Davies de Griffiths a gor-wyres Catherine a Dafydd Jones Ddolfawr); Ariel Williams (gŵr Gwladys Griffiths); Eduardo Williams (mab Ariel a Gwladys Griffiths de Williams a gor-ŵyr Catherine a Dafydd Jones Ddolfawr); Gwladys Griffiths de Williams (merch Mary a William ac wyres Catherine a Dafydd Jones Ddolfawr); Ethel Williams de Griffiths (gwraig Alun Griffiths); Freddie Griffiths (mab Owen ac Eurwen Davies de Griffiths a gor-ŵyr Catherine a Dafydd Jones Ddolfawr)

Trydydd rhes, yn eistedd o'r chwith: Parry (brawd-yng-nghyfraith William); chwaer William; William Gerlan Griffiths (mab-yng-nghyfraith Catherine a Dafydd Jones Ddolfawr); Mary Jones de Griffiths (merch Catherine a Dafydd Jones Ddolfawr); ar ei glin – Nerys (merch Alun ac Ethel Williams de Griffiths a gor-wyres Catherine a Dafydd Jones Ddolfawr); Jini (chwaer Mary Jones a merch Catherine a Dafydd Jones Ddolfawr); Liw, (gwraig Joni Griffiths, brawd William); Joni Griffiths.

Rhes flaen o'r chwith: Nilda Morgan (merch Aeron Morgan a Maud Griffiths de Morgan a gor-wyres Catherine a Dafydd Jones Ddolfawr); Elda Griffiths (merch Owen ac Eurwen Davies de Griffiths a gor-wyres Catherine a Dafydd Jones Ddolfawr); Bili Ariel (mab Ariel a Gwladys Griffiths de Williams a gor-ŵyr Catherine a Dafydd Jones Ddolfawr); Aldo Griffiths (mab Dafydd Griffiths a gor-ŵyr Catherine a Dafydd Jones Ddolfawr); Beba Etchezar (magwyd gan Owen ac Eurwen Davies de Griffiths); Vilma (merch Dafydd Griffiths. Bila wedi ei magu); René Griffiths (mab Owen ac Eurwen Davies de Griffiths a gor-ŵyr i Catherine a Dafydd Jones Ddolfawr); Roberto Williams (mab Ariel a Gwladys Griffiths de Williams a gor-ŵyr Catherine a Dafydd Jones Ddolfawr)

Ddolfawr, yn daid i Elizabeth Jones, Braichceunant. Roedd gan Robert Jones hanner cant o wyrion! Gwelir o lun disgynyddion Catherine a Dafydd Jones fod teulu mawr ym Mhatagonia yn ogystal ag yng Nghymru. Merch Catherine a Dafydd Jones Ddolfawr, sef Mary Jones Griffiths yw'r hen wraig yng nghanol y llun, wedi ei hamgylchynu gan ei phlant, ei phlant-yng-nghyfraith ei hwyrion a'i hwyresau. Cefais ddarllen pentwr helaeth o'r llythyrau hyn o'r Wladfa at Elizabeth Jones, Braichceunant gan ei merch, Beryl Griffiths.

Llythyrau Almed Brunt de Griffiths at Elizabeth Jones yn sicrhau cadw'r cysylltiad teuluol. Roedd Bryn, gŵr Almed yn gyfyrder i Elizabeth Jones.)

(Trwy garedigrwydd Beryl Griffiths, merch Elizabeth Jones, Braichceunant.)

Bryn Crwn Gaiman

Yn gyntaf ceisiaf ddweyd pwy ydwyf. Wel fel hyn yr wyf wedi dod i wybod am danoch. Bu Mrs Ariel Williams[203] yma o Comodoro Rivadavia, a danghosodd y llythyr ar lliniau tlws yr oedd wedi ei cael oddiwrthych, ac mae fy ngwr i a Mrs Williams yn frawd a chwaer, os yw y llun sydd gyda y Br Tom Jones gyda chwi gellwch ei weld y trydedd or bechgyn, Bryn yw ei enw, ac Almed ydyw fy enw innau, mae genym ni ddau o blant Aidel 29 oedd heb briodi hyd yn hyn ac yn gweithio ar y ffarm, a Claris y ferch wedi priodi ers pedair blynedd a ganddi hogan fach dwyflwydd oed Carla Andrea. Athrawes yw Claris mewn ysgol gyferbyn a Capal Bryn Crwn ac yr wyf fi yn magu hogyn bach Elved brawd fy gwr claddodd ef ei wraig pan oedd Oscar yn fabi dau fis oed a fi sydd wedi ei fagu. A Mam mae yn fy galw. Wyrach fod chwi yn adnabod y Br Richie Bryn Williams wel mi roedd gwraig Elved yn Gyfnither iddo ef. Awena[204] oedd ei henw hi, os digwydd i chwi siarad ac ef, soniwch chwi wrtho am "Mam Aidel" wrtho ac felly cewch dipin om hanes.

Wel hyn am y tro yma fiaswn yn falch o gael gair oddiwrthych ac felly cadw cysylltiad ar teulu.

Ydwyf
Almed B. de Griffiths
Gaiman Chubut
Argentina
Mawrth 20 – 1966

Mary Jones de Griffiths a'i gŵr, William Gerlan Griffiths gyda'u plant: Rhes gefn, o'r chwith: Dafydd, Owen, Bryn, Maud, Alun, Elfed a Lewis. Y rhes flaen, o'r chwith: Buddug, William Gerlan Griffiths, Mary Jones de Griffiths (Ddolfawr) a Gwladys Griffiths
(Trwy garedigrwydd Guto Prys ap Gwynfor)

(52) Rhan o lythyr Almed Brunt de Griffiths at Elizabeth Jones yn llawenhau ei bod wedi cael atebiad i'w llythyr gan ei theulu yng Nghymru.
(Trwy garedigrwydd Beryl Griffiths.)

Awst 13 1966

Gallaf finau eich cyfarch chwithau yr un modd sef Anwyl Deulu Derbyniais eich llythyr y 28 or mis diwedda, rhyfedd dydd Gwyl y Glaniad (...) siwr eich bod wedi clywed am Borth Madryn yno y glaniasant pryd hynnu anialwch: wel a dyna falch oeddwn o gael ateb i un llythyr, gobeithiwn y daliwn i oheby a'n gilydd ynté, oeddech yn son am Eisteddfod Genedlaethol yn y Bala y flwyddyn nesaf, mi ydan ni yn meddwl cael Eisteddfod yn mis Hydref yn y Gaiman rhyw pump milltir o'n cartref, mi rydwif fi ar y Pwyllgor, ran yr adrodd, mi fyddaf yn hoff o adrodd mae genyf lawer darn ar fy gof, yr un sydd cystadleuol i ferched yn yr Eisteddfod eleni yw "Y Crud" ac yn agored "Duw a edrych arno ei hun". Mi roeddwn yn adrodd yn Eisteddfod y Canmlwyddiant "Gwyl y Glaniad" ar "Hen Wladfawr" oedd y darnau, ond ni chefais y wobr, i Capel Bryn Crwn

yr ydan ni yn mynd, go denau iw y Cynulliadau y misoedd diweddaf, gallaf dweyd wrthich mae wedi mynd yn ddwy blaid yn ein dyffryn, Eglwysi rhyddion oedd yma dan nawdd Undeb Eglwysi rhyddion y Wladfa, ond rhyw fodd nai gilydd wedi golli dau Weinidog anwyl iawn trwy ei marwolaeth, ar Wladfa yn methu a gweithio ffordd i gael gweinidog arall o Gymru, trefnodd yr Eglwys Americanaidd i helpu a daeth y Parch Maldwyn Roberts ar teulu ers pedair blynedd, mae yn pregethu yn dda iawn ond gan fod y rhan fwyaf or Capeli wedi gwrthod ymuno ar Methodistiaid am y rheswm mae rhyddion oeddent i fod, nid ydyw yn medru mynd i bob un, mae yma Cenhadon dan nawdd yr un Gymdeithas ond yn Ysbaeneg wrth gwrs, a ninau yn trio cadw yr hen Gymraeg anwyl ynte. "O bydded ir hen iaith barhau".

Wel yr oeddech yn gofyn pryd oedd Dafydd Jones Ddol Fawr a Nain wedi ei claddu.[205] Ydi Bryn fy gwr ddim yn cofio yn iawn. Ond ei daid Ddol Fawr mwy neu lai 36 o flynyddoedd yn ol a Nain wel 30 o flynyddoedd i mis Ionawr diweddaf. Ei daid yn 89 oed ai nain yn 93 oed ac mae mam a tad Bryn[206] wedi ei claddu hefyd, ei fam wrth gwrs yn ferch i Dafydd Jones Ddol fawr, dynes ddymunol iawn a hoff gan bawb. Daliodd yn heini hyd iddi gladdu ei phriod blwyddyn oi blaen sef 10 mlynedd ir 18 or mis yma a hithau fydd yn 9 mlynedd y 7 o Fedi, dynes dal syth fywiog ei throed er yn fam i naw o blant, efeilliaid y ddwy ddiweddaf[207] ac yr oeddwn yn gweld fod Jac fel ydach chi yn ei alw wedi cael efeilliaid hefyd mae yn y teulu welwch (...)[208]

Mae fy merch i Claris ai Phriod ar ferch fach ar hyn o bryd yn Italy ers dechreu Mai, (...) wedi bod yn Frainc Paris Austria Zuiza germani ac Italy wrth gwrs cartref y gwr. Mi roeddent wedi son am ddod ir Hen Wlad ac wedi cael gwahoddiad cynes gan y Br Richie Williams yw gartref ond derbyniais lythyr ddoe yn dweyd mae troi yn nol y maent, mae Claris fod i ddechre gweithio diwedd Medi.

Wel mae yn nos sadwrn ac maer mab Aidel wedi mynd i edrych am ei gariad, merch fach Gymraes 23 oed fydd ynta ddim yn hir cyn priodi (...)

Gobeithio eich bod yn deall fy llawysgrifen: wyrach mae bratiog ydyw fy sillebiaeth, mi rydw i yn ysgrifenu yn Ysbaeneg hefyd. Disgwyliaf ateb buan a Holwch chi faint fynwch am y teulu mi fyddaf yn barod ich ateb.

Ydwyf gyda chofion anwyl
Almed B de Griffiths

(53) Rhan o lythyr Almed Brunt de Griffiths at Elizabeth Jones yn adrodd hanes yr Eisteddfod ac yn cydymdeimlo â theuluoedd trychineb Aberfan. Cyflwynir 'Anti Alice' yma gan yr awdur.

(Trwy garedigrwydd Beryl Griffiths.)

Bryn Crwn
Gaiman Chubut
Argentina 13 11 1966

Anwyl Deulu:

Derbyniais eich llythyr ryw dair wythnos yn nol, ond roeddwn am ir Eisteddfod basio cyn eich ateb. Cawsom dri diwrnod hyfryd iawn dydd Gwener y 28 Cwrdd Plant neis iawn adroddiadau unawdau, dau Cor Plant yn Canu "Ffarwel ir Gwynt ar Eira" ac un yn Ysbaeneg "Pueblo mi Pueblito". Cododd y Gynulleidfa fawr ar ei traed fel arwydd o Gydymdeimlad ar teuluoedd bach yna sydd wedi colli ei phlant bach yn Cwmafan trist iawn ynté.[209]

"Rachel yn wylo am ei phlant ac ni fynnau ei chysuro"

Dydd Sadwrn 29 Eisteddfod Gadeiriol a Choronog ond neb yn deilwng or Goron, y Gadair y Parch D.J.Peregrine: Cadeirydd Cyfarfod y prydnawn oedd y Br Tomos Rowlands ef yn enedigol or ardal fach yma lle mae'r drychineb fawr wedi digwydd, ac mi roedd yn drist iawn bron yn methu dweyd gair fel hyn y dywedai "Rwyf yn methu cysgu ac yn cael dim blas ar fwyd ers dyddiau". Mae ganddo chwaer yna ac ni roedd wedi cael gair oddiwrthi yn ddiweddar hwyrach ei fod herbyn hyn.

Wel awn yn nol i'r Eisteddfod. Cystadlu da ar bron bobpeth. Parch DJPeregrine ac sydd yn Weinidog yn Trevelin Esquel aeth ar Gadair, y seremoni Cadeirio fel hyn deg o blant ac sydd yn Ysgol Camwy yn Cerdded or tu ol a Baner Arianin gan un, ar llall ar Ddraig Goch yn cerdded yn dawel i fynu ir llwyfan ac yn aros bob ochor yna deg o blant bach wedi ei gwisgo mewn gwyrdd yn dyfod gan ddawnsio ac yna Mrs Irma Hughes de Jones yn darllen seremoni cadeiriol, ar feirniadaeth, dwy ferch fach yn mynd lawr i nol y Bardd oedd herbyn hyn ar ei draed, ac yn mynd ymlaen yn araf a pawb ar ei traed. Ifano Evans, ef yn Wyr i Mr Walters, oedd yn Archdderwydd, ac ar ol ei Cadeirio Plentyn bach yn dod ymlaen ac yn penlinio dwy waith ac ar y trydydd, yn rhoi tysu o flodau Gwyn i r Bardd a chusanu, gwelwyd y Bardd dan deimlad. (...)

Roeddech yn gofyn a oedd Alice Hughes yn perthyn ir teulu wel ydyw gallaf ddweyd mae Antie Alice iw hi i bawb, mae y bobl nad

ydynt yn Gymry yn meddwl mae Antie Alice ydyw ei henw, mae dros ei 80 oed, yn byw yn Dolavon, nid wyf yn siwr iawn. Credaf mae fel hyn fod Mam Antie Alice[210] a Nain Ddol Fawr yn ddwy chwaer, fellu Nain Griffiths "mam Bryn" ac Antie Alice yn ddwy gefnither ynte, ydy Bryn ddim yn y ty ar hyn o bryd i fi ofyn iddo. Holaf yn iawn eto (...) Cofion pawb or teulu attoch. Maent i gyd yn falch i gyd o glywed amdanoch ac yn edrych ymlaen pwy wyr am ei gweled. Cofiwch ateb pan fydd amser, peidiwch an anghofio am y byd.
Y llythyr nesaf byddaf yn dweyd o pwy deulu rwyf fi yn hanu, oedd fy Nhaid tad Mam or Bala, John Roberts[211] oedd ei enw, a nain[212] hefyd yn Roberts ac yn perthyn ir Parch Meirion Roberts.

Hyn am y tro
Almed

(54) Llythyr Alice Hughes (1883-1973), nith Catherine a Dafydd Jones Ddolfawr, yn cyflwyno ei hun i Elizabeth Jones.

(Trwy garedigrwydd Beryl Griffiths.)

Alice Hughes yn blentyn gyda'i hewythr, - Dafydd Jones, Ddolfawr
(Trwy garedigrwydd Guto Prys ap Gwynfor)

Dolavon
Chwefror 14eg 1967

Anwyl berthynas

Yr wyf wedi darllen llythyrau ydych yn ei hanfon i Almed Griffiths, a mi rydych eisieu gwybod pwy ydyw Alice Hughes. Wel mi roddaf ychydig o eglurhad i chwi. Ganwyd fy nhad yn Mhentrefoelas G Cymru Ebrill 4 – 1855.[213] Ganwyd fy mam yn y flwyddyn 1866 yn Ty Uchaf Llandderfel G Cymru. Daethant allan ir Wladfa yn y flwyddyn 1874. Priodasant yn y flwyddyn 1875. Ganwyd iddynt wyth o blant tair merch a phump o vechgyn, a dim ond y fi y trydydd o honynt a Dewi yr ieuengaf o honynt sydd yn fyw.[214] Yr oedd brawd i mam ag Antie Ddolfawr yma cynt, sef Edward Owen[215], a felly chwi welwch fod gwraig Ewyrth Ddolfawr yn chwaer i mam. Bu Dada a Mam am dro yn yr Hen Wlad ar ol geni Mary a Willie, a ganwyd fi ar ol iddynt ddod yn ôl yn y flwyddyn 1883 ac os câf weld cynta o Ebrill nesaf byddaf yn 84 oed. Nid wyf wedi priodi erioed. Hen ferch wyf. A nid ydyw hyny yn fantais bob amser yr oedd Antie yn meddwl fod genyf fi fwy o amser na i phlant hi, a byddai yn anfon am danaf bob hyn a hyn i dendio dibyn arni hi a Dewyrth, y roedd genyf daith dibyn yn bell mewn cerbyd, nid oedd Cyfleusterau teithio mor gyfleus ag ydynt yn awr, ar ol mynd byddwn yn aros rai dyddiau i helpu dibyn, ag i roi dibyn o lanhâd ir ty. Yr oedd Ewyrth wedi mynd i oed mawr, a wedi rhoi fyny i weithio, ac wedi mynd dibyn yn fusgrell, ond byddai yn licio cael rywun i sgwrsio dibyn, bu farw yn naw deg tri oed. Bu Antie fyw rai blynyddau ar ei ol a bu hithau farw yn naw deg tri hefyd. Yr wyf fi yn byw fy hunan yn dre Dolavon yn awr, ar y ffarm oeddwn cynt. Yr wyf wedi gweithio yn galed ar hyd fy

oes, a wedi profi yn helaeth o brofedigaethau y byd yma.

Yr oedd y lluniau anfonais yn ty ni, nis gwn sut oedd hyny yn bod, ond gwyddwn mae perthynasau Ewyrth Ddolfawr oeddynt, a mi roeddwn i yn gweld y Dyn oedd ar Het galed am ei ben yn debyg iawn i Dewyrth, nis gwn a oedd yn perthyn yn agos. Chefais i ddim amser i egluro dim arnynt. Yr oeddwn newydd gyraedd adref or Eisteddfod yn ddigon sâl ar Pullman y Peregrinos ar gychwyn meddwl egluro dibyn i Mr Tom Jones ond oedd ef ddim yno, wedi mynd ffordd arall. Piti garw ein bod wedi pasio cymaint o flynyddoedd heb wybod am ein gilydd. Bu Dada a Mam farw yn ifanc iawn y roedd Mam yn gyfarwydd iawn a Michael Jones y Bala. Clywais hi yn dweyd lawer gwaith, mae Jane vach fyddai ef yn ei galw bob amser, fe roddodd ei lun iddi, ac y mae yn fawr ar y pared o fy mlaen yn awr.

Terfynaf y rhigwm yma ar hyn, nis gwn a gewch ryw bleser wrth ei ddarllen. Cofion cynes attoch

Alice Hughes
Robin Escalante 55 Dolavon Chubut.

(55) Rhan o lythyr Alice Hughes at Elizabeth Jones yn gwerthfawrogi derbyn llythyr gan berthynas o Gymru ac yn arddangos ei hoffter o ddarllen llyfrau Cymraeg.

(Trwy garedigrwydd Beryl Griffiths.)

Dolavon
Ebrill 26 1967

Anwyl berthynas
Maddeuwch i mi am fod mor hir heb atteb eich llythyr, yr oeddwn yn falch oi dderbyn daeth i law yn handi iawn. Mor ryfedd, yr oeddwn yn postio un at ffrynd i mi yna, yr un pryd, a daeth attebiad ir ddau yn ol yr un diwrnod. Yr oeddwn yn falch bod fy llythyr yn dderbyniol, rhyfedd fel yr ydym yn dod yn berthynasau agos, heb yn wybod in gilydd. (...)

Credaf ein bod fel perthynasau yn gyfarwydd a gofidiau. Yr wyf fi wedi pasio fy oes o step i step. Yr wyf fi yn dda iawn ar hyn o bryd, ond bod fy ngolwg dibyn yn ddrwg. Yr wyf yn hoff iawn o ddarllen, a mae hyny yn ddrwg ir golwg, darllenais lyfrau lawer y gaeaf diweddaf rhai crefyddol a rhai eraill, mai rhai nofelau da iawn yw cael yr wyf wedi darllen Rhys Lewis Enoc Hughes y Dreflan gwaith Llew Tegid, a llawer iawn o rai eraill tebyg iddynt. Byddaf yn cael llawer o gysur weithiau wrth ddarllen Emynai profiadau pobl ddiwiol sef Pan yn rhodio trwyr Cysgodion Trwy ddirgel ffyrdd, mae'r uchel Ior Bydd goleinu yn yr hwyr, a llawer o rai eraill tebyg iddynt. Mae crefydd wedi mynd yn isel iawn yn y Wladfa y blynyddoedd diweddaf. Cawsom ni golled ammrishiadwy yn marwolaeth ein gweinidog y Parch E. R Williams. Nid wyf yn meddwl y gwelwn i neb i siwtio yn debyg iddo, yr oedd yn gallu gwneud y Wladfa i fyny a phob cenedl, a hwythau i gyd yn meddwl yn fawr o hono yntau. Yr ydym wedi colli dynion da a gwerthfawr yn ddiweddar trwy varwolaethau ar bobl ifanc ddim yn llanw ei lle. (...)

Cofion anwyl attoch i gyd
Alice

(56) Rhan o lythyr dadlennol Alice Hughes at Elizabeth Jones ar ei haddysg a'i diddordeb yn y 'pethe'.

(Trwy garedigrwydd Beryl Griffiths.)

Dolavon Awst 2il 1967
Robin Escalante 55
Chubut

Anwyl Berthynas

Dyma fi ar ol hir oedi yn cymeryd y pleser o atteb eich llythyr, mae gair oddiwrthych yn dderbyniol bob amser. Yr ydych yn dweyd yn eich llythyr eich bod yn falch fy mod yn cael pleser mewn darllen llyfrau cymraeg. Chefais i ddim ysgol ond un gymraeg Glan Caeron oedd fy Athraw, Archdderwydd y Wladfa yr unig un enillodd Goron yn y Wladfa hyd yn hyn, ac fe enillodd amryw Gadeiriau hefyd. Llyfr o waith R J Berwyn oedd ein llyfr ysgol ni yr adeg hono, a llyfr Genesis or Beibl. Mae rhaid i chwi gofio fy mod yn 84 oed, pan oeddwn i yn gorffen fy ysgol yr oedd llyfrau bach yn Ysbaeneg yn dechreu dod ir ysgol yr adeg hono. Byddaf fi byth yn darllen dim ond Cymraeg a bydd pop llyfr cymraeg yn dderbyniol iawn bob amser.

(...) Mi gaf hanes yr Eisteddfod yn y Cymro mae'n debyg, a mae genyf dau Radio, ac yn cael llawer iawn o bethau diddorol iawn trwyddynt. Yr ydych yn dweyd eich bod wedi cael Cyrddau Pregethu da. Yr wyf finau yn cofio hefyd, y Cyrddau hyfryd fyddem ninau yn gael yma, bob tri mis, dechreu y noson cynt, a thrwy y dydd y diwrnod wedyn, hiraeth genyf am danynt. Oes yma ddim Pregethwyr Cymraeg i gael nawr. Maent wedi mynd at ei gwobr i gyd ai henwai'n perarogli sydd.

Mae'n rhaid dweyd fod crefydd yn mynd i lawr yn arw iawn yn y Wladfa y blynyddoedd diweddaf yma os na ddaw rywbeth na wyddom ni. Oes ni gyda ddim un Pregethwr Cymraeg ar hyn o bryd. Yr ydym ni wedi colli llawer iawn o ddynion blaenllaw yn ddiweddar, a dim Ieuengtid yn codi yn ei lle. (...)

Daeth Dewi fy mrawd ai Wraig[216] i fy nol ir Gaiman i ddathlu Gwyl y Glaniad y 28 a chawson dé a chonsert reit dda. Heddyw yr oeddem yn Claddu brawd i Mrs Almed Griffiths[217], llawer iawn o gladdu wedi bod y gaeaf yma.

Gwelais lun Mary Jones yn y Cymro hefyd. Mae genyf lyfr bach yn y ty y mae, wedi ei enill yn y Capel am sefyll arholiad yn y flwyddyn 1896 a mi rwyf yn meddwl llawer o hono. Mae ei llun

ynddo yn mynd ir Bala ar Walet ar ei chefn i brynu Beibl, a mae ei llun wedyn yn hen wraig a chofgolofn Mr Charles hefyd. Yr wyf wedi ei ddarllen lawer gwaith, a chael blas arno bob tro, prinder popeth yw ei werth ynte. Nis gwn a ydym yn ei werthfawrogi gymaint nawr pan mae yn ein gafael, mor agos, a mor hawdd ei gael. (…)

Cofion anwyl attoch i gyd
Antie Alice

(57) Rhan o lythyr Alice Hughes at Elizabeth Jones yn hel atgofion plentyndod.

(Trwy garedigrwydd Beryl Griffiths.)

Calle Robin Escalante 55
Dolavon Chubut
Mehefin 4 1969

Anwyl Berthynas

Dyma fi ar ol hir oedi yn anfon gair neu ddau o fy hanes i chwi, bum yn ddigon gwael am ryw ddau fis ddechreu y flwyddyn yma o dan law y meddyg, wedi mynd i wendid mawr. Ond yr wyf wedi dod yn dda iawn etto, ond bod fy ngolwg yn bur ddrwg. Ond ddaw henaint ddim ei hunan, mae yn llusgo ryw bethau yw ganlyn, onid ydyw, gallaf ddim disgwyl cael llawer o oes etto, mae yr oed yn mynd yn fawr yr wyf wedi colli tri perthynas er pan ysgrifenais or blaen. Bachgen i Jennie Ddôl Vawr oedd un Cefnder i ni oedd y llall yn byw yn y Gaiman David Owen[218] yr oedd yn wythdeg chwech oed ychydig o fisoedd yn hynach na fi, a mis yn ôl bu farw fy chwaer yng nghyfraith, yr oedd yn byw yn Buenos Aires, gweddw fy mrawd Owen. Fel yna mae hi ynte, rhai ar y ffordd i fynd yden ni i gyd, bod yn barod ydyw y pwnc mawr onidé.

Yr wyf wedi derbyn Llyfr Blas y Cynfyd ers ryw vis mi gredaf ac wedi ei ddarllen, ond rywbeth yn dod ar fy ffordd i ysgrifenu o hyd. Yr wyf yn ddiolchgar iawn i chwi am eich trafferth yn ei hanfon. Mae y nos yn ei fan hiraf gyda ni yma a mi rwyf wedi cael pleser mawr wrth ei darllen, a mi gefais i bleser mawr hefyd wrth ddarllen y Dyhead gan Tegla Davies yr oedd yn dda iawn. Mae rywrai neu gilydd o hyd eisieu ei gweld, a maent yn cael, a pawb yn cael pleser mawr fel finau ag yn edrych ar ei holau. Yr wyf yn hoffi gweld llyfr yn lan a thaclus. (...)

Cofiaf un peth ddywedodd fy mam wrthyf yn dda iawn, pan ddaeth Dada yma or hen Wlâd yr oedd yn derbyn y Baneri, a fy ngwaith i oedd helpu Mam yn y boreu i lanhau ty a taclu'r gwelyai, a phan ddaeth i fewn ryw foreu, yr oeddwn i heb ddechreu ar fy ngwaith, wedi bod yn darllen y Baneri, a hithau yn edrych yn drist arnaf, ac yn dweyd Alice, buasau yn dda genyf pe buaswn yn gallu eich stydio yn Bregethwr. Yr oeddwn yn bur ifanc yr amser hyny, a llawer tro ar fyd. Yr oedd Mary fy chwaer yn gorffod gwnio i ni i gyd ir bechgyn hefyd, oedd yma ddim byd parod yr adeg hono. Mae wedi newid llawer er hyny, oes dim rhaid gwnio o gwbl nawr, os na

fyddwch yn dewis gwneyd, mae wedi altro llawer er hyny, mae popeth i gael yma nawr. Piti na vuasem wedi cyfeillachu an gilydd cyn hyn. Wyrach y buasem wedi cwrdd an gilydd. (...)

Cofion cynes attoch, a diolch yn fawr i chwi
Antie Alice

Eurwen Davies de Griffiths, gyda'i gŵr, Owen Griffiths a dau blentyn mabwysiedig (Trwy garedigrwydd Guto Prys ap Gwynfor)

(58) Llythyr gan Eurwen Griffiths, gwraig Owen Griffiths, at Elizabeth Jones. Roedd Owen Griffiths yn ŵyr i Catherine a Dafydd Jones Ddolfawr. (Trwy garedigrwydd Beryl Griffiths.)

Bryn Crwn Gaiman
CHUBUT
Rhagfyr 20/1966

Annwyl deulu Ddolfawr

Wel dyma finau yn trio ysgrifenu gair atoch wedi gael tipin och hanes gan Almed fy chwaer ng nghyfraith. Owen yw fy ngwr i ac yn fab i Meri, merch i Dafydd Jones maent yn naw o blant 3 merch a 6 o fechgyn ac yn briod i gyd ond in or enw Lewis[219] mae genyf fi bump i blant yr hynaf wedi priodi ers blwyddyn, ar iengaf wedi pasio eleni yn athrawes.[220]

Mi gawsom y fraint o gwrdd a Tom Jones ar wraig, dyn nobl iawn, ac yn ddoniol dros ben piti na fiase rhai ohonom yn galli dod trosodd mi fiase yn hyfryd iawn cael eich nabod i gyd, gwelais rhai o lunie, priodas ohonoch. Nid wyf yn cofio yr enwa yn awr, ond yr oeddent yn neis iawn, efallai y daw rhau ohonoch chwi allan ir Wladfa eto, mae digon or teilu yma ich croesawy nid oes genyf yr in llun o honom ar hyn o bryd, ond gofalaf y byddaf yn anfon in i chwi nes ymlaen. Ychydig iawn o gymraeg mae y plant yn siarad yma yspaeneg ydyw iaith y wlad a does dim dichon ai cael i siarad Cymraeg. Wel terfynaf gan anfon fy nghofion goreu atoch i gyd yna, a dymunwn nadolig llawen a blwyddyn newydd dda i chwi a byddaf yn disgwyl gair yn ol.

Ydwyf yn gywyr
Eurwen

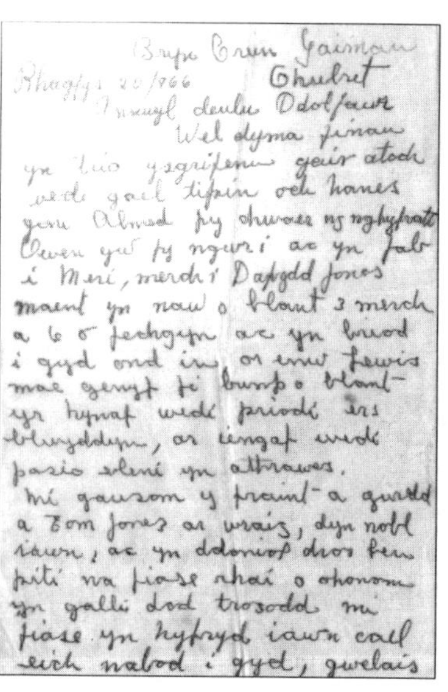

Bryn Crwn Gaiman
Rhagfyr 20/1966 Chubut
Annwyl deulu Ddolfawr
Wel dyma finau
yn trio ysgrifenu gair atoch
wedi gael tipin och hanes
gan Almed fy chwaer ng nghyfraith
Owen yw fy ngwr i ac yn fab
i Meri, merch i Dafydd Jones
maent yn naw o blant 3 merch
a 6 o fechgyn ac yn briod
i gyd ond in, or enw Lewis
mae genyf fi bump o blant-
yr hynaf wedi priodi ers
blwyddyn, ar iengaf wedi
pasio eleni yn athrawes.
Mi gawsom y fraint a gwrdd
a Tom Jones ar wraig, dyn nobl
iawn, ac yn ddoniol dros ben
piti na fiase rhai o honom
yn galli dod trosodd mi
fiase yn hyfryd iawn cael
eich nabod i gyd, gwelais

'Annwyl deulu Ddolfawr'
(Trwy garedigrwydd Beryl Griffiths)

Datblygiadau modern y dyffryn

(59) Rhan o lythyr Barbra Llwyd Evans at Eiddwen Humphreys yn trafod datblygiadau modern yn y dyffryn.

(Trwy garedigrwydd Ivonne Owen.)

Ty Ni. Ebrill 9 1968.

Annwyl Eiddwen.

(...) Neithiwr bu Gerallt a minau yn nhŷ Hector MacDonald, rhieni Elvey – y mae ganddynt dŷ newydd neis iawn – tŷ Wm Freeman ydoedd i ddechreu – ar gyfer tŷ Mrs Ivor Puw ac Alwina Thomas (...) Y mae Radio neis iawn ganddynt yn nhy Mcdonald. Cawsom glywed Dafydd Iwan ac Edward yn canu gyda cyfeiliant y gitar – yn dda iawn – a gweled eu lluniau ar gerdyn a tipyn o'u hanes – hefyd clywed Emyr Wyn a llun clws iawn o hono a llais hyfryd ganddo – o fachgen bach deg oed. Peth handi yw Modur onidê? Cychwyn oddi yma ar ol swper a chael dwy awr o wrando caneuon hyfryd. Cyraedd adre tua unarddeg – rhyw chwarter awr mae'n gymeryd i fynd ir Gaiman a dyna smart yr edrycha yr "hen ffactri" wedi ei hail adeiladu yn ffactri i drin gwymon at wneud gelatin ac amryw bethau eraill – hyd yn oed bowdwr gwyneb! Y mae yn gweithio bron drwy y nos. Goleuadau gwyrdd a lliwiau eraill – bron fel y goleu welir yn yr Aeropostas lle y cychwynir y Planes.

Nos Sadwrn diweddaf yr oedd ein Cyf Diolchgarwch yn cael ei gynal. (...) Ar ol y cyfarfod cawsom weled ffilm Gymraeg. Anfonwyd allan yma o dan nawdd y Feibl Gymdeithas. Yr oedd yn neis a diddorol iawn. Daeth llun or hen "Dy Mawr" lle yn agos ir "Cyfyng" – lle y bu D Morgan yn cyfieithu y Beibl – yr oll or lluniau mewn lliw a rhyw Gymro pur dda yn dweyd yr hanes. Yr ydym wedi cael trydan ir Capel a goleu da genym a gobaith cael aml film o hyn ymlaen. (...) Beth ydych yn feddwl am ysgrifau Bryn Wms yn y "Cymro" am fis Chwefror. Gobeithio eich bod yn eu cael – y mae yn ysgrifenu yn hollol gywir am danom yma – yr unig beth efallai sydd dipyn yn amheus ydyw fod "yma filoedd yn siarad Cymraeg" – pe felly – hawdd iawn y gallesid cadw pethau ymlaen yn Gymraeg ar wahan i hynyna y mae ef a minau or un farn yn hollol.[221] (...)

Cofion annwyl atoch fel teulu – eich Modryb a Gerallt.

Meinir Evans de Lewis

(60) Detholiad o lythyrau Meinir Evans de Lewis o Drevelin at Margaret Rees Williams, Cricieth. Mae'r ddwy wedi bod yn gohebu â'i gilydd ers 1965. Mae Meinir yn wyres i Esther a Thomas Dalar Evans (gw. llythyr 92 ganddo yn *Llythyrau'r Wladfa 1865-1945*).

(Trwy garedigrwydd Margaret Rees Williams a'i merch Ann Gruffydd Rhys.)

Trevelin Rhagfyr 17 1965

Anwyl Mrs Margaret

Daeth eich llythyr i law Llun yr 13 ag fe roes lawenydd mawr i mi ei dderbyn, yr wyf yn cydweld yn hollol ar syniad o ysgrifenu yn rheolaidd at ein gilydd bob mis, mi fydd yn hyfryd disgwyl am eich llythyrau.

Gwraig ty ydwyf finau hefyd, 40 oed. Rwyf yn briod ers 18 mlynedd y 22 or mis yma, mae genym ddau o blant, merch a bachgen, Manon 16 oed a Marvel (bachgen) 11. Mae fy mhriod[222] yn gwneyd pob math o waith, trwsio moduron a gwaith gof yn y tymor haf mae yn myned allan i gyneifio defaid mae yn berchen mashin at y gwaith. Mi fydd i ffwrdd am wuthnosau efo'r gwaith yma; mae ef yn nabyddus iawn efo Lias Garmon, un o Bryn Gwyn ydi o, ond ei fod wedi dod i fyny yma ers blynyddau; feallau mae fy gweld i fu yr achos iddo beidio a myned yn ol (lol)! O bwy ochr yda chi yn perthyn i Elias Owen[223] os ta o ochor yr 'Owen's', mae yma lot o berthynasau i chi fyny yma, plant i Jhon Owen a Bob Owen dau gefnder i Elias.

Mi ydw i yn licio deall eich bod yn awyddys o ddysgu Spanish. Wyddoch chi, mi on i yn gweld ar amryw or ymwelwyr o Gymru na oedda nhw ddim yn cydweld an bod ni yn siarad gymaint o Spanish, wel, dyna iaith ein gwlad ni wyddoch chi, mae yn rhaid i ni yn y lle cyntaf ddysgu a caru yr iaith a caru ein gwlad hefyd. Mae fy mam i yn 68 oed,[224] a mae yn byw mewn ty bach eu hunan, heb fod yn bell on ty ni, rydym ni yn byw ar y brif stryd yn Trevelin, lle bach ydi hwn, er mae yn tyfu yn araf deg. Roeddwn i yn nabod un ddaeth o Gapel Garmon, sef Dei Hughes, mae o wedi ei gladdu ers blynyddoedd ond mae ei wraig ai blant yn byw yma, rydw i yn ffrindiau iddi nhw.

Gobeithio y gwnewch basio heibio ir gwallau welwch, nid wyf yn ysgrifenu Cymraeg yn amal iawn, rydym yn siarad Cymraeg bob dydd, mae y plant yma yn ei deall yn iawn, er mae ychydig maent yn

siarad. (...)

Mae yn braf iawn arnoch yn cael pob math o gyrddau ag Eisteddfodau, lle digon difywyd ydi hwn efo pethau felna. Bum i lawr yn Trelew yn Steddfod y 'Dathlu'. Y tro diweddaf y bum i mewn Steddfod cyn hon mi on i yn cystadlu ar ganu i rhai dan ddeg oed, allwch dynu allan y blynyddoedd sy er hyny.

¿Glywsoch chwi son rhyw dro am Dalar Evans?[225] A cartref or enw Bod Eglur? Wel wyres iddo fo ydw i. Mae fy nhad wedi ei gladdu ers deg mlynedd.[226] Yr wyf fi yn un o ddeg o blant;[227] roedd taid wedi dod yma or hen Wlad yn fachgen ifanc o Swydd Frycheiniog daeth llun ein cartref yn Tywysydd y Plant rhai blynyddoedd yn ol.

Mae yn ganol haf yma, er mae tywydd digon oer yda ni yn gael, mi fu y pererinion yn lwcis o gael tywydd braf, tra yma. Cefais y pleser o gael dwy or gwragedd yma i aros tra yn Trevelin, dwy anwyl iawn, Mrs Gertrude Dodd or Rhyl a Mrs Eulfwyn Hughes[228] o Gaerdydd, roeddwn a hiraeth ar ei hol pan aethant i ffwrdd. Wel, a dweid y gwir chefais i ddim lawer digon arni nw mi faswn wedi dymuno arni nhw aros yma am fis neu rhagor bob rhai ohoni nw, mi ddaru ni ei mwynhau nhw yn fawr iawn. (...)

Hyn am y tro yma, mae yn ddigon i ddechrau yntydi? Mi fyddaf yn disgwyl yn awchys am eich llythyrau.

Cofion serchog tan y tro nesaf.

Meinir Lewis

Feliz Navidad y Año Nuevo y muchas bendiciones del cielo para usted y su familia de su amiga argentina.

(61) Rhan o lythyr Meinir at Margaret yn trafod y sinema a Richard Burton.

(Trwy garedigrwydd Margaret Rees Williams a'i merch Ann Gruffydd Rhys.)

Trevelin Gorffenaf 5 1966

Anwyl Margaret[229]; Ddoe, yn y prynhawn daeth eich llythyr i law, mae wedi bod yn hir ar y ffordd y tro yma, mis ynte? Ond mae yr eira wedi mali ffordd y tren rhwng yma a Buenos Aires ag mae popeth ar ol, mae y lle wedi bod yn brin o flawd ag amryw o bethau eraill angenrheidiol (...)

Roeddwn yn disgwyl yn awchus am eich llythur, mae mor braf! Cael llythyrau o wlad arall. (...)

Bu Manon a fi yn Esquel am dri diwrnod, tra bu Caeron a Marvel i ffwrdd. Mae Esquel lot yn fwy na Trevelin wyddoch a mwy o fynd yno, aethom ir Cine un noson, mae yno neuadd fawr newydd, modern, y tro cyntaf i mi fod yno, ¿Fyddwch chwi yn mynd weithiau ir Cine? Neu efallau bod genych deledu yn eich cartref, oes dim telefisiwn yn Esquel eto, oes gen i ddim llawer o ffansi iddo chwaith ond mi fydda i yn hoffi mynd ir Cine weithiau, pan fydd ffilm o Richard Burton rwyf am drio mynd i weld y Cymro wrth ei waith, mae son mawr am dano, er on i yn deall ar rhai or pererinion ddaeth drosodd nag ydi pobl Cymru fawr o stumog ato ar ol iddo adael ei wraig. (...)

Cofion anwyl, tan y tro nesaf a gobeithio y daw eich llythur yn gynt, i ben ei daith.

Meinir

(62) Rhan o lythyr Meinir at Margaret yn rhoi rhywfaint o gefndir ei gwreiddiau.

(Trwy garedigrwydd Margaret Rees Williams a'i merch Ann Gruffydd Rhys.)

Trevelin
Tachwedd 14

Anwyl Margaret

Hwn yn atebiad i ddau lythur, daeth y lluniau i law, or diwedd, mi fuont yn hir iawn ar y ffordd, rhyw chwech wythnos, ond da waeth, dyma nhw wedi dod, mae gen i rhyw syniad sut un yda chi nawr, rydych yn edrych yn ifanc iawn, bron mor ifanc ag Ann, ag mae genych lle hardd iawn, does gen i ddim lle neis felna cofiwch, ond mae yma lond y ty o groeso i chwi, os byddwch am ddod ryw dro. (...)

Dyma fi yn ateb eich cwestiwn o ble oedd gwreiddiau y teuli wedi dod, daeth fy nhaid[230], (tad Dada yn ol ysgrif oi eiddo) o le or enw Plwyf Llanfechan, Cantref Buallt, Swydd Frycheiniog, llai na tair milltir o Gwm Llewelyn, ar taid[231] arall o Ffestiniog. Mi gewch chwi ddweid rwan os ta or De neu or Gogledd, mae map gen i ond rydw i yn methi gweld yr enwau yna arno, fealla bod yr enwau wedi newyd, mae gymaint o amser wedi pasio, daeth taid Evans yma yn y flwyddyn 1875, ag mae wedi marw pan on i yn flwydd oed, oes gen i ddim cof am dano.

Ydw i ddim yn meddwl bod gen i yrun acen, Cymraeg Argentina ynte? (...) bum yn siarad a Mr Frank Jones, un or ymwelwyr fu yma y llynedd, ag roedd o yn gofyn o ba rhan o Gymru on i wedi dod, pan ddwedais na fum i erioed yn Ghymru, wel, eich tad ach Mam ynte, medda fo, o ble oedda nhw yn dod? Roedd yn synu o glywed mae Argentinos oedd Dada a Mam a Nain, cyn rheini. (...)

¿Eisteddfod y Bala? Wel, dyna braf fasa cael mynd ynte? (...) ¿wyddoch chi be faswn yn licio? Landio yna wrth y drws heb i chi wybod, "Buenos dias Seňora usted es Margaret? (...)

Rwyf wedi cael llythur, oddi wrth y gwr, dim ond un, ond mae wedi anfon arian lawer gwaith, ond ddim digon i ddod i Eisteddfod i Bala. (...)

Nos da, a disgwyliaf glywed y tro nesaf eich bod yn well, cofion at nain a Jack ag Ann y cariňos para ud.

Hasta la próxima
Meinir

63) Rhan o lythyr Meinir at Margaret yn nodi ei hiraeth am ei hen gartref, Bod Eglur.

(Trwy garedigrwydd Margaret Rees Williams a'i merch Ann Gruffydd Rhys.)

Trevelin Mawrth 31 1968

Annwyl Margaret, mae hi braidd yn gynar i fynd ir gwely, felly dyma fi yn manteisio ar yr hamdden fach yma i anfon gair atoch yn ateb ich llythur diweddaf, Mawrth 20, dderbyniais ddydd Mercher 27, roeddwn yn falch iawn ohono, fel o bob un arall, mi faswn yn teimlo yn inig iawn rwan tasa chi yn stopio sgrifenu ataf, gobeithio na fydd i hyn ddigwydd. (...)

Heddiw roedd Cwrdd coffa am modryb Mary,[232] yn ghapel Bethel, diwrnod braf iawn a daeth llond y lle yno, darllenodd Mr Peregrine benillion oi waith, neis iawn, a chyfeillion eraill hefyd yn cymerid rhan yno, gwelais y Siopwr yno[233], bum yn siarad gair neu ddau efo fo, (...)

Bod Eglur ydi ein hen gartre ni; buom yno y Sul diweddaf yn hel fala, mae hiraeth mawr yn dod drosdaf wrth gerdded o gwmpas yr hen le sydd mor annwyl i ni a gweld holl llafur Dada a Mam ymhob man yno, pan oedda ni yn tynu y fala or coed, roeddwn yn dweid wrth caeron; dyma ti be ydi "eraill a lafuriasant a chwithau a aethoch i mewn yw llafur hwynt; bwriadwn fynd eto efo'r chwiorydd i gyd i orffen hel, mae canoedd o fala yno. (...)

Dywedodd Rosalia, fy ffrynd ei bod hi wedi derbyn llythur eisioes o Gymru ond yn Saesneg, ag ydi hi ddim yn deall fawr, ond mae yn dweid rhywbeth am ferched y Wawr yno, medda hi.[234] (...)

Wel dyma fi yn gorffen am heddiw, diolch am y rhaglen, mae yn hyfryd cael cyrddau mor amal rwy'n siwr. ¿beth am y bobl ifanc, oes llawer ohonynt yn mynd ir Capeli? Mae yn ddifrifol yma. (...)

Besos Meinir

(64) Rhan o lythyr Meinir at Margaret yn adrodd stori ysbryd.

(Trwy garedigrwydd Margaret Rees Williams a'i merch Ann Gruffydd Rhys.)

Trevelin Mehefin 16 1968

Annwyl Margaret. (...)

Bu Nantlais yma heddiw drwy'r prynhawn, buom yn siarad am Elvira ag am danoch chi, mae o yn benderfynol o fynd yna ir 'Hen Wlad' (...) ei sefyllfa arianol sydd braidd yn wan, mae wedi prynu modur bach newydd ag mae rhan dda oi gyflog yn mynd i dalu am hwnw, beth bynag mae wedi mynd ach enw ach cyfeiriad chwi, ag os bydd yn mynd, tua mis Hydref bydd hyny. (...)

Roeddwn i yn meddwl mae llyfr ysbrydion oedda chi yn feddwl am libro de almas, chefais i fy hun erioed brofiad efo ysbryd a dydw i ddim yn credi mewn ysbrydion chwaith, ond rydw i yn credi y gall pobl gael gweledigaeth am rhywbeth.

Rwyn cofio mam yn adrodd lawer gwaith beth ddigwyddodd yw hathraw hi, gyda iddo ddod yma yn fachgen ifanc or Hen Wlad. Dymar hanes: Roedd Owen Williams[235] wedi dod i fyny yma yn athraw, ai gariad[236] wedi aros yn y Gaiman, roedd o yn meddwl mynd yn ei ol i briodi ymhen dipyn o amser, roedd o wedi rhoi gofal ei gariad i Elias Owen (nid Elias Garmon) wel i chi mi briododd hi efo Elias, a gwneid tro sal efo Owen Williams, ymhen tua blwyddyn ar ol y briodas, roedd Owen Williams yn mynd ar gefn ceffyl or Cwm yma i Ddyffryn Oer lle roedd teulu ffrindiau iddo yn byw roedd y llwybr yn mynd ymlaen trwy goedwig, yn sydyn, mewn tro yn y llwybr safodd y ceffyl gan godu ei ben ai glustiau mewn dychryn a gwelodd Owen Williams yn eglur ar ochr y ffordd, arch, ag ynddi yn gorwedd, ei gariad, oedd wedi priodi un arall. Ydw i ddim yn cofio os oedd o wedi aros yno nes ir peth ddiflanu neu sut buo hi. Beth bynag, pan gyraeddodd ty ei ffrindiau a dweid beth a welodd, ysgrifenodd gwraig y ty yr hanes i lawr ar dyddiad ar awr. Rhai wythnosau wedyn daeth rhywyn or Gaiman neu lythur, dwn i ddim pa un (oedd dim telegram yn bod yma yr adeg hono, na moduron) daeth y newydd, fel dedas i, fod gwraig Elias Owen wedi marw ar enedigaeth ei phlentyn cyntaf, ar y dydd ar awr y gwelodd Owen Williams hi yr holl filldiroedd i ffwrth; hanes rhyfedd ynte? Clywais mam yn ei adrodd lawer gwaith ag roedd rhyw ias yn mynd trwydda i wrth ei chlywed.

Fe briododd Owen Williams ymhen amser.[237] Bu yma yn athraw

am flynyddau, aeth yn ol ir Hen Wlad wedyn, bu Mama ag yntau yn sgrifenu yw gilydd, am hir iawn wel, nes iddo farw, rwy'n credi mae yng Ghapel Garmon roedd ei gartref.[238] (...)

Dyma fi yn gorffen hwn rwan, byddaf yn disgwyl yn awchus am eich llythur nesaf mae pob un mor dderbyniol. Cofion atoch i gyd fel teulu, tan y nesaf,

Meinir

Ann Griffiths, gyda Shân Emlyn, y tu allan i'w chartref, Troed yr Orsedd, Trefelin, 1976
(Eiddo Mari Emlyn)

Llongyfarch R. Bryn Williams

(65) Llythyr gan Ann Griffiths, Trevelin at R. Bryn Williams yn ei longyfarch ar ennill ei ail gadair yn Eisteddfod y Barri a'r fro, 1968.
(LlGC 19035)

Avda. San Martin
Trevelin
Chubut
Awst 15 – 68

Annwyl Bryn:
Newydd glywed am y newydd *da* eich bod unwaith eto wedi cipio cadair Eisteddfod Genedlaethol, llongyfarchiadau fil i chi am hyny, clywais fod Owen Williams wedi derbyn llythyr oddi wrthych, ond nid wyf wedi ei weld, gallwch feddwl y llawenydd sydd yma gan eich ffrindiau oll, beth nesaf tybed? Cael eich dewis yn Archdderwydd siwr.[239]

Wel syt mae'r hwyl arnoch erbyn, ni yma oll yn iawn, ac wedi cael gaea braf iawn a sych. A ydych wedi gweld Mr Peregrine erbyn

hyn? Y mae ef yn gorfod aros am driniaeth tan Hydref, neu felly y mae wedi dweyd.

Mrs Morgan i lawr yn Gaiman yn edrych am ei theulu. Maent wedi rhentu ty y Capel i bobl yr ydym yn nabod, tan y bydd eu angen eto, os y cawn rhywun eto. Mae'n edrych yn go dywyll yn awr.

Llawer o salwch yn y Dyffryn ond yn dda yma, Emrys Hughes a'r Mrs yn B.A., Arthur Morgan newydd ddod yn ôl, Brychan Evans yn cadw yn dda. Fredie[240] a'r teulu yn iawn.

Wel ryw air bach i'ch llongyfarch fel hyn

Cofion cynes atoch

Ann

Ymweliad Kyffin Williams â'r Wladfa

(66) Rhan o lythyr Barbra Llwyd Evans at Eiddwen Humphreys yn rhoi disgrifiad manwl o ymarweddiad Kyffin Williams.

(Trwy garedigrwydd Ivonne Owen.)

Ty ni. Mawrth 25 1969

Annwyl Eiddwen

(...) un rhyfedd ydoedd, ai holl fryd ar baentio a tynu lluniau. Bu yma ddwywaith – (...) Wel i fyned ymlaen a Mr K Wms ei olwg sydd yn tynu sylw fwyaf. Daeth yma gyda Tegai yn llewis ei grys lliw gwyrdd a du botwm un lawes wedi colli, trowsus Blue Jean – het ffelt wyrdd tywyll ar dop y pen – fel pe bae yn rhy fach iddo. Gwallt melyn braidd ar draws ei dalcen a globyn o *fwstas* o dan ei drwyn, yn neis a dymunol iawn i siarad ag ef, yn gweled pob man yn fawr yr awyr yn glir ac yn las ar adar yn ddôf, ar dynion yn gwisgo "albaragats" – *slippers* y galwai ef hwy. Tynodd photo o Ger a minau yn yr ardd yma. Yr oedd Tegai yn ei adael yma gan fod Henry Rts a Eifiona yn ei ddisgwyl yno i ginio ac yn dod iw nol tua haner dydd. Yr oedd yn nes i un or gloch pan ddaeth a hyny mewn *chatita*. Daeth yma wedyn mewn modur yn perthyn i Sampini Brawd ynghyfraith Mrs V. Jones au bachgen bach hefo fo yn gwmni – yr oedd eisio cael tynu fy llun – hefo pensel – os oeddwn yn foddlawn. Wel gadael iddo – gan ei fod wedi dod – a hyny tua amser paratoi cinio – ar tatws newydd eu rhoi ar y tân. Gosododd fi i eistedd yn "llonydd" roeddwn yn ei weled yn hir – ac yn cofio am y tatws, ond fe orphenodd or diwedd – wrth lwc roedd y tan wedi diffodd. Ni arhosai i ginio – gan ei fod ef ar boy bach i fynd yn ol. Wedi cychwyn y modur fe aeth yn stop arnynt. Wel galw ar ger wedi edrych gwelwyd nad oedd fawr o *naptha*[241] ganddo. Aeth Ger ir G. a dod a Zampini a N – ac fe aethant yn iawn. Syndod yw sut y gallodd fynd o gwmpas heb ddim Sbaeneg. Aeth i lawr cyn belled a T. del Fuego or Andes ac i lawr yma yn ol wedyn i rywle ir North o Esquel. Rhywun wedi rhoi ar ddeall fod iddo berthynas.[242] Aeth i dy Mr a Mrs Dan Lewis a un hosan goch ar llall yn ddu. Pan yn cychwyn yn ol aeth H a Del iw weled yn cychwyn. Yr oedd wedi rhoddi crys gwlanen am dano a cot (campera) ar ben hyny. Yr oedd yn ddiwrnod eithriadol o boeth a bu raid iddo dynu y campera. Paratoi at gyraedd Llundain yr oedd. Yr oedd mewn helbul wedyn. Cafodd Del lythyr oddi wrtho yn dweyd yr hanes. Methu yn lân a chael hyd iw luniau yn yr Avion.

Tynu pob parsel ddwy waith ar trydydd tro y cafodd hyd iddynt. Byddwn yn cofio yn hir am dano. (...)

Gobeithio y cyrhaedda y llythyr yma

Modryb B

Nodiadau

[148] Merch Mair ap Iwan ac Arthur Roberts, ac felly'n orwyres i Lewis Jones a Michael D. Jones.

[149] Cafodd Irma Hughes de Jones ei gwahodd i gynrychioli Cymry Patagonia yn seremoni'r Arwisgo yng nghastell Caernarfon ym 1969 a gwireddu breuddwyd oes o gael ymweld â Chymru. Fe'i hurddwyd yn Eisteddfod y Fflint y flwyddyn honno â'r enw *Irma Ariannin.*

[150] '*Cochecito*' – Pram/coetsh i faban. 'Cerbyd' yw'r gair Cymraeg Gwladfaol amdano.

[151] '*Cocina*' – y gair Sbaeneg am 'cegin'.

[152] '*Rancho*' – y gair Sbaeneg am 'fwthyn bychan'.

[153] '*Dato*' – y gair Sbaeneg am 'nodyn'/'ffaith'.

[154] R. Bryn Williams a Nantlais Williams oedd y beirniaid a wobrwyodd Irma Hughes de Jones (28 oed) am ei phryddest *Ynys y Trysor* yn Eisteddfod y Wladfa 1946.

[155] Ei awdl fuddugol 'Patagonia' a enillodd iddo gadair Eisteddfod Genedlaethol Cymru, Abertawe 1964. Dywedodd R. Bryn Williams (*Prydydd y Paith*, t. 120): '... bu ennill cadair Abertawe'n drobwynt yn fy mywyd ac yn fy mhrofiad. Derbyniais gannoedd o lythyrau caredig a chalonogol, a chefais ymwared o'r chwerwedd a oedd wedi bygwth fy ysbryd dros gyfnod go faith ... '

[156] Dywed R. Bryn Williams (*Prydydd y Paith*, t. 97) i Prosser Rhys (golygydd *Y Faner*), T. I. Ellis a Saunders Lewis geisio ei berswadio i ysgrifennu llyfr ar y Wladfa: 'Nid oes amheuaeth yn fy meddwl na fuaswn i byth wedi mentro sgrifennu na chyhoeddi'r un llyfr oni bai am gefnogaeth y triwyr hyn.'

[157] Aeth nain Euros Hughes, sef Mary Thomas, i'r Wladfa ar y *Mimosa* yn 6 oed. Priododd â Hugh John Hughes a aeth i'r Wladfa o Ffestiniog. Cawsant 14 o blant. Un ohonynt oedd John Hughes a briododd â Sarah Williams. Cawsant 8 o blant: Glyn Ceiriog, Euros, Adah, Gwaenydd, Thomas Hefin, Gwalia, Hugh Maelor a Tudur Eifion.

[158] Olwen Griffiths de Hughes. Aeth ei nain a'i thaid, John a Catherine Griffiths i'r Wladfa o Aberdâr ym 1875. Cawsant 9 o blant. Un ohonynt oedd Emlyn Griffiths a briododd â Rachel Ann Reynolds, Bryn Gwyn. Cawsant 5 o blant: Elsie, Thomos, Olwen, Eilir ac Abiah.

[159] Cyn-drefnydd Eisteddfod Genedlaethol Cymru. (Gw. llythyr ganddo yn *Y Drafod*, 15 Medi 1966, rhif 3907.)

[160] Mr Alwyn Hughes Jones, cyfrifydd o'r Groeslon. Aeth yn un o'r 'Pererinion' gyda'i fab Rhodri. Alwyn H. Jones oedd yn gyfrifol am drefnu trosglwyddo'r arian o'r Henaduriaeth i anfon gweinidog draw i'r Wladfa, sef y Parch. Maldwyn Roberts. Ni fu'r Parch. Maldwyn Roberts yn y Wladfa yn hir gan iddo symud i Ganada yn fuan wedyn.

[161] Gw. llythyr 92 'Y delyn deires'.

[162] Gw. llythyrau 5 ac 11 gan Joseph Seth Jones yn *Llythyrau'r Wladfa 1865-1945.*

[163] Mary Elizabeth Humphreys de Davies, merch Maurice Humphreys ac Elizabeth Harriet Adams. Fe'i ganed 10 Awst 1865. Bu farw ym 1928. Priododd ym 1886 â Robert Adna Davies (1857-1913) Cawsant 11 o blant.

[164] Mae'r holwyddoreg yn llawn yn 'Atodiad VI' tt. 308-309 *Y Wladfa* gan R. Bryn Williams.

[165] Nefed Jones, merch Mary Harriet Williams.

[166] Merch Mary Ann ac Evan Lewis a wyres i 'Meri' Lewis ac Evan Lewis. (Gw. llythyrau 85, 86, 87 a 88 gan y teulu yn *Llythyrau'r Wladfa 1865-1945.*)

[167] Thomas Pennant Evans, un o Gwm Dimol, Pennant Melangell, o'r lle hwnnw y mabwysiadodd ei enw llenyddol sef Twmi Dimol. (Gw. yr adran 'Twmi Dimol a hynt a helynt y *Denby*' ym mhennod gyntaf *Llythyrau'r Wladfa 1865-1945.*)

[168] Ailbriododd Elizabeth ag R. J. Berwyn ar ddydd Nadolig 1868. Cawsant 13 o blant.

[169] Arthur Llewelyn Dimol (1867-1899).

[170] Enw'r llong oedd y *Denby*. Suddodd ym 1868.

[171] Elizabeth Ellen Jones oedd mam Elisa Dimol de Davies. Roedd Llew Tegid (Lewis Jones, 1851-1928) a Penllyn (William Edward Jones, 1854-1958) yn ddau frawd i

Elizabeth. Roeddent yn ddau frawd o 8 o blant. Roedd un brawd, sef Morris Jones yn hen daid i Michael Lloyd (Mici Plwm). (Gw. llythyrau 152 ac 153.) Roedd ganddynt frawd arall a fu'n byw yn y Wladfa, sef Owen Cadwaladr (1857-1944). Ef a fagodd, gyda'i wraig Mary, Elisa Dimol pan fu ei mam farw.

[172] Gw. llythyrau gan Gweneira Davies de Quevedo ym mhenodau 4, 5 a 6.

[173] Cyhoeddwyd ysgrifau Robin Gwyndaf ar ffurf llythyrau yn *Y Faner*, Hydref-Tachwedd 1965.

[174] Enillodd Gwynfor Evans, Llywydd Plaid Cymru, sedd Caerfyrddin ar 14 Gorffennaf 1966.

[175] Mae'r albwm yma o deulu Elisa Dimol de Davies bellach ar gadw gan Robin Gwyndaf.

[176] Elizabeth Evans a David Jones Ffriddgymen oedd rhieni Elizabeth Ellen Jones.

[177] Priododd Llew Tegid ag Elizabeth Thomas. Cawsant 4 o blant: Gwilym, Llewellyn, Katie ac Enid.

[178] Roedd Osian Hughes yn un o 4 a wahoddwyd i Gymru gan bwyllgor dathlu'r canmlwyddiant ym 1965. (Gw. llythyr 74 ganddo.)

[179] Elizabeth Ellen Jones – mam Elisa Dimol de Davies.

[180] Owen Cadwaladr Jones a'i briod Mary.

[181] Gwenonwy Berwyn, merch R. J. Berwyn ac Elizabeth Pritchard ac felly'n hanner chwaer i Arthur Llewelyn Dimol, tad Elisa.

[182] Blodwen Camwy Dimol de Infante. Collodd ei 2 blentyn, Arthur a Mercedes ar ddydd Nadolig wrth iddynt foddi yn yr afon. Ddwy flynedd yn ddiweddarach ym 1941, bu farw Camwy ar ddiwrnod ei phen-blwydd yn 50. (Gw. yr hanes yn llythyr rhif 114, *Llythyrau'r Wladfa 1865-1945*.)

[183] Merch Alen ap Iwan ac Alun Lloyd, ac felly'n orwyres i Lewis Jones a MDJ. Cyhoeddodd y gyfrol *Patagonia Gringa y otros cuentos* yn 2004 a'r gyfrol i blant *Nain canta y cuenta* yn 2010.

[184] Symuodd Iris a'i theulu i Paso de Los Libres yn nhalaith Corrientes, 800 milltir i'r gogledd o Buenos Aires ym mis Ionawr 1968 mewn man ar gyfer teuluoedd y fyddin.

[185] Mewn llythyr at Robin Gwyndaf ym mis Tachwedd 1967, mae Iris yn gofyn iddo am gymorth i hel ei hachau.

[186] Enwau'r 7 – Lynn Lloyd, Delyth Lloyd de Iglesia, Eurona Lloyd de Gough, Edgar Lloyd, Euros Lloyd, Eduardo Lloyd ac Iris Myfanwy Lloyd Spannaus.

[187] Alen ap Iwan Lloyd, merch hynaf Llwyd ap Iwan a Myfanwy Ruffudd Jones.

[188] Yn *Y Drafod*, 4 Ebrill 1965, cyhoeddir gan Valmai Jones yn ei cholofn 'Gair o Walia' bod 4 yn mynd i Gymru o dan nawdd Pwyllgor Dathlu Cenedlaethol Cymru o'r Canmlwyddiant a 2 yn sgil ysgoloriaeth gan y Cyngor Prydeinig. Eu henwau oedd: Doreen Williams, Elvey Macdonald, Osian Hughes a José Weber; Eileen James de Jones a Geraint Edmunds.

[189] Edmwnd Williams, brawd Ieuan. Bu farw yn 62 mlwydd oed yn 2000.

[190] R. Bryn Williams. Roedd Barbra Llwyd Evans yn gyfnither i fam RBW.

[191] Dywed R. Bryn Williams yn *Prydydd y Paith* (t. 109):

> Dichon, fodd bynnag, mai'r profiad tristaf i mi fel hanesydd oedd fy mod, trwy gyhoeddi'r gwir am bobl y Wladfa, wedi eu tynnu yn fy mhen. Ni chefais groeso yno wedyn, ac yn y flwyddyn 1967 cefais fy ngyrru allan o'r wlad gan y milwyr. Rhoddwyd imi ddeuddeng niwrnod i bacio fy mag ac ymadael o'r tir ...

[192] Mair Davies o Bentre Cwrt, Sir Aberteifi yn wreiddiol. Aeth i weinidogaethu i'r Wladfa ym 1964. Bu farw ym mis Awst 2009 yn 74 mlwydd oed a'i chladdu ym mynwent y Gaiman.

[193] Bu William M. Evans farw 29 Ebrill 1971.

[194] Dathlwyd pen-blwydd Capel Seion, Bryn Gwyn yn 80ain oed ar 11 Awst 1968. Darllenodd Barbra Llwyd ysgrif ar hanes y capel yn ystod y gwasanaeth dathlu.

[195] Guto Prys Evans, mab Mr a Mrs Gwynfor Evans. Roedd ei fam yn hanu o deulu

Dafydd Jones, Ddolfawr. Bu am flwyddyn yn y Malvinas yn gweithio i'r *VSO* ac yntau'n 18 oed.

[196] Alun Williams (1920-1992), sylwebydd gyda'r BBC a gohebydd chwaraeon *Yr Enfys*.

[197] Daeth Mary Harriet Williams (o Drelew) a'i chyfaill Ann Griffiths o Droed yr Orsedd, Trevelin, ar ymweliad â Chymru ym 1957. Roedd Ann Griffiths wedi bod yn llythyru â ffrind yn Rhostryfan ac aeth y ddwy i aros yno. Roedden nhw draw yng Nghymru am beth amser. Roedd teulu Rhostryfan yn mynd i Lundain ar wyliau. O fis Gorffennaf i fis Hydref bu'r ddwy yn aros gyda theulu William Vaughan Jones yn Bodryn, Llandwrog. Wedi i'r ddwy ddychwelyd i Batagonia bu Mary Williams a J. P. Williams yn llythyru'n gyson. Pan ddaeth Mary Williams ar ymweliad arall â Chymru (ar ei phen ei hun y tro hwn) yn ystod y 1960au, aeth i aros at deulu J. P. Williams oedd wedi symud erbyn hyn i Lyn y Gele. Bu farw ym 1981.

[198] Dyma'r daith gyntaf o nifer i Tom Gravell ei gwneud o Gymru i'r Wladfa. Sefydlwyd Ysgoloriaeth Tom Gravell yn 2003 (ar y cyd â Choleg Llanymddyfri a chyda chefnogaeth Clwb Rotari Llanymddyfri) sy'n talu a threfnu i fyfyriwr ifanc o'r Wladfa dreulio tymor yng Ngholeg Llanymddyfri bob blwyddyn. Mae wyth eisoes wedi bod yno.

[199] Ganed Dr I. Mostyn Williams ym 1902 yn Nhrelew. Daeth i fyw i Gymru gyda'i rieni ym 1909. Ym 1970 enwyd stryd yn Nhrelew ar ôl ei dad, E. J. Williams (1857-1932) fel teyrnged i'w waith fel peiriannydd yn nyddiau cynnar y sefydliad, ond fe dynnwyd yr enw yn ddiweddarach ac nid oes stryd yn dwyn ei enw yn Nhrelew heddiw. Gwelir ei enw ar y stryd sy'n arwain heibio talcen Ysbyty J. Caerenig Evans yn y Gaiman. (Gw. llythyr 93 ganddo yn *Llythyrau'r Wladfa 1865-1945*.)

[200] Gw. hanes Glyn Ceiriog Hughes yn ei ysgrifau diddorol yn *Atgofion o Batagonia*.

[201] Mewn llythyr gan Dr Mostyn Williams at Glyn Ceiriog a May Hughes ym 1970 dywed: 'I have bought one of Mr Kyffin Williams paintings which he made in the Colony called "A Rider in Trevelin" which shows a Gaucho on horseback. He has sold a large number of his Patagonian pictures on his return, and has given the rest to the National Library of Wales at Aberystwyth ... '

Yn yr un llythyr dywedodd i Kyffin Williams ddweud am bobl y Wladfa: 'They are the nicest people I have met ... '

[202] Mathew Henry Jones, ŵyr i un o weinidogion cyntaf y Wladfa, y Parch. Abraham Matthews. Croniclodd hanes Trelew mewn dwy gyfrol: *Trelew – Un Desafío Patagonico*, Cyfrol I (1886-1903) a II (1904-1913) ym 1981 ac 1986. Ailgyhoeddwyd y ddwy yma a thair arall ym 1997: Cyfrol III (1914-1923), IV (1924-1933) a V (1934-1943).

[203] Gladys Griffiths, gwraig Ariel Williams. Roedd Gladys yn chwaer i Bryn Griffiths, gŵr Almed. Roedd Gladys a Bryn yn blant i William Gerlan Griffiths a Mary Jones – a oedd yn ferch i Dafydd Jones Ddolfawr.

[204] Owena Williams de Griffiths, merch Gwen ac Evan Owen Williams a phriod Elved Griffiths (mab Mary Jones a William Gerlan Griffiths). Bu farw ym 1952. Maged ei hunig fab, Oscar, gan Almed a Bryn Griffiths. (Gw. llythyr 177 gan Ieuan M. Williams, brawd Owena yn sôn am Oscar.)

[205] Bu farw Dafydd Jones Ddolfawr ym 1929 a Catherine ei wraig ym 1936. Fe'u claddwyd ym mynwent Tir Halen. (Gw. e-bost Lois Jones, rhif 165.)

[206] Rhieni Bryn Griffiths oedd William Gerlan Griffiths – a aeth i Batagonia o Landdeiniolen gyda'i rieni ym 1881 pan oedd yn blentyn (bu farw ym 1956 yn 77 mlwydd oed), a'i wraig Mary Jones Griffiths, merch Catherine a Dafydd Jones Ddolfawr (bu iddi farw ym 1957 yn 79 mlwydd oed).

[207] Plant William Gerlan Griffiths a Mary Jones Griffiths oedd Maud, Dafydd John, Owen, Bryn, Alun, Elved, Lewis, Buddug a Gladys.

[208] John Jones, brawd Beryl Griffiths.

[209] Aberfan mae hi'n feddwl.

[210] Jane Owen (Tŷ Uchaf, Llandderfel gynt) oedd mam Alice. Roedd Jane yn chwaer i Catherine (gwraig Dafydd Jones Ddolfawr).

[211] John R. Roberts (1863-1947). Daeth i'r Wladfa ym 1880.

[212] Margaret Roberts, 'Gower Road'. Priododd Margaret â John Roberts ym 1888. Cawsant 13 o blant.

[213] Hugh Hughes (1855-1900) oedd tad Alice Hughes.

[214] Dewi Hughes (1900-1985).

[215] Edward Owen, Maesllaned (1846-1931).

[216] Lily Kent (1912-1980) oedd gwraig Dewi Hughes.

[217] Claddwyd Benjamin Brunt ym mynwent Dolavon ar 1 Awst 1967 yn 58 mlwydd oed.

[218] David Owen (1882-1969), mab Edward Owen, Maesllaned.

[219] Gw. enwau'r plant yn nhroednodyn 207.

[220] Plant Eurwen ac Owen Griffiths: Rini, Freddy, René, Doreen ac Elda.

[221] Dywed RBW yn ei golofn 'Gair o'r Wladfa' yn *Y Cymro*, 8 Chwefror 1968: 'Peidied neb a'm camddeall. Nid dweud yr wyf fod yr iaith Gymraeg wedi darfod yno. Y mae yma filoedd sy'n ei siarad, a hynny'n llawer gwell na ni sy'n Nghymru.'

[222] Caeron Camwy Lewis.

[223] Nid oes perthynas gwaed rhyngddynt, ond roedd teulu Elias Owen a theulu Margaret Rees Williams yn gymdogion agos yng Nghapel Garmon.

[224] Mam Meinir oedd Margaret Jane Williams (1896-1967), yr hynaf o 9 o blant Richard Williams ac Euronwy Jenkins.

[225] Thomas Dalar Evans (1847-1926.) Daeth 'Dalar' yn adnabyddus drwy'r Wladfa fel arweinydd corau a chyfansoddwr medrus. (Gw. llythyrau 92, 93, 106 a 107 yn *Llythyrau'r Wladfa 1865-1945.*)

[226] Ioan Penry Evans oedd tad Meinir.

[227] Ganed 12 o blant i Esther a Thomas Dalar Evans. Bu Delia farw yn ferch ifanc a bu farw Gwladys ar ei genedigaeth. Y 10 plentyn arall: Madryn Gwyn, Menna, Iola, Meinir, Irvonwy, Elfed Vincent, Esther Valmai, Gwenni, Nantlais ac Amanda.

[228] Mrs Eilfwyn Walters neé Hughes, merch y Parchedig Deyrn Walters a fu'n pregethu yn y Wladfa.

[229] Mewn llythyr ati ym mis Ionawr 1966, mae Meinir yn agor ei llythyr drwy ddweud: 'Annwyl Margaret: Wel, dyna fo ynte? Margaret a Meinir amdani, mi fyddwn yn teimlo yn fwy cartrefol felna.'

[230] Thomas Dalar Evans.

[231] Rhys Williams 'Cefn Gwyn' a aeth i'r Wladfa o Frasil, lle y ceisiwyd sefydlu gwladfa Gymreig yn Rio Grande do Sul. Enwyd y drefedigaeth yn 'Nova Cambria'. Aeth Rhys Williams a'i briod Elizabeth Morgan a'u teulu o 9 o blant i'r Wladfa ym 1867 ' ... a bu ef yn un o'r arweinwyr galluocaf yno weddill ei oes' (*Y Wladfa*, t. 13).

[232] Mary Thomas de Evans, gwraig Brychan Evans. Priododd y ddau ym 1908. (Gw. llythyr Nantlais at y ddau, llythyr rhif 120 a llythyr Eluned Morgan at Brychan, rhif 118 yn *Llythyrau'r Wladfa 1865-1945.*)

[233] Dafydd Roberts oedd 'Siopwr'. Aeth allan i'r Wladfa ym 1911. Siopwr ydoedd yng Nghymru a glynodd y llysenw hwnnw yn y Wladfa. Roedd yn frawd i Arthur a Robert Roberts (gw. llythyr 81 Robert Roberts a fu'n llygad-dyst i lofruddiaeth Llwyd ap Iwan yn *Llythyrau'r Wladfa 1865-1945.*) Dychwelodd Robert Roberts i Gymru ddechrau'r 1930au gan nad oedd yn dda ei iechyd. Arhosodd ei ddau frawd Arthur a Dafydd yn y Wladfa. Mae'n debyg bod gan Dafydd 'Siopwr' lais canu da. Mewn ysgrif yn *Yr Enfys* (Mai 1965) dywed Nan Davies am 'Siopwr':

> Byddai 'Siopwr' yn ein disgwyl bob nos pan gyrhaeddem yn ôl i'r gwesty, yn dyheu am gael siarad am yr 'hen wlad', yn crio a chwerthin bob yn ail, a'r hances ym mhoced ei got yn mynd yn dduach bob munud drwy'r gor-ddefnydd. (...) un bore pan oeddwn wedi picio draw fe glywn ganu uchel yn dod o'r gegin – record o Jac a Wil yn canu 'Pwy fydd yma 'mhen can mlynedd?' Pan gyrhaeddais y drws, beth a welwn ond Emrys Hughes yn pwyso dros y 'record player', a 'Siopwr', gyda'r hances ddu yn dal y dagrau, yn morio canu'r geiriau atgofus.

[234] Mewn llythyr arall yn ymateb am gais am lythyrau o Gymru fe ddywed Meinir: 'Mi fydd yn waith go anodd cael dyn i sgrifenu yn Gymraeg, mi fasa yn haws or haner cael merch ... Does fawr o neb yn sgrifenu Cymraeg yma, (or dynion felly) ... '

[235] Ymfudodd Owen Williams o Gymru i Batagonia gydag Elias Owen tua 1880 pan oedd yn 20 oed. Roedd yn fab i Mr a Mrs John Williams, Penllan, Capel Garmon. Bu'n athro ac yn brifathro yn ystod ei gyfnod yn y Wladfa, yn bennaf yn yr Andes. Oherwydd ei iechyd, dychwelodd i Gymru ym 1919. Bu'n byw am gyfnod yng Nghapel Garmon ac yna yn Llanrwst. Bu farw ym 1948. (Gw. llythyr rhif 61 ganddo am helynt y 'Drilio' ar y Sul yn *Llythyrau'r Wladfa 1865-1945*.)

[236] Elizabeth Ann Jones, merch y Parch. Robert Jones a'i wraig Hannah Davies. Bu farw yn ei chartref, Treuddyn.

[237] Priododd Owen Williams ag Ellen. (Gw. llythyr 62 ganddo yn *Llythyrau'r Wladfa 1865-1945*.)

[238] Rhoddodd yr enw 'Andesonia' ar ei gartref yng Nghapel Garmon.

[239] Etholwyd R. Bryn Williams yn Archdderwydd Cymru yn Eisteddfod Bro Myrddin, 1974. Dechreuodd ar ei waith yn Eisteddfod Bro Dwyfor, Cricieth ym 1975.

[240] Frederick Green, ei brawd-yng-nghyfraith.

[241] *Naphtha/nafta* – petrol.

[242] Ei berthynas oedd Ralph Williams, cefnder i dad Kyffin Williams. (Gw. ei hanes yn *A Wider Sky*, t. 127.)

PENNOD 3

'Tybed gawn ni gwrdd rywdro?' (Llythyrau 1970-1976)

Cawsom ddisgrifiad hynod gan Barbra Llwyd Evans o Kyffin Williams yn ystod ei ymweliad â'r Wladfa ym 1968 ar ddiwedd y bennod flaenorol. Ar ddechrau'r bennod hon cawn glywed gan yr artist ei hun, a chael gweld yr argraff ddofn a adawodd y Wladfa arno fel artist ac fel unigolyn. Doedd ei argraffiadau cyntaf o'r Wladfa ddim yn rhai ffafriol; yn wir, dioddefodd iselder yn ystod dyddiau cyntaf ei arhosiad yn Nhrelew. Ni fu'n ddigalon yn hir fodd bynnag gan i gynhesrwydd croeso'r Gwladfawyr ei atgoffa o lawer o drigolion ffermydd bychain Ynys Môn. Bu'n ffodus yn ei dywysydd caredig, Glyn Ceiriog Hughes o Drelew. Adlewyrchir sensitifrwydd y Gwladfawyr tuag at unrhyw feirniadaeth am y Wladfa a'i phobl yn y llythyrau rhwng y ddau. Mae Glyn Ceiriog yn ffyrnig o deyrngar i'w famwlad, ac eto, nid yw'n cymryd ei hun ormod o ddifrif. Yn llythyr cyntaf y bennod hon, mae Kyffin yn ymddiheuro am ei ddisgrifio yn yr *Anglo Welsh Review* fel 'a sad looking man' gan fynd yn ei flaen i egluro mai'r hyn a olygai oedd 'a serious looking man' neu 'dyn prŷdd'. Mae Glyn Ceiriog yn ateb y llythyr drwy ddweud:

> Dont bother about that, I dont mind at all. But I wil take care the next time a 'Wild Welshman' comes along I shall smile my guts out. I dont feel sad at all, but I cant change the face I have, if y wanted to. (...)
> The kindest regards from myself and May,
> Your 'dyn prydd' (68)

Aeth Kyffin o Ddyffryn Camwy draw i'r Andes. Mae'n disgrifio'r daith ar draws y paith mewn erthygl yn yr *Anglo Welsh Review,* gan ein hatgoffa o ehangder talaith Chubut a'r ymdrech a olygai anfon neu dderbyn llythyr yn y wlad anhydrin honno:

> Sometimes I saw a single horse standing near the road and, as we came close to it, the bus slowed down and a boy would get out from the shelter of a rock and hand the driver a letter. Then, leaping onto the sheepskin saddle, he would be away across the arid landscape to some invisible home.

Cymerodd y Gwladfawyr at Kyffin yn arw, heb sylweddoli, efallai, ar y pryd, faint ei ddawn. Mewn llythyr ato, sy'n felys o eironig, dywed Glyn Ceiriog: 'My brother Euros was tickled to death about his picture being bought by the National Welsh Library in Aberystwyth. He wonders also, what can they see in a painting of that kind.' (70)

Bu ymweliad Kyffin â'r Wladfa yn un cyffrous a chofiadwy iddo ond ni ddychwelodd yno, er iddo ddweud mewn llythyr dyddiedig 12 Ionawr 1971, 'I have left a small part of myself there.'

Ychydig iawn o'r Gwladfawyr a siaradai Saesneg a chyfeddyf Kyffin iddo ddychwelyd i Lundain a'i Gymraeg wedi gwella'n arw (gw. *A Wider Sky*, t. 141).

Wrth drafod yr iaith Gymraeg yng Nghymru yn ystod y cyfnod hwn, dywed John Davies (*Hanes Cymru,* t. 621): ' ... dichon mai yn y chwedegau y bu farw'r oedolyn olaf heb fod ganddo – neu, yn fwy tebygol, heb fod ganddi – wybodaeth o'r Saesneg.'

Roedd y Gymraeg yn parhau yn unig iaith i lawer o'r to hŷn yn y Wladfa hyd yn oed ar ddechrau'r 1970au. Mae Barbra Llwyd Evans yn cyfaddef mewn llythyr at berthynas yng Nghymru ym 1970 nad oes ganddi fawr o Sbaeneg ac mae ei disgrifiad o gymydog yn ceisio gwerthu ieir heb fedru'r iaith yn hynod (gw. llythyr 87). Mae ei merch, Delyth Llwyd Evans de Jones mewn llythyr arall (88) yn warchodol iawn o'r Gymraeg:

> Y mae yn drueni fod yn raid cymeryd benthyg cymaint o eiriau Saesneg. Hyd yn oed yn "Barn" gwelwn eiriau fel "pŵer, bom, clyfar, artiffisial," a brawddegau fel "dyn yn siafio efo raser drydan wedi ei byclu wrth fatri ei gar." Ac am y papurau eraill, wfft iddynt. Wn i ddim pam y maent yn trafferthu arbed iaith a'i hanner yn eiriau wedi eu haddasu o'r Saesneg.

Er gwaethaf hyn, bregus oedd sefyllfa'r Gymraeg yn y Wladfa. Bu'r Athro Robert Owen Jones yn Nyffryn Camwy ganol y 1970au a gwnaeth y sylwadau canlynol rai blynyddoedd yn ddiweddarach: ' ... dychwelais i Gymru yn gwbl argyhoeddedig fy mod i wedi tystio marwolaeth iaith: roeddwn yn teimlo i mi fod mewn angladd ... ' ('Gwydnwch y Gymraeg' yn *Taliesin,* rhifyn Haf 2005, t. 82.)

Unwaith eto, roedd y cyfnod sydd dan sylw yn y bennod hon yn gyfnod cythryblus yn hanes yr Ariannin. Dywed Delyth Llwyd o Buenos Aires ym mis Mehefin 1973:

> Y mae yma le difrifol oddiar newid arlywydd y wlad yma, prisiau pethau yn mynd i fyny i'r cymylau, demonstrations, riots, kidnapping a saethu. Ac i orffen pethau, dyna'r hen Berón yn dod yn ôl dydd Mercher, 20 fed. Maent yn dweyd eu bod yn rhoi transport i dair miliwn o bobl o'r talaethau i ddod i B.Aires i'w groesawu. Y peth saffaf fydd peidio mynd dros y drws y diwrnod hwnnw. (88)

Roedd hi'n llygad ei lle. Aros gartref oedd gallaf. Cyfnod du yn yr Ariannin oedd y 1970au, cyfnod o bolareiddio gwleidyddol. Dechreuodd mudiadau bychain o herwfilwyr trefol ymddangos; yn wir, roedd gwleidyddiaeth yr Ariannin ar ddibyn rhyfel cartref. Roedd y posibilrwydd yma yn ddigon i argyhoeddi'r fyddin ei bod hi'n bryd croesawu Perón yn ôl i rym wedi deunaw mlynedd o alltudiaeth. Dychwelodd Perón i Buenos Aires ar yr 20fed o Fehefin ac roedd dros ddwy filiwn o bobl yn ei ddisgwyl ym maes awyr Ezeiza. O'r llwyfan areithio, saethodd rhai o'r milwyr arfog adain dde tuag at y dorf gan ladd rhai cannoedd a throi maes awyr Ezeiza yn gyflafan waedlyd.

Gorfodwyd yr arlywydd Cámpora i ymddiswyddo a chymerodd Perón yr awenau fel arlywydd ym mis Hydref 1973. Gwnaed trydedd wraig Perón, sef María Estela Isabel Martinez de Perón, yn Is-Arlywydd, a phan fu farw Perón y flwyddyn ddilynol ar y cyntaf o Orffennaf 1974, fe'i holynodd fel arlywydd anghymwys. Roedd chwyddiant yn rhemp, gwaethygodd anrhefn gymdeithasol ac roedd trais yn gyffredin. Ymyrrodd y fyddin eto gan gael gwared â'r Perón olaf o'r Casa Rosada ym mis Mawrth 1976.

Ynghanol ansefydlogrwydd cynyddol y wlad, roedd helynt yr *Islas Malvinas* i'r Archentwyr, y *Falkland Islands* i'r Prydeinwyr, hefyd yn mudferwi ac fe adlewyrchir hyn yn llythyrau Glyn Ceiriog ac Elwyn Owens: 'Malvinas neu Falklands – be dd.di o bwys.' (83)

Diddorol yw llythyrau'r Cymro Elwyn Owens a oedd yn gweithio yn y Malvinas. Cyfeddyf fod ei Gymraeg yn fratiog, a thry i'r Saesneg: 'It does get monotonous with so little to do, no television, no theatres, cinema once a week and that's on the Sul so being Annibynwr I don't go.' (86)

Efallai fod Cymraeg Elwyn Owens yn rhydlyd ond roedd dylanwad Anghydffurfiaeth yn parhau'n drwm arno.

Beth bynnag am gyflwr yr Ariannin, mae'n wir dweud mai yng nghyfnod llythyrau'r bennod hon y gwelwyd cynnydd mawr mewn teithio rhwng y Wladfa a Chymru, a hyn, mae'n debyg, yn gymynrodd o

Y Gwladfawyr yng Nghymru, 1975
(Eiddo Mari Emlyn)

gyfnod y canmlwyddiant. Galwyd rhai o'r teithiau o Gymru i Batagonia yn 'Teithiau'r Mimosa' a llawer o'r ymwelwyr o Gymru yn cyrchu llythyrau i'r Gwladfawyr gan berthnasau iddynt. Dywed Glyn Ceiriog yn ei golofn 'O'r Wladfa, Patagonia' (*Yr Enfys*, mis Mai/Mehefin 1975): 'Gobeithia pawb y daw minteioedd fel hyn drosodd bob blwyddyn. Yn wir y mae'n drueni na fuasai'r arferiad hwn wedi dechrau rhyw chwarter canrif yn ol. Fe fyddai yma well graen ar bethau Cymreig, i sicrwydd.'

Nid ymweliadau i'r Wladfa yn unig a gafwyd. Mentrodd amryw o'r Gwladfawyr draw i Gymru. Trefnwyd trwy Gymdeithas Cymry Ariannin ysgoloriaeth Owen Wyn Richards i ferched a bechgyn y Wladfa astudio yng Ngholeg Harlech gyda'r bwriad iddynt ddychwelyd i'r Wladfa i gyfoethogi'r bywyd diwylliannol yno. Elvey MacDonald o'r Gaiman oedd y cyntaf i fanteisio ar yr ysgoloriaeth hon ym 1965/66. Ceir llythyrau yn y bennod hon gan rai o fyfyrwyr y 1970au yn Harlech ynghyd ag ambell lythyr gan fam bryderus. Nid ar chwarae bach y deuai'r Gwladfawyr ieuainc yma draw. Golygai aberth a pheth dewrder gan mai ychydig iawn o Gymraeg oedd gan y rhan fwyaf ohonynt cyn dod i Gymru. Aeth llawer iawn o'r myfyrwyr hyn yn ôl i Batagonia â thân yn eu boliau dros y Gymraeg gan gyfrannu'n helaeth i fywyd diwylliannol y Wladfa.

Er i'r myfyrwyr gael llawer o'u costau am eu tymor yn Harlech, roedd cyfnod y gwyliau yn fater arall. Bu sawl teulu o Gymru yn garedig iawn wrthynt, ond hyd yn oed wedyn, tipyn o fenter oedd hi i'r myfyrwyr sefyll ar eu traed eu hunain mewn gwlad ag iaith a oedd yn ddieithr iddynt. Dywedodd Ivonne Owen mewn llythyr ym 1976: 'Rwy wedi trefnu yn barod i weithio bob dydd caf i o wyliau ac rwyn cymerid gwaith gwnio i enill ambell geiniog yn ychwanegol. Rwyn gwibod fydd yn annodd ond rwy am fentro.'

Ysgrifennodd Meinir Evans de Lewis o'r Wladfa at ei chyfeilles gohebu yng Nghymru ym 1973: 'Anwyl Marged. (...) Rwyf finnau yn amal iawn yn meddwl ¿tybed gawn i gwrdd ryw dro? Mi faswn yn rhoi llawer am gael ymweld a Chymru ... ' (95)

Roedd 1975 yn flwyddyn bwysig o safbwynt y gyfathrach rhwng y ddwy wlad. Dyma'r flwyddyn y mentrodd criw o Wladfawyr i Gymru, y rhan fwyaf ohonynt am y tro cyntaf. Rhoddodd dros gant o Wladfawyr eu henwau i fynd ar y daith i Gymru, ac yn eu plith roedd Meinir Evans de Lewis. Bu cynilo dwys am fisoedd, ond oherwydd sefyllfa economaidd ddyrys yr Ariannin, fe dynnodd llawer o bobl eu henwau yn ôl. 62 o'r 100 gwreiddiol a aeth i Gymru yn y pen draw gyda'r ystod oedran rhwng 6 a 82. Roedd gwasgfa ariannol y wlad yn gwneud trefnu'r daith a chyfathrebu â'r Cymry yn anodd gan fod tocyn hedfan yn dyblu yn ei bris mewn llai nag wythnos. Gwelir digon o enghreifftiau o helyntion yr economi yn llythyrau'r bennod nesaf. Gwerthodd Meinir ei char er mwyn cael arian i ddod i Gymru. Ychydig ddyddiau cyn teithio, ysgrifennodd Meinir eto at Margaret Rees Williams: ' ... rwyf bron yn methu credi fy mod yn dod, or diwedd, ydwyf wir, rwyf yn teimlo yn reit gynhyrfus, wrth feddwl am y cychwyn ... ' (98)

Cychwynnodd y Gwladfawyr ar y 3ydd o Orffennaf 1975. Ym maes awyr Trelew ffarweliwyd â hwy i sain canu'r emyn 'Wele'n sefyll rhwng y myrtwydd'. Wedi hedfan i Buenos Aires, fe'u hysbyswyd o fewn awr i deithio i Brydain fod yna streic yn y maes awyr. Un streic oedd hon ymhlith llawer a arweiniodd at gyfnod hir a chythryblus iawn o lywodraeth filwrol yn yr Ariannin. Cyrhaeddodd y Gwladfawyr i Gymru, bob yn dipyn, ar y 9fed o Orffennaf, bum niwrnod ar ôl cychwyn o Drelew. Ni adawyd i'r dechrau anffodus hwn ddifetha gweddill y daith. Bu'n brofiad emosiynol iddynt a breuddwyd oes yn cael ei chyflawni. Yn ystod eu harhosiad yng Nghymru fe urddwyd R. Bryn Williams yn archdderwydd. Wedi iddynt ddychwelyd i Batagonia, bu hen siarad am eu profiadau a'u hargraffiadau o Gymru gyda'r Gwladfawyr a arhosodd gartref yn awchu am bob manylyn o'r daith. Aeth mam a mam-yng-nghyfraith Alwina Thomas, Buenos Aires draw, ac Alwina'n ysgrifennu i Gymru i ddiolch drostynt gan ddweud: 'Ydym wedi bod yn Gymru drwy ei llygaid hwy.' (100)

Roedd y radio a theledu, recordiau a llyfrau o Gymru yn parhau i gael eu trysori gan y Gwladfawyr. Dywedodd Eluned Morgan mewn llythyr at William George ym 1899:' ... nid oes genych unrhyw ddirnadaeth y fath newyn llyfrau a phapurau sydd yma, mae pob un ddaw fel manna yn yr anialwch.' (*Gyfaill Hoff*, tt. 53-54)

Mae ei geiriau yn dal i daro tant flynyddoedd yn ddiweddarach. Roedd llyfrau Cymraeg fel aur yn y Wladfa a nifer helaeth o'r llythyrau a ddarllenais yn cyfeirio'n werthfawrogol at lyfrau a recordiau a anfonwyd draw o Gymru. Roedd y cyfnod hwn yn un llewyrchus o ran cyhoeddi yng Nghymru, gyda grantiau ar gyfer llenorion a hynny'n arwain at gynnydd sylweddol mewn cyhoeddiadau Cymraeg. Roedd y Gwladfawyr yn ysu am flasu rhai o'r cyhoeddiadau hyn. Gall rhywun ddychmygu'r wefr a gâi hen wraig fel Barbra Llwyd Evans yn eistedd yn ei chegin ym Mryn Gwyn wrth wrando ar ei nai yn cael ei gadeirio yn Eisteddfod Abertawe:

> ... cawsom y gwasanaeth **Cadeirio R.B.Wms** yn Eisteddfod Abertawe yn ardderchog iawn – yr Archdderwydd Cynan gyda i lais cryf yn llenwi'r tŷ yma – ar "Heddwch" – a minnau yn eu helpu a chael gweled eich llun ar glawr y Record. **Yr oeddych yn agos iawn atom**. Bu hwyl fawr yma bob nos – yr unig beth arall fuasai yn fy moddhau fuasai cael y tŷ yma yn llawn o wrandawyr. (91)

Er gwaethaf y croeso brwd i lyfrau Cymraeg, ymateb cymysg a gafwyd i *Gyfaill Hoff*, cyfrol o ohebiaeth Eluned Morgan. Unwaith eto, roedd rhai Gwladfawyr yn ffyrnig warchodol o'u trigolion. Llythyrau gan Eluned at William George, brawd D. Lloyd George a geir yn bennaf yng nghyfrol W. R. P. George, a'r gyfrol yn torri tir newydd pan y'i cyhoeddwyd ym 1972. Nid oedd Barbra Llwyd Evans yn cymeradwyo'n llawn gyhoeddi'r llythyrau hyn:

> Yn ddiweddarach anfonodd Miss Tegai y "llyfr" i mi (...) – y mae yn ddiddorol hanes Eluned ei rhieni – ei chartref a bywyd y Wladfa – a'i llythyrau at wahanol bersonau – yn addysgiadol a gwerthfawr – ac o bosibl felly yn y dyfodol – a rhai ffeithiau wedi dyfod ir golwg nad oeddynt wybyddus or blaen (...). Nid wyf yn gweled fod yr Awdur yn gwerthfawrogi rhyw lawer ar yr adran

> yna – eithr pwysicach yw cael dadgelu y gyfrinach oedd rhyngddi a'i dad – "rhoddi gwahoddiad ir gwesteion ir **wlêdd** oedd yn eu haros. Dymuniad Eluned oedd llosgi y llythyrau "rhag i lygad oer y byd fwrw golwg drostynt" Nid wyf yn gweled fod caniatad pendant ar yr Amlen i wneud y defnydd wnaed ar llythyrau ... ' (91)

Nid oedd modd gofyn caniatâd yn yr achos hwn gan nad oedd Eluned na William George yn fyw pan ddaeth W. R. P. George (mab William George) ar draws y llythyrau. Dywed W. R. P. George ar ddechrau'r gyfrol:

> Nid oedd ar gyfyl hwn nac un o'r llythyrau unrhyw nodyn i gydymffurfio a chais Eluned Morgan y dylid eu llosgi, rhag i "lygad oer y byd" gael bwrw golwg drostynyt ... er na ddywedodd fy nhad air wrthyf yn ystod ei oes am ei gyfeillgarwch ag Eluned, rwy'n gwbl bendant fy meddwl mai eu dymuniad hwy ill dau erbyn hyn a fyddai i mi godi'r llen ar eu cyfeillgarwch, fel y gwneir trwy gyfrwng y gyfrol hon.

Cafodd W. R. P. George rwydd hynt i'w cyhoeddi gan Tegai Roberts, nith i Eluned Morgan. Testun llawenydd a diolchgarwch i lawer oedd na losgwyd mo'r llythyrau dadlennol hyn, ac rwyf innau'n grediniol nad 'llygaid oer' fu'n eu darllen, ond llygaid cynnes gwerthfawrogol yn llawn edmygedd o bersonoliaeth fawr a bregus Eluned. Dydw i ychwaith ddim yn siŵr a oedd Eluned o ddifrif pan ysgrifennodd y dylid llosgi'r llythyrau. Mae'n wybyddus bod Eluned wedi etifeddu tuedd ei thad Lewis Jones i orliwio a gor-ramantu sefyllfaoedd. Roedd pob llythyr a dderbyniai Eluned o Gymru 'fel manna' iddi. Mae'n amheus iawn gen i a losgodd Eluned yr un llythyr. Collwyd ei llythyrau, rwy'n tybio, nid oherwydd iddynt gael eu llosgi ond oherwydd i lifogydd difaol Dyffryn Camwy eu hysgubo gyda'r lli.

Yn sicr ni fyddem yn gwybod cymaint am gymeriad anghonfensiynol a diddorol Eluned oni bai am y llythyrau hyn a ddarganfu W. R. P. George yn llofft ei dad. Cyfyd y dyfyniad uchod o lythyr BLlE gwestiynau am foesoldeb cyhoeddi llythyrau personol. Rwyf o'r un farn â W. R. P. George pan ddywed yn rhagair ei gyfrol:

> Cefais lawer o fwynhad wrth ddilyn gyrfa Eluned Morgan trwy gyfrwng y llythyrau hyn, a gadael iddi rywfodd ysgrifennu ei hunan-gofiant, fel y dilynai y naill lythyr ar ôl y llall. Rhan o'r

> boddhad oedd y teimlad a gefais fod y llythyrau, nid yn unig o werth llenyddol, ond hefyd yn dystiolaeth hanesyddol am fywyd Cymru a Phatagonia ar dro'r ganrif ac am rai blynyddoedd wedi hynny, hyd at ddiwedd Rhyfel 1914-1918, mewn gwirionedd.

Anodd iawn yw trafod bywyd a gwaith Eluned Morgan heb gyfeirio at ei llythyrau. Y llythyrau hyn sy'n ei chadw hi'n fyw i ni heddiw.

Anfonais at un yn y Wladfa yn ddiweddar (perthynas i Barbra Llwyd Evans) i ofyn ei ganiatâd i gyhoeddi rhai o'i lythyrau a chefais ymateb cadarnhaol ganddo yn ogystal â'r sylw isod am *Llythyrau'r Wladfa 1865-1945*: ' ... Yr wyf wedi darllen amryw lyfrau ar hannes y Wladfa ond mae yma lawer o fanylion sydd yn cyffwrdd a'n teimladau, ac mae yn danghos rhan neu wedd wahanol o hannes y sefydliad nad yw wedi cael ei gyhoeddi o'r blaen ... Nid oes gen i wrthwynebiad i chwi eu cyhoeddi ... '

Mae llythyrau, ac yn arbennig felly lythyrau personoliaeth mor fawr ag Eluned Morgan yn datgelu mwy i ni, nid yn unig am gymeriad yr awdur ond hefyd am fywyd yn y Wladfa (a Chymru) mewn cyfnod arbennig. Treiddia personoliaeth hynod Barbra Llwyd Evans drwy ei llythyrau hithau. Y llythyr hwn, mae'n debyg, a achosodd y cur pen mwyaf i mi wrth ddethol yr ohebiaeth ar gyfer y gyfrol hon. Penderfynais mai llwfrdra ar fy rhan fyddai peidio â'i gyhoeddi ac mai teg fyddai i'w barn gael lle yma. Mentraf felly, gyhoeddi llythyr Barbra Llwyd Evans yng nghorff y bennod hon.

Kyffin

(67) Llythyrau Kyffin Williams a Glyn Ceiriog Hughes[243]. Bu Glyn Ceiriog Hughes yn tywys Kyffin ar hyd Dyffryn Camwy yn ystod ei arhosiad yno. Disgrifiodd Kyffin ef yn ei gyfrol *A Wider Sky* (t. 140) fel ' ... an indefatigable guide'.

(Trwy garedigrwydd gweddw Glyn Ceiriog Hughes, sef May Williams de Hughes, Trelew.)

22 Bolton Studios
17 B Gilston Rd. SW.10
1.3.70

Dear Glyn.
St Davids Day & yesterday Wales beat England in one of the most exciting Rugby matches I can remember.[244] I am really writing to say that quite without thinking I have described you in an article in the Anglo-Welsh Review as a "sad looking man".[245] What I really meant was a "serious looking man" or "dyn prŷdd". I was very worried when I saw it in print and then it was too late to change it. I do apologise. I have two exhibitions in London now, one of my Patagonian drawings and one of the oil paintings I did from them. You are exhibited mending your fence, so are Elias Garmon Owens, Ceri Ellis, Brychan Evans, Llywellin Griffith and little Norma Lopez of Trevelin. People in London now know where Patagonia is.

I am sending you a copy of the Anglo-Welsh Review & also of the book if it is published but that is a big IF. Publishers say it will cost too much.[246] Do give my very best wishes to your wife and family & all my good friends in the valley. I dont think I have ever enjoyed myself so much as I did down there. Ever yours.

Kyffin. W.

(68) Rhan o lythyr Glyn Ceiriog Hughes yn ateb Kyffin Williams. (Trwy garedigrwydd May Williams de Hughes.)

Avenida Gales 323, Trelew, Chubut, Argentina.
Mawrth 24, 1970
Bonwr Kyffin Williams,
22 Boston Studios
17 B. Criston Rd.
LODON S.W. 10.

Dear Kyffin:

I was very glad (not sad, mind you) to receive your letter of the 1st. instant. I also have to aknowledge your card for Christmas. I haven't received the "Anglo-Welsh Revieu" yet, and I can say I am realy waiting for it to see what else do you say about us in Patagonia. I dont know why, but most writers manage to say something about us in Patagonia, that we dont like. Many years ago (about 35 years, I think) two North-American bone-diggers Gaylord Simpson[247] and Williams were in Comodoro Rivadavia and they wrote a very interesting book about Patagonia, it was named "ATTENDING MARVELS"[248] but it sait some nasty things about the Englismen then living in Comodoro Rivadavia, they wre absoultely mad when they received a copy of the book. They had done their best to attend the Americans and had dined and wined them to the limit.

Also Alun Williams and his crew from the Welsh B.B.C when they were down here took the worst views of the place. They showed our "shanty towns" (Villas miserias as we call them) but none of the modern buildings we have. Another vieu was a "peon" a very badly clothed man walking down one back-allys with no pavement and full of garbage cans. (...)

I received a letter from Mr Shawyer, the ex-Consul Británico in Buenos Aires. He says he went to see your exhibition in London, and that he had met you there. He also mentioned your "gafe" about the "sad man". Dont bother about that, I dont mind at all. But I wil take care the next time a "Wild Welshman" comes along I shall smile my guts out. I dont feel sad at all, but I cant change the face I have, if y wanted to. (...)

Next time you come to Patagonia, do it in summer so you can see the place in its best and enjoy our apples, pears, peaches, etc.

etc.

The kindest regards from myself and May,
Your "dyn prydd"

Avenida Gales 323,
Trelew, Chubut,
Argentina.

(69) Llythyr Kyffin Williams at Glyn Ceiriog Hughes yn cyfiawnhau pam na wnaeth ddisgrifio Dyffryn Camwy mewn modd rhy ffafriol ac yn ei hysbysu fod Llyfrgell Genedlaethol Cymru wedi prynu ei ddarlun o Euros Hughes, brawd Glyn, yn dyfrio'r tir.

(Trwy garedigrwydd May Williams de Hughes.)

Llansadwrn, Anglesey.
1.4.70

Dear Glyn.
So glad to get your letter & this is just to explain the extracts from my book that appears in The Anglo-Welsh Review. I liked the Dyffryn Camwy so much that to be too enthusiastic throughout the book would have annoyed the reader, so I had to say how at first the bareness, the dust & the paper [?] depressed me & how gradually the true spirit & beauty of the valley impressed itself on me so that really I thought it more beautiful than the more obvious beauty of Cwm Hyfryd. I hope people will realise this in the extracts.[249] It is obvious in the book, but I cant say when that will be published. A painting I did of your brother Euros irrigating his fields has been bought by the National Library of Wales. My two exhibitions in London were a great success & the big city knows all about the Welsh in Patagonia now. I even had to address 150 shipping executives in the city on Y Wladfa. Tomorrow I start on a lecture tour through Wales talking about Patagonia & showing my colour slides. I shall have to start each lecture explaining that I am in no way an expert on my subject. I think my approach to the book is the right one since those who have read it seem to want to visit Y Wladfa. Too much praise would have made them suspicious. My very best wishes to your family

Ever yrs.
Kyffin

P.S Valmai Jones approves of the book with minor alterations.[250]

(70) Rhan o lythyr Glyn Ceiriog Hughes a'i wraig May at Kyffin Williams yn mynegi syndod bod Llyfrgell Genedlaethol Cymru wedi prynu un o'i ddarluniau o Euros, brawd Glyn Ceiriog.

(Trwy garedigrwydd May Williams de Hughes.)

Av. Gales 323, Trelew, Chubut, Ebrill 18. 1970

Br Kyffin Williams
Cefn Cadlus
Llansadwrn, Anglesey

Dear Kyffin:

Thank you for your letter of the 1st of this month.

I would like very much to have some of the extracts you published in the Anglo-Welsh Revieu. They will prepare me for the book, when it comes out. And I very much hope that it wil be soon.

I hope that your tour of lectures through Wales wil be a success. (...)

My brother Euros was tickled to death about his picture being bought by the National Welsh Library in Aberystwyth. He wonders also, what can they see in a painting of that kind. (...)

Our summer is coming to an end and my work on the farm also. I am cutting the last crop of alfafa and bailing it. (...)

When next you see Mrs Valmai Jones, give her our kindest regards.

The best wishes for you and we hope you enjoyed your tour of Cymru

Yours truly
Glyn and May

(71) Llythyr Kyffin Williams at Glyn Ceiriog Hughes, unwaith eto'n ceisio cyfiawnhau ei sylwadau a'i argraffiadau am Drelew.

(Trwy garedigrwydd May Williams de Hughes.)

22 Bolton Studios[251]
17B Gilston Rd. London S.W.10
21 . 3 . 71

Dear Glyn
At long last the postal strike is over & I have got your letter dated January 8th. Very very sorry you didnt like the bit about Trelew, but I had to write it as I did for two very important reasons. Firstly I wanted to show how depressing the place was when I first arrived & how gradually, due to the people & the unusual character of the place, I grew to warm to it more than almost any place I have ever been to.[252] Secondly unstinted praise of anything written in a book is apt to turn the reader from initially liking people & places into hating them for a sort of smugness. This is what I had to do in the book – I had to make the reader like Patagonia & its people as much as I did. Alas it is going to be a hard job getting the book published because of the cost of reproducing the drawings. In order to make any colour as rich as possible you have to contrast it against another rich colour or they will kill each other into boredom. The National Eisteddfod is going to show my Patagonian oils at Bangor this year & I now hear that some of my drawings in The National Library (of Patagonia) will be used for Welsh lessons in University and schools. I would like to send some drawings back to Y Wladfa & may be able to in August when one of my pupils returns to Buenos Aires. I would like them to go to the museum in Gaiman. I do want to come back some day, meanwhile I do all I can to get people to visit Y Wladfa & hope instilled some germ of adventue into my fellow countrymen. My home in Anglesey is always at your disposal. Very good to hear from you

Yrs truly
Kyffin

(72) Rhan o lythyr Glyn Ceiriog Hughes at Kyffin Williams yn sôn am ymwelwyr o Gymru â'r Wladfa ac yn nodi pe byddai'n byw yng Nghymru y byddai'n debygol o fod yn genedlaetholwr rhonc.

(Trwy garedigrwydd May Williams de Hughes.)

TRELEW, CHUBUT, December, 21st. 1971
Kyffin Williams, Esq.
22 Bolton Studios
17 B Criston Rd.
LONDON S.W.10

Dear Kyffin:

Thank you very much for you Christmas card. I have quite a collection of them by now. And I am very proud of being their owner, as I understand they are much sought after. (...)

I owe two letters. No, there are three. I have been waiting for your drawings to be shown in Chubut. When they arrived in July of this year, there was another show of drawings by Delith Llwyd Evans de Jones. (...)

Patagonia seems to have many attractions for people from England and Wales nowadays. The other day we had the visit of Michael Mainwaring who is writing a book about Patagonia.[253] I had the pleasure of taking him around a bit. He did see some pieces of paper flying about, but no dead dogs. I was careful enough where I took him. Ha Ha.

These days we have the visit of Doctor Ceinwen H. Thomas from the College of Caerdydd,[254] Doctor Gareth Alban Davies[255] from the College of Leeds, and Robert Owen Jones from the College of Bangor[256]. They are linguists and are interested in the way we still speak Welsh. I dont now wat good will that do to us. Miss Thomas gave me a conference on the Welsh National cause that was really worth while listening to. I understand now why all the people that go to Wales come back such ardent nationalists. We, here in Chubut, do not go into that kind of politics, it would only divide us still more. We have plenty with our local politics "peronistas" and the rest. But if I was in Wales, i'm sure I would also be an ardent nationalist.

When can we expect to see you again in Patagonia. And what about your book? Is it being published? (...)

Nadolig Llawen a Blwyddyn Newydd Dda.
With the kindest regards
(Glyn)

(73) Llythyr Kyffin Williams at Glyn Ceiriog Hughes yn dymuno'n dda i bawb yn y Wladfa ac yn ei hysbysu ei fod yn symud i fyw i Ynys Môn.

(Trwy garedigrwydd May Williams de Hughes.)

22 Bolton Studios
17 B Gilston Rd. London. S.W.10
18.5.73

Dear Glyn
Havent had any news from Y Wladfa for a long time & I still lecture on it. I gave one in London on Friday & have to give one in Cheshire soon. Dont worry I always say it is "lle ardderchog". My first book comes out in September & is about my life up to the time I left for Patagonia. If the book sells, then the second volume may follow & that will be partly about Y Wladfa. I will have to re-write it for what I wrote was a lot of hurried impressions as soon as I returned. Perhaps I shall see Elias Garmon at the Eisteddfod this year so will hear from him what is going on. Mario Jones from Aerolineas tells me that Cwm Hyfryd is very changed. I am giving up teaching in July & will then go backwards and forwards between London & Wales. I will be moving to a lovely little house on the Anglesey shores of the Straits if only the builders will get working.[257] Let me know what everyone is doing if you have time.

Somehow I keep on painting and always hope I am not getting worse. People seem to buy my pictures which is very extraordinary as I paint only to please myself. Do give my very best wishes to everyone. They are too numerous to name.

Yours ever
Kyffin

Osian Hughes a'i deulu ym 1967
(Trwy garedigrwydd Marian Elias Roberts)

Osian Hughes

(74) Llythyr Osian Hughes at Marian Elias Roberts yn canmol y Wladfa a chrybwyll dathliad canmlwyddiant geni Eluned Morgan.
(Trwy garedigrwydd Marian Elias Roberts.)

28 de julio 962
Trelew Chubut
31/3/70

Annwyl Marian:
Rwyf wedi bod yn disgwyl am gyfle i 'sgrifennu glamp o lythyr atoch, ond nid yw'r cyfle'n dod, felly gwell gennyf anfon gair atoch heb roi fawr o drefn ar fy meddwl. Diolch yn fawr iawn am eich llythyr, roedd yn dda gennyf ei gael. Dwn i ddim beth sydd wedi digwydd i Ann a Betsi, rwyf wedi sgrifennu dwywaith at bob in, ond ddim attebiad.[258] Diogrwydd tybed? Cofiwch fi atynt a llongyfarchion[259] i Pat hefyd.[260] Raid i mi eich llongyfarch am eich menter, a gobeithio y daliwch felly nes cael nabod Patagonia.[261] Mae gennyf beil o banffledu a mapiau y byddaf yn eu anfon i chwi pan gaf gyfle. Yn spaeneg y maent ond trwyddint cewch nabod Patagonia yn well o lawer. Y ma llawer o glwydda wedi cael eu ddweid ac ysgrifennu am Chubut, ond erbyn hyn y mae llawer o fobl o wahanol lefydd o'r byd, wedi sylweddoli ein bod yn byw mewn lle bendigedig.

Y mae miloedd o fobl wedi dod eleni i basio'r gwyliau ym Mhorth Madryn, a'r dyffryn, ar Andes am y llonydd a'r llawnder sydd yma.

Dydd sul dwedda, bum yn arwain gymanfa ganu yn y Gaiman i gofio canmlwyddiant genedigaeth Eluned Morgan, merch Lewis Jones a wnaeth gymaint dros y wladfa.

Fe gawsom ganu da a chwrdd a ffrindiau o wahanol ardaloedd o'r dyffryn.

Wel, Marian, raid i mi orffen yn awr, er mwyn anfon y llythyr i'r post efo fy mrawd. Y mae'n 7 or gloch y bore a raid godro cyn 8. Cofiwch fi at bawb, yn enwedig at ffrindiau yr Urdd, Llangrannog a Glan Llyn.

Cofion cynnes
Osian

Coleg Harlech

(75) Rhan o lythyr Meinir Evans de Lewis at Margaret Rees Williams yn trafod paratoadau ei merch Manon Arlin Lewis o Drevelin i ddod i Goleg Harlech. Bu Manon yn fyfyriwr yn Harlech 1970/71.

(Trwy garedigrwydd Margaret Rees Williams a'i merch Ann Gruffydd Rhys.)

Trevelin
Medi 18 1970

Annwyl Margaret. Diolch yn fawr i chwi am eich llythur caredig ddaeth i law ddoe, a dyma fi am ei ateb rwan, cyn mynd ir gwely, mae pob dydd yn brysur iawn rwan, efo'r paratoadau diweddaf i Manon cyn cychwyn bydd yn mynd oddiyma efo'r avión i Buenos Aires y 24, ag oddiyno y 6ed, efo aerolineas Argentinas am Llundain, ag yn cyraedd y 7fed, mae'n ddrwg gen i fy mod wedi eich pryderu ynglyn a mynd yw chyfarfod, peidiwch a pryderu, mae Valmai yn trefnu pob peth.[262] Cefais lythur oddiwrthi dydd Mawrth yn dweid ei bod hi yn meddwl bod yn Llundain mae'n siwr y byddwch wedi siarad efo hi cyn cael y llythur yma, diolch yn fawr i chwi yr un fath, am eich parodrwydd i helpu Manon, rwyn gobeithio y dowch chwi a hithau yn ffrindiau da (...)

Bore heddiw, bu farw y Siopwr. Roedd yn yr ysbyty yma ers rhai wythnosau yn wael, roedd yn 83 bydd yr angladd fory; dim ond dau neu dri or dynion ddaeth yma or Hen Wlad yn ifanc sydd ar ol rwan, tad Elvira[263] ydi un or rhai sydd yn aros, daeth ef yma yn 17 oed o Drawsfynydd; mae o mewn ffus, mwya ofnadwy rwan bod Manon yn mynd, "yr hen Fanon: mae o yn dweid. (...)

Prynhawn Sul, bydd y ffrindiau hen ag ifanc yn gwneid te iddi "un te de despedida"[264] mae pawb yma yn cael te neu swper "de despedida" os bydd nw yn priodi neu yn mynd i ffwrdd, mae yn *rhaid* gwneid despedida. (...)

Rydym wedi dechrau dysgu at Eisteddfod Trelew. Bwriadwn drio ar dri darn, gawn weld sut hwyl. Mae Marvel yn dod efo fi ir cor.

Nos da. Cofion anwyl atoch bob un a diolch yn fawr am bob peth.

Cariños
Meinir

(76) Rhan o lythyr Eurwen Davies de Griffiths at Elizabeth Jones, Braich Ceunant, Llanuwchllyn yn sôn bod ei mab René Griffith yn dod i Goleg Harlech. Bu René Griffiths yn fyfyriwr yng Ngholeg Harlech 1972/73.

(Trwy garedigrwydd Beryl Griffiths.)

Bryn Crwn Gaiman
Chubut
Ebrill 10 1971
Annwyl gyfeilles

Mrs Elizabeth Jones
(...) Gobeithio eich bod mewn hiechyd da, fel ninau ar hyn o bryd, yr ydym yn go bryssur efo r cynhaeaf, yn trio gorffen, wrth ein bod yn gadael y ffarm, yr ydym wedi codi tua 500 o sache o datws a rhiw ddwi das o wair, ac felli mae rhaid trio gwerthi yr holl, yr ydym wedi bod yn lwcus o werthi y tractor mae y bachgen yma sef René yn meddwl cychwyn am yna yr 18 o Mai os bydd pobpeth yn dod ymlaen fel yr ydym yn meddwl (...) Mae yr hogin yma eisie mynd dipin am dro i gael nabod cin mynd ir coleg. Mae o wrthi ei orei yn dysgu Cymraeg mae o yn chware gitâr ac yn canu, mae wedi gyri tep i Bryn Williams efallai y cewch ei glywed ar y B.B.C. Enw y don iw, Myned, yn gymraeg mae yn ardderchog yw chlywed, yn wir yr oni yn colli dagrai wrth ei glywed yn ei chanu; yr wyf finau ar bychan yn edrych ymlaen am gael dod i Gymru mae y pass yn goarw, eisie llawer o bres,[265] (...) mae teilu Bryn yn iawn ac yn holi fi bob amser am danoch, os ydych yn ysgrifenu, mae genyf ferch yn biw yn yr Andes rhiw 600 o filltiroedd oddi yma, ac yr wyf yn meddwl mynd yno am fis, y mis nesaf.[266]

Yr ydym yn mynd i gael Eisteddfod y plant yn mis Mai yma, ac Eisteddfod fawr yn mis Hydref, mae son fod yna rhau o Gymru yn meddwl dod allan, mae Mr Elias Owen ac Miss Ann Ellen yn byw ddim ymhell o fy nghartre, yr wyf yn ei gweld yn aml, a Mrs Irma Hughes de Jones fi yna yn flwyddyn or blaen, mae ei merch Laura wedi priodi a Philip Hendri in o Gymru:[267] wel annwyl frynd rwyn credi fy mod wedi ysgrifeni digon am y tro, a byddaf yn disgwyl atebiad yn fuan (...) cofion cynes attoch oll

Eurwen Griffiths
28 de Julio 143
Trelew
Chubut
Argentina

(77) Rhan o lythyr Eurwen Davies de Griffiths at Elizabeth Jones yn trafod ymweliad ei mab, René Griffiths â Chymru.

(Trwy garedigrwydd Beryl Griffiths.)

Ionawr 10/ 1972
Villa Ines
Gaiman Chubut

Annwyl deilu
Mrs Elizabeth Jones
Llawer wyf wedi meddwl am ysgrifenu atoch, ar ol claddi Almed druan,[268] yr oedd hi yn ysgrifenu atoch yn gyson, ac yr oeddem ninau yn cael yr hanes, ond mi geson golled mor fawr, ar ddai wr yn frodir wrth gwrs; collais inai fy ngwr hefyd llynedd, yn anisgwyliadwi iawn, fel yna mae y byd, pethau yn dod yn groes weithiau, ac ar y ffarm wyf fi ac in bachgen, mae y lleill yn briod yn y dref, ddim ymhell iawn, ac mae y bachgen iengaf yma yn 21 oed[269] ac wedi cael y Beca i fynd i coleg Harlech i astudio am flwyddin: ond beth syn digwydd; mae amser iddo fynd ir fyddyn. (Servicio Military) yr ydym yn trio ein goreu ei gael yn rhydd.[270] Mae o awydd ofnadwi am fynd i Gymru, dim ond rwy n gobeithio y caif o fynd, mae pobl ifanc yn mynd oddi yma bob blwyddin, ac os y bydd o yn mynd, mi fyddaf fi yn gadael y ffarm siwr, ac yn mynd i fyw ir dref, does genyf ond un bach 7 oed, ac yn mynd ir ysgol, wedi ei fagu wyf fi; in bach yn perthin i ni wrth gwrs, mi daru ei fam farw pan oedd yn fabi, ac felli y cymerais i o, ond mae o yn gwmni mawr i fi rwan, chilena oedd ei fam, ai dad yn nai i fy ngwr i (...)

Wel mae genyf fi 5 o blant ac yn briod i gyd ond yr iengaf René, hwnw sydd yn bwriadu mynd am Gymru (...) piti na fiase rhau o honoch chwi yn gallu dod drosodd yma, y mae yma ddigon o deiluoedd yma ich croesawi. Mi fuodd Guito Evans yma, ond nid ydym wedi cael gair oddi wrtho ar ol hyny.[271] (...) Wel terfynaf gan gofion cynhesaf attoch oll fel teulu, gan obeithio y caf gwrdd a chwi riw ddiwrnod

Yr eiddoch yn gywyr
Eurwen Griffiths

(78) Llythyr gan René Griffiths at Elizabeth Jones, Braichceunant yn adrodd ei hanes yng Nghymru.

(Trwy garedigrwydd Beryl Griffiths.)

Ionawr 26 1973

Annwyl Deulu

Ar ôl cael y llythyr oddi wrthoch, mae rhaid y fi gadael y diogi a neud y gora y yscrifennu. Hefyd, rhydw 'i wedi cael llythyr iddu wrth Euddwen Humphreys ac Rebecca.[272]

Heddiw am saith o'r gloch, mae bobol o Cricieth yn dod i nol fi achos rhydw 'i'n canu yn rhyw "Disco" neu rhyw peth tebyg.

Rwyf fi wedi cael hŵyl fawr – fawr ar y raglen "dissc a dawn" a'r popol or B.B.C wedi dweud i fi "Wel, mae rhaid i ti ddod unwaith eto ar y Disc a Dawn" – Wythnos dwetha ces 'i llythyr wrth fy Mam, ac hefyd ychydig o lluniau.

My fi'n gallu darllen yn gymraeg digon da rwan, ond i yscrifennu fi yn cael trafferth ofnadwy. Mae Mam yn yscrifennu hanner yn gymraeg a hanner yn sbaeneg, a fi yn ateb yn ôl rhy fath, achos rhydw 'i yn meddwl, efo llythyrau fi'n dyscu yscrifennu mwy na dim byd arall.

Rhydw 'i'n mynd i gadael chi rwan, achos mae rhaid i mi fynd i baratoi.

Yscrifennwch yn ôl i fi

Cofion cynnes iawn

René

(79) Llythyr René Griffiths at Elizabeth Jones, Braichceunant yn adlewyrchu ei brysurdeb a'i boblogrwydd fel canwr.

(Trwy garedigrwydd Beryl Griffiths.)

Chwefror 5 – 73

Annwyl Deulu –

Pythefnos yn ôl rwifi wedi yscrifennu i chi, Da chi wedi cael fy llythyr? Achos fi ddim wedi cael dim bid wrth chi ar ôl fy pen blwydd. Rydw 'i'n yscrifennu i chi unwaith eto rŵan a hefyd gyrru lluniau fi wedi derbyn heddiw oddi wrth fy Mam. Mae mam yn yscrifennu'r llythyr popeth yn gymraeg a dydw i'm ddeall yn iawn.

Dydw i'm canu yn Bangor efo Heather Jones ddidd Llun 19 ac didd mercher rwifi'n meddwl mynd i Llanuwchllyn achos fi yn canu efo Dafydd Iwan, ond rwifi yn mynd i ffonio cynt mynd. Hefyd dydwi yn canu yn Caerdydd ddiwrnod cyntaf o mawrth (mis), yn rhyw cyngerdd mawr iawn.

Rwifi'n meddwl, ddidd gwener nesaf fi yn dod allan ar y teledi B.B.C Cymru yn yr rhaglen Cywair, achos yr bobl o'r deledi wedi recordio pan bim yn Harlech, canu a siara ychydig fach.

Rwifi yn gadael chi rŵan. Yscrifenwch yn ôl i fi practisio.

Cofion garedig

René

Ivonne Owen yn sgwrsio gyda Tegai Roberts yn y Gaiman, 2007
(Eiddo Mari Emlyn)

(80) Rhan o lythyr gan Ivonne Owen at Elizabeth Jones. Mewn llythyr blaenorol ganddi at Elizabeth Jones (29.8.74) o Camarones, fe ddywed Ivonne: 'Ydw i gwneid y gore i gadw fy gymraeg ond mae yn eitha anodd gan fy mhod i yn bell o gartref – Cofiwch at yr teulu oll, a daliwch i ysgryfeni – Dyma yr unig ffordd i mi ymarfer ysgryfennu cymraeg. Gobeithio gallwch ei deallt ... '

Bu Ivonne Owen yn fyfyriwr yng Ngholeg Harlech 1976/77. Graddiodd wedyn ym Mhrifysgol Cymru, Aberystwyth.

(Trwy garedigrwydd Beryl Griffiths.)

Aberystwyth, Mai 17 1976

Annwyl Elizabeth:

Ydwyf gartref, yn Aberystwyth erbyn hyn. Roeddwn wedi meddwl fonio cyn cychwyn or Bala, ond cefais lift i Dolgellau, ac fe diflanodd y bore yn sydyn iawn. (...) Fuaswn wedi hoffi eich cyfarfod i gael sgwrs, ond ydych chi yn gwibod fel mae pam mae bobol Patagonia yn cyfarfod ai gilydd. Digon i siarad, dim brys, ac poeni wedyn ein bod ddim wedi "cael amser".

Cefais cyfweliad yn Coleg Harlech dydd gwener. Roedd yr athro cymraeg, Mr Silyn Hughes, yn addo fy cyfnogi (mae rhwybeth yn

angywir yn y gair yna) ac yr unig beth oedd gan y Warden i dweyd wrthof i oedd rheolau'r Coleg a gofyn i mi os oeddwn yn gwybod bod yr arian poced oedd Cymdeithas Cymru Arianin yn roed i'r myfyriwr o'r Wladfa, wedi cael ei rhoi at y Drafod, "gan fod neb wedi gofyn am y grant eleni". Ychwanegodd y gall ef ddim gwneid ddim yn ei gylch, ond ei fod ddim yn gweld yr un anhawster i mi gael yr Ysgoloriaeth, er fy mhod i ddim wedi gofyn drwy'r Gymdeithas. Ac y fyddaf dim rhaid i mi gwneid hynny. Oedd yn amlwg iawn fod nhw wedi bod yn trafod y mater cyn fy nghyfarfod i, ond oedd neb yn dangos yr un cyfnogaeth ir "Hen gadeirydd" – beth bynag, rwy ddim yn meddwl gofyn am yr arian.

Cefais llythir o gartref heddiw, pawb yn iawn, ac Mam[273] yn dweid ei bod yn brysur iawn yn casglu'r afalau, ac yn gwneid jam a pickles gan fod nhw ar ddiwedd yr haf, ac yn pharatoi pobeth ar gyfer y gaeaf. Mae hi yn dweid fod costiau byw wedi codi llawer, ond bod prisiau popeth ar y ffarm wedi codi hefyd a phopeth yn cael ei werthi yn dda. Ond yr un pryd yn dweid wrthym am aros yn Gymru cymaint a allaf os rwyn hapus, gan ei bod yn annodd iawn i mi allu dod yn ôl wedyn, fel mae'r newyd arian.

Diolch yn fawr i chi am y gymwynas o ddanfon Maria Esther, unwaith eto.[274] Mae hi wedi cael digon ar y Coleg erbyn hyn, ond yn teimlo dypyn yn hapusach yn Nghymru. Ac mae wedi gwneid defnydd da or Coleg. Dywedodd Mr Hughes mae hi oedd y gore yn ei ddosbarth ef ac un o fyfyriwr mwyaf disglair o Batagonia.

Cofion llawer ir teulu holl a gobeithio eich bod yn iawn erbyn hyn

Ivonne

(81) Llythyr Maria Esther Evans de Jones at Elizabeth Jones. Bu Maria Esther yn fyfyriwr yng Ngholeg Harlech 1975/76.

(Trwy garedigrwydd Beryl Griffiths.)

Maria Esther Evans de Jones yn ei chartref yn Nhrefelin, 2007
(Eiddo Mari Emlyn)

Harlech, 12 . 1. 76

Annwyl Mrs E Jones

Diolch yn fawr i chi i'r anrheg! Mi dderbais i fo, pan roeddwn i yn y de; ond roedd llawer o gwaith gen i yma, felly rydw i ysgrifenu rŵan, yn ateb holl y llythyrau.

Mi fwynheuais i llawer iawn fy ngwyliau fi, achos roedden nhw yn dda iawn efo fi, ag y Dydd Nadolig roedd llawer o sŵn efo'r plant, felly doedd dim amser gen i i methu fy adref fi.

Rydw i'n meddwl bod rydw i'n mynd i Bala yn aml, ond, achos dydw i ddim yn siwr pryd, rydw i siarad efo chi gan y ffôn, ok? Cyn rydw i'n mynd; ond os dydy eich ffôn chi ddim yn gweithio, rydw i'n siarad efo Eiddwen.

Roiwch os gwelwch yn dda, fy nghofion anwyl fi i holl teulu chi, ag i chi oddiwrth

Maria Esther

Rydw i'n gobeithio bod rydych i'n deall fy llythyr fi ...

(82) Rhan o lythyr Maria Esther Evans de Jones at Elizabeth Jones wedi iddi ddychwelyd i'r Wladfa.

(Trwy garedigrwydd Beryl Griffiths.)

Trevelin, 6 – 11 – 76

Annwyl Mrs Elisabeth Jones a'r teulu

Dyma fi, o'r diwedd! Mae hi'n ddrwg iawn gen i am y distaw fawr yma, ond rŵan mae'r amser yn hedfan! Nid wyf fi'n gallu credu fy mod i yma ers mis ac ychydig o ddyddiau!

Wythnos ar ôl i fi cyrredd yma, ymunais i'r côr eto, ac yr wythnos diwethaf aethom ni i'r Eisteddfod. Gawson ni amser ardderchog, siarad a siarad, ac wrth cwrs, canu!! Nos Sul, aethon ni i gael swper efo Mam Yvonne, fendigedig!

Yr wyf fi wedi bod yn siarad efo Mrs Powell[275] ac efo Mrs Hughes[276] ac hefyd efo Mrs Olga Roberts[277], maent hwy'n iawn, yn gofyn amdanoch.

Mae Mam[278] yn falch iawn efo'r llian bwrd (ydy o'n iawn fela?), ac yr oedd hi'n dweud ychydig o amser yn ôl: "pan fyddet ti'n ysgrifenu at Mrs E.Jones, cofia dweud wrthof, achos yr wyf fi eisiau diolch iddi", a rŵan fy mod i wedi penderfynu i ysgrifenu atoch mae hi yn y ffarm, felly yr wyf i'n dweud diolch i chi rŵan ac yn y tro nesaf fydd Mam yn ychwanegu gair bach i fy llythyr.

Mae pawb wedi sylwi (surprise) achos yr wyf i'n gallu siarad cymraeg; ac yr oedd Dada[279] yn dweud bod acent difir iawn gen i, ond, o hyd, maent hwy'n gallu i ddeall pan yr wyf i'n siarad. Ar ôl amser Nadolig, fydda i'n dechrau efo'r cŵrs cymraeg; mae un ar ddeg o myfyrwyr yma yn Nhrevelin, yn barod, a nid wyf fi'n sicr beth am Esquel ond mae ychydig – gawn ni gweld.

Mi ges i taith da iawn o Lundain i Buenos Aires, er fy mod i wedi cael trwbwl efo'r bagiau. Wedyn des i ar y trên i Esquel, mae o'n cymryd dai ddiwrnod a hanner i ddod yma. Yr oeddwn i'n teimlo wedi blino ond pan welais i fy nheulu yn aros amdanaf yn yr orsaf, anhofiais i am bobpeth. Yr oeddent hwy yn meddwl am gael swper efo fi, nos Sadwrn, ond fel chafodd y trên dim yn y noson yna i Esquel, gawsont hwy y swper, ac wedyn aethont hwy i fy nghyfarfod fi tua pump o'r gloch bore dydd Mercher!!! (...)

Mi dderbyniais i llythyr oddiwrth Yvonne yr wythnos diwethaf, mae hi'n gwell rŵan, yn trio i setlio i lawr yn y coleg.

Well, Mrs Jones, mae rhaid i fi gorffen rŵan. Cofiwch fi at pawb yna yn Llanuwchllyn, a pan fydd amser genoch chi, ysgrifenwch ataf

a fydda i'n ateb.

Diolch yn fawr am bob peth!!
I chi tri, cofion annwyl oddiwrth
Maria Esther

Y Malvinas

(83) Rhan o lythyr Glyn Ceiriog Hughes at Elwyn Owens[280]. Deuai Elwyn Owens o Gorwen yn wreiddiol. Aeth i'r Malvinas ar ddechrau'r 1970au i fod yn rheolwr y tŷ marchnad mwyaf ar yr ynysoedd. Roedd Glyn Ceiriog Hughes wedi rhoi hysbysiad yn y Malvinas am rywun i ohebu â fo drwy gyfrwng y Gymraeg.

(Trwy garedigrwydd May Williams de Hughes.)

TRELEW, CHUBUT, Tachwedd 19 – 1970
Bonwr
Elwyn Owens
Hambleton
Falkland Islands.

Annwyl gyfaill:

Gadawodd y cyfaill Jerry Moran[281] eich cyfeiriad (address) i mi fel un or Cymru oedd yn byw yn yr ynysoedd (Malvinas neu Falklands – be dd.di o bwys), y gallwn ysgrifenu ato yn gymraeg.

Cafodd Jerry wyth diwrnod yn Chubut, cyraeddodd yma o Buenos Aires ar ddydd Sul a gadawodd yn ol am B. Aires ar y llyn dilynol. (...)

Cefais lawer o hanes yr ynysoedd gan Jerry a maen ddrwg genyf nad oes mwy o dramwyfa rhwng ein gwlad ni ar ynysoedd. Deallaf fod rhai o swyddogion prydeinig yn Buenos Aires y dyddiau yma yn trin yr achos hwn.

Pan adawodd Jerry am B. Aires rhoddais hysbusiad allan ar y teledu er mwyn i chi yna gael yr hanes. Tubed a glywodd rhyw un yr hysbysiad. Dywedai Jerry fod yr amser y mae y newyddion ar y Radio lleol L.U.20 "Radio Chubut" (10 p.m. Argentine time) ddim yn gyfleistr iawn i chwi yna, gan fod y newyddion lleol ar yr un pryd. (...)

Gobeithiaf yn fawr y daw tramwyaeth rhwng Argentina ar Falklands yn well, fel y caf gyfleustra i'ch gweled chwi tua Dyffryn Camwy, ac efallai y caf finai nabod yr ynysoedd rhywdro.

Nid oeddwn i a Jerry yn cud-weld ynglyn a hanes y Falklands. Bu bron i mi ddweyd wrtho, mae hanes y Sais celwyddog, oedd ganddo. Ond maen debig mae rhywbeth tebig fuasai yntai yn ddweyd am ein hanes ninnau. Mae cryn wahaniaeth rhwng y ddwy. (...)

Hyn am y tro, gan obeithio y caf air oddiwrthych ac hefyd y cawn weled ein gilydd rhw ddiwrnod.

Glyn Ceiriog Hughes
Av. Gales 323
Trelew, Chubut.

(84) Rhan o lythyr Elwyn Owens yn ateb Glyn Ceiriog Hughes ac yn cyfaddef bod ysgrifennu'r Gymraeg yn anodd iddo.

(Trwy garedigrwydd May Williams de Hughes.)

Hambledon
Stanley
Falkland Islands
17/11/70

Senor Glyn Ceiriog Hughes
Annwyl Gyfaill
Diolch yn fawr iawn am eich llythyr a hanes Jerry Moran yn Chubut. Mae fy Nghymraeg yn go drwg y dyddiau yma ac ysgrifennu yn y iaith yn galed iawn. Cefais llythyr o Jerry o Rio, ond dim gair ers bod yn yr hen wlad. Mae hanes unrhiw wlad yn gwahanol debynol ar y iaith a gwlad y bobl syn edrych arno, ond roedd byth pobloedd yr Argentines yn buw yn naturiol yn Malvinas. A nid wyn weled boed na rhiwbeth yma syn werth dau swllt ir argentines 'rwan. (...)

Mae fy nghartref yn Cymru yn Corwen (Bristol House) go agos i pentref "Glyn Ceiriog" a rhwyf yn meddwl maen posib ddaeth eich tad neu mam o dyffryn Glyn Ceiriog. Mi af ir ysgol yn y Bala a Prifysgol yn Bangor (Sir Caernarfon).

Rwyf yn Malvinas ma dwy blwyddyn eto yn edrych ar ol (Gentre) [?] y prif siop y Falkland Islands Co. "The West Store ac ar ol hyny fydd yn mynd yn ol i Prydain.

Yn yr ynysoedd yma mae na ddim teledu (television) a ninnau chwech awr o Radio pob dydd.

Mae gennyf tri plant geneth 4 blwyddyn, bachgen 2 blwyddyn a baban chwe mis. Mae fy "espora" yn Sais o Kent fellu nid wyf yn siarad y iaith dros yr aelwyd.

(...) Nid iw llythyrdy yr Argentine yn cydweled ar "stamp" y Falkland Islands.

Rwyf yn obeithio Blwyddyn Newydd Dda i chwi a mwy cydweled rhwng ein pobloedd yn 1971.

Pob bendith
Elwyn Owens.
D.R.

(85) Rhan o ateb Glyn Ceiriog Hughes at Elwyn Owens.
(Trwy garedigrwydd May Williams de Hughes.)

TRELEW, CHUBUT, Mawrth 27, 1971.
Bonwr
Elwyn Owens
Hambleton
Falkland Islands.

Annwyl Gyfaill:
Derbyniais eich llythyr dyddiedig 17/11/1970. Daeth im llaw ar y 2/2/1971. Gwelwch fellu ei fod wedi bod yn hir iawn ar y ffordd. Da iawn oedd genyf ei dderbyn a chael eich hanes. Yr oeddwn yn ofni fod fy llythyr wedi mynd ar goll.

Diolch yn fawr iawn am "stamps" y Malvinas a ddanfonasoch i mi. Gwir ydyw, nid yw rhain iw cael yn Argentina. (...)

Ie, o Glyn Ceiriog y daeth fy mam[282], gyd a'i theulu yn y flwyddyn 1881. Bu hi fyw hyd Medi 1970.

Y mae mwy o gysylltiad rhwng Argentina a'r Ynysoedd yn ddiweddar. Dywedir yma fod y llong "Darwin" yn mynd i beidio a theithio o Montevideo. Fellu y maent yn meddwl cael rhyw gysylltiad rhwng Porth Madryn neu Comodoro Rivadavia a'r Malvinas. Mae rhai o awdudrodau Prydeinig Bs. Aires wedi bod i lawr yma yn edrych i mewn ir mater. Cawn weld beth ddaw o hono (...)

Os y daw y cysylltiadau yn well rhwng ein gwledydd o hyn yn mlaen, disgwiliaf eich gweled chwi yma cyn myned yn ol i Gymru. Yr ydym wedi cael ymwelwyr yma eleni o Gymru, Australia a Canada. Cymru wedi ei geni yn y Wladfa Chubut oedd rhai a ddaethant o Australia a Canada yn dyfod yn ol y edrych am berthynasau. Dim un o honynt yn gallu Cymraeg, dim ond Saesneg. Yr oeddynt yn rhyfeddu ein bod ni yn dal i siarad Cymraeg, ta pa mor sal ydyw.

Os y bydd yn rhwydd i chwi, danfonwch chwaneg o "used stamps" o'r Falkland Islands.

Deallaf fod rhai Cymry eraill yn Malvinas. Ai tybed y buasent yn gallu ysgrifenu ataf.

Nis cofiaf am ddim arall i ddweyd wrthych, fellu terfynaf gan ddymuno eich bod chwi a'r teulu mewn perffaith hwyl ac iechyd.

Yr eiddoch yn gywir.
Glyn Ceiriog Hughes
Avenida Gales 323
Trelew, Chubut.

(86) Rhan o ateb Elwyn Owens at Glyn Ceiriog Hughes, y rhan fwyaf ohono yn Saesneg.

(Trwy garedigrwydd May Williams de Hughes.)

Hambledon
Stanley
7 Awst 71

Annwyl Gyfaill

Diolch am eich lythr a danfon gyda Reynold Read. Diolch hefyd am a "pennant". Derbyniais ateb i llythr a gefais yn Ebrill. Y maen edrych ta bod wedi mynd ir diafol neu rydyn yn y post office yn B.A.

Rwyf yn dod ir Argentine yn y Gwanwyn (Oct/Nov) i gweled am prynnu pethau fel caws a mennyn etc. Hefyd i gweled beth sydd yn werth cael.

Mae fy Cymraeg yn drwg iawn ond medraf darllen iaith yn iawn. I ddweud peth fuaf chwi deall bydd rhaid i mi ysgrifennu yn y Saesneg.

The airoplanes coming from the Argentine will make a big difference to our life here and the sooner we can send letters by them to our families in Britain etc the better. The mistrust that exists between the islands and the Argentine are wholly the result of ignorance. Many people here have very little education or knowledge of the outside world.

The welcome you extend to us all is most kind and I know it to be sincere, however the average Falkland Islander is very mistrustful – due again mainly to his ignorance. Reynold Read is not at all a likable [?] person here and is of course very much interested in looking after his own interests first.

We are having a mild winter with the occasional snow shower and plenty of rain and wind. It does get monotonous with so little to do, no television, no theatres, cinema once a week and that's on the Sul so being Annibynwr I don't go.

My wife, Margaret and children Rachel (5) Daniel (3) and Sarah (1) are very well – its a fine place for children as the air is good and it very peaceful. Margaret gets bored and tired as there is so little to take one out of oneself.

We should be able to get a lot of our food stuffs from the coast when we start to get a regular service. (...)

Yn awr, bob bendith gyda chwi
Elwyn Owens

Llyfrau, papurau a recordiau Cymraeg

(87) Rhan o lythyr Barbra Llwyd Evans at Eiddwen Humphreys yn cydnabod nad oedd ganddi fawr o Sbaeneg.

(Trwy garedigrwydd Ivonne Owen.)

Meh 2. 1970.
Ty Ni

Annwyl Eiddwen.
Da oedd genym gael eich caredig lythyr a deall eich bod rhywbeth i arferol, a da oedd y newydd fod eich tad yn well, ac yn cael pleser o wrando ar y Radio ar T.V. dyna werthfawr yw y pethau yna ir rhai sydd yn cal eu caethiwo gartref. Bum i lawr yn edrych am "Anti Win" yn dweyd y newydd fod Megan yn bur agos atom, hithau wedi derbyn eich llythyr. Ein dwy yn barod iawn o roi croesaw i Megan – ond yn methu gwybod yn iawn beth iw wneud a "Don Pedro" (...)[283]

Am danaf fi a Ger – Nid oes rhyw lawer o *Sbanish* i siarad ag ef, ond gwnaf yn iawn a Megan. Rwyf yn cofio am eich modryb Cathrine Ann pan yn byw yn agos i Mrs Jones Tryddyn, yr oedd yno un pnawn pan y daeth rhyw "gallinero" i chwilio am ieir ar werth. Mrs J yn gofyn i Cathrin – Fedrwch chi siarad hefo'r dyn yma deudwch? Na fedraf wir – ond rwyf yn credu fod o eisio prynu ieir. "Rydw ine yn meddwl hefyd, ond sut y gwnewn i deudwch? Mae gen i eisio gwerthu'r ceiliog ond dim or ieir" Meddai C. "O os felly mi naf fi o'r gora hefo fo" a dyma hi yn clapio ei hadenydd ac yn canu fel ceiliog – ac fe lwyddodd y ddwy i werthu y ceiliog – rhywbeth yn debyg ydwyf finau. (...)

Gwelais yn un Cymro neu Y Faner feirniadaeth a chanmol mawr iawn i lyfr newydd R.B.Wms "Y Rebel" yw ei enw. Y mae yn dal i ysgrifennu o hyd. Tybed sut un yw y llyfr yma. Siwr ei fod yn pasio amser difyr yn "gysfenu ir wasg" – ychydig o straeon difyr wyf yn ei weled yn awr fel y byddai ers talwm. Gwelais luniau o rai yn paratoi i wneud drama o rai o lyfrau Daniel Owen. Roedd lluniau rhai or cymeriadau yn y "Cymro" ond nid oeddwn yn eu gweled yn debyg i'r rhai fuaswn i yn ddewis. Y maent yn rhy ifanc a rhy swel o lawer, ond gobeithio y bydd iddynt gael hwyl. Nos yforu (Mercher) am ryw ddeng munud byddwn yn cael gwrando canu Cymraeg o Gymru. David Lloyd yn canu Cartref oedd yr 8nos ddiweddaf. Olwen Lloyd, Soprano yn canu dwy gân gwerin – wedyn nos Iau byddwn yn cael gweled amryw luniau or dyffryn yma dynwyd gan

Alun Williams tra y bu yma ac amryw bersonau adnabyddus. Gobeithio na fydd yn oer iawn i ni gael myned ir Capel iw gweled ond y mae pethau yn gwella. Y mae genym oleu trydan yn y Capel a lampau in cynhesu er mor gysurus ydyw. Nid oes cymaint yn dod bob Sul fel y byddai ers talwm. Ysgol Sul am ddau sydd genym, y rhai pellaf yn dod a bwyd hefo ni – *stove* gas yn y Vestri a tân coed – y tegell yn berwi erbyn 4. Cael tê a tipyn o sgwrs – tê iawn hefyd. (...) Teimlaf ein bod yn rhy braf arnom o lawer. Cofio fel y byddem yn mynd ir Capel dair gwaith bob Sul. Mynd adre i ginio ac i dê – tywydd oer neu beidio – dim i dwymo y Capel a lampau Kerosene i oleuo.

Wel mae'n rhaid terfynu mae Ger yn dechreu hwylio – cofion at Myfanwy. Cofion anwyl iawn atoch eich dau biti fod Meg mor bell.

Eich Modryb

(88) Rhan o lythyr Delyth Llwyd Evans de Jones o Buenos Aires at R. Bryn Williams yn dweud ei barn yn bendant am y Gymraeg ac am sefyllfa argyfyngus yr Ariannin.

(LlGC 19035 E1)

Soldado de la Independencia
1434 - 6° - 13
Buenos Aires
Meh. 14eg/73

Annwyl Bryn:

Yr ydym wedi bod yn lwcus iawn yn ddiweddar drwy dderbyn bwndel go dda o bapurau Cymraeg bron bob mis. Yr Herald Gymraeg, Barn, Y Faner, ac eraill. Ar ol eu darllen i gyd, rydym yn teimlo fel pe baem wedi bod am wîb i Gymru. Yr ydym yn mwynhau darllen am yr ymdrech ynglyn a'r iaith, ac yn edmygu y rhai sydd yn fodlon talu diryw neu gael eu carcharu er mwyn eu delfrydau.

(...) Y mae yn drueni fod yn raid cymeryd benthyg cymaint o eiriau Saesneg. Hyd yn oed yn "Barn" gwelwn eiriau fel "pŵer, bom, clyfar, artiffisial," a brawddegau fel "dyn yn siafio efo raser drydan wedi ei byclu wrth fatri ei gar." Ac am y papurau eraill, wfft iddynt. Wn i ddim pam y maent yn trafferthu arbed iaith a'i hanner yn eiriau wedi eu haddasu o'r Saesneg.

Rwyf fi yn cael trafferth yma yn aml i egluro, pam mae rhywun yn dweyd "el galés es un dialecto del inglés." Pan y maent yn gofyn beth yw gwahannol eiriau yn gymraeg, fel "fork, fforc – plate, plat – cup, cwpan – saucer, soser – saucepan, sospan – cupboard, cwpwrdd – etc, beth all rywun ddweyd? Heb sôn am enwau y pethau newydd sydd yn cael eu dyfeisio o hyd. Dylid rhoi enwau Cymraeg iawn arnynt o'r dechrau, a chadw dosbarthiadau i ddysgu y bobl iw defnyddio. Neu, hwyrach mai gwell fuasai pe baem i gyd yn troi at Esperanto!

(...) Yr oeddym yn darllen adolygiad yn "Barn" ar eich llyfr "O'r Tir Pell", ac hefyd gweld eich hanes, yn un o'r papurau eraill, yn cael anrhydedd a rhodd o arian. Llongyfarchiadau! (...)

Y mae yma le difrifol oddiar newid arlywydd y wlad yma[284], prisiau pethau yn mynd i fynny i'r cymylau, demonstrations, riots, kidnapping a saethu. Ac i orffen pethau, dyna'r hen Berón yn dod yn ol dydd Mercher, 20 fed. Maent yn dweyd eu bod yn rhoi transport i dair miliwn o bobl o'r talaethau i ddod i B.Aires i'w groesawu. Y peth saffaf fydd peidio mynd dros y drws y diwrnod hwnnw.

Rydym yn cael llythyrau oddiwrth Mam yn gyson fel arfer. Y mae yn cadw yn iawn er y tywydd oer, sydd ar hyn o bryd yno. Yr oedd yn cael pen ei blwydd yn 88 oed dydd Llun diweddaf. (...)

Cofion annwyl atoch eich dau

Yn bur

Delyth.

(89) Llythyr Claris Griffiths de Schiavi, merch Bryn ac Almed Brunt de Griffiths at Elizabeth Jones yn nodi iddi fod yn gwrando ar dapiau o Gymru.

(Trwy garedigrwydd Beryl Griffiths.)

Claris Griffiths de Schiavi yn y Gaiman, 2007
(Eiddo Mari Emlyn)

Gaiman, Chubut, 9 Awst 1973

Annwyl deulu:

Mi oeddaf yn gwrando prynhawn yma geiriau ac llais René oddi wrth Gymru, ac mi oeddwn yn meddwl bod fi ddim wedi ateb chwi eto; gobeithio gwnewch fy maddeu.

Y mae Glyn Williams yma, ac wedi dwad a "cassette", neu "record" o Gymru, ac y mae'n yn cael ei basio yn Radio Trelew.

Pawb yn iawn o iechyd yma, yn dysgwyl y'r tywydd braf; y mae wedi gwneyd tywydd oer, ac ychydig o eira a damprwydd y mis diwedda, ond y nawr y mae'r coed yn dechreu cael deuliau.

Siwr bod chwi wedi cael cwmni Miss Tegai Roberts ac Ivonne Owen.

Wel efo dyminiad bod chwi i gyd yn cael iechyd, cofion hefyd i Antie Eurwen oddi wrth

Claris

(90) Rhan o lythyr Elisa Dimol de Davies at Elizabeth Jones yn diolch am y llyfrau.

(Trwy garedigrwydd Beryl Griffiths.)

Annwyl Gyfeilles
Mrs Elizabeth Jones
Gair bach dros Auntie Alice a finau i ddiolch yn fawr iawn am ein llyfrau:

Nis gellwch ddychmygu fy llawenydd, pan agorais y papur a darllen "O Law i Law" ac wedi cyraedd fel tasa fo newydd gychwyn ei daith. Oeddwn wedi ei ddarllen er's blynyddau yn ol: ac wedi meddwl llawer y buaswn yn hoffi fod yn berchen ar y llyfr yna, a dyna fi wedi ei anfon i Auntie Alice gael ei ddarllen.

Auntie Alice yn poeni llawer nad ydyw yn gallu gweld i ysgrifenu atoch, ac i ddiolch i chwi am fod mor garedig ag anfon llyfrau mor dda i ni ein dwy. Yr wyf fi wedi cael pleser mawr wrth ddarllen "Y Dyhead" sef Pregethau Parch Tegla Davies, ac yr wyf wedi darllen llawer o'i pregethau yn y Capel, yr ail Sul yn bob mis mae Cwrdd y Chwiorydd a nos Sul diweddaf darllenais "Halen yn Ddaear" (...) Diolch i chwi Mrs Jones am anfon y llyfrau tlawd iawn ydyw ein Capel am Bregethwyr rhyw 15 o wragedd cyson sydd yn dod ar y Sul.

Mr Edward Watkins Byddyn Iachawdwriaeth ydyw yr unig Weinidog Cymraeg (a digon difywyd ydyw yntau).

Pobpeth Cymraeg yn darfod yn brysur, prysurdeb mawr mewn pob math o ddifyrwch – ond y Bobl Ifanc yn anghofio fod y Capel mewn bod (trist iawn) (...) Wel diolch o waelod fy nghalon am eich llyfr diddorol.

Cofion mawr eich ffrynd
E. D. Davies

(91) Rhan o lythyr Barbra Llwyd Evans at R. Bryn Williams yn gwerthfawrogi cael clywed y seremoni Cadeirio ac yn gwyntyllu ei theimladau am gyhoeddi llythyrau Eluned Morgan.

(LlGC19035 E1)

"Frondeg"
Mawrth 19 1973

Mr & Mrs Williams
Annwyl Nai.
(...) Daeth y teulu o B A oddigerth Sylvia[285] drosodd yn eu cerbyd i basio ychydig ddyddiau y *Carnaval* – ac i weled sut yr oeddym. (...) Ni ddaeth Sylvia gan ei bod wedi dechreu rhyw waith newydd yn ddiweddar a dim yn amser i gael gwyliau – felly arhosodd gartref ar gath yn gwmni iddi. Ond gwnaeth beth gwell na dyfod ei hunan sef dewis Discos a'u pacio iw rhieni i ddyfod a hwy i ni gael eu clywed yma. Buont lwcus o gael benthyg "Toca – disco" – ac fe gawsom wlêdd – bu canu bob pryd bwyd a phob gyda'r nos am y pedair noson y buont yma – i lawr yn Nhrelew yr oedd H a Richie a Delyth gyda ni. Cawsom y G Ganu yn yr Albert Hall, Llundain ar 5000 cynulleidfa yn canu yn hyfryd (...) ac yn ben ar y cwbl – cawsom y gwasanaeth *Cadeirio R.B.Wms* yn Eisteddfod Abertawe yn ardderchog iawn – yr Archdderwydd Cynan gyda i lais cryf yn llenwi'r tŷ yma – ar "Heddwch" – a minau yn eu helpu a chael gweled eich llun ar glawr y Record. *Yr oeddych yn agos iawn atom.* Bu hwyl fawr yma bob nos – yr unig beth arall fuasai yn fy moddhau fuasai cael y tŷ yma yn llawn o wrandawyr. Onid yw y Radio yma yn ardderchog. Bum yn meddwl lawer gwaith – beth pe buasai y cyfle yma iw gael pan oedd Capel cyntaf yn cael cynnal gwasanaeth crefyddol – am y tro cyntaf yn ardal B. G. ar hen frawd D.Davies Pant-y-blodeu yn ddechreuwr canu a bu yn ffyddlawn am flynyddoedd – fel y mae pethau wedi gwella erbyn heddyw.

Daeth Delyth a'ch llyfr "O'r Tir Pell" nid wyf wedi cael amser iw ddarllen gan ei bod yn ei adael yma – caf amser iw ddarllen yn nes ymlaen. (...)

Wel y mae yr Etholiad drosodd a diwedd ar yr Areithiau brwd a di-derfyn ar y Radio. Ond hyd yn hyn nid yw enw y blaid na enw y gwr fydd i "deyrnasu" yn y dyfodol – gobeithio y daw pethau yn well – codi yn eu pris y mae pob peth yn awr.

Yr hyn sydd fwyaf ar fy meddwl y dyddiau hyn yw Llythyrau Eluned – daeth pecyn o newydduron Cymru i ni – ac ynddynt

rifynau o'r "Cymro" ac ynddo darllenais hysbysiad am lyfr newydd "Gyfaill Hoff". Teimlais yn drist iawn – ac yr wyf yn methu yn lân ai anghofio. Byddai ei thad L.J yn cael rhyw yspeidiau or "ochr dywyll" ac os digwyddai i chwi ei gyfarfod ai gyfarch – ei ateb fyddai "Brith Br Brith Bonwr" felly finau. Yn ddiweddarach anfonodd Miss Tegai y "llyfr" i mi darllenais ef drwyddo a rhanau eilwaith – y mae yn ddiddorol hanes Eluned ei rhieni – ei chartref a bywyd y Wladfa – a'i llythyrau at wahanol bersonau – yn addysgiadol a gwerthfawr – ac o bosibl felly yn y dyfodol – a rhai ffeithiau wedi dyfod ir golwg nad oeddynt wybyddus or blaen – ar Gymraeg yn syml a hawdd ei deall. Nid wyf yn gweled fod yr Awdur yn gwerthfawrogi rhyw lawer ar yr adran yna – eithr pwysicach yw cael dadgelu y gyfrinach oedd rhyngddi a'i dad – "rhoddi gwahoddiad ir gwesteion ir *wlêdd* oedd yn eu haros. Dymuniad Eluned oedd llosgi y llythyrau "rhag i lygad oer y byd fwrw golwg drostynt". Nid wyf yn gweled fod caniatad pendant ar yr Amlen i wneud y defnydd wnaed ar llythyrau. Stori un ochr ydyw – ac wedi ir Awdur "godi y llen" beth a geir? Testyn siarad, holi a dyfalu – pethau sigledig ac ansefydlog. Ac wedi darllen y Llyfr (ar wahan ir hyn grybwyllais – pethau sydd ar sail gadarn – ac o werth) beth a enillwyd? Rhyddid i bawb ai darlleno – i barhau i holi a dyfalu yn ol eu dewis hyd ddiwedd eu hoes a byddant yn yr un fan yn union ag yn nechreu y Llyfr. Mae'n debyg na fydd yr Awdur ar ei golled yn arianol.

Gorphenaf ar hyn – sef stori a glywais fy nhad yn ei dweyd – dywedodd lawer stori – pe buaswn wedi eu hysgrifennu buasent yn ddefnyddiol a difyr. Dau frawd or enw Daniel a Simon Harries oeddynt – daethant ir Wladfa gyda'r fintai gyntaf.[286] Dyma ddisgrifiad fy nhad o "Simon" – un gweddol fychan o gorph. Nid oedd yn olygus nag yn ddeniadol yr olwg er nad oedd ganddo help am hyny. Dyna oedd ei ffawd – yr oedd iddo wyneb crwn – bochau crwn pur fawr, trwyn bychan fflat rhyngddynt – yn peri i rywun ei weled yn debyg ir lleuad pan yn llawn – prun bynag mentrodd fyned i siarad a L.Jones i ofyn ei ganiatad i geisio enill ffafr Eluned – ond yr ateb gafodd – "Wel Seimon, os nad oes genyt drwyn – y mae genyt *Cheeks*. Dos adre."

Y mae eisiau cryn dipyn o "fochau" i drin cyfrinachau. "Cyfrinach" yw "cyfrinach" beth bynaf y bont ac yn gysegredig. Wn i ddim beth fyddwch yn ei feddwl ohonwyf – nac o fy marn – ond y mae rhyw ollyngdod i ffrwydro ambell dro os bydd rhywbeth yn pwyso arnom. Yr oeddwn yn hoff o Eluned ac yn well oi chwmni.

(Yr wyf yn falch na wnaethoch ymgymeryd ar gwaith a gynigiwyd i chwi – diolch byth!)[287] Do gwnaeth Eluned ei gorau ir Wladfa tra bu fyw. Gwnaeth lawer o gymwynasau distaw i helpu lle gwelai angen. Bu acw yn F Wen – laweroedd o weithiau – a dyfod a 'Ivy' – y bachgen gwael y ceir cyfeiriad ato – i gael mwy o haul ac awyr iach – newid sgwrs – a chael paned o de – er mwyn *Ivan*.[288] Derbyniwch ein cofion a dymuniadau goreu ni ein doi y gweddill or teulu yn iawn – y pell ar agos

Eich Modryb a Gerallt.

Y delyn deires

(92) Rhan o lythyr anghyflawn Barbra Llwyd Evans at R. Bryn Williams yn rhoi cefndir y delyn deires. Trosglwyddwyd y delyn honno i'r Llyfrgell Genedlaethol yn Aberystwyth yn ddiweddarach ac fe anfonasant hwythau un yn ei lle i Amgueddfa'r Gaiman.

(LlGC 19035E)

Mai 1974

Annwyl Nai a Nith

Bum yn hir y tro hwn yn ceisio ateb eich caredig lythyr, yr iechyd ddim wedi bod yn dda iawn ond yn well y dyddiau yma ac wedi i mi ddechrau sgriblo derbyniais lythyr arall yn holi dipyn o hanes yr hen Delyn deires "Bardd y Brenin" (...) Dilynaf ar fy nghof fel y clywais fy nhad yn dweyd yr hanes.

Bachgen 12 oed oedd Edward Jones pan enillodd ar ganu'r Delyn deir res, ac yn ei lawennydd am iddo ennill, gwnaeth ei dad Delyn deir res yn arbenig i Edward i gofio am yr amgylchiad. Rhoddodd "Blât" arni gyda'i enw ar flwyddyn sef can mlynedd yn hynach na'r Wladfa. Felly y cofiaf oreu. Yr oedd fy nhad yn myned ir Hen Wlad gyda fy mrawd ag oedd wedi colli ei fam iw roddi ynghartref fy nhad ynghyd ai chwaer Gwen a Jane (eich Nain). Ar pryd hwnw yr oedd sêl fawr am gael "Amgueddfa" yn Rawson i gadw y creiriau oedd ganddynt. Tra yr oedd fy nhad yng Nghymru aeth i edrych am ffrynd oedd ganddo ym Manceinion a pwy oedd ar ymweliad ond Idris Fychan – yn llawen iawn wedi cael hyd i hen Delyn Edward Jones mewn tŷ pethau ail law. Aeth yn fargen rhwng fy nhad ag yntau, ac or diwedd er mwyn y "Wladfa Gymreig" llwyddodd fy Nhad ei chael. Pan ddaeth fy nhad yn ol yr oedd y sêl wedi fflatio a dim un symudiad wedi ei wneud. Gan fod gan fy nhad denant ar ei ffarm ag yntau yn gweithio mewn ystordy, y roedd y Delyn yn dipyn o rwystr. Yr oedd un or enw Thomas Gabriel yn dipyn o Delynor. Rhoddodd ei benthyg iddo ef ond cyn bo hir yr oedd Gabriel am symud o Rawson ac am fyned ar Delyn gydag ef. Llwythodd ei bethau a rhoddi y Delyn mor ofalus ag a allai ar y llwyth. Ond wrth deithio dros y cerrig ar fryniau Rawson llithrodd i lawr a tori twll digon mawr i roddi llaw i mewn tu ol. Bu gydag ef am ysbaid go lew. Rhyw brydnawn daeth y Br Llwyd ap Iwan i siarad a fy nhad a dywedodd fod yr hen le truenus iawn, fod ganddo le gwell iddi. Diolchodd fy nhad iddo a symudwyd hi yno. Bu yno am rai

blynyddau. Roedd fy nhad a minau yn symud i Coronel Suarez wedi ail briodi a minau yn 8 mis oed yn y flwyddyn 99 blwyddyn y Lli Mawr. Roeddym wedi dychwelyd ar ol bod i ffwrdd 6 mlynedd ac wedi dod i fyw i Fuches Wen a fy nhad a minau ar fin cychwyn ir Hen Wlad wedi marw fy mam ond teimlai fod cyfrifoldeb arno am y Delyn ac aeth iw hymofyn ai dodi yn ddiogel mewn ystafell yn Fuches Wen a gadael y gweddill or tŷ yn agored rhag ofn y gallasai rhywrai wrtho a teulu Parc y Llyn fu yno. Ar ol bod i ffwrdd rhyw ddwy flynedd a dod yn ol, cymerais ffansi at yr hen delyn. Trwsais hi a rhoddi ychydig o danau guitar – digon i gael ychydig o swn. (...)
(Gweddill y llythyr ar goll)

'Pererindod sentimentalaidd'

(93) Rhan o lythyr Dan Lewis at R. BrynWilliams yn cofio'r hen ddyddiau.

(LlGC 19035 E1)

Perú 630 BA
Chwefror 22, 1975

Annwyl Gyfaill
(...) Bum i lawr yn Nhrelew i fwrw dyddiau y Carnaval, sef o'r 8fed hyd yr 15fed a thra yno gwnes bererindod "sentimentalaidd". Y mae llawer o newid wedi cymeryd lle er y diwrnod pellenig hwnnw pan oedd y cynulliad yn Festri Tabernacl yn canu "When Richie comes marching home again!" Mae'r "Callejones" i gyd wedi eu palmantu yn awr (...) Yr oeddwn yn aros yng Ngwesty Centenario, a bron yn syth o'i flaen roedd callejón[289] sydd a llawer o adgofion ynglyn a hi. Hon yw'r "Callejón" lle 'roedd cefn ty Jospeh Jones yn dod iddi.[290] Yn union o flaen yr hen glwyd – llidiart – neu giât, preswyliau dy annwyl rhieni, ac yn gydiol, tŷ Ben fy Mrhawd. Ben Dâr. Mae'r adeilad yno o hyd ond fod cwrt bach o'i flaen yn awr. Hwyneb yr adeilad wedi newid ond y tri tô yr un fath ag erioed. Os wyt ti'n cofio yr oedd rhyw fath o "Verandah" fach yn gyfochrog a thŷ Ben. Llawer prydnawn rhwng 1915 a 1918 bum yn sefyll yn y fan honno a syllu i gyfeiriad cefn tŷ Joseph gan obeithio cael rhyw gip am funud ar fy annwyl Tish[291], fuasau efallai wedi dod allan o'r "side door" i ysgwyd briwsion o'r llian te. O'r fath amser hyfryd oedd hwnnw, er fod ar yr un pryd a math o bryder arnaf na chawswn air a'm annwylid. Felly y bu lawer tro. Prin "wave of the hand" a ffwrdd a hi. Unwaith ces air a hi, a dwedodd na fuasai'n bosibl i ni wel'd ein gilydd y noson honno, gan na fuasai'n cael myn'd allan. Es i fewn i gael sgwrs gyda Ben a Mary, ac wedi ymadael cychwynnais adre'. Pan oeddwn yn pasio cornel tŷ JHBerry, pwy welswn ond Hannah, Lal [?] a Tish yn mynd am dro gyda Evan Bach. Ni welais 'r'un arwydd o gyfarchiad a theimlais gymaint o eiddigedd fel i mi droi ar fy sawdl; myn'd i Bar El Progreso ac yfed pedwar glasiad o "Cognac" un ar ol y llall, o'u cwr. Yr oeddwn mor feddw fel i mi gerdded heibio y tŷ lle 'roeddwn yn byw a disgyn yn fflat ar fy hwyneb ar lan y ffôs, lle cysgais am oriau, tan sobrais. Fe wyddost yr oeddwn yn ei haddoli, a mae adgofion fel hyn yn dryllio fy nghalon. Cefais yr uchelfraint o'i chael yn wraig am dros 57 o flynyddoedd a

gwelaf ei heisiau pob munud o'm bywyd ar ol ei cholli, ym mis Mai 1973. Nid ydwy'n gallu cymmodi a'r syniad o'i cholli. Mae fy hiraeth am dani mor llym heddiw a'r diwrnod du hwnnw pan aeth hi i ffwrdd. Dyna ddigon, mi gredaf, o bethau lleddf. Yn ystod y trip i Drelew, gwelais nifer o dy gyfoedion. Tair merch Powell Jones; Megan, Doris ac Eunice[292]. Gwelais Edie Lynne, Madeleine (merch Mary Harriet) Edith, Joseph Jones, oedd yn digwydd fod yno am dro; ac Irene (Minny James Williams).[293]

Cawsom de a sandwiches gyda'n gilydd yn nhŷ Proserpina (Davies) merch John Myrddin Morgan a bu sgwrs ddifyr am hen ddyddiau, adeg dy ieuenctyd. Straeon am dipyn o bawb. Cofiwn am Ponshi bach yn r'ysgol Sul yn dysgu'r ABC. Yr oeddwn, un Sul ynghofal y dosparth a dyma sut aeth y wers: "Dywed A, Ponshi" "A" meddai hwnnw. "B" meddwn i "B" atebodd yntau "C" meddwn i. Hogyn Dada" atebodd e! Nis gwn os yw hyn oll o ddiddordeb i ti a'i peidio. Wel dyna fo ar ddu a gwyn. Yn awr "Hybarch Archdderwydd, cofiaf fy mod wedi holi ynglyn a thystysgrif yr Orsedd. Dwedais fy mod wedi gwel'd darlun o'r un rhoddir i'r rhai sy'n llwyddiannys yn yr Arholiadau yn rhaglen cyhoeddi'r Genedlaethol ym Mro Myrddin 1974. Gofynnais i ti os oedd y fath beth i'w gael ar gyfer ni'r "poor dabs" oedd wedi ein urddo (ofydd er Anrhydedd) a chredaf i ti ddweyd, fod tystysgrif i'w gael, i mi a'm "sort": A fyddi garediced ag edrych i fewn i'r peth, ac os fydd gennyt funud yn spâr, gadael i mi wybod os oes, ac ar ba delerau medraf ei gael. (...)

Ni synnwn yn fawr llwyddo i ddod eleni etto, mewn pryd i'r Genedlaethol yn Criccieth. Y mae fy lletty wedi ei sicrhau eisoes dros yr wythnos (braidd ymhell o Griccieth) ond serch hynny mae W.O.Jones (Y Vet) wedi addo gofalu i mi gael presennoli gweithgareddau'r Orsedd os ddeuaf. Nid oes genyf r'un anhawster ynglyn a'r daith ond fy mod yn methu a phenderfynu pu'n a'i myn'd i Perú, Singapore neu i Gymru gwnaf.

Maddeu y llith hir wyntog a derbyn fy nhymuniadau serchocaf attoch eich dau.

Dy hen gyfaill (1913-1975)
Dan "y Bugail" (...)

Llongyfarchiadau

(94) Llythyr Irma Hughes de Jones yn llongyfarch R. Bryn Williams ar gael ei benodi'n Archdderwydd Cymru.

(LlGC 19035 E.I)

Chacra 193
Gaiman Chubut
Medi 21, 1974
Mr R. Bryn Williams

Annwyl gyfaill:

Mae'n debyg fod llawer o lythyrau yn eich cyrraedd y dyddiau yma, ond ni fydd darllen un yn rhagor yn llawer o dreth ar eich amser, gobeithio!

Rhaid i mi gael anfon atoch i'ch llongyfarch ar eich penodiad yn Archdderwydd Cymru, Llongyfarchiadau o galon i chi, allwch chi ddim dychymygu mor falch ydwyf i, a llawer un arall o glywed y newydd yma. Y tro cyntaf, neu yr unig dro, i neb o'r Wladfa ('rydym yn dal i hawlio 'chydig arnoch!) i neb o'r Wladfa gael yr anrhydedd yma.

Gobeithio'n wir y bydd i chi ysgrifennu eich hunangofiant.[294] Siwr y bydd yn ddiddorol iawn, ac yn ddarlun o brofiad newydd i lawer. A pheth da yw hunangofiant, mae'n fwy cywir na dim byd arall rywfodd. Bum yn darllen hen Drafodau, tua dechrau, bueno, "la dećada del '20," ac 'roeddwn yn teimlo awyrgylch y Wladfa fel 'roedd hi pan oeddech chi yn hogyn yn Trelew. Dyna un rheswm pam fy mod i'n poeni cymaint mod i'n methu cael y Drafod yn rheolaidd yn ddiweddar i fod yn dystiolaeth i rywun ryw dro o'r hyn sydd yma heddiw.

Weithiau mae gen i awydd cyhoeddi cyfrol (fach wrth gwrs) o'm barddoniaeth; droion eraill 'chydig o storiau, ryw chwech neu saith dyweder. Ond mae'n debyg nad allaf fi ddim byth, pe tai ond am anawsterau ariannol. Ond mae'n hyfryd breuddwydio weithiau, a chodi cestyll yn yr awyr!

Sicr fod Glyn[295] adref bellach. A gobeithio caiff orffwys am dipyn, mi gredaf i fod yr amser a dreuliodd yma wedi bod yn ddigon caled iddo ac hefyd i Joan a Nia fach. Ond bydd popeth yn iawn ac yn esmwythach iddynt yn awr. Mae yma rywbeth yn galed ac yn greulon yn y wlad yma i ddechrau, yr hinsawdd efallai, yn sych a chaled, y gwynt a'r llwch, a'r bobl mor dwyllodrus ac anghyfrifol.

Rhai ohonynt wrth gwrs, mae yna bobl dda, garedig yma hefyd.

Glyn Ceiriog Hughes oedd yn fuddugol ar gyfieithu y "fragmento" o Agar[296] i'r Sbaeneg. Nid yw wrth law gennyf ar hyn o bryd, ond os dymunech ei weld mi af i chwilio amdano. Pedwar a ymgeisiodd. (Nid wyf yn cofio a ddywedais hyn wrthych y tro o'r blaen).

Mae ceisio hel mintai i fynd i Gymru y flwyddyn nesaf. Ond tynnu'n ol mae amryw o'r rhai roddodd eu henwau i lawr ar y cychwyn. Mae yn mynd yn ddrutach nag yr oeddid wedi meddwl ar y cychwyn. Ond gobeithio bydd yn llwyddiant.

Wel, cofion atoch a chofion annwyl hefyd at Eunice. Gyda'r dymuniadau gorau.

Irma

Trip i'r 'Hen Wlad'

(95) Rhan o lythyr Meinir Evans de Lewis at Margaret Rees Williams ym 1973 yn dyheu am gael mynd i Gymru.

(Trwy garedigrwydd Margaret Rees Williams a'i merch Ann Gruffydd Rhys.)

Trevelin Prynhawn Llun Ion. 29

Anwyl Marged. (...)
Rwyf finau yn amal iawn yn meddwl ¿tybed gawn i gwrdd ryw dro? Mi faswn yn rhoi llawer am gael ymweld a Chymru, roedda ni yn son pan oedd y Cymru yma, mor neis fasa ni yn gallu mynd felna, yn griw efo'n gilydd, ¡Mi fasa na hwyl!; pan oedd Manon yn mynd, roeddwn i yn meddwl efallau ymhen blwyddyn neu ddwy y baswn i yn gallu mynd, ond, mae ein harian ni wedi mynd mor ddiwerth nes mae yn rhaid cael tâs ohoni nw bron, cyn cychwyn i inman.

Breuddwydiais un noson fy mod yn cyraedd draw, ag or man lle on i yn disgyn, roeddwn i yn cael golwg hyfryd ar y wlad am bellderoedd, ond mae gen i ofn mae dim on breuddwyd fydd o, yn fy hanes i, er cymaint o awydd sydd arnaf: (...)

Nid wyf wedi gweld y llyfr "Gyfaill Hoff" eto, ond pan af ir Gaiman mi fyddaf yn holi am dano, rwyf yn nabod Tegai Roberts yn iawn, ag yn gwrando arni ar L.U. 20 radio Trelew bob dydd mercher, recordiau cymraeg a newyddion, bob peth sydd a wnelo fo rhywbeth a bywyd cymraeg, daeth y cymru diweddaf yma a rhai records a gwasanaeth cymraeg hefyd (...)

(...) Hyn am heno, cofion cynnes iawn at y teulu a chwithau, con todo cariño, un beso. Meinir

Mae eich sbaeneg yn dda iawn.

(96) Rhan o lythyr Meinir Evans de Lewis at Margaret Rees Williams yn gobeithio cael ymuno â'r trip o'r Wladfa i Gymru.

(Trwy garedigrwydd Margaret Rees Williams a'i merch Ann Gruffydd Rhys.)

Trevelin Mawrth 4 1975

Annwyl Marged. (...)

Mae yma griw o bobl yn paratoi i fynd i Gymru ir Eisteddfod, ugain o Drefelin a Esquel a chwedeg o Drelew; rwyf fi wedi rhoi fy enw i lawr, heb fod yn gwybod os gallaf ddod, rwyf yn bwriadu gwerthi y car bach i gael arian , os llwyddaf, mi fyddaf yn dod yn mis Gorffenaf ¿Efallai y caf gornel fach yn Llys Owen[297] i aros dros yr Eisteddfod? (...) Mae Manon yn cofio atoch i gyd, rwyf fi yn meddwl lot am Jack y dyddiau yma achos rwyf wrthi yn darllen Pigau'r Ser[298] eto. Cofion annwyl iawn atoch i gyd a diolch am eich llythyrau caredig.

Cariños
Meinir

(97) Rhan o lythyr Meinir Evans de Lewis at Margaret Rees Williams yn rhoi manylion y teithio o'r Wladfa i Gymru.

(Trwy garedigrwydd Margaret Rees Williams a'i merch Ann Gruffydd Rhys.)

Trevelin Ebrill 27.75

Annwyl Margaret. Dydd Sul braf iawn, a tra byddaf yn disgwyl yr adeg i fynd ir capel rwyf am ddechrau hwn, yn atebiad ir diweddaf oddiwrthych, wyf wedi ei dderbyn ers tua pythefnos bellach. Ni atebais yn gynt am fy mod eisiau bod a rhywbeth am y daith i rhoi gwybod i chwi; wel mae y tocyn gen i yn fy mag, ag hefyd mae yr arian genyf, gwerthais y car bach; nawr mae yn rhaid newyd yr arian am dolares neu eich arian chwi ag mae y dolares wedi codi yn sobr, yn ol pob son, byddaf yn mynd ynglyn a hyn yr wythnos nesaf yma. Nid wyf yn siwr os dwedais fod un criw yn cychwyn ar y 27 o Fehefin, ar llall yr ail o Orffenaf, yn hwnw fydda i yn mynd, mae cyfnither i mi o Buenos Aires yn mynd hefyd ac yr oedda ni wedi meddwl am gael ista efo'n gilidd, ond mae hi wedi cael ei rhoi yn y criw cyntaf, hen dro; yna byddant yn disgwyl i ni yn Llundain a byddwn yn mynd gyda'n gilydd i gyd am Gymru mewn bws, yn ol fel ydw i yn deall. Wn i ddim i le byddwn yn cyraedd.

Dyma hi rwan yn nos, ar lle wedi bod yn llawn, daeth fy chwyorydd ai merched ir cwrdd diolchgarwch y prynawn yma ag yma wedyn i de, maent newydd fynd rwan i gyd; cawsom gwrdd bach neis a prynhawn braf iawn.

Dydd Sul bythefnos i heddiw bu farw hen ffrynd i ni, Owen Williams, tad Elvira fuodd yn Harlech, bu farw yn ei gwsg, yn dawel, roedd mewn oed mawr, dros ei wythdeg, yr oedd wedi dechrau llythur i Elvira y diwrnod hwnw. Mae wedi bod yn hiraethu yn fawr am gael mynd yn ol i Gymru, roedd wedi dod yma yn fachgen ifanc iawn 16 oed, ag ni chafodd fynd yn ol dim un waith. O Drawsfynydd yr oedd. Buodd yn dysgu y plant i ganu yn y Capel am flynyddoedd maith.

(...) Cawsom hwyl neis efo'r cymru, cymanfa ganu nos Sul, a noson lawen nos Fawrth. Roeddant yn griw serchog iawn wir; cawsom ganu bendigedig efo Sian Emlyn; dyna ifanc mae hi yn edrych ynte? Fel hogan fach. (...)

Mi gawn sgwrsio lot, heb fod yn hir eto, os Duw fyn. Mi fyddaf yn

teithio i Drelew o yma tua'r ugeinfed o Fehefin, o fano mae y daith yn cychwyn, a dim ond disgyn yn Buenos Aires i newyd avión. Cofion annwyl at y teulu a diolch yn fawr am eich geiriau caredig o groeso.

Cariad mawr
Meinir.

(98) Rhan o lythyr Meinir Evans de Lewis at Margaret Rees Williams yn methu credu ei bod ar fin cychwyn am Gymru.

(Trwy garedigrwydd Margaret Rees Williams a'i merch Ann Gruffydd Rhys.)

Trevelin Chubut
Mehefin 12 1975

Annwyl Marged. (...) Mae yn unarddeg y nos a finau wedi bod yn gwinio tan rwan, mae popeth bron yn barod rwan, dyma y llythur dwedda gewch chi cyn i fi gychwyn; byddaf yn mynd o yma ddydd Sadwrn y 20, efo Einion a Nel Owen cyfeillion i ni, sydd yn mynd i Gymru hefyd, byddwn yn Trelew tan yr ail o Orffennaf, byddwn yn mynd y noson hono i Buenos Aires a cychwyn oddiyno y 3 a chyraedd Llundain y 4 am tua 3 ½ y prynhawn; byddwn yn aros y noson hono yn Llundain, wn i ddim pam; ac yna i Gymru y diwrnod dilynol; credaf fod lle wedi ei drefnu i ni yn rhywle dros Eisteddfod Llangollen, ac yna mi fydd pawb yn mynd i lle y myno fo. Mae na rhyw rhaglen wedi cael ei ffaratoi at yr wythnos ddiweddaf o Orffenaf, yn y Bala. Ar ol Llangollen mi fyddaf fi yn dod i Lys Owen, os caf; rwyf fi hefyd yn edrych ymlaen yn fawr am gael eich gweld, mi fasa yn siom fawr i fi rwan, taswn i ddim yn cael dod. (...)

Wel, credaf mae dyna y cyfan am y tro yma, os Duw fyn mi fyddaf gyda chi yn go fuan, rwyf bron yn methu credi fy mod *yn* dod, or diwedd, ydwyf wir, rwyf yn teimlo yn reit gynhyrfus, wrth feddwl am y cychwyn, ag eto, mae popeth yn dod yn eitha hwylus, y pwnc mwya yw yr arian, mi gawn weld beth am hyny, yn Trelew, mae y dolar wedi codi eto, neu y peso wedi mynd i lawr. Oes dim banc Llundain yn Esquel, ag yn hwn yda ni yn cael newid. Hasta pronto. Cofion cynes iawn

Cariño
Meinir

leinir Evans de Lewis yng Nghymru o'r diwedd, da Margaret Rees Williams r achlysur priodas merch Margaret, sef Ann, yng Nghricieth, 1975
rwy garedigrwydd Margaret Rees Williams)

(99) Rhan o lythyr Meinir Evans de Lewis o Drevelin at Winnie ac Ifor Owen, y Gwyndy, Llanuwchllyn wedi iddi gyrraedd yn ôl i'r Wladfa.

(Trwy garedigrwydd Owain Sion Gwent.)

Trevelin. Chubut. 28.9.1975

Annwyl bobl y Gwyndy

Roeddwn wedi meddwl ysgrifenu atoch ar inwaith wedi cyraedd adra, ond, rhwng un peth ar llall, mae na fis cyfan wedi mynd heibio, a bron yn amhosib cael hamdden i eistedd i ysgrifenu, rhywun i fewn drwy'r dydd, y dyddiau cyntaf, pawb eisia cael hanes y daith, rwyf wedi dangos y lluniau ag wedi dweid yr un peth ugeinia o weithiau erbyn hyn. Cawsom daith hwylus iawn yn ol, dim trafferth efo dim byd; roeddwn wedi blino yn ofnadwy er hyny, ag arhosais y noson hono yn Buenos Aires a mynd ymlaen i Drelew y diwrnod wedyn, roedd Manon wedi prynu y tocynau yn barod ag yn fy nisgwyl, felly, dim ond jest disgyn yn Trelew i gysgu wnes i, ar bore wedyn, hedfan i Esquel, roedd Marvel yn aros am dano ni yn y maes awyr. Roedd y ty yn eitha glan efo fo, chwareu teg, ond roedd yma grysau a sanau eisia ei golchi, ymhobman; buom yma am bythefnos yn gwneid chydig o drefn, ag yna aethom eto i Drelew (...)

Cawsom eisteddfod y plant ar bobl ifanc yn y gaiman, yn dda iawn, llawer o gystadlu rhwng y plant lleiaf, ar neuadd ddim yn ddigon mawr ir holl bobl oedd eisia mynd i fewn, roedd Irma yno yn beirniadu, ond fum i ddim yn siarad efo hi, gwelais Laura a Ffil yn Trelew yn y te croeso i ni yn neuadd Dewi Sant[299], ar ol y te gofynwyd i bob un ohono ni ddweid chydig o hanes y daith, pob un yn son am y croeso dibendraw gawsom; wnawn ni ddim anghofio hyn byth; i fi, mae yn un om breuddwydion wedi dod yn wir, ag mi fydd gen i adgofion hyfryd iawn am Gymru wyrdd ai bobl croesawgar, pawb yn son am ddachrau cadw arian i fynd eto, mor gynted ag y gallant, ond mae yn go anodd hel dim i gadw, mae pob peth wedi codi yma yn ofnadwy, mae yn anobeithiol os na ddaw rhyw newid mawr o rhywle.

A sut y mae pawb erbyn hyn? ac baby?[300] Mae yn tyfu bob dydd siwr, cofiwch fi atynt ag at y gweddill or teulu. Terfynaf rwan, gan anfon y cofion goreu atoch eich dau a diolch eto, o galon, i chwi am eich caredigrwydd i fi, os bydd amser efo chi, mi faswn yn falch o gael gair oddiwrthych.

Meinir

(100) Rhan o lythyr Alwina Thomas at Elizabeth Jones yn diolch am y croeso a gafodd ei mam a'i mam-yng-nghyfraith, Lottie Hughes a Gwen Thomas yng Nghymru.

(Trwy garedigrwydd Beryl Griffiths.)

Bs As. Medi 18 1975

Anwyl Elizabeth;

Dyma ein diolch o galon yn hedfan attoch, pedwar wythnos i heddiw yr pan maer teithiwr wedi cyrraedd yn nol – or daeth byth gofiadol. Breuddwyd wedi cyflawni!! Ac yr ydym mor falch ac yn ddiolchgar dros ben i chwi Eiddwen, Parch Hugh Jones, Mrs Shan Edwards – ac eraill ohonoch – Rhoi chwech wythnos och amser y croesawu Cymry Patagonia. Well done chwi. Cawsant daith ardderchog yn nol. Dim trafferth yn y "customs" ac mi roeddan yn llwythog! Oedd Nain Thomas yn dod a dwsin o lestri té "Queen Anne" a fioleds mân piws arnynt – cwpan saucer a plat bach bob un i Tilsa, Moira, Vilma[301] ar tair arall i Eurydd a chwech iddi hi ei hunan. Aeth Modryb Maggie a Olga ymlaen i Trelew diwrnod cyrraedsant gyda'r nôs. Sefodd y ddwy Nain yma i gael check up yn yr hospital – Nain Thomas yn first class a Nain Hughes a dipin o blood pressure. Bu yma am bethefnos a cawsom yr hanes yn bur dda. Ydym wedi bod yn Gymru drwy ei llygaid hwy. Y golygfa – y tai prydferth wedi papuro ar lloria wedi carpedi ar paved roads at y tai yr eisteddfodau – y corau anferth ac orcestra yn y Gymanfa – ar croeso!! (...) Teimlwn yn dyledus i chwi. Hoffwn talu yn nol rhywdro or rhan yma or byd.

Cofion cynnes attoch fel teulu
Elwy a Alwina

Nodiadau

243 Roedd Glyn Ceiriog Hughes yn gohebu'n gyson i'r *Enfys* yn dilyn marwolaeth Bronwen Macdonald yn 1970. Ef oedd arweinydd y Cymry ar Wasgar yn Eisteddfod Genedlaethol Bro Dwyfor 1975. Bu farw yn 88 mlwydd oed ym 1994.

244 Lloegr 13 Cymru 17. Chwaraewyd y gêm yn Twickenham.

245 Dywedodd Kyffin yn ei erthygl 'An Artist in Welsh Patagonia' yn yr *Anglo Welsh Review* (rhif 18) am ei brofiadau yn glanio ym maes awyr Trelew a chyfarfod Glyn Ceiriog Hughes:

> I made my way towards an uninviting building on the edge of the airfield where a few people were sheltering from the wind and as I joined them I tried to hear if any of them were speaking Welsh. Suddenly a voice at my shoulder whispered 'Williams?' I swung round and saw a stocky sad-faced man.
> 'Kyffin Williams?' he asked.
> 'Yes, yes,' I replied eagerly as he smiled, gave me the warm strong Patagonian Welsh handshake and introduced himself as Glyn Ceiriog Hughes.

Ar gyfer ei gyfrol *A Wider Sky* a gyhoeddwyd ym 1991, newidiodd Kyffin y disgrifiad o Glyn Ceiriog Hughes i 'a serious looking man'.

246 Ysgrifennodd Kyffin at Norah Isaac ym 1994 a dweud: 'I am so glad you enjoyed "A Wider Sky". When I returned I tried to get a whole Patagonian book published with all my drawings and water colours but no publisher would take it on. The result was a re-written effort turned into a sort of Cook's tour guide book.'

247 George Gaylord Simpson (1902-1984), paleontolegwr o UDA.

248 *Attending Marvels: A Patagonian Journal* a gyhoeddwyd ym 1934.

249 Mewn llythyr gan Kyffin at Norah Isaac ym 1994 fe ddywed: 'I had to be very careful to avoid criticism of Y Wladfa, as I know how sensitive they are, so I hope it wasn't too bland. Anyhow I became very fond of them & naturally would not have wanted to hurt them.'

250 Valmai Jones, merch David Iâl Jones a Lizzie R. Maliphant. Maged hi yn y Gaiman, symudodd i Buenos Aires ac yna i Wrecsam ym 1955 ar ôl priodi â Chymro – Harold Jones. Cyfrannai Valmai Jones i'r *Enfys*, a chyhoeddwyd ei hysgrifau ym 1985 yn y gyfrol *Atgofion am y Wladfa*. Bu'n gadeirydd ac yn drysorydd Cymdeithas Cymry Ariannin. Bu farw yn 84 mlwydd oed ym 1994.

251 Symudodd Kyffin i Bolton Studios yn Llundain ym 1966. Yn *A Wider Sky*, mae Kyffin yn disgrifio Bolton Studios: 'The Bolton Studios resembled an architectural warren. A long, dark, unhealthy tunnel, reeking with dry rot and other unpleasant odours, gave access to about twenty-five studios of character. Few were occupied by artists.' (t. 200)

252 Yn *A Wider Sky*, dywed Kyffin am ei argraffiadau cyntaf o Drelew:

> When we landed on an arid field outside Trelew, I had somehow failed to notice the valley and the meandering Chubut. I felt immeasurably depressed. I got out of the plane and stepped into a bitter wind that seemed to blow dust from every quarter. I carried my bags to join some men who were sheltering behind a shack that served as an airport building. Again, from somewhere I heard the enquiry, 'Kyffin Williams?', and a serious-looking man pushed forward, introducing himsef as Glyn Ceiriog Hughes. He picked up my bags and heaved them into the back of a small white car and drove me away down a dirt road at great speed. Clouds of dust were thrown up on either side but, when he slowed down, I could see a miserable conglomeration of shacks from which dark Indian faces peered inscrutably, and amongst them ill-clad children threw stones at dogs that scavenged among piles of dirty cans and paper. Dust like grey sand blew in clouds, so it was only when the track dipped down towards some more substantial buildings that I realised that I was in Trelew, the town named after Lewis Jones. (tt. 135-136)

[253] Michael James Mainwaring (1947-2000). Sais a ysgrifennodd lyfr am ymfudwyr i Batagonia. Mae'n debyg mai cyfeirio a wneir yma at lyfr o'r enw *From the Falklands to Patagonia* a gyhoeddwyd ym 1983.

[254] Dr Ceinwen H. Davies (1911-2008), darlithydd yn Adran y Gymraeg, Prifysgol Caerdydd.

[255] Derbyniodd Gareth A. Davies gymorth ariannol gan Gyngor Celfyddydau Cymru, gan Mrs A. I. Astor a'i hymddiriedolaeth deuluol a chan Brifysgol Leeds lle'r oedd yn darlithio yn yr adran Sbaeneg i ymchwilio i gefndir hanesyddol y Wladfa.

[256] Yr Athro Robert Owen Jones – cyn-gyfarwyddwr Canolfan Dysgu Cymraeg i Oedolion, Adran y Gymraeg, Prifysgol Cymru, Caerdydd. Arweiniodd ddau gynllun ymchwil wedi'u hariannu gan Ysgoloriaeth Leverhulme ar gymdeithaseg iaith yn y Wladfa. Yr Athro Robert Owen Jones a gomisiynwyd i lunio argymhellion ar gyfer dysgu Cymraeg yn Chubut. Derbyniodd y Swyddfa Gymreig ei argymhellion a chanlyniad hyn oedd cyhoeddi, ym 1997, gefnogaeth ariannol i Gynllun Dysgu Cymraeg Chubut.

[257] Pwllfanogl – tŷ ar dir Plas Newydd. Dywed Kyffin yn *A Wider Sky* (t. 228):

> Builders moved in, a bulldozer demolished the vaults, and a bathroom and kitchen were built. The whole house was restored and within a single week in May 1974 furniture vans arrived with the contents of Cefn Gadlys and 22 Bolton Studios and there, by the Menai Strait, on the island where I was born, I entered upon one of the most satisfactory periods of my life as the tenant of Henry Paget, seventh Marquess of Anglesey.

[258] Ann Morris Jones o Abertawe a Betsi Griffiths o'r Gilfach Goch.

[259] Dywed Marian Elias Roberts y byddai Osian Hughes yn defnyddio'r gair 'Llongyfarch' i olygu 'Cyfarchion'.

[260] Pat Leigh o'r Alban. Daeth Marian Elias, Pat Leigh, Betsi Griffiths ac Ann Morris Jones yn gyfeillion gydag Osian Hughes pan ddaeth draw i Gymru ym 1965.

[261] Treuliodd Marian Elias ddwy flynedd yn Fiji (1967-69) gyda'r *VSO* ac wedi iddi ddychwelyd fe ysgrifennodd at Osian yn ystod Nadolig 1969 i adrodd yr hanes.

[262] Yn cyfarfod Manon ym maes awyr Heathrow, roedd Valmai Jones a'i chwaer Arianina a'i phriod y Capten Roberts.

[263] Bu Elvira Austin, Trevelin yn fyfyriwr yng Ngholeg Harlech 1966/67. Aeth oddi yno i Brifysgol Cymru, Caerdydd.

[264] Te ffarwel.

[265] Bu Eirwen Davies de Griffiths draw i Gymru ym 1973.

[266] Rini Griffiths de Knobel.

[267] Phillip Henry o Abertawe. Syrthiodd mewn cariad â Laura Jones (merch Irma Hughes de Jones) tra oedd hi'n fyfyriwr yng Ngholeg Harlech ac fe briododd y ddau. Bu Phillip Henry farw yn 36 mlwydd oed ym 1982.

[268] Almed Brunt de Griffiths.

[269] Eugenio René Griffiths.

[270] Ers i ddeddf Riccheri gael ei phasio ym 1901 roedd gorfodaeth ar ddynion ifanc i fynychu'r gwasanaeth milwrol am flwyddyn neu ddwy. Ym 1993 diddymwyd y ddeddf gan broffesiynoli'r fyddin Archentaidd.

[271] Guto Prys ap Gwynfor, mab Rhiannon a Gwynfor Evans. Roedd ei fam, Rhiannon, yn ferch i Elizabeth Watkin Jones a hithau'n ferch i John a Jane Jones, brawd Dafydd Jones Ddolfawr.

[272] Cyfnither i Elizabeth Jones, Braichceunant a aeth allan gyda hi i'r Wladfa ym 1972.

[273] Ethel Owen.

[274] Maria Esther Evans de Jones, Trevelin, merch Melody Ann a Madryn Gwyn Evans, ac yn orwyres i Esther a Thomas Dalar Evans.

[275] Margaret Powell, merch Benjamin Pugh Roberts a Lizzie Freeman.

[276] Lottie Hughes, merch Benjamin Pugh Roberts a Lizzie Freeman.

[277] Olga Roberts, gwraig George Roberts, mab Benjamin Pugh Roberts a Lizzie Freeman.
[278] Melody Ann Day, mam Maria Esther.
[279] Madryn Gwyn Evans, tad Maria Esther.
[280] Elwyn Owens, gynt o Bristol House, Corwen. Mae'n debyg mai ato fo y mae Frank Mitchell yn cyfeirio yn ei erthygl yn *The Falkland Islands Journal*, 2000: 'In the 1970's I recruited a Welshman to manage the Falkland Islands Company's West Store and arranged for him to visit enroute to the Falklands. I recall that he said that he found it a little difficult to follow their Welsh language because of its purity. It had not been corrupted by outside influences ... '
[281] Jeremeiah Thomas Moran o Aberdâr. Bu'n gweithio fel cyfrifydd yn y Malvinas am 3 blynedd.
[282] Sarah Williams oedd mam Glyn Ceirog Hughes. Priododd â John Hughes, tad Glyn C. Hughes.
[283] Megan Evans de Vidal, chwaer Eiddwen. 'Pedro' mae'n debyg oedd Peter, gŵr Megan.
[284] Enillodd Héctor Cámpora etholiad 1973. Clogyn oedd hyn mewn gwirionedd i Perón a oedd yn disgwyl ei gyfle i ddychwelyd i wleidyddiaeth yr Ariannin. Dychwelodd Perón i Buenos Aires ym mis Mehefin a gorfodi Cámpora i ymddiswyddo.
[285] Wyres i BLlE.
[286] Ceir baban o'r enw Daniel Harris ar restr mintai'r *Mimosa* (gw. *Yr Hirdaith*, t. 214). Nid oes sôn am Seimon Harris. Enwau brodyr posibl Daniel Harris ar y rhestr oedd John a Thomas. Roedd Daniel Harris yn dad i Sarah Jane Harries de Humphreys, Trelew.
[287] Dywed W. R. P. Geroge yn y rhagair i *Gyfaill Hoff*:

> Pan ddaeth y sypyn cyntaf o lythyrau E.M. at W.G. i'm llaw, anfonais air at Mr.R.BrynWilliams, M.A. Atebodd nad oedd yn ei fryd ef i'w defnyddio; awgrymodd y dylwn fynd ati fy hun i baratoi a chyhoeddi cyfrol o'i llythyrau, ac fe roes enw Miss Tegai Roberts, Gaiman i mi, un o berthynasau agos Eluned, fel un i ymgynghori a hi ynglyn a'm bwriad i gasglu a chyhoeddi casgliad o'i llythyrau ...

[288] Ivan Parry. Bu farw o'r ddarfodedigaeth ym 1908 tra oedd ar ymweliad â Chymru.
[289] '*Callejón*' – y gair Sbaeneg am 'llwybr'/'ffordd fechan'.
[290] Mae'n debyg mai Joseph Jones (1875-1944), Trelew oedd hwn, priod Edith Jones (1879-1927). Cawsant 11 o blant: Hannah, Rachel, David, Robert, Terrigon, Elizabeth, Neivion, Lille Mons, Edith, Lucy a Joseph.
[291] Leticia Jones de Lewis ('Tish'), ei wraig. Roedd hi'n ferch i Rachel a David Jones, Maes Comet ac yn wyres i Elizabeth Morgan a Rhys Williams, Cefn Gwyn a ddaeth o Rio Grande do Sul ym Mrasil i'r Wladfa ym 1867. Bu farw 21 Mai 1973.
[292] Merched Robert Powell Jones, Trelew. Roedd ganddo ef a'i wraig Tydfil 6 o blant: Herbert, Megan, Doris, George, Meira ac Eunice.
[293] Irene (Nini) Williams, merch Margaret a James Williams, priod Douglas Norman. Roedd 'Idi' Lynn yn hanner chwaer iddi, drwy ei bod yn ferch i Margaret o'i phriodas gyntaf gyda George Lynn. Bu farw Edith Lynn Humphreys yn 92 mlwydd oed ym 1996.
[294] Cyhoeddwyd hunangofiant R. Bryn Williams dan yr enw *Prydydd y Paith* gan Wasg Gomer ym 1983.
[295] Glyn Williams, mab RBW. Treuliodd Glyn a Joan Williams, a'u merch Nia, flwyddyn yn y Wladfa tra oedd Glyn Williams yn ymchwilio ar gyfer ei gyfrol *The Desert and the Dream*.
[296] Nofel RBW a gyhoeddwyd gan Argraffty'r M.C., Caernarfon ym 1973.
[297] Cartref Margaret Rees Williams yng Nghricieth.
[298] *Pigau'r Ser* – un o glasuron y cyfnod. Awdur y nofel oedd John Griffith Williams, gŵr cyntaf Margaret Rees Williams.
[299] Cynhaliwyd Cyfarfod Croeso i'r fintai Wladfaol a fu yng Nghymru yn neuadd Dewi Sant, Trelew, 20, Medi 1975.
[300] Owain Sion Gwent, ŵyr i Winnie ac Ifor Owen.
[301] Tilsa, Moira a Vilma – merched Alwina ac Elwy Thomas. (Gw. neges gweplyfr gan Vilma Thomas, rhif 191.)

PENNOD 4

'Dim chwaneg o Wladfa fach dawel a pawb yn hapus' (Llythyrau 1976-1983)

Fy nghof plentyn i am gyfnod y 1970au yng Nghymru oedd mynd i'r gwely yng ngolau cannwyll, colli'r ysgol am nad oedd gwres yno, dim llythyrau drwy'r post, sbwriel ar hyd bob man, a phenawdau newyddion yn trafod yr oedi o safbwynt claddu'r meirw. Ie, cyfnod y streicio oedd hwn a ddaeth i benllanw o dan arweinyddiaeth y Prif Weinidog Callaghan ym 1978 gyda'r '*Winter of discontent*' a hyn yn arwain yn y pen draw at ethol Margaret Thatcher flwyddyn yn ddiweddarach. Dyma'r flwyddyn hefyd y perfformiwyd *Evita* am y tro cyntaf yn Llundain. Y cof arall sydd gen i ydi ceisio cuddio fy nagrau yng ngwasanaeth yr ysgol ar y diwrnod y bloeddiodd Cymru 'NA!' yn groch i ddatganoli. Roeddwn i a'm ffrind wedi ymbalfalu drwy eira mawr gaeaf 1979 i bostio taflenni 'Ie dros Gymru' drwy ddrysau tai etholaeth Lafur Glyn Ebwy. Na, ni wnaeth canlyniad siomedig y Refferendwm ar ddatganoli ddiwedd y degawd ddim i godi ysbryd y Cymro. Cyfnod negyddol efallai, ond yr oedd hefyd yn gyfnod tanllyd, a hynny'n llythrennol. Ym mis Rhagfyr 1979 y llosgwyd y cyntaf o nifer o dai haf. Ychydig fisoedd yn ddiweddarach, ym mis Mai 1980, datganodd Gwynfor Evans ei fwriad i ymprydio oni anrhydeddai'r llywodraeth Doriaidd ei haddewid (yn ei maniffesto) am sianel deledu Gymraeg. Ildiodd y llywodraeth ym mis Medi a chychwynnodd Sianel pedwar Cymru ar ddiwrnod cyntaf mis Tachwedd 1982. Yng ngwersyll yr Urdd yn Llangrannog yr oeddwn i ym 1982 pan alwyd arnom i swyddfa'r pennaeth i weld, ar ei deledu bychan du a gwyn, gyhoeddiad fod Prydain wedi penderfynu mynd i ryfel ar sail rhyw ynys fechan na chlywswn amdani erioed cyn hynny.

Beth bynnag oedd anfodlonrwydd y cyfnod hwn ym Mhrydain, doedd o'n ddim o'i gymharu â helbulon yr Ariannin ar y pryd. Roedd hi'n llanast llwyr yno, fel y dywed Dan Lewis o Buenos Aires ym 1976 mewn llythyr (102) at R. Bryn Williams yng Nghymru:

> Yr ydych yn son am chwyddiant yn yr Hen Wlad. Dyn a'n helpio, nid ydyw ond megys "chwarae plant" i gymharu a beth sydd yn digwydd yma (...) Cym'rwch hyn i ystyriaeth nid oes par o 'sgidia'n costio llai na Chwe chan mil. Liter o laeth yn Dair mil trichant, tra pythefnos yn ol nid oedd yn costio mwy na dwy fil wyth cant ...

Mewn llythyr arall, nas cyhoeddir yma, dywed Dan Lewis wrth ysgrifennu o Buenos Aires at BLlE yn y Wladfa, fis Tachwedd 1976: 'Gwell peidio son am gostau byw mae'n destun rhy drist i draethu amdano. Mae'r chwyddiant yma wedi arafu rhyw ychydig. Gorfoleddwn pan glywn nad oedd wedi codi ond rhyw 7 y cant mewn mis.'

Roedd y sefyllfa'n argyfyngus yn yr Ariannin, ac amhosib yw dianc rhag helbulon y wlad yn y cyfnod rhwng 1976-1983 yn y llythyrau a ddarllenais. Roedd y weriniaeth yn llawn tensiwn ac amryw o'r llythyrau yn adlewyrchu hynny. Ym mis Mawrth 1976 ymyrrodd y fyddin eto gan arestio'r arlywydd Isabel Perón a rhoi'r Cadfridog Jorge Videla mewn grym yn ei lle. Symudodd ef yn sydyn a ffyrnig yn erbyn y chwith gan rwydo unrhyw wrthwynebwyr i'r drefn boliticaidd ac fe laddwyd miloedd yn anesboniadwy. Yn ystod ei deyrnasiad yr aeth llawer o'r *desaparecidos* ar goll. Amcangyfrifir fod y nifer a 'ddiflannodd' yn y cyfnod hwn rhywle rhwng 10,000 a 30,000. Mae'n debyg mai dim ond canran fach bitw o'r rhai a ddiflannodd oedd, mewn gwirionedd, wedi ymwneud ag unrhyw fath o weithrediadau terfysgol. Gelwid ymgyrch y llywodraeth filwrol i buro'r weriniaeth o unrhyw ddylanwad adain chwith yn ystod y blynyddoedd hyn yn *Guerra Sucia* (Rhyfel Budur) ac erbyn heddiw fe gyfeirir at gyfnod y llywodraeth filwrol rhwng 1977-1983 fel y *Proceso*. Roedd jwntâu milwrol yn rheoli'r wlad o dan arweiniad Videla, gan ladd, fe amcangyfrifir oddeutu 30,000 o bobl. Dywed Gwen Thomas mewn llythyr (103) o'r Wladfa ym mis Rhagfyr 1976:

> ... y wlad (...) mewn dyled dros ei phen ai chlustiau i wledydd ereill, pobpeth yn ddrud ac yn dal i godi a llawer o ladd yn erbyn llywodraeth y milwyr, ar rhan fwyaf ohonynt i gyd jest yn bobl dysgedig sef athrawon meddygon twrneiod etc yn ferched a dynion, roeddwn yn gweld ar y papur bod y milwyr wedi lladd 100 drosodd y mis diwedda. Rhyfedd iawn ddim yn gweld llawer o werth mewn bywyd. Mae'r brif ddinas B Aires wedi mynd yn lle peryglus i fyw ynddo. Mae yn ddigon tawel ffordd yma eto, er fod ambell i helynt wedi bod yn Trelew ar cylch.

Ym 1981 olynwyd yr Arlywydd Videla gan y Cadfridog Roberto Viola, fe'i cymerwyd yn wael ac fe'i holynwyd yntau gan y Cadfridog Leopoldo Galtieri. Ceisiodd yr arlywydd newydd hwn ymochel y tu ôl i wladgarwch a chenedlaetholdeb – gan geisio tynnu sylw'r bobl oddi ar drafferthion domestig y wlad. Ym mis Ebrill 1982 lansiwyd ymosodiad ar y Malvinas. Roedd y rhyfel hwn yn gyfleus i Galtieri er mwyn anwybyddu'r llanast economaidd a'r honiadau o lygredd yn ei erbyn. Roedd Thatcher hithau'n barod iawn i fynd i ryfel y Falklands gan ei bod hithau'n isel iawn ym mholau piniwn y cyfnod. Yn wir, roedd y Toriaid yn drydydd y tu ôl i'r SDP ar y pryd, plaid nad oes llawer o'r genhedlaeth iau ym Mhrydain heddiw, mae'n debyg, yn gwybod am ei bodolaeth. Mae'n hen hanes bellach i Thatcher elwa'n wleidyddol ar y rhyfel dibwynt hwnnw. Crynhôdd Jorge Luis Borges deimladau llawer am oferedd y rhyfel pan gyffelybodd yr Ariannin a Phrydain i ddau ddyn moel yn cwffio am grib. Ildiodd byddin yr Ariannin ym mis Mehefin gyda 750 wedi'u lladd a Phrydain wedi colli 255 o'i milwyr. Amcangyfrifir bod dros 300 wedi cyflawni hunanladdiad ers diwedd yr helyntion. Ymddiswyddodd Galtieri dridiau wedi ildiad yr Ariannin.

Roedd byddin yr Ariannin mewn sefyllfa fregus yn dilyn diwedd y rhyfel ac fe'i gorfodwyd tuag at reolaeth sifil eto. Cafwyd cyfres o streiciau cyffredinol ym 1982 a 1983. Cafwyd etholiadau ym mis Hydref 1983 ac fe etholwyd Raúl Alfonsin yn arlywydd newydd yr Ariannin. Ef oedd arweinydd sifil cyntaf yr Ariannin ers 1976. Dechreuodd ar gyfnod o chwe mlynedd o arlywyddiaeth ar y 10fed o Ragfyr 1983. Roedd peth croeso iddo gan y Gwladfawyr gan fod yna, mae'n debyg, waed Cymreig yn llifo drwy ei wythiennau!

Er bod streic bost ym Mhrydain, ni fu prinder llythyrau gan fod y Gwladfawyr yn ei chael yn anodd, oherwydd y gorchwyddiant yn yr Ariannin, i deithio i Gymru. Bu cynnydd felly yn y llythyru. Oedd, roedd y llythyr yn parhau i fod yn gyfrwng pwysig i gadw'r ddolen rhwng y ddwy wlad yn gryf. Er hynny, tinc digalon sydd i nifer helaeth o'r llythyrau. Dywed Elisa Dimol de Davies mewn llythyr (109) ym 1976: 'Disgwyliaf lythur pan dderbyniwch rhain mae'n ddrwg genyf nas gallaf anfon ychwaneg o Drafod, ond mae bobpeth wedi mynd yn ddigalon o ddrud. Yr ydym yn teimlo fel pe buasem yn byw mewn gwlad Newydd, dim chwaneg o **Wladfa fach dawel** a pawb yn hapus. (...)'

Er gwaetha'r costau uchel, roedd y croeso i'r Cymry a fentrodd draw i'r Ariannin yn dal yn frwd. Aeth mwy o dripiau'r 'Mimosa', aeth criw o'r BBC i ffilmio cyfres o'r enw *Plant y Paith* yn ogystal â sawl côr. Ym 1977 aeth Côr Godre'r Aran, ym 1978 aeth Parti Menlli ac ym 1980 aeth Côr Gyfynys draw i'r Wladfa. Roedd paratoi a disgwyl mawr amdanynt fel y dywed Lottie Roberts de Hughes mewn llythyr (119) ym mis Ebrill 1976:

> yden wedi bod yn trio hel dipyn o bres i helpu Cor Godre Aran i ddod yma a wir cawsom lwc reit dda. Pawb yn mynd a teisen neu

> jam taffi, fair bwydidd bysa ni yn deid yn gymraeg "feria de platos" yn Spanish cawsom gwell hwyl nag oedden yn feddwl, mae popeth mor ddrud. Os bydd anghen gallwn neyd un arall siwr, oedd y bobol aeth o Trevelin a Esquel i gyd yn helpu hyd yn od modryb Conie sydd yn 80 oed. Oeddwn yn gweld ar y Cymro bod yna gor arall sef Cor Menlli meddwl dod hefyd tua amser Nadolig gwnawn eun gora iddint pan ddont ...

Darllenais sawl llythyr yn tystio i'r ymweliadau hyn fod o fudd ac yn ysbrydoliaeth i'r Gwladfawyr yn eu hymdrechion i gadw'r iaith a'r diwylliant Cymraeg yn fyw.

Roedd yr eisteddfodau Gwladfaol yn parhau i gael eu cynnal er pob anfantais. Ym 1977 cafwyd 'mini-eisteddfod' ddwyieithog yn Nhrevelin. Ni fu eisteddfod yn Nhrevelin ers deugain mlynedd cyn hynny. Ysgrifenyddes pwyllgor yr eisteddfod newydd oedd Maria Esther a fu yng ngholeg Harlech y flwyddyn flaenorol a dyna brawf bod rhai o'r myfyrwyr a ddychwelodd i'r Wladfa o'r cyrsiau hyn yn cyfrannu'n helaeth tuag at fywyd diwylliannol y Wladfa. Cymysg oedd yr ymateb i Eisteddfod y Wladfa yn ystod y cyfnod hwn. Canmolodd Ivonne Owen Eisteddfod y Wladfa 1980 gan sôn bod yna 'gystadlu brwd' ond gorffenna ei llythyr (113) drwy ddweud:

> Er i llawer geisio ni fu Coroni eleni. Neb yn ddigon da ei safon. Ac aeth y Gadair i Gymru eto. Does ddim pwynt cadw'r gystadleuaeth yma ymlaen, fel ag y mae. Fe fuasau'n well rhoi Cadair am waith rhyddiaith da. Fe ddaw hynny fel bydd rhai bobl yn cilio i rhoi lle i'r to newydd, yr un fath ag y mae popeth arall wedi newid, er llês y tro yma.

Does wybod a effeithiodd rhyfel y Malvinas ar Eisteddfod y Wladfa ym mis Hydref 1982 ond nid ymgeisiodd neb ar gystadleuaeth y gadair ac nid anfonwyd yr un cyfansoddiad barddonol i Gymru i'w feirniadu. Bu farw englynwr olaf y Wladfa, Morus ap Hughes ychydig cyn yr Eisteddfod ac roedd llawer yn gweld hyn fel argoel ddrwg i ddyfodol yr eisteddfod yn y Wladfa. Roedd rhai yn darogan gwae, a dywedodd Walter Ariel Brooks, flynyddoedd yn ddiweddarach: ' ... hyd at yr 1980au roedd glynu wrth y traddodiadau Cymreig a'r hen iaith yn anathema i'r rhan fwyaf o'r disgynyddion ... ' ('Polisiau Addysg, Iaith a Hunaniaeth yn y Wladfa (1900-1946)', *Y Traethodydd*, Hydref 2008, t. 232)

Yn Eisteddfod Genedlaethol Cymru, Caerdydd ym 1978, cynigiwyd gwobr gan Gymdeithas Cymru Ariannin am 'Gasgliad o atgofion am fywyd yn y Wladfa gan bobl sydd wedi byw yno ar hyd eu hoes ac sy'n dal i fyw yn yr Ariannin'. Cyhoeddwyd detholiad o gynnyrch y gystadleuaeth dan olygyddiaeth R. Bryn Williams ym 1980 mewn cyfrol sy'n dwyn y teitl *Atgofion o Batagonia*. Cyhoeddwyd gwaith buddugol y blynyddoedd dilynol mewn cyfrolau eraill: *Byw ym Mhatagonia* (1993) a *Bywyd yn y Wladfa* (2009). Merched fu'r enillwyr ar hyd y blynyddoedd gydag ambell i eithriad prin megis Glyn Ceiriog Hughes, Ifano Evans, Gerallt Williams, Eilyw Pritchard ac Egryn Williams. Mae llawer o'r merched buddugol hynny'n ohebwyr toreithiog a gwelir eu llythyrau yn llenwi'r gyfrol hon. Un o'r rheiny oedd Elisa Dimol de Davies y gwelir un llythyr ganddi yn y bennod hon. Bu farw 'gyda llyfr yn ei llaw' ym 1980, ychydig dros wythnos cyn Eisteddfod Trelew a chwta ddeuddydd cyn ymweliad Côr Gyfynys â'r Wladfa. Diddorol yw gweld sut y cydiodd ei merch, Gweneira, yn yr ysgrifbin er mwyn sicrhau parhau'r ohebiaeth.

Roedd peth gwirionedd yn natganiad Irma pan atebodd lythyr at 'berthynas' ym 1981 gan ddweud: 'Pan ddaw cyfle anfonwch air eto, rwyf wedi gwerthfawrogi yn eithriadol eich bod wedi trafferthu i wneud. O fam i ferch ar hyd y cenhedlaethau y trosglwyddir y gwerthoedd ynte? ... ' (133)

Diddorol yw darllen y geiriau hyn heddiw o wybod mai merch ac wyres i Irma yw rhai o olygyddion *Y Drafod* heddiw.

Mae ambell lythyr yn dod â gorfoledd yn ei sgil, a does dim dwywaith i Irma lawenhau wrth dderbyn llythyr annisgwyl gan berthnasau iddi nad oedd yn eu hadnabod ynghynt:

> Annwyl Berthynas: Efallai y bydd ddoe, yr 8fed o Fehefin 1981 o hyn allan yn cael ei gyfrif fel un o ddyddiau mwyaf hapus fy mywyd i. Daeth fy ngŵr yn ol o dre'r Gaiman a llythyr i mi: Sender – Alun Hughes a'r cyfeiriad. Ei agor mewn tipyn o chwilfrydedd a darllen: Annwyl berthynas 'Wel, wel, meddwn, beth ydi hwn tybed? Oddiwrth bwy y gall o fod' a rhyw hanner meddwl am rywun o ochr fy nhad oherwydd y cyfenw, ond ar yr un pryd yn gwybod bron nad allai hynny ddim bod. Ac ar ol ei ddarllen, rhyw orfoledd am a wn i a deimlais i. Dyma'r gadwyn yn gyflawn bellach, yr unig ddolen oedd ar ol wedi ei chwblhau. Erbyn hyn, diolch i chi yr ydwyf mewn cysylltiad a'r cwbl i gyd o'm teulu annwyl yng Nghymru. (133)

Nid pob llythyr sy'n dwyn newyddion da. Mae'r pellter mawr rhwng y ddwy wlad yn teimlo'n bellach fyth wrth brofi profedigaeth. Mae marwolaeth annhymig Eurwen Griffiths yn dwysáu wrth ddarllen llythyr arwyddocaol o fyr ei mab, René Griffiths, a ninnau'n ei ddychmygu'n derbyn y cebl ac yn ceisio dod i delerau â'i golled gydag wyth mil o filltiroedd yn ei wahanu oddi wrth weddill ei deulu.

Darllenais sawl llythyr yn adrodd trasedïau teuluol, ac efallai mai'r rhai mwyaf dirdynnol oedd y llythyrau'n cyfeirio at foddi dau ŵr ifanc yn yr afon yn yr Andes, sef Hywel ap Cynan Jones a Norman Powell. Prawf, fel yn llythyrau cynnar y sefydliad, o berygl llid yr afon.

Un arall a fu farw yn ystod y cyfnod hwn oedd R. Bryn Williams a dywedodd Gweneira Davies de Quevedo mewn llythyr (nas cyhoeddir yma) at Elizabeth Jones ym 1981:

> Da iawn oedd genyf gael llythur oddiwrthych a newyddion am yr ymwelwyr o'r Wladfa ond trist iawn oedd y newydd gyntaf a gefais am farwolaeth R Bryn Williams. Y mae pawb wedi teimlo yn arw ei golli, gan ein bod yn ei gyfri fel mab o'r Wladfa er mae rhan oi ienctyd dreuliodd yma. (...)

Mae Florence May Williams de Hughes yn ysgrifennu at berthnasau iddi yng Nghymru ym 1981. Bu'n ysgrifennu at y teulu ers 1926 er na wnaeth hi erioed eu cyfarfod:

> ... Hen dro na biasech yn nes atom yma i ni gyd bod efon gilydd am inwaith mewn oes (...) yn eich llythyr roeddech yn holy pwy oedd yn anfon llythyrau ich Mam Mrs Mary Guy yn 1926. Yr in Florence ag sydd yn anfon y llythyr hwn felly nad wyf wedi anghofio am y teulu yna yn Gymry. Am eich annwyl fam ofyn i mi peidio torri cysylltiad efo chi fel teulu pan oedd yn wael ei hiechid. (...) (134)

Roedd yn rhaid i'r teulu yng Nghymru gael cyfaill i gyfieithu llythyrau Florence i'r Saesneg am na fedrent siarad Cymraeg. Dechreuodd Florence ysgrifennu atynt yn Saesneg. Pan fu farw ym 1999 yn 96 mlwydd oed daeth yr ohebiaeth i ben, gan na allai ei phlant yn y Wladfa siarad nac ysgrifennu yn Saesneg ac ni allai'r perthnasau yng Nghymru siarad nac ysgrifennu yn Gymraeg.

Wrth ddarllen llythyrau'r blynyddoedd hyn, synhwyrir bod cyfnod yn dod i ben a chyfnod newydd ar ddechrau. A oedd gohebwyr eraill yn y Wladfa i barhau â'r traddodiad o lythyru rhwng y ddwy wlad? A oedd eu perthnasau yng Nghymru yn siarad a darllen Cymraeg? Tybed a aeth rhai o golofnau'r Wladfa â'r arfer o lythyru yn y Gymraeg gyda hwy i'r bedd?

Cythrwfl y wlad

(101) Rhan o lythyr Shân Emlyn Edwards at May a Glyn Ceiriog Hughes yn dyheu am gael ymweld â'r Wladfa eto.

(Trwy garedigrwydd May Williams de Hughes.)

**Coed y Pry,
12, Lady Mary Road,
Roath Park
Caerdydd.
4ydd o Ebrill '76**

Annwyl Glyn a May,

Wel wir, i feddwl fod blwyddyn gron wedi mynd heibio er pan y bum yn eich cwmni yn y Wladfa. Dylaswn fod wedi anfon gair atoch cyn hyn ond dyna fo, mae'r ffaith bod Gwyn ar gychwyn wedi rhoi hwb i mi anfon at nifer ohonoch. Wn i ddim sut mae hi – ydy'r llythyrau'n eich cyrraedd chi yng nghanol helyntion y wlad? Gobeithio y bydd cyflwr y wlad yn gwella dan yr oruchwyliaeth newydd.[302] Dyna lwcus ichi ddod drosodd yma pan wnaethoch ynte. Gyda llaw – diolch am y llythyr yn diolch am y llyfrau emynau. Ofnaf i'r ymateb i'n sgwrs ar y teledu fod yn gyfrifol iddi fod wedi glawio llyfrau emynau arnoch – doedd y parseli ddim y rhai mwya diddorol i'w derbyn! Roedd y bwriad yn iawn – ond efallai ichi gael gormod!![303]

Dal i fyw bywyd digon prysur yr ydym ni yma yng Nghoed y Pry. (...) Rwyf yn dal i fynd o gwmpas i roi sgwrs mewn gwahanol gymdeithasau ar fy nhro ym Mhatagonia ac yn cael pleser wrth ail fyw y daith bob tro. (...)

Gyda llaw, ces un o ddarluniau Kyffin Williams ar fy mhenblwydd a bum yn y bwthyn – Pwllfanogl Sir Fôn yn nôl y llun. Darlun ydi o o gynhaea alfafa yn fferm Ceri Evans Lle Cul. Mae ar y wal yn syth wrth i chi ddod i mewn drwy ein drws ffrynt. Fe welwch felly nad all neb ddaw yma osgoi Patagonia. Cefais sgwrs ddifyr efo Kyffin – a buom yn sôn llawer amdanoch a Miriam.

Rwyf yn meddwl llawer amdanoch a byddaf yn meddwl mwy nag arfer wrth feddwl bod criw o Gymru yn cael dod draw acw. Fe rown y byd am gael dod efo nhw. Ond pwy wyr na chaf ddod y flwyddyn nesa. (...) Fe newidiodd Nain ei meddwl ar ôl clywed am helyntion Ariannin.[304]

Mae pawb yma yn cofio atoch yn felys iawn. Roedd yn chwith

gen i glywed fod Mrs Cristina Humphreys wedi marw.[305] Rwy'n siwr y bydd o gysur i'r teulu wybod i'w mam gael dod yn ôl i'r "Hen Wlad" cyn diwedd ei dyddiau. Ni wn y cyfeiriad – a wnewch chi anfon fy nghydymdeimlad i Delyth.

Cofiwch fi yn annwyl iawn at bawb.

Shân a'r teulu.

Dechrau cythryblus i'r flwyddyn yma a gawsom. Cafodd Owen a Mari ddamwain yn y car bach – fe daflwyd Mari drwy'r ffenest flaen ac fe gafodd dipyn o niwed i'w wyneb – roedd Owen yn iawn ar wahan i fan gleisiau. Ond diolch byth mae wyneb Mari wedi clirio'n iawn ar wahan i un graith fach – a fydd yno am byth mae arna i ofn. Ond o ddamwain hyll – fe fuont yn hynod lwcus – roedd y car tu hwnt i'w drwsio. (...)

(102) Rhan o lythyr (wedi ei deipio) gan Dan Lewis, Buenos Aires, neu 'Dan y Bugail' – yr enw a roddwyd arno yn Eisteddfod Rhuthun 1973 – at R. Bryn Williams a'i wraig Eunice.

(LlGC 19035 E.1)

Perú 630, Bs. Aires, (1068)
Awst. 5ed. 1976

Gyfeillion Hoff, Ritchie Bryn ag Eunice,
(...) Mawr hyderaf dy fod "Richie" bach, wedi adgyfnerthu'n ddigon i lywyddu yn ein prifwyl.[306] (Which, by the way, is going on as I'm writing this.) Yr oeddwn wedi bwriadu bod yn Cardigan i ymuno a'r cyfeillion annwyl sy'n byw yn yr ardal. (...) Ond methais a dod am fod cost y cludiad ar hyn o bryd tuhwnt i'n gallu yn yr ystyr ariannol. Meddyliwch am foment, mae'r cludiad wedi codi i $1,100 U.S. Travel tax yn ddeg y cant ychwanegol a'r Dollar wedi bod dros $243 – Arg. (new) pesos, sef Twenty four thousand three hundred (old Arg) yr un. Amcangyfrifaf felly fod rhaid cael tua Tri deg miliwn (old) at y cludiad yn unig. Yr ydych yn sôn am chwyddiant yn yr Hen Wlad. Dyn a'n helpio, nid ydyw ond megys "chwarae plant" i gymharu a beth sydd yn digwydd yma. Pob peth yn codi, bron yn ddyddiol, a'n gorfodi brynnu dim ond beth sy'n wirioneddol anghenrheidiol. Pur ychydig sy'n gallu prynnu pâr o 'sgidia' newydd, a mae y siopau yn llawn o weision tra nad oes r'un cwsmer i'w wel'd. Cym'rwch hyn i ystyriaeth nid oes pâr o 'sgidia'n costio llai na Chwechan mil. Liter o laeth yn Dair mil trichant, tra pythefnos yn ol nid oedd yn costio mwy na dwy fil wyth cant. Wel, wel, Dan bach, dyma ti wedi dechrau ar son am beth di-ddiddordeb. "Gad i yn y fana, da ti." Gwnaf, ond gwaetha'r modd dyma un o'r pethau sy'n dod i fewn i bob sgwrs yma heddiw. (...)

Gwelais ar y T.V. stills o'r Frenhines yn cael ei derbyn yn y Ty Gwyn, via satellite. Yr oedd hi'n gwenu'n braf er fod twpdra George 111 wedi troi allan mor gostus. Soniwch am farwolaeth Lew a Daisy. Tybed a ydych yn gwybod fod Rachel (Pwt) Gomez wedi marw hefyd. Pa un ai cynt neu ar ol y digwyddiadau hynny nid wyf yn cofio'n iawn. Dyma'r rhai sy'n fyw o deulu Henry Jones. Gwenno (gweddw Lew), Luisa Maud (gweddw Giraldez) Matthew Henry (sef Cachw, peidiwch ynghanu'r gair ond yn Spaeneg – mae'n swnio'n hyll yn y Gymraeg) ag Ifano. Dwedodd y diweddaf wrtho i fod M.H. yn ysgrifennu Hanes y Wladfa yn Spanish a'i fod wrthi ers blynyddoedd. (...)

Chwi welwch fod y peiriant sgwennu yma wedi strancio o wel'd Cymraeg mor sâl a theipio mor wallus. Erfyniaf faddeuant am y gwallau niferus a'r iaith mor anystwyth. (...) A oes unrhywn un heblaw Dan eich cyfaill yn meiddio galw BRYN – yr Archdderwydd, yn Ritchie Bryn? (...) Nid wyf yn gwybod pwy sy'n strancio 'nawr. P'un ai myfi, neu'r peiriant bach sy'n gwaeddi "GORFFEN, GORFFEN" (...)

Dan.

(103) Rhan o lythyr Gwen Thomas (mam Elwy Thomas, gŵr Alwina Thomas) at deulu Elizabeth Jones, Braichceunant yn cyfeirio at y newid yn yr hinsawdd, problemau economaidd yr Ariannin a'r trais yn Buenos Aires. (Bu Gwen Thomas yn aros ym Mraichceunant ym 1975.)

(Trwy garedigrwydd Beryl Griffiths.)

15 12 76 La Paz 223
9107 Dolavon
Chubut
R Argentina

Mr Robert Jones ar teulu
Annwyl gyfeillion.
Wel nid wyf wedi ysgrifenu atoch ers tro byd. (...) Rwyn dal i gael llythyron oddi wrth Marion Elias o hyd. Ac yn cael dipin och hanes tua Llanuwchllyn. A chefais y "Cymro" ac roedd yn dweyd fod Lady Edwards a rhyw ferch or enw Norma Isac yn dod ir Wladfa mis yma. (...) Amser iawn achos mae yn haf yma, er mae haf digon sal ydym wedi gael hyd yn hyn. (...) Yr heater ar fynd a rwan mae yn gwlawio bob dydd ers jest i wythnos nes mae lle yn ddwr ac yn fwd. Dydw i ddim yn mentro allan fawr, achos y fath dywydd ar ffermwyr a gwair etc ar y llawr. Bydd colled eleni eto run fath ar haf diwedda. Ac rwyn deallt bod chwi wedi cael haf sych iawn yna a phrinder dwr. Mae rhyw newydd yn y tywydd y blynyddoedd dwedda yma. Dani yn lwcus or Argae fawr sydd genym, a bod ffosydd i ddyfrio. Ond mae yn ddrwg yn y wlad yma ar hyn o bryd. Y ddynes felldith[307] ai hil wedi dyfetha y wlad ai gadael yn dlawd ac mewn dyled dros ei phen ai chlustiau i wledydd ereill, pobpeth yn ddrud ac yn dal i godi a llawer o ladd yn erbyn llywodraeth y milwyr, ar rhan fwyaf ohonynt i gyd jest yn bobl dysgedig sef athrawon meddygon twrneiod etc yn ferched a dynion, roeddwn yn gweld ar y papur bod y milwyr wedi lladd 100 drosodd y mis diwedda. Rhyfedd iawn ddim yn gweld llawer o werth mewn bywyd. Mae'r brif ddinas B Aires wedi mynd yn lle peryglus i fyw ynddo. Mae yn ddigon tawel ffordd yma eto, er fod ambell i helynt wedi bod yn Trelew ar cylch.

Buom ni yn lwcus o ddod yna pan y daethom miliwn 500 oedd y pass yn ol ac ymlaen yr adeg hyny on arian ni, rwan mae yn 25 miliwn. Rwyn meddwl bod hi yn well i chwi ddod yma yn ol gwerth yr arian nac i ni ddod yna. Siwr y dowch erbyn yr Eisteddfod y flwyddyn nesaf. Pawb rwyf wedi weld wedi bod yn yr Eisteddfod yn dweyd ei bod wedi bod yn dda iawn eleni, ond dipin yn faith, tua 3

or gloch arnynt yn gorffen. (...)

Melys cofio am yr amser oeddym yna efo chwi (...) Nid wyf wedi gweld Tegai ar ol dod yn ol, ond mae mor brysir. Merch dda ydyw Tegai yn helpio mewn pob cymdeithas. Lottie yn ysgrifenu yn aml.[308] Olga a Magie yn iawn.

Wel Nadolig llawen a Blwyddyn newydd dda i chwi i gyd

Cofion anwyl atoch

Anti Gwen

(104) Rhan o lythyr Elwy Thomas a'i wraig Alwina at Shân Emlyn ac Owen Edwards yn trafod rhyfel y Malvinas.
(Eiddo Mari Emlyn.)

Buenos Aires
20.7.82

Annwyl Shân ac Owen:
Erbyn hyn Shân, y mae dy lythyr dros fis oed a theimlwn yn euog na fuasem wedi ei ateb yn gynt; yn wir yr oedd yn dderbyniol iawn a diolchwn amdano (...)

Y mae'n gysur mawr gennym ddeall fod eich teimladau chwi yna yn rhedeg yn gyffelyb a'n rhai ni; a gallwn eich sicrhai nad ydym ond yn gofidio am y rhyfel erchyll fu rhwng ein dwy wlad (ni allwn ei enwi yn amgenach er fod y ddwy yn hoff o'i ystyried ac 'euphemisms' fel gwrthwynebiad etc.!) Ni all y corachod sydd yn ein llywodraethu adgyfodi'r meirw na chysuro eu rhieni er gymaint y siarad gwag am wleidyddiaeth mympwyol a di-reswm. Ddim ond gobeithio y gwna'r 'fisaco' yma newid dipyn a'r agwedd y genedl i roi mwy o bwys at rinwedd sydd yn amhoblogaidd ar y naw yn yr hen fyd yma; sef gwyleidd-dra. Son am y newyddion brawychus, bu ein llywodraeth mor ddoeth a meddwl nad oeddem ond rhyw blant heb ddod allan o'r 'kindergarten level' gan ein cadw yn y dirgelwch hollol yn ystod yr helynt fel yr oeddem wedi mynd mor ffôl a chyd-maru ein hunain fel y Persiaid gynt a'u lluoedd buddugoliaethus yn llifo dros yr Aifft a Groeg!, nes daeth y 'cold reality' i'n plith. Dyna un o resymau am deimlad cyffredinol ein pobl yrwan, siom fawr a 'chydig o ffydd yn y dyfodol, mae wir angen arnom linellau Cynan "Am sicrwydd, sicrwydd ... ", a'r 'establishment' milwrol wedi cael tori eu crib yn arw (un o'r canlyniadau da ...) ac wedi colli ei gyfaredd mawreddog i'r werin, yn y rhain y mae'r esiampl o rywun wedi taro ei ben mewn cwch gwenyn yn un ddigon priodol!

At ei gilydd 'rydym ni yn iawn, gwir ddywedaist am ein mwyn-hâd efo'r wyres fach (Virginia). Mae hi'n dros chwe mis yrwan ac ni wyddom p'run yw'r gwirionaf amdani, ei theidiau neu ei rhieni ... (...)

Rhagolygon arnom i deithio allan o'r wlad yma yn mynd yn deneuach o hyd, ein harian di-werth eto wedi cael ei wthio yn bel-lach i'r caddug (70% 'devaluation' ers pythefnos yn ol).

Yr ydym wedi darllen un neu ddwy o dy ysgrifau yn y Drafod, diddorol iawn, ond beth sydd yn gyfrifol, ysgwn i, am y dant lleddf a

lithra i enaid pawb a ysgrifenna'r hen iaith hon?

Disgwyliwn eich gweld yr Hydref.

Cofion goreu atoch i gyd, ac eto, diolch am ysgrifennu,

Alwina a Elwy.

Teulu Twyn Carno ar achlysur penblwydd William Davies yn 80 mlwydd oed ym 1987
(Trwy garedigrwydd Robin Gwyndaf)

(105) Rhan o lythyr Meillionen Jones de Davies (1910-2007) at Robin Gwyndaf. Gyda theulu Meillionen Jones de Davies y bu R. Gwyndaf yn lletya yn Nhwyn Carno[309] pan oedd yn aros yn y Wladfa adeg dathliadau'r canmlwyddiant. Symudodd Meillionen a'i theulu i'r Gaiman ganol 1966. Wedi clywed am ei marwolaeth, ysgrifennodd Robin Gwyndaf gerdd er cof amdani a gyhoeddwyd yn *Y Drafod* (Haf 2008). Dyma ddyfyniad o'r gerdd:

Pan oeddwn innau'n ifanc,
Rhennaist â mi wres dy gariad,
A rhoi i mi obennydd
Draw ymhell o'm bro.

Flwyddyn ar ôl blwyddyn
Parhau i rannu a wnaethost ti;
Agor dy galon mewn llythyr,
A rhannu mewn geiriau ofidiau a llawenydd
D'anwyliaid a'th gydnabod,
Hyd nes i lesgedd ei hun dy lethu.

(Trwy garedigrwydd Robin Gwyndaf.)

AV E TELLO 759
(9105) GAIMAN
CHUBUT
ARGENTINA
Rhagfyr -8- 1982

Anwyl Gwyndaf a'r teulu

... yr ydym ni yma yn eithaf, ond dim i fyny ar "marc". William yn llesg ei iechyd, wedi bod yn yr Hospital yn Trelew am rhai dyddiau o herwydd anwylder oedd yn ei flino, yr "arteriaws clorosis" yn ddrwg arno. Ond mae ychydig yn well wedi cael dod adref unwaith eto, yn pasio y rhan fwyaf oi amser yn awr yn y gader a "wheels", mae wedi altro llawer iawn i beth oedd pan oeddech chwi yma yn y Wladfa. Y mae yn dymuno i mi anfon ei gofion atoch yn fawr, a pitio na fuasa yn cael eich gweld unwaith eto, piti fod y pellter mor bell ynte? (...)

Cawsom aeaf caled iawn eleni, damprwydd mawr a glaw trwy'r gaeaf, a llawer o salwch yn ei ganlyn. Tebyg i chwi glywed am farwolaeth Mrs Richard James, tad Eileen gwraig Dewi Mefin fy mrawd. Chwith ydyw ar ei ol mewn llawer cylch yn y dyffryn ...

Buom yn bryderus iawn yn ystod helynt y "*Malivinas*" da i bethau *stopio* yn fuan, mae'r wlad yn gorfod diodde ar ol hyny, popeth wedi mynd fyny yn ei prisiau, yr ydym yn pasio "crisis" ofnadwy yma. Nid ydym yn gwybod beth sydd yn mynd i ddigwydd yn y dyfodol. Gobeithio daw pethau yn well.

Hyn o air am heddiw, gan anfon ein cofion mwya anwyl atoch oll fel teulu.

Eich ffryndiau o'r Wladfa
Meillionen a'r teulu.

(106) Rhan o lythyr gan Alwen ac Anson Roberts o Esquel at Shân Emlyn Edwards a'r teulu yn crybwyll helyntion y Falklands.

(Eiddo Mari Emlyn.)

Alwen ac Anson Roberts yng Nghymru ym 1975. Yn y llun gyda hwy mae Shân Emlyn a'i dwy ferch – Elin Angharad Edwards a Mari Emlyn
(Eiddo Mari Emlyn)

Esquel Chubut
Mehefin 21 – 1983

Annwyl Shân, Owen, Elin a Mari:

(...) Wel syd mae pob un ohonoch, gobeithio eich bod yn mwynhau iechyd fel ninau a bod Owen wedi llwyr wella erbyn hyn, gweld ei hanes yn y Cymro yn aml hefo'r S4C. Y Cymro diwedda ddaeth i law mi roedd llun y Parch. Gareth Maelor ac Elvey Macdonald (hefor Urdd), nid ydym wedi derbyn Cymro ar ôl y 24 o Fai peth rhyfedd yr oedd yn arfer dod yn gyson bob wythnos. Hen dro fu yr helynt rhwng y ddwy wlad a ninau yn barod i fynd drosodd, a chwithai yn meddwl dod atom yn mis Ebrill, gobeithio y daw pethau yn well yn nes ymlaen. Yr oeddych yn sôn yn eich llythyr diwedda (a diolch amdano) am gael rhywun i fynd i Harlech, maent wedi ei roid o flaen cyfarfod y Cymdeithas Gymraeg, ond ni chredaf fod yna rai am fynd yn enwedig gorfod talu y tocyn. Mae Mary Green yn Bs. As ers dros 2 fis yn disgwyl am "visa" i fynd ymlaen i Gymru, ac mae Charlie a Margarita Green wedi cael mab bach arall (...) Mae Anson eisieu i fi ddweyd ei fod o yn gobeithio na fyddwn wedi mynd yn rhu hen i allu mynd i edrych amdanoch, cyn i Mrs Thacher ar Argentina ddod i ddealltwriaeth; mae yma dipyn o symud yn y wlad ar gyfer yr etholiad Cyffredinol sydd i fod y 30 o Hydref. Yr ydym wedi derbyn 20 o lyfrau cymraeg oddiwrth Mr Alun Creunant Davies o Aberystwyth, pawb sydd ac awydd darllen Cymraeg yn cael hwyl arnynt, maent yn dderbyniol iawn, mi rydwyf wedi anfon nodyn i ddweyd ei bod nhw wedi cyraedd yn ddiogel, ac i ddiolch am danynt.

(...) Wel Shân fach pryd ydach chi yn meddwl am ddod eto drosodd maen edrych yn go ddu arnom ni gydar helynt gas yma

sydd wedi bod, gobeithio y daw pethau yn well gydag amser ynte? (...) Wel deulu anwyl dim rhagor y tro yma, maddeuwch i mi unwaith eto am fod mor hur heb ysgrifenu yn ôl. Hyn gydar cofion mwyaf anwyl atoch i gyd.

Oddiwrth Alwen a Anson

(107) Rhan o lythyr Meinir Evans de Lewis at Margaret Rees Williams yn trafod canlyniad yr etholiad a'r arlywydd newydd Alfonsín.

(Trwy garedigrwydd Margaret Rees Williams a'i merch Ann Gruffydd Rhys.)

Trevelin
Dydd Nadolig 1983

Anwyl Margaret.

(...) Cefais fy mhlesio efo'r etholiad, fi, ar rhan fwyaf o bobl Argentina, mae'n gobaith ni rwan yn y dyn yma, mae hwn ydi yr un oedd ei angen ar y wlad, a wyddost ti? Mae na dipyn o waed Cymreig ynddo. Roedd taid ei fam, wedi dod o Gymru tua'r flwyddyn 1900, ond ddim i Chubut, arhosodd o gwmpas Bs Aires yn rhywle, yn ffarmio a cadw anifeiliaid, priododd ferch i sbaenwyr, gallegos; Jhon Foulkes, a dyna oedd enw ei fab, taid y president mae ei fam yn fyw, yn 77 oed, Ana Maria Foulkes: mae yn edrych yn ddyn plaen a nobl, os caiff lonydd i gario ei syniada ymlaen. Mae na amryw o faterion pwysig ag anodd yw setlo, ag mi fydd angen llawar o ddoethineb arno. (...)

Cofion at bawb rwyf yn nabod, a chofion cu iawn at deulu Llys Owen, bob un. Muchos carinos y un beso para ti.

Cariad mawr
Meinir

'Helo helo'

(108) Llythyr Sion ab Ifan Edwards (7 oed) at Erik Iolo Green. Mae Erik yn un o bedwar plentyn Vera a Fred Green. Anfonwyd y pedwar yn eu tro i gael addysg yng Nghymru. Anfonwyd Charlie a Mary i Gymru am ddwy flynedd, ac yna daeth Alwen a'i brawd Erik i Gymru ym 1977. Aeth Alwen i warchod plant Prys a Cath Edwards, sef Lisa Mair Edwards a Sion ab Ifan Edwards gan dreulio un diwrnod yr wythnos yng Ngholeg Addysg Bellach Aberystwyth ac yn Swyddfa Urdd Gobaith Cymru. Aeth Erik i Foelcathau, Llangernyw, gan fynychu Coleg Amaethyddol Llysfasi un diwrnod yr wythnos.

(Trwy garedigrwydd Alwen Green de Sangiovanni.)

Bryn Aberoedd
Cae Melyn Aberyst
Wyth

Annwyl Eric
Torodd y bwa saeth wrth i mi chwarae gydage.
Felly neidi neid un arall os gwelwch yn dda.
Helo helo.
Siôn Edwards

Eisteddfodau'r Wladfa

(109) Rhan o lythyr Elisa Dimol de Davies at Eiddwen Humphreys yn rhoi cofnod o Eisteddfod y Wladfa 1976.

(Trwy garedigrwydd Ivonne Owen.)

Nov 5 1976

Annwyl Ffrind Euddwen,

(...) heddiw Nov 5 Derbyniais "Cwmnnu'r Pererinion" oddiwrth Yvonne Owen, wedi ei archebu gan Mrs Elizabeth Jones Braich Ceunant.

Byddwch mor garedig a rhoddi Diolch iddi drosof fi. Mae y llythur yma i chwi fel Cyfeillesau ar Drafod er mwyn i chwi gael ein hanes yn yr Eisteddfod. Cawsom Eisteddfod ragorol o dda. Diwrnod braf i ddechreu, ar cwrdd prydnawn o 3 o'r gloch hyd 6 ac yna pawb i gael te – oedd 15eg o rai diarth yma, yna dechreu cwrdd nôs am 8 tan 2 o'r gloch. Boreu Dydd Sul, Cystadlu ardderchog ar bobpeth. Ieuan Morgan – Machynlleth Powys enillodd y Gadair. 3 ymgeisydd Cadair hardd iawn, ni welais erioed yr un debyg iddi, wedi cael ei gwneyd gyda gwahanol goed o'r Andes, ac wedi cael ryw hên Goeden o ardd Mrs John Freeman rhyw liw llwyd yn sgleinio fel Varnis. Y saer oedd Hywell Ap Cynan Jones – ac mae wedi rhoddi y coed ai waith yn rhâd ir Eisteddfod, er côf am ei dad fel Bardd y Wladfa, oedd ef wedi enill 4 Cadair.[310]

(...) Rhyw foneddiges o Esquel enillodd y Goron ar y farddoniaeth Ysbaeneg. 25 yn ymgeisio ei henw oedd Maria Julia Aleman de Brand.[311] Mae hi yn or wŷres ir Parch David Lloyd Jones un o'r Hen Wladfawyr, ac oedd hi yn ceisio am y goron er's 8 mlynedd. Dyfal gnoc a dŷr y garreg ynte? Daliwch sylw yr holl Gorau oedd yn cystadlu. Dyn o B. Aires gyda Delyth Ll Evans de Jones oedd y Beirniaid.

Rhanwyd y Gwobrwyon yn dda iawn. 5 Côr yn cystadlu ar "Moliant i Dduw" ond ychydig iawn oedd o Gymru – a canodd y 5 Côr gyda ei gilydd yn hyfryd. May Williams de Hughes, ei chwaer Neved, Elena Arnold a dwy arall yn enill am gyd-adrodd "Hiraeth" o waith Parch Nantlais Williams cawsant y wobr. Egryn Williams[312] a May Williams de Hughes yn enill gwobr ar haner, ar yr ysgrif "Taith i Gymru".

Nid wyf yn cofio dim arall neullduol ond bu cystadlu iawn ar bobpeth a pawb yn canmol yr Eisteddfod. Bu May Hughes a

Gweneira yn brysur iawn drwy'r dydd, ac wedi blino yn arw iawn. Enillais i ddwy wobr hefyd, Gweneira oedd yr Ysgrifenydd eleni. (…)

Oedd Gymanfa Ganu yn Bethel Gaiman Hydref 31 – a canwyd Emyn er Côf am Mrs Garner.[313] Rhoddwch ein Cydymdeimlad i Mrs E.R.Williams a fu yn Gyfeilles ffyddlon i Mrs Garner ar hyd y blynyddau. (…)

Disgwyliaf lythur pan dderbyniwch rhain mae'n ddrwg genyf nas gallaf anfon ychwaneg o Drafod, ond mae bobpeth wedi mynd yn ddigalon o ddrud. Yr ydym yn teimlo fel pe buasem yn byw mewn gwlad Newydd, dim chwaneg o *Wladfa fach dawel* a pawb yn hapus. (…)

Cofion annwylaf
Oddiwrth Eich ffrind Mrs Davies

(110) Rhan o lythyr Meinir Evans de Lewis at Margaret Rees Williams o gartref ei merch a'i mab-yng-nghyfraith (Manon a Norberto) yn Almafuerte, Córdoba yn ceisio dwyn perswâd arni i gystadlu yn Eisteddfod y Wladfa. Enillodd Margaret Rees Williams y gadair yn Eisteddfod y Wladfa ym 1978 a 1979.

(Trwy garedigrwydd Margaret Rees Williams a'i merch Ann Gruffydd Rhys.)

Awst 1. 1977.

Annwyl Marged. (...) ¿beth am drio yn eisteddfod y Wladfa y flwyddyn nesa? Mae braidd yn hwyr i drio leni, mi anfonaf y testyn i ti, ag mi af ymlaen ir gader yn dy le di, os na fyddi di wedi gallu dod drosodd; roedd [?] steddfod ar droed yn trevelin erbyn diwedd Awst, dwy iaith, mini eisteddfod maent yn ei galw yma oes dim eisteddfod wedi bod ers pedwar deg o flynyddau siwr;[314] gobeithio y bydd yn llwyddiant i ailgychwyn petha: dwy flynadd ir dyddia yma mi oedda ni yn Criccieth yn mynd ir steddfod bob dydd, dyna'r peth gora ydw i wedi gael yn fy mywyd oedd cael mynd i Gymru ag mae gen i hiraeth mawr yn amal am yr amser bendigedig gawsom yna, gyda chi; mae na edrych ymlaen yn Chubut am ymweliad cor Godre'r Aran, mi yda ni wedi bod wrthi yn hel arian ar gyfar gwneid croeso iddi nhw.[315] ¿Yda chi yn cofio ni yn mynd i weld y ddynas hono yn Llanrwst, am fy mod yn nabod ei brawd? Wel, mi fuo'r hen greadur farw, chydig cyn i fi ddod yma, a dyna'r diwedda or criw ddaeth i Gwm Hyfryd or Hen Wlad. (...)

Wel Mag, gobeithiaf gael llythur yn fuan, gobeithiaf hefyd fod pob un ohonoch yn iawn (...) Mi fyddwch yn eisteddfod Wrecsam y dyddia yma siwr. Dyna fi wedi dod i ddiwedd y ddalen yma.

Cofion lawer iawn
Cariňos y un beso
Meinir

(111) Rhan o lythyr Meinir Evans de Lewis at Margaret Rees Williams yn ceisio dwyn perswâd arni i ddod i'r Wladfa. Dyma'r llythyr cyntaf gan Meinir lle mae'n defnyddio 'ti' a 'titha' wrth ysgrifennu at ei chyfeilles gohebu.

(Trwy garedigrwydd Margaret Rees Williams a'i merch Ann Gruffydd Rhys.)

Trevelin. Rhagfyr 11 1977

Annwyl Marged.

Nos Sul, a fina wedi dod ir gwely, ddim gymaint am fod eisia cysgu arna i, ond am fy mod ar ben fy hun, ag yn "aburrida"[316], ¿wyt yn cofio ystyr y gair yna? Wyt, mae'n siwr, wel, felly ydw i heno, a dyma fi yn cofio fod arna i lythur i ti (mi ydw i am ddweid ti yn y llythur yma, drwyddo), roeddwn i wedi bod yn sgrifenu i Manon, glamp o lythur mawr, a dyma fi rwan yn sgrifenu hwn, ag yna mi fydda yn gallu disgwyl rhai. (...)

¿Pam na chei di ddwad i Drevelin? Wel, fealla mae dipyn o ddiffyg penderfyny ydi o, yn un peth, ofn yr avion, yn ail beth, ond mi ydw ina yn dal i feddwl *y* doi di *rhyw* ddiwrnod, ond *tyd cyn* i ti fynd yn rhy hen i fwynhau, mae na gor yn son am ddod yn Hydref y flwyddyn nesaf, mi fasa yn gyfla iawn i gael dod mewn cwmni, mi anfonaf dystynau y Steddfod i ti, a tyd drosodd efo'r cor, i nol y gader, mi fasa yn hwyl yn bysa rwan?[317]

Roeddwn yn falch o wybod bod y beibl wedi cyraedd pen ei daith yn saff, ai fod wedi cael croeso, y salm fyddai y yn licio darllan yn sbanish ydi'r 139, ar 65 hefyd, mae y ddau gen i wrth y gwely, y cymraeg ar sbanish.

Mi ddaru mi fwynhau mynd ir steddfod,[318] er i mi ddim enill ar ddim, ond mae y paratoi ar daith i lawr yn hwyl fawr, enillodd Gweni, fy chwaer, ar stori fer, yn sbaeneg, ewyrth Egryn[319] am gyfieithu leni, darn or "Ogof" oedd o, anodd iawn. Irma[320] enillodd y gader, mae hi wedi enill dair gwaith or blaen, ag athrawes o Drelew, y goron, am farddoniaeth yn yr iaith sbanish.[321] Mae na gor meibion wedi dechra yma ar ol ymweliad Godre'r Aran, ag mae yr hogia ma yn deid ma godre'r Nahuel Pan ydi o, enw indiad ar un or mynyddoedd yma ydi Nahuel Pan. (...)

Dyma fi yn anfon testynau y farddoniaeth i ti. Cofia di drio ar rhai ohoni nhw. Wel rwy'n gorffan rwan, gan ddymuno Nadolig Lawen iawn i chi i gyd a Blwydd newydd dda a hapus.

Cofion annwyl iawn, fel arfer

Meinir (...)

(112) Rhan o lythyr Elen Jane Owen de Owen (Nel Owen) o Drevelin at Elizabeth Jones yng Nghymru yn trafod y gwahanol eisteddfodau yn y Wladfa.

(Trwy garedigrwydd Beryl Griffiths.)

Nel Owen, Trevelin 2007
(Eiddo Mari Emlyn)

Trevelin
28 – 9 – 80

Annwyl Mrs Jones.
(...) Bum 10 dywrnod oddi cartre ac yn y Gaiman hefo Catherine bum yn aros ar hyd yr amser cefais amser difir iawn fe ddaru Catherine a fine sgwrsio oriau credaf a chael hanes y daith i Gymru. Dwy wrth fy modd yn y Gaiman a gymaint o ffrindiau anwyl yno. Mi ath yr amser yn brung bum ddau ddywrnod yn cael cinio a the yn Coetmor Dewyth Elias[322] yn dod i fy nol a mynd heibio aml i un ar y ffordd. Mynd i Trelew ddim ond at Dr y llygud i newyd fy spectol a dywrnod Steddfod y Bobl ifanc wrth gwrs y 6ed o Fedi.[323] Hwyl ardderchog yno ddim llawer o gystadlu yn gymraeg ond mae lot o betha yn ddweddar mi oedd plant y Gaiman yn cystadlu yn mini Eisteddfod Trevelin go fuan wedyn mini Eisteddfod Capel Moriah Consart Gwyl y Glaniad. Canol Awst mini Eisteddfod y Gaiman. Hwyl garw a chystadlu ar bopeth yno haner awr wedu haner nos arno nhw yn gorffen a Steddfod Plant Trelew a maer plant yn mynd ir ysgol. Diddorol iawn oedd yn y rhagbraw yn hen gapel Gaiman nos wener gunt 30 o blant bach o dan bedair oed yn cystadlu ar yr unawd yn Sbanish dim ond 13 ar y solo gymraeg dan 6 oed. Paratoi ar gyfer Steddfod fawr Trelew sydd rwan; Cor Trevelin yn paratoi ysgol gân dair gwaith yr wythnos. (...) derbyniwch chwi fel teulu y cofion anwylaf oddi wrth

NEL

(113) Llythyr Ivonne Owen at Elizabeth Jones yn disgrifio Eisteddfod y Wladfa 1980.

(Trwy garedigrwydd Beryl Griffiths.)

Catamarca 247
(9100) TRELEW
Chubut
Sul y 26 ain Hydref 80

Anwyl Elizabeth

Diolch yn fawr am eich llythyr caredig. Do, fe fu yn amser anodd iawn. Hapusrwydd o fod gartref yn gymysg a hiraeth am gollu un mor annwyl.[324] Ond, oes, y mae addewid i Gristion, ac yr ydw i wedi cael fy nysgu i gredu hynny.

Daeth Côr Gyfynys ac ysbrydoliaeth i'r Wladfa unwaith eto. Yr ydym wedi mwynhau ei cwmni'n fawr. Y mae llawer wedi dweud wrthym mai, er safon eu canu (ddim cyn ddeniadol â'r Corau meibion) dyma'r cwmni mwyaf hapus y maent wedi eu cael eto. Fe fum i fy hun tipyn yn eu cwmni, ac yn eu mwynhau, mae'n rhaid i mi ddweud – y maent yn agored iawn i'n derbyn fel ag yr ydym ac y mae pawb yn teimlo'n gartrefol.

Eisteddfod da iawn y cawsom ddoe, a chystadlu brwd. Gwelais gwahaniaeth mawr er i mi adael. Y nodyn drist oedd clywed Mrs Dimol Davies yn ennill cystadleuaeth, un ar ôl y llall a hithau wedi ein gadael yr wythnos diwethaf.[325] Fe gyflwynodd Gweneira'r gwobrau i gyd i Mrs Irma Jones, fel un a fu yn gynorthwy mawr i'w mam.

Er i llawer geisio ni fu Coroni eleni. Neb yn ddigon da ei safon. Ac aeth y Gadair i Gymru eto. Does ddim pwynt cadw'r gystadleuaeth yma ymlaen, fel ag y mae. Fe fuasau'n well rhoi Cadair am waith rhyddiaith da. Fe ddaw hynny fel bydd rhai bobl yn cilio i rhoi lle i'r to newydd, yr un fath ag y mae popeth arall wedi newid, er llês y tro yma.

Wel cofion cynnes iawn at bawb a phob lwc i Beryl

Yvonne

(114) Rhan o lythyr Meinir Evans de Lewis at Margaret Rees Williams yn sôn am Eisteddfod Trelew.

(Trwy garedigrwydd Margaret Rees Williams a'i merch Ann Gruffydd Rhys.)

Trevelin
Rhagfyr 12 1982

Annwyl Margaret. Gair yn ateb i dy lythur diweddaf ddaeth i law bythefnos yn ol. Diolch i ti am dano, a diolch hefyd fod pethau wedi taweli fel i ni alli sgrifeni at ein gilydd fel cynt. (...)

Buas yn y capal y bora. Gwag iawn oedd hi yno heddiw, mwy neu lai fel rwyt ti yn son am eich capeli chwi yna.¿beth sydd yn bod? Mi fuo ni yma am hir heb weinidog ond mae yma un wedi dod ers deg mis, dyn ifanc hwyliog a bywiog ond ydi hi yn gwella fawr. Mae na ryw ddifaterwch ofnadwy, y rhieni ddim yn poeni am ir plant gael Ysgol Sul na dim.

Mi gawsom Eisteddfod reit dda yn Trelew yn Hydref[326], mi gawsom ni bleser mawr wrth ddysgi a chanu wedyn, Gair ein Duw or Caniedydd. Mae yn fendigedig. Daethom yn gyntaf allan o dri parti,[327] yn Tregarth, Gwyn Jones, i barti hyd 25 o leisiau: ar ol y steddfod, yn tachwedd cawsom gynal cyngherdd yma yn yr ysgol Cor Esquel a ni, mae Elda, chwaer Rini wedi dod i fyw i Esquel ers rhai misoedd ag mae wedi hel criw iawn at ei gilydd i ganu ag hefyd mae wedi gwneid cor bobl y gymdeithas gymraeg, pobl mewn oed ydi rhain bron i gyd, mi fuo na hwyl fawr ar ddiwedd y cyngherdd y tri cor yma yn cydganu Diadem a Calon Lan. (...)

Menna a Eli wrthi yn hel stroberis bob dydd, mae na ryw gnwd anferth yno leni, a rheini yn fawr, fawr, maent yn hel bob dydd, saith neu wyth kilo, mae Iola wedi bod yno am wythnos yn ei helpu i hel a gwneid jam. Mi fuo hi yma wedyn am wythnos arall, ag mi yda ni wedi bod yn siarad a cofio am Gymru bron gydol yr amsar. (...)

Cariad mawr fel arfer
Meinir

Marwolaeth Eurwen Davies de Griffiths

(115) Llythyr Eurwen Davies de Griffiths o'r Wladfa at Elizabeth Jones yng Nghymru yn gwerthfawrogi derbyn llythyr ac yn crybwyll fod ei mab, René yn edrych 'fel hippie' yn y lluniau a dderbyniodd!

(Trwy garedigrwydd Beryl Griffiths.)

Gorffenaf 11 1977

Anwyl deuli i gyd

Cyrhaeddais yn ol o Maiami, a balch iawn oeddwn o gael llythur oddi wrthych, cawsom dair wythnos yw chofio, neb oeddwn yn ei nabod wrth gwrs, ond y wlad yn hyfryd, a glan y mor ar dwr yn gynes anfonais garden, gobeithio eich bod wedi ei derbyn, hefyd oedd llythur a lluniau oddi wrth René, ac yr ydwyf wedi ei hateb yn sith, a dweid dipin o drefn wrtho, nad wyf yn licio y gwallt hir ar farf sydd ganddo mae yn edrich fel hippie yn union, wel gobeithio fod eich trefniadau yn mynd ymlaen, ac y daw pobpeth yn hwylus, gobeithio fod nain[328] wedi gwella cofiwch fi ati a teuli Mei a Jane a Jac[329] disgwyliaf am weld rhau o honynt yr hydref, faint sydd yn dod heblaw y cor tybed, mae Cwrdd Cystadleuol yn ei wneid yn Trefelin diwedd Awst ac mae rhau o honom yn meddwl mynd yno, wel hyn am y tro, cofion anwyl iawn atoch y gyd,

Eurwen

(116) Llythyr Eiddwen Humphreys a oedd ar ymweliad â'r Wladfa at Elizabeth Jones yng Nghymru yn ei hysbysu o farwolaeth Eurwen Griffiths.

(Trwy garedigrwydd Ivonne Owen.)

7.3.78
Llwyn Celyn Gaiman

Anwyl Elizabeth,

Y mae yn well i chwi eistedd i lawr cyn darllen y llythyr yma oherwydd fe ddaeth tristwch mawr dros y lle ddoe, pan ddaeth y newydd ganol dydd ar y radio fod Eurwen druan wedi cael ei tharo i lawr gydar car, ac fe fu farw 'mhen 2 awr yn yr hospital yn Trelew. Nid oes geiriau i fynegi fel yr ydwyf yn teimlo. Cefais gyfle i fyned i lawr yn syth i Trelew i weld y teulu. Bydd yr angladd am 6 p.m. heno yn y Gaiman. Yr oedd gyda ni yn y swper Gwyl Dewi yn Trelew nos Sadwrn yn llawn hwyl. Gyda hi y bum yn siarad ddiwethaf cyn mynd adref – ac yr oedd hi a rhai eraill wedi colli y te party gwnaethon i mi tua pythefnos yn ôl, ac yn trefnu un arall at *ddoe*, a dyna ple yr oedd wedi bod yn y swyddfa y radio, yn rhoi "message" am y tê, a'i chwaer[330] yr ochr arall i'r ffordd yn disgwyl amdani, ac fe groesodd y ffordd heb edrych yn sydyn, ei chwaer druan yn gweld y cwbl yn digwydd. Diwrnod cyn y Sul yr oedd wedi bod drwy y dydd yn Dolavon yn gweld y teulu i gyd, ac yn hapus braf, ac yn disgwyl cael tŷ yn y Gaiman yr wythnos yma a mynd am dro draw y flwyddyn nesaf, druan fach. Yr oedd ei chwaer yn ddiolchgar iddi gael teithio dipin y blynyddoedd diwethaf yma y maent wedi anfon cable i René.

Y mae yn foreu hyfryd o haf, yr haul yn gynnes, mi fydd tyrfa fawr yno heddiw. Yr oedd Rini a Knoble wedi mynd yn ôl i Esquel y Sul, eu disgwyl yn ôl neithiwr. Yr oedd Maud[331] yn torri ei chalon ddoe, 'roeddynt yn gymaint ffrindiau. Mae yn ddrwg genyf mae llythyr digalon iawn sydd gennyf heddiw – methais a chysgu neithiwr.

Clywed eich bod wedi cael eira mawr draw yna. Gobeithio eich bod i gyd yn iawn. Rwyf yn mynd i Dolavon yr wythnos yma, a cheisio gweld pawb yno, a Trelew wedyn.

Nid wyf wedi cael dyddiad y llong eto.

Cofion annwyl attoch
Eiddwen

(117) Llythyr gan René Griffiths at Elizabeth Jones yn sôn am farwolaeth ei fam. Mae'r dyddiad yn amwys ar waelod y llythyr ond gwelir '21 March 1978' ar yr amlen.

(Trwy garedigrwydd Beryl Griffiths.)

RG c/o Derek Rees
Fachelich
Tŷ Ddewi

Annwyl Lis ar Teulu

Diolch yn fawr iawn i chi am eich llythyr. Hefyd ges i lythyr gan Elda[332] yn adrodd y newyddion drist ac mae'n drist iawn i mi feddwl fod mam a nhad wedi cael ei lladd yn damweiniol a nhw yn iach ac yn ifanc.[333] Ond dyna yw'r drefn y bywyd ac mae'n rhaid i gario ymlaen trwy goleuni neu tewyllwch.

Lys, diolch yn fawr unwaith eto i chi, ac mae'n bosibl iawn y bydda i yn y gogledd tua'r ail wythnos o Ebrill, ac fydda i yn mynd i gweld chi.

Ar y pryd, rwy'n gweithio ar y ffarm yn plani tatws. Rwy'n bwriadu mynd i wlad Groeg yr mis mai a dod yn ôl i Gymru yn Mehefin a gwneud tamed bach mwy o arian ar y "tato" a wedyn mynd i De Amerig am rhai fisoedd. Felly y mae digon o bethau ar y foment i cadw fi yn bryssur.

Cofion garedig a Hwyl fawr i bawb
René
21 Gwanwyn 1978
Mae'n hyfryd iawn heddiw yn Tŷ Ddewi.

(118) Rhan o lythyr gan Rini Griffiths de Knobel, chwaer René Griffiths at Elizabeth a'r teulu.

(Trwy garedigrwydd Beryl Griffiths.)

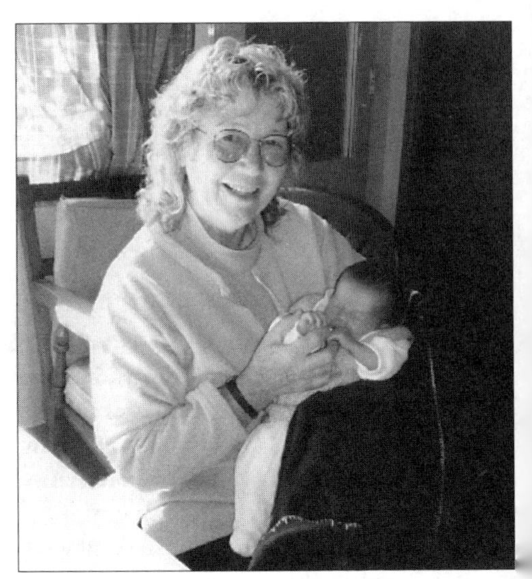

Rini Griffiths de Knobel yn 2007, ar achlysur mwy llawen – gyda'i hwyres fach newydd, Elin
(Eiddo Mari Emlyn)

ESQUEL 25-4-78

Anwyl Elizabeth ar teulu

Annodd iawn yw ysgryfeni atoch, rwyf bron bob didd yn meddwl ond mae'r amser yn pasio ac rwyf yn teimlo mor drist, a cofio am mam, biaseu ddim yn licio gwibod bod ni ddim yn rhoi diolch y pobl sidd yn cofio ac mor agos ata ni, yn y ddamwain mor drist.

Dyrbyniais y papur newidd yr withnos diweddaf, rhoes gennim ddim ond diolch yn fawr iawn y pawb.

Mae Mod yn drist ofnadwy, methi meddwl am ddim bid, ac ddim awidd gwneid dim, mae wedi colli ffrind, fel chwaer meddyliau. Biodd Bila[334] a Gladys[335] yn Esquel es mis, am 3 diwrnod efo ni.

Rydani wedi pynderfyni peidio mind eleni y Gymry, rwyf ddim awidd mind y ninlle ond, os ewn y rhiwle yn ymyl ac efor plant, blwyddin nesaf os byw ac iach (...)

Rydani wedi cael llythyr oddi wrth Cor Menlli, maen yn dwad yn yr in amser a bioch llynedd, ac yr in dyrnodiau inion. Mae pwillgor wedi decreu, yr derbyn ac rydwi yn gwneid te didd sadwrn 6 o Fai y 200 o bobl.

Rwyf yn gorfen am rwan

Cofion cynes ni at y teulu,

Rini

Benjamin Pugh Roberts a Lizzie Freeman a'u 14 o blant
y tu allan i Bryn Amlwg, Esquel ym 1919
(Trwy garedigrwydd Betty a Ned Rowlands)

Disgynyddion teulu Benjamin Pugh Roberts a Lizzie Freeman

(119) Llythyr Lottie Roberts de Hughes (1904-1987) at Elizabeth Jones. Roedd Lottie yn ferch i Benjamin Pugh Roberts a Lizzie Freeman. Cyfeirir ati mewn rhai llythyrau fel 'Nain Hughes'. Daeth Benjamin P. Roberts gyda'i deulu o Cambrian House, Llanuwchllyn i'r Wladfa ym 1881. Daeth ei wraig, L. Freeman o Pennsylvania i'r Wladfa gyda'i theulu ym 1875 gyda mintai'r *Lucerne*. Cawsant 14 o blant – 7 o ferched a 7 o fechgyn: Mary Ann, Sarah, Jane, William, Evan, Elvira, Lottie, Margaret, Adna, George, Eurig, Dewi a Lloyd.

(Trwy garedigrwydd Beryl Griffiths.)

Ebrill 24 76

Anwyl Elizabeth

Diolch am eich llythyr dderbyniais ers dros fus yn ol wedi bod digon hur yn atteb. Gobeithio eich bod i gyd fel teulu yn iach yna i gyd fel ninau yma. Yden yn cael tywydd braf iawn yma cynes dim rhew ond gwlaw reit aml yden wedi bod yn trio hel dipyn o bres i helpu Cor Godre Aran i ddod yma a wir cawsom lwc reit dda. Pawb yn mynd a

teisen neu jam taffi, fair bwydidd bysa ni yn deid yn gymraeg "feria de platos" yn Spanish cawsom gwell hwyl nag oedden yn feddwl, mae popeth mor ddrud. Os bydd anghen gallwn neyd un arall siwr oedd y bobol aeth o Trevelin a Esquel i gyd yn helpu hyd yn od modryb Conie sydd yn 80 oed. Oeddwn yn gweld ar y Cymro bod yna gor arall sef Cor Menlli meddwl dod hefyd tua amser Nadolig gwnawn eun gora iddint pan ddont. Popeth yn dal i godi yn y lle yma y petrol wedi codi mae yn mynd yn ddrud i deithio wrth bod llefydd mor bell oddiwrth ei gilydd.

Cofiwch bod lle i chi yma yn yr un room ag oeddech or blaen ag os bydd genych ddwy gyfeilles nabyddis bydd lle iddint yn y gwely mawr. Cafodd Alwina[336] fod yma am tua dau fus oedd hi wedi redeg lawr dipyn ond oedd dim posib ei chael i fod yn dawel ond oedd yn edrich yn well pan aeth yn ol. Mae y ferch iengaf yn 18 oed felly maent i gyd yn gallu helpu ychydig. Mae y tair yn dal i astudio. Sut mae Mrs Pugh erbyn hyn tybed cofiwch ni atti. Cofio atoch i gyd fel teulu felli mae Beryl gymaint ai mam, cael cariad bydd y peth nesa
Lottie

(120) Rhan o lythyr Gwen Thomas at Elizabeth Jones yn adrodd hanes boddi dau o'r teulu yn yr afon. Nid oedd Gwen Thomas yn ddisgynnydd i Benjamin P. Roberts a L. Freeman ond roedd ganddi gyswllt agos â'r teulu – ei mab, Elwy Thomas yn briod ag Alwina Thomas, wyres i Benjamin P. Roberts a L. Freeman. Cyfeirir ati mewn rhai llythyrau fel 'Nain Thomas'.

(Trwy garedigrwydd Beryl Griffiths.)

3.4.78
La Paz 223
Dolavon
Chubut
R Argentina

Annwyl Elizabeth Jones

(...) Derbyniais lythyr oddiwrth Lottie dydd Sadwrn. Damwain gas iawn wedi digwydd yn y teulu. Aeth Hywel ap Cynan, cefnder Valmai, yn briod efo Elma merch i frawd Lottie[337] 4 o ferched efo hi, a Norman, bachgen iengaf Maggie[338] a rhyw fachgen arall wedi mynd i bysgota yn yr afon fawr. 15 diwrnod i ddoe. Mi syrthiodd Hywel ir dwr. Aeth Norman ar bachgen ir dwr i drio ei achub ac mi foddodd Hywel a Norman, roedd Hywel yn nofiwr fel pysgodyn, ond roedd efo Hywel rhyw siwt special at y damprwydd ar oerni. Maent yn meddwl bod hono wedi llenwi efo dwr ac yn ei gadw lawr. Norman ddim yn gallu nofio. Medrodd y llall ddod allan. Cafodd y ddau ei claddu yr un diwrnod. Roedd Joyce[339] yn Madryn, ond mae wedi cael ei symud yn ol i Esquel. Colled garw i Maggie achos roedd Norman adref bob amser, 32 oed. Colled ar ol Hywel hefyd, achos roedd yn fachgen peniog. Fo wnaeth y gadair eisteddfod y flwyddyn dweddaf. Roedd yn gallu gwneyd llawer o bethau mewn gwaith coed. 54 oed oedd o. Fel yna mae hi. Dani ddim yn gwybod pryd y byddwn mewn profedigaeth (...)

Dyna i chwi dro am Eurwen Griffiths hi yn llawn hwyl bob amser. Cofiwch fi at René. (...) Rwyf finau llawer gwell na phan oeddech chwi yma, ond dim yn gallu cerded heb ffon, ond yn rhi dew. Wel rydym ni wedi cael haf reit dda at i gilydd. Lot o dywydd poeth, digonedd o ffrwythau ac wedi gwneyd jam i fi a rhai Elwy, rwyn deallt fod cor o Wrexam neu gwenallt yn dod allan eto, (...) Buom ni yn lwcus bod ni wedi cael dod yr adeg hyny. Mae wedi mynd allan o bob reswm o ddrud rwan. Pobpeth yn dal i godi ac yn

anodd iawn cael gwaith. (...) Wel cofion annwyl atoch i gyd a diolch am y llun yn dda iawn.

Anti Gwen (...)

Pedair cenhedlaeth o ferched: Lottie Hughes (merch Benjamin Pugh Roberts a Lizzie Freeman); Alwina Thomas, ei merch; Tilsa Gadea, ei hwyres; Virginia Gadea, ei gorwyres. 25, Medi 1982
(Trwy garedigrwydd Beryl Griffiths.)

(121) Rhan o lythyr gan Alwina Thomas at Elizabeth Jones. Mae Alwina yn wyres i Benjamin P. Roberts a L. Freeman.
(Trwy garedigrwydd Beryl Griffiths.)

Bs As tachwedd 3 1978

Annwyl Elizabeth

Dyma fi wedi cael eich caredig lythyr ar hyfryd luan gyda Mrs Pughe. Llawer o ddiolch! Mae ef gyda chwi heddiw fel y dywedodd – ac nid oeddwn wedi gwneyd amser i ysgrifenu gyda fo ar par menyg – yr ael i fi wei erioed – wedi dysgu gyda Nain Thomas. Roedd hi yma gaeaf diwedda ac yr oedd wedi dweid mwy na un waith "Ydwyf eisio dangos i ti ffordd i weu menyg – rhag ofn i fi farw!!!" felly gwnes un par dan ei arweiniad hi, efo rhiw wlan coch oeddwn yn gael i weu ir Eglwys – cafodd hwnw ei werthu. Felly oedd rhaid mynd atti. Roedd Nain T yn son o hyd fod hi eisio gwei par i chwi, mae yn ei gwneyd efo "fancy stitch" yn neis iawn. Mr Pughe yn ddyn bach annwyl iawn. Gobeithio fod o wedi cyrraedd pen y daith yn iawn ac wedi mwynhau ei hun. Oeddwn yn eistedd wrth ei ochr pan yn dod o Ezeiza a fenta yn dweid fod o yn perthyn i Taid

Roberts. Ac yr oeddwn yn ei weld ddigon tebyg rhan prid a gwedd hyni ydwyf fi yn gofio o Taid. Fenta wedi marw Hydref 1939. Cawsom amser da gyda'r côr. Pawb wedi ei mwynhau programme a digon o fynd ar crew i gyd yn agos attom. Fina yn proud wedi cael plât llechen a badge "Cor Menlli" arno a plât y Draig Goch Mr Tom Jones ar y wal arall. Pryd ydych yn dod ffordd hun eto? (...)

Cofion calon
Alwina

(122) Rhan o lythyr diddyddiad (c.1975) Margaret Roberts de Powell at Elizabeth Jones. Roedd Margaret Powell yn ferch i Benjamin P. Roberts a L. Freeman. Bu'n aros gydag Elizabeth Jones ym Mraichceunant y Bala pan ddaeth y fintai o'r Wladfa i Gymru ym 1975. Bu farw yn 93 mlwydd oed yn 1999.

(Trwy garedigrwydd Beryl Griffiths.)

Margarita Powell
Rivadavia 336
Esquel. Prov Chubut
Argentina

Mrs Elizabeth Jones
Annwyl ffrind ar teili oll
(...) Rwyf i yn cael y lle yma yn ddigalon iawn ar ol bod draw, mi faswn yn licio fod wedi aros dipin yn rhagor yna; ond Diolch am gael fod wedi bod ynte, a diolch yn fawr iawn i chi ar Pwyllgor i gyd am wneyd y fath groeso ar ein cyfer yna yn y Bala, ac yn mob man, mi fuom yn lwcis o gael ein tendio, a popeth yn neis iawn yn mob man tra y buom yna yn fendigedig. Mi fydd y daeth yn riwbeth i gofio am byth. (...)

Nid anghofiaf y croeso gawsom gyda chi; ar daeth fawr ddari chi wneud i fynd a ni i le Benjamin Roberts[340] ein cefnder a chael y te ardderchog gyda'r teili bach hyny, cofiwch fi attynt i gyd, pan dowch i gwrdd a nw.

Cofiwch fi at Mr a Mrs Tom Jones a Mrs Euddwen Humphreys a Mrs Pughe a Teili Huw Jones, a phawb bydd yn holy am danaf. Hwn gyda chofion annwyl attoch i gyd. Ydwyf eich ffrynd ach pethynas pell

Maggie

(123) Cerdyn post Joyce Powell at Elizabeth Jones. Mae Joyce yn ferch i Nessiah a Margaret Powell ac yn wyres i Benjamin P. Roberts a L. Freeman.

(Trwy garedigrwydd Beryl Griffiths.)

Esquel 23 7 79

Annwyl Mrs Elizabeth Jones
Dyma ni wedi dod yn ol ir wlad. Nid ydwif yn gweld Esquel mor glws, ar ol bod yn Gymru. Mae Mam a finau yn mwynhau clywed y casset gysi efo chi. Nawr ydwif yn clywed "ar lan y môr ... mae rhosis cochion"; neis iawn! Diolch yn fawr!

Ni gallaf byth anghofio y dyddiau ar croeso gyfais yn Llanuwchllyn, yn Gymru i gid.

Joyce

Ysgisodwch fi, nid wif yn gwbod sgweni cymraeg.

Celina Olwen Rowlands de Jones gyda rhai o'i theulu.
O'r chwith i'r dde: Leonard, Urien, Alan Roy, Graciela,
Sarah Roberts de Rowlands, Edi – a thu ôl iddo mae ei fam, Celina
(Trwy garedigrwydd Betty a Ned Rowlands)

(124) Rhan o lythyr Celina Olwen Rowlands de Jones at Elizabeth Jones. Roedd Celina yn ferch i Sarah Roberts de Rowlands a William Rowlands, ac yn wyres i Benjamin P. Roberts a L. Freeman.

(Trwy garedigrwydd Beryl Griffiths.)

Michael D Jones 847
Barrio Municipal
9100 Trelew
Chubut
Argentina
27 Mai 1981

Anwyl Elizabeth

(...) Disgwyliaf eich bod yn cael iechyd da fel ni yma; mam[341] yn dal i fyw yn Esquel fel modryb Lottie a modryb Maggie[342]; ni wn os cawsoch wibod i modryb Maggie gollu yr ail fachgen Norman foddodd yn yr afon Fawr a maer bachgen hynaf wedi priodi a mae ganddynt ferch a bachgen. Mae gyda ni 4 o wyrion; dau fachgen gydar mab ai wraig a dau fachgen gydar ferch ai gwr; mae Mirna (y ferch)[343] yn athrawes canu mewn ysgol feithrin yn y Gaiman a mae wrth ei bodd yn dysgu plant i ganu.

21 o Fehefin: roeddwn wedi cychwyn ysgrifenu iw anfon gydar post ond dyma fi yn cael cyfle iw anfon gyda Iola Evans.

Mae hi a mi wedi bod yn gymdogion pan yn blant nes i ni briodi a dyma ni yn awr yn gymdogion eto, mae hi yn byw riw dair sgwar oddiyma a rydym wedi mynd ir ysgol gydan gilydd hefyd.

Piti na fiaswn yn gallu mynd gyda hi i Gymru! Ond nid iw ein sefyllfa yn caniatau ar hyn o bryd. (...)

Wel gobeithiaf y cewch weld Iola ag y cewch gyfle i gael sgwrs a hi a dyminaf y gallwch rhoi croeso iddi a mynd a hi ir "Eagles" os nad iwn ormod gofyn? Er mwyn iddi gael gweld cartre fy nhaid, mae hi yn cofio nhad yn iawn.

Terfynaf am y tro a bydd yn dda genyf dderbyn gair oddiwrthych (...)

Ein cofion anwylaf atoch
Ydwyf
Celina Rowlands Jones

Tafarn yr Eagles, Llanuwchllyn ym 1908. Ym 1911, ymfudodd dau o feibion yr Eagles, William a Tom Rowlands i'r Wladfa. Roedd William Rowlands yn daid i Celina Rowlands de Jones. Yn y llun gwelir dwy chwaer a brawd i William a Tom Rowlands, sef Olwen, Catherine a Robert Ernest Rowlands

(Trwy garedigrwydd Betty a Ned Rowlands)

Shân Emlyn gyda Modryb Maggie ym 1976
(Eiddo Mari Emlyn)

Modryb Maggie a'i nith Tw tw

(125) Detholiad o lythyrau Elena Jane Owen de Owen (Nel Owen) at Elizabeth Jones. (Roedd mam Nel Owen, sef Alice Hughes yn ferch i Elin Pugh Roberts, chwaer Benjamin P. Roberts.)

Ceir llawer o gyfeiriadau yn llythyrau Nel Owen at Modryb Maggie a Tw tw. Roedd Maggie Freeman de Jones ('Nain Jones', 1878-1981), priod Gwilym Jones Kansas, yn ferch i Mary Ann Freeman a William Freeman ac yn un o chwiorydd Lizzie Freeman (gw. llythyrau 79 a 80 gan Mary Ann Freeman yn *Llythyrau'r Wladfa 1865-1945*). Cafodd Modryb Maggie ei hanrhydeddu â Medal Aur Thomas Gee ym 1978 am ei ffyddlondeb i'r Ysgol Sul. Hi oedd y gyntaf dros 100 oed i dderbyn yr anrhydedd a'r gyntaf o'r Wladfa. Roedd Modryb Maggie yn fodryb i Tw tw (Mrs Deu Hughes, 1892-1979). Bu farw mam Tw tw (chwaer Maggie) sef Sarah Ann Freeman (1870-1892) ym mlwyddyn genedigaeth Tw tw ac fe'i maged gan ei nain, Mary Ann Freeman (gw. ei llythyrau, rhifau 79 a 80, yn *Llythyrau'r Wladfa 1865-1945*). Ar un o'i hymweliadau â'r Wladfa, recordiodd Shân Emlyn sgyrsiau llawer o'r Gwladfawyr, gan gynnwys Modryb Maggie. Yn rhifyn haf a hydref *Y Drafod* ym 1982, cyfeiria Shân Emlyn ati fel 'Brenhines y Wladfa'. Ar y tâp, dywed Modryb Maggie: ' ... Do'n i 'rioed yn meddwl 'y mod i'n mynd i fyw mor hen ... wn i ddim be fasa Nhad a Mam yn ddeud pe tae nhw'n gwybod fod Maggie wedi byw mor hen! ... '

(Trwy garedigrwydd Beryl Griffiths.)

Trevelin Chubut
28 11 77

Annwyl gyfeillies

(...) Mae wedu glawio heddyw drwyr dydd dywrnod diflas iawn a gudar nos yma mi rhoth Einion[344] y Records Cymraeg i fynd i fy mud yma mae Cor Godrer Aran yn canu ond dan arweiniad Tom Jones mi ddoson a record hefo ni pan oeddan draw maen codi hiraith arnaf a cofio am y dyddiau hapus ddarun dreulio yn eich cwmni. Rhu ychydig o ddyddiau o lawer. (...) Dydd gwener dwedda oedd penblwydd Trevelin 92 mlynedd ddar cyrhaeddodd y Coronel Fontana ar cryw ir Cwm. A mi oedd yn glawio drwyr bore (...) Roedd Asado i ginio ond ath fawr o neb yno llawer o gug sbar. Te yn y pnawn mewn adeilad yn ysgol a chonsart yn hól y Clwb Fontana mi fies yno mi oedd yno dipin o bobl yno a hwyl iawn. Y canu yn Gymraeg ac adroddiadau yn Sbanish. (...)

Wel cofiwch fi yn fawr at eich chwaer Mair oedd eu henw credaf. Maer llythyr yma i chwi eich dwy. Os byddwch yn fy neall maen costio dipin i sgwenu cymraeg ond dwyn eu siarad o waelod calon. (...)

Mi fies draw yn edruch am Mrs Deu Hughes cael eu galw fel Tw tw. Maen 84 oed a mae mewn helynt fod yna berthynas iddi hi yn y cryw ac heb eu gweld maen poenu yn arw au modryb sef Mrs Gwylum Jones yn hen wraig fach fydd yn gant oed mis chwefror nesaf oedd wedu deyd wrthi a fod Mrs Emrys Hughes wedu bod a nhw yn eu gweld hi a meddyliaus am danoch chwi. (...) Dymuniadau da i chwi yn y flwyddyn 1978. Gudar cofion anwylaf

NEL Owen

(126) Rhan o lythyr Elena Jane Owen de Owen at Elizabeth Jones yn cyfeirio at foddi'r ddau ŵr ifanc, y paratoadau i groesawu Côr Menlli a sôn am Nain Jones a Mrs Hughes (Tw tw).

(Trwy garedigrwydd Beryl Griffiths.)

Trevelin Chubut
4-6-78

Annwyl gyfeilles

(...) Wel bu damwen arall wedu i mi sgwenu atoch meddwl fod dau mor ifanc wedu cwrdd ai dywedd wrth bysgota. Nid wyf wedu gweld M Maggie[345] ers tro. Ni ddoth ir pwyllgor nag ir te oeddan yn neyd yn Esquel i ddechreu hel arian i dderbyn Party Menlli. Yn lle Rini a Elias rydan yn cwrdd o hyd. Yn y parlwr hyfrud a glamp o dan. Ar y 6ed o fai bur tê a cawson hwyl reit dda bob un ohonom ni y merched yn paratoi bara a menyn teisennau o amryw fathau a jam popeth o waith gartre, real te Galés, a dydd sadwrn nesaf rydan yn cwrdd heto i ddechreu trefnu un eto hwyrach erbyn y 28 or mis nesaf sef "Gwyl y Glaniad". A oes yna lawer yn son am ddod hefor Party? Ydach chi ddim awydd dod dewch hefor gwr.

Bum draw yn edruch am Mrs Hughes dywedd yr wythnos roedd yn dangos eich llythur ac yn diolch yn arw am dano ac yn cofio atoch ac eisio i fi sgwenu drosty hi fod mor chydug i ddeyd yr adeg yma a hitha byth yn sgwenu a ydu hi yn gwybod fawr o hanes y teulu yr inug beth mae hi yn gofio neu yn feddwl fod Edward Jones Dinas Maeddwy yn dad yw thad hi. Mae yr hen Nain Jones yn hynod o dda. Y 26 or mis dwedda roedd merch fy mrawd yn priodu hefo un o wyrion Nain Jones. Bachgen i Lilian[346] hwyrach eich bod wedu eu gweld mae yn byw yn agos yw mham. Cefais darn or Cymro a hanes y fedal Gee cefais oddi wrthi.

Wel dyma i gud am heno
Cofion cynes
Nel a Einion

(127) Rhan o lythyr Elena Jane Owen de Owen at Elizabeth Jones yn ei hysbysu o farwolaeth Mrs Hughes (Tw tw) a chyfeirio at Nain Jones a oedd wedi cyrraedd ei phen-blwydd yn 101.

(Trwy garedigrwydd Beryl Griffiths.)

Trevelin 14 2 79

Annwyl gyfeillies

Gair bach ar frys heno gan fawr obeithio eich bod yn mwynhau iechyd i gud fel teulu fal ag yr ydan ni ein dau. Wel newydd drist sydd hefo fi y tro yma fod Mrs Deu Hughes wedu ein gadael; bu farw bore dydd mercher dwedda yn Hospital Trevelin cafodd eu chladdu pnawn dydd iau cafodd angladd barchus iawn a llawer o pobol rhwng perthnasau a ffrindiau. Roedd pawb feddwl o Tw tw fel roedd yn cael ei galw. Byddaf yn gweld yn chwith iawn hebddu. Roeddwn yn mynd ar Drafod a phob llythur a phapur cymraeg roeddwn yn gael o Gymru iddi ddarllen. Sawl gwaith dywedodd wrthyf nad oedd byth wedu ateb eich llythur. A maer hen Nain Jones wedu cael eu 101 oed ond yn eu gweli y mae; cafodd godwm chydug ddyddiau cyn eu phenblwydd ond nid oedd wedu tori yr un asgwrn. Mae lot yn well ac wedu codi a cherdded rownd y gweli mi ddaw yr hen goesa eto meddau. Dywrnod angladd Mrs Hughes mi es hefo Modryb Nan (Mrs Hammond)[347] yw gweld. Mae fel dol fach yn y gweli a dyma i deyd y bydd yn chwith iawn ar ol Tw Tw ond bod yn dda ganddi ma Tw Tw ath gynta ne mi fysa Tw tw wedi poenu ar ei hol hi. Dyna chi wrol ynte. Mae hi wedu cael eu 101 ac yn gallu meddwl mor gall. Dydd Sul bu angladd arall chwaer yng nghyfraith Modryb Nan. Nid oedd M Meri yn dda ers tro. Siwr eich bod yn gwybod mae haner chwaer oedd mam i Modryb Nan.[348] (...) Bobl y BBC wedu cyraedd bydd croeso iddynt yn Trevelin nos wener. Wel hyn am heno yn fler fel arfer ond gudar cofion anwylaf atoch oll

Nel

(128) Rhan o lythyr Elena Jane Owen de Owen at Elizabeth Jones yn rhoi'r hanes diweddaraf iddi am ymweliad Côr Gyfynys a Nain Jones.
(Trwy garedigrwydd Beryl Griffiths.)

Trevelin 12 4 80

Annwyl Mrs Jones.

(...) Mi geson amser da iawn hefo Cor Gyfynys ddim haner digon o amser yn eu cwmni. (...) Dywrnod oeddan yn Trevelin mi oedd cinio oer iddynt yn vestri capel methodistiaid. Hwyl garw yno roedd y tywydd rhu oer i neyd asado. Roedd stove yn y vestri a lle yn y cefn i baratoi te. Mynd ir amgueddfa ac i weld bedd Malacara mynd wedun at y valsa [?] yr afon fawr ac i wahanol gartrefi i gael te (...) Mi neson asado iddyn yn Esquel ond eson ni ddim maer lle yn fach. Maer hen Nain Jones yn hynod o dda ond yn eu gwely ers tro. Dywrnod oedd y Cymry yn Trevelin cyn mynd ir consart mi ath Glenys a Olwen Owen heibio i weld syd oedd ac os oedd awydd gweld rhai or Cor, oedd hi, mi oedd yn disgwyl am danynt ddar y bora a neb wedu cofio am dani. Mae dynes yn aros hefou nawr a roedd wedu neyd iddi lanhau y lle a clyrio au gwisgo hi ben bore y dywrnod hwnw mi ddaru r merched ganu iddi roeddant wedu plesio yn arw a mi ddaru nhw rhoi llian llestri yn bresant iddi a mae wedu eu osod ar ffram y gwely. Gobeithio geith hi weld mis chwefror i gael eu 103.[349] Mae yn edrych ymlaen yn arw amdano. (...) Wel mae hogun bach hefo Maria Esther. Leonardo Agustin yw eu enw nid wyf wedu eu gweld hefor babi ond mae reit dda rwan medda Irma. Dyma i gud am heno. Maer Nadolig ar gyraedd eto a phob hwyl i chwi ym 1981. Guda r cofion anwylaf atoch i gud

NEL

Ydu Rene Gryffis ddim wedu cyraedd Esquel gwelais Rini rhw wythnos yn nol ne cofiodd hi ddim deyd.

Cofio Syr O. M. Edwards

(129) Rhan o lythyr Barbra Llwyd Evans at ei nai, R. Bryn Williams yn sôn am gyfarfod y Fonesig Edwards a Norah Isaac[350]. (Bu farw Barbra Llwyd Evans flwyddyn yn ddiweddarach ar 1 Rhagfyr 1977 yn 93 mlwydd oed.)

(LlGC 19035 E1)

"Frondeg"
Bryn Gwyn – Rhag 25 1976

Annwyl Nai a Nith.
Anfonaf air bach atoch gan obeithio eich bod yn iechyd arferol ar pryder Eisteddfodol drosodd. Mae heddiw yn ddydd Nadolig – a ninau gartref y tywydd wedi bod yn anffafriol – ar cynulliad yn fychan, y llu plant fyddai ers talwm wedi tyfu a chwalu i bob cyfeiriad – ar oes wedi newid. Ond da meddwl fod amryw on pobl ifanc wedi bod ar eu hennill – ac yn gweithio mewn manau pwysig. (...)

Bore ddoe y 24 daeth McDonald yma tua 8 or gloch newydd i ni orffen brecwesta i edrych y ffordd ar ol y gwlaw gan fod lle drwg ar gornel ein ffarm – aml i Fonwr yn rhedeg yma i ofyn am fenthyg rhaw i wneud lle i roddi brigau o dan yr olwyn iw helpu i gael dod oi helbul. Hefyd hysbysu ei fod yn bwriadu dod a dwy Gymraes o Gymru yn ol dymuniad "Bryn" in gweled am ychydig amser cyn 5 or gloch pryd y byddai Mrs Jones Plas y Coed yn eu disgwyl yno. Sut rai ydynt gofynais i McDonald – chwarddodd – rhai iawn ydynt oedd yr ateb. Roedd genyf awydd eu gweled gan fod genyf rywbeth arbenig iw ddweyd wrth Mrs Edwards[351] – ag a fuasai o ddiddordeb iddi – ac efallai i chwi hefyd. Pan aeth fy nhad a minau am dro ir hen Wladfa yn y flwyddyn 1900 – blwyddyn y "lli mawr" wedi i ni gyraedd yr oeddym yn myned i aros am ychydig at Ewythr a Modryb i mi – teulu fy mam yn Llangollen. Wedi i ni ddod or tren, gwelodd fy nhad O.M.Edwards yn sefyll[352]. Adnabyddodd ef oddiwrth lun oedd wedi ei weled ohono mewn rhyw gylchgrawn. Aeth ato i siarad ag ef – cefais inau y fraint o ysgwyd llaw ag ef – tra roeddynt hwy yn siarad, cefais inau amser i gymeryd "stock" ohono, Golygydd y Cymru Plant, oeddwn mor hoff oi ddarllen. Dyn tal ydoedd yn gwisgo cot wlaw lwyd a cap am ei ben ai wyneb heb flewyn arno, bag bychan du yn ei law. Parodd y stori yn syndod i Mrs Edwards. (...)

Mwynheais eu cwmni.

Yr ydym ein dau yn weddol o ran iechyd Gerallt yn cael ei boeni gyda y reumatic – effaith tywydd llaith. Gallwn ddweyd fel L Jones Plas Hedd "Brith. Bonwr. Brith"

Dydd Nadolig bu farw Aeron Jones Rymni yn 91 ml oed.[353]

Y gweddill or plant yma yn iawn a phob un ohonom yn ceisio ufuddhau i areithiau brwd y mawrion, "mas trabajo". Ein cofion goreu gyda dymuno Blwyddyn Newydd Dda

Gerallt ai fam B.LL.Evans

Plant y Paith

(130) Rhan o lythyr Owen Edwards at ei wraig gyntaf Shân Emlyn fis Mawrth 1979. Roedd Owen Edwards yn y Wladfa gyda chriw'r BBC yn ffilmio'r gyfres 'Plant y Paith'.

(Eiddo Mari Emlyn.)

Trelew
Nos Iau

Annwyl Shân,
Rwyn prysuro i roi ychydig eiriau ar bapur heno gan fod Emlyn yn cychwyn yn ôl i'r "hen wlad" yfory.[354] Mae bywyd yn brysur iawn a rydym newydd ddychwelyd i'r gwesty rwan am 8.30 o Rawson. Cychwynasom ar waith y dydd am 8 o'r gloch. (...) Bum yn ffilmio ym mynwent Moriah Trelew drwy'r bore gan wneyd sgwrs hefyd gyda Mary Harriet Williams – mam May – am ei hatgofion am y llifogydd a bywyd yma ar dro'r ganrif. Buom wrthi drwy'r prynhawn yn Rawson. Mae capel R.J.Berwyn yn ddigon o ryfeddod. Gwelais dy enw ar y llyfr yng nghapel Moriah.

Mae pawb yn hael iawn eu croeso – neb yn fwy felly na May a Glyn Ceiriog – cefais ginio yno ddwywaith. Pawb yn edrych ymlaen yn arw at dy weld – gwr Shân Emlyn ydw i ymhobman yma. (...)

Mae'r ffilmio'n mynd yn ei flaen yn burion er efallai y gellid gwneud ychydig rhagor o gael mwy o drefn! Erbyn cael pryd o fwyd ar ddiwedd gwaith y dydd a sgwennu sgripts y diwrnod wedyn – os ydynt ar gael! – mae wedi hanner nos. Rydym oll wedi blino'n dwll erbyn hynny a rwyn cysgu fel twrch gan godi eto tua 7.30. Mae'r Centurion ddigon cysurus a maent yn golchi dillad yn dda iawn yma.

Gwelais ganlyniad y refferendwm – siomedig iawn ynte – gwaeth hyd yn oed na'r ofn. Tybed be sy'n digwydd acw – rydym wedi'n torri ffwrdd o bob newydd yma. (...)

Efallai y byddaf wedi eich ffonio cyn i hwn gyrraedd acw. Mae modd gwneud oddi yma ar y Sul ond deallaf y bydd yn anobeithiol unwaith y symudwn i Drevelin ac Esquel ymhen naw niwrnod. (...)

Bu Elwy Thomas yn garedig iawn wrthyf yn B.A. – anghofiais fy mod eisioes wedi dweud hynny ar y cerdyn ddanfonais i y dydd o'r blaen.

Ddoe bum yn ffilmio ar fferm Euros – peth od i ni yw gweld cnwd hyfryd o afalau yn barod i'w pigo yn nechrau mis Mawrth.

Mae'n debyg iddynt gael haf eithriadol o dda yma. (...)

Rhaid mynd i gysgu er mwyn bod yn effro ar gyfer diwrnod o waith yn y Gaiman yfory.

Cofion annwyl atoch eich tair.

Owen xxx

(131) Rhan o lythyr Owen Edwards o'r Wladfa at ei wraig gyntaf Shân Emlyn yn rhoi cofnod o weithgarwch y ffilmio.

(Eiddo Mari Emlyn.)

Hotel Centenario
Nos Wener

F'Annwyl Shân,

Braf iawn oedd derbyn llythyr gennyt neithiwr mor fuan wedi'r llall – a diolch yn fawr amdano. (...)

Dal yn brysur iawn ydan ni a rwyn hyderu ein bod yn casglu llawer iawn o stwff da (...)Treuliasom lawer iawn o'n hamser yn ffilmio yn y Gaiman gan wneud darn bach neis iawn ar bawb sy'n byw yn Stryd Michael D Jones a'r Ysgol ac Anti Tersa (...) Wedyn mae gennym raglen arall ar y chacras – ffermydd – Euros a'r afalau, Kenneth Evans a'i wenyn, George Owen ewythr Yvonne yn lefelu, Homer Hughes a Monw ei wraig a Homer Roy eu mab ar y dyfrhau a bywyd y fferm. Sgwrs ddifyr gyda Ehedydd Ial ar safle y ffarm deuluol a aeth yn anialwch llwyr oherwydd y salitre a sgwrs yn ei chartref yn Nhreorci gyda Irma am lyfrgell ei thad ar Drafod etc. Ddoe buom yn Nolafon – a ffilmio asado ar chacra Winston Churchill Rees gyda'r nos a sgwrs gydag Anti Gwen yn y fan honno. Nid oedd Ieuan Jones – tad Eleri yn ddigon cryf i wneud sgwrs er y byddwn yn son amdano.

Yfory y Gaiman yn y bore a Bryn Crwn yn y prynhawn ar gyfer ail gread o Wyl y Glaniad a te parti etc. Fe ddylai fod gennym ddeunydd ar gyfer nifer helaeth o raglenni cyn diwedd.

Rydw i'n mwynhau fy hun yn ardderchog – y croeso a'r tywydd yr un mor wresog ond yn gorfod gwrthod gwahoddiadau oherwydd blaenoriaeth gwaith. Mae May a Glyn yn dal yn eithriadol o garedig – heno nid oedd f'angen ar Selwyn[355] ac aeth y ddau a mi lawr i Madryn gan fy mod wedi colli'r ffilmio yno trwy gyrraedd yn hwyr.

Gyda llaw gwnaeth Eluned Gonzalez sgwrs dda iawn yn ei hysgol – siarad yn gryf iawn – ond wedyn dydy'r plant ddim yn siarad gair. (...)[356]

Rwy'n cadw'n rhyfeddol o lan – cawod o leiaf unwaith y dydd a golchi fy ngwallt bob deuddydd neu dri. Mae'r dillad i gyd yn cael eu golchi'n hyfryd gan y gwesty. Rwy'n siwr i dy ganu a'r cyflwyniad fod yn symudol iawn (moving?!) yn Crwys. Poetic licence oedd son am Tabernacl, Trelew gan mai yn y Gymanfa yn Bethel, Gaiman yr oeddwn i gyda'r hwyr. Fe ddywedais i yn y Gymanfa fel roedd

bysedd y cloc yn tynnu at 6 y buaswn i, taswn i yn yr hen wlad, yn y Gymanfa yn Heol y Crwys y noson honno ac mai ennill cerddorol y Crwys oedd colled Bethel y noson honno! (...)

Heddiw roedd y Cyngor Darlledu yn Wrecsam – y cyntaf i mi golli ers blynyddoedd lawer ac yfory bydd y gem fawr. Mae genym drefniadau trwy Gapten Clwb Rygbi Trelew i gael y canlyniad mor fuan ag sydd bosib.

Rhaid mynd rwan i gael stecsen gyda'r criw, sydd newydd ddychwelyd ac fe orffennaf hwn cyn mynd i gysgu.

Sgwrs ddifyr iawn gyda Selwyn. Mae'n hen greadur annwyl (...) Wedyn yma yn y gwesty sgwrs â Vivien MacDonald y cwrddais ag ef yn B.A. Banciwr ond ei Gymraeg yn rhyfeddol er nad yw byth yn ei ddefnyddio y dyddiau hyn ond bu yn yr Ysgol Ganolraddol.

Bydd yn anodd iawn dychwelyd i artificiality bywyd swyddfa wedi i'r mis yma fynd heibio – rwy'n mwynhau fy hun yn fawr iawn.

Bydd yn dda gen ti glywed bod fy mheijamas wedi mynd i gael ei golchi heddiw – felly rhaid cysgu'n noeth lymun heno ond trwy drugaredd mae'n noson gynnes braf a minnau wedi cael lliw haul yn yr ychydig fannau exposed nad yw'r mosquitoes wedi bod yn gwledda arnaf.

Prynais het wellt smart iawn yma am 8.000 pesos h.y. (punt) 4 a mae golwg Archentaidd iawn arnaf. Bellach mae'r het a minnau'n anwahanadwy ag eithro yn y gwely a phan bo Selwyn yn gwrthod gadael i mi ei gwisgo yn y rhaglen!

Rhaid mynd i gysgu – diwrnod amhosib o drwm yfory Selwyn yn gobeithio gwneud 24 awr o waith mewn 12 er mwyn clirio popeth cyn i ni adael tros y paith am Drefelin ac Esquel ben bore Llun.

Gobeithio fod popeth yn dda acw. Byddaf yn ôl mewn tipyn dan bythefnos erbyn i hwn dy gyrraedd. Mae croeso mawr yn dy aros yma a May yn barod iawn i fynd a thi i weld pobl yn hytrach na phenguinos a morloi.

Cofion annwyl
Owen x

(132) Cerdyn post o Esquel gan Owen Edwards wedi'i gyfeirio at ei deulu yng Nghaerdydd.

(Eiddo Mari Emlyn.)

Nos Wener

Doeddwn i ddim wedi meddwl sgwennu cerdyn arall ond heddiw euthum draw at Connie Freeman Owen i ffilmio rhyw 5-8 munud o sgwrs a dod oddi yno gyda ¾ awr fantastic – bydd yn rhaglen hanner awr gyfan ar ei phen ei hun. Hefyd sgwrs fer ddoe gyda Arthur Morgan. Mae Rini ac Anson Roberts yn gwneud parti i ni ar nos Fercher – ein noson olaf yma. Gadewais fy het yn Teca – gan milltir oddi yma ar fy ffordd o Drelew ond heddiw roedd Elias yn dod trwodd ac fe gafodd yr het. Son am ddameg y ddafad golledig – costiodd dros £5 i mi brynu diod i Elias a'r criw i ddathlu'r achlysur!

O

Hwyl fawr Elin yn Llundain[357]

'Annwyl berthynas'

(133) Rhan o lythyr Irma Hughes de Jones at Mr a Mrs Alun Hughes, Efailnewydd, Pwllheli (wedi ei deipio) yn gorfoleddu ei bod wedi dod i gysylltiad â'i theulu yng Nghymru.

(Trwy garedigrwydd Owain Sion Gwent.)

Erw Fair, Treorci
9105 Gaiman
Chubut Argentina
Mehefin 9, 1981

Anwyl Berthynas:

Efallai y bydd ddoe, yr 8fed o Fehefin 1981 o hyn allan yn cael ei gyfrif fel un o ddyddiau mwyaf hapus fy mywyd i.

Daeth fy ngŵr yn ol o dre'r Gaiman a llythyr i mi: Sender – Alun Hughes a'r cyfeiriad. Ei agor mewn tipyn o chwilfrydedd a darllen: Annwyl berthynas "Wel, wel, meddwn, beth ydi hwn tybed? Oddiwrth bwy y gall o fod a rhyw hanner meddwl am rywun o ochr fy nhad oherwydd y cyfenw, ond ar yr un pryd yn gwybod bron nad allai hynny ddim bod.

Ac ar ol ei ddarllen, rhyw orfoledd am a wn i a deimlais i. Dyma'r gadwyn yn gyflawn bellach, yr unig ddolen oedd ar ol wedi ei chwblhau. Erbyn hyn, diolch i chi yr ydwyf mewn cysylltiad a'r cwbl i gyd o'm teulu annwyl yng Nghymru.

Flynyddoedd yn ol, mi deimlais yr un peth pan ges i lythyr oddiwrth W.A.Jones Y Dalar Deg Llanrug sy'n gefnder cyfa i'm tad Arthur Hughes a oedd hefyd yn frawd i Guy Hughes Pwllheli y soniwch amdano yn eich llythyr. Dyna biti na fuaswn wedi llwyddo i gysylltu a chi yr adeg honno. Ond mi ddwedodd y wraig ym Mhrenteg y bum i'n siarad efo hi a'i holi nad oedd neb o'r teulu ar ol "mae nhw wedi darfod" oedd ei geiriau. Wedyn mi glywais fod merch i well i mi beidio a'i enwi rhag ofn i mi gamgymeryd, i un o feibion Cae Glas mewn Home yn rhywle ond allais i ddim mynd i'w gweld fel yr oedd mwyaf piti. Yr amser yn hedfan a llawer ohono yn mynd ar y ffordd wrth deithio o un man i'r llall. Ond dyma fi erbyn hyn wedi cael y fraint o wybod fod perthynas mor agos ar gael o hyd, cyfnither gyntaf i fy nain i sef Laura Williams a briododd Hans Olsen athro ysgol, norwyad o genedl a fu farw pan oedd fy mam, Hannah Mary yn ddim ond tri mis oed. A Nain yn mynd ar gefn ceffyl o'r Gaiman i Rawson ryw ddeg milltir ar hugain o ffordd i

sichrau gweithred y ffarm oedd o wedi brynnu iddi hi. Yr oedd yn wael ei iechyd ac mi gafodd annwyd, hwnnw'n troi yn neumonia a wellodd o ddim. Hanes trist a Nain druan yn ddim ond ugain oed ar y pryd! Aros efo'i thad a'i mam a wnaeth hi wedyn a magu ei merch fach. Y mae'n debyg eich bod yn gwybod yr hanes yna, ond does dim drwg o'i ailadrodd, mae o'n hanes y teulu yma ac yn cael ei drosglwyddo o un genhedlaeth i'r llall.

Dwedwch wrth eich gwraig, Auntie beth allaf i ei galw? ... fy mod yn hynod o falch o ddod i gysylltiad a chi gan mai Neini, fy hen nain, Mary Williams, yn anad neb a feithrinodd ynof y cariad at Gymru sy'n blodeuo yn fy mywyd yn ddiweddarach, fel ceisio cadw popeth Cymreig yn fyw yma ac acw. Ceisiwch gael gafael ar y llyfr Atgofion Patagonia, ysgrifau a wobrwywyd (cefais y lle cyntaf) yn Eisteddfod Genedlaethol Caerdydd, lle mae tipyn o'n hanes yma ar y ffarm yn nechrau fy ngyrfa. Ac rydwi yn hynod o falch o'r cyfle i ddweud wrth berthynas mor agos y daioni a fu hi i mi yn hogan fach. Cefais wobr yn Eisteddfod y Wladfa 1980 lle rwyf yn sôn amdani yn gweu. Bu hi farw pan oeddwn i yn naw oed, ond mae ei choffadwriaeth annwyl yn fythwyrdd yn fy nghof. Diolch o galon unwaith eto am ysgrifennu ataf.

Mi wyddwn ychydig am hanes y nyddu hefyd ac mae llun o Nain Prenteg, fel y galwen ni hi, yma gennyf. Yr ydwyf yn anfon copi o'r Drafod i chi gael gweld wyres fach i minnau yn ei gwisg Gymreig, a dyna i chi saith cenhedlaeth ynte? Mae y delyneg yn y Drafod hefyd. (...)[358]

Yr wyf mewn cysylltiad a theulu Taid Erw fair (William Williams o Gwmcloch Beddgelert) gwr Mary Griffith ac yn ysgrifennu ar hyd y blynyddoedd atynt. Mae gorwyres i chwaer Taid Erw Fair sydd yn briod a Ivor Owen Llanuwchllyn wedi sgrifennu ataf er pan oeddwm yn ifanc iawn a bum yn aros efo nhw pan oeddwn draw a byth ar ol i mi gael y llythyr hwnnw oddiwrth W.A.Jones, Llanrug, yr ydw i mewn cysylltiad hefyd a theulu fy nhad Arthur Hughes, ac yn cael llawer o fwynhâd wrth gyfeillachu a hwy. Bu cyfnither i fy nhad farw yn ddiweddar yn 93 oed. Roedd uncle Guy yn 92 (a marw drwy ddamwain) fy nhad yn 87, Neini yn 82 yn 1928, cael penumonia wnaeth hithau ac fe fyddai wedi gwella a byw blynyddoedd yn rhagor pe mai rwan fasa hi a penicilin a phethau felna ar gael. Pa un bynnag mae hirhoedledd fel yn canlyn y teulu! 62 oed ydw i ar hyn o bryd ac hyd yn hyn yn teimlo yn reit dda. Fe ddwedir fod pobl yn heneiddio'n gynt mewn gwledydd poeth, ond

mae yna yn yr ardal yma amryw yn tynnu am eu 90, ac yn cadw i fynd yn eitha. Efallai i chwi ngweld innau ar y Teledu yn siarad efo Owen Edwards.

Gwelaf hefyd fod eich tad chwithau wedi byw i oedran teg gan eich bod yn son iddo fod yn flaenor yn Efailnewydd am 60 mlynedd, a daeth geiriau'r bardd i fy meddwl "Un ydynt hwy a ninnau" Pethau Cymreig, y capel, a'r cartref mi wn, heb eich adnabod erioed, mai dyna'r hyn sy'n agos at eich calonnau chwithau acw. A dyna hyfryd a fydd cael eich cyfarfod. Pan ddaw cyfle anfonwch air eto, rwyf wedi gwerthfawrogi yn eithriadol eich bod wedi trafferthu i wneud. O fam i ferch ar hyd y cenhedlaethau y trosglwyddir y gwerthoedd ynte? A thrwy Mary Williams i Laura ei merch ac i Hannah Mary, ei merch hithau y daeth i minnau ac i Laura fy merch innau ac Ana María, y ferch arall. Ana María ydyw Hannah Mary yn ysbaeneg, rhaid eu cofrestru yn iaith y wlad yma, ac i'w plant bach hwythau gobeithio.

Jest rhyw air fel hyn am y tro a chofion diolchgar dros ben atoch a chusan i Auntie oddiwrth ddisgynydd arall i Owen a Catrin Griffith o'r Cae Glas o ben draw'r byd.

Yn gywir iawn
Irma

Peth arall. Mae gennym goffr yn y ty yma oedd yn perthyn i frawd i Neini gafodd ei ladd yn y chwarel. Mae yn nhy Laura yma o dan y ffenest y gegin, yn fawr ei barch.

Y teulu Lewis

(134) Rhan o lythyr gan Florence May Williams de Hughes (1906-1999) o'r Wladfa at ei chyfyrder, Percy, yn Nhreherbert. (Ceir llythyrau gan ei nain, Mary Lewis a'i hewythr Llewelyn Lewis yn *Llythyrau'r Wladfa 1865-1945.*)

Roedd taid Florence, sef Evan Lewis a nain Percy, sef Martha Lewis, yn frawd a chwaer. Daeth Evan Lewis i'r Wladfa ym 1875 gyda'i wraig Mary Bowen. Cawsant naw o blant. Un ohonynt oedd Abigail, mam Florence, a briododd Alun Meirion Williams. Priododd Florence gydag Heber Hughes, mab Arel Hughes de Sarda, chwaer Irma Hughes de Jones.

Nid oedd y teulu yn Nhreherbert yn siarad Cymraeg ac fe gyfieithid llythyrau Cymraeg Florence iddynt. Yn y pen draw, dechreuodd Florence ysgrifennu atynt yn Saesneg. Ysgrifennodd Florence at ei theulu ym 1992 gan ddweud:

> Dear cousin Percy & family.
> (...) All being well, I shall be 90 years old on the 28th of September. Sometimes, I do remember that I am getting old! (...) I trust that this letter will find you all in good health, we remember you always. It is a pity that the distance between us is such that makes it so difficult to meet isn't it? So we shall keep in contact with letters. (...)

Ni chyfarfu Florence â'i theulu o Gymru erioed. Ysgrifennodd cefnder Florence, sef Orwig Griffiths at y teulu yng Nghymru ym 1999:

> Ronald is Florence's son and he and his wife doesn't read or write English, so they ask to answer your letter. We have to tell you, with deep regret that Florence died on the 3rd of last february at the age of 96.

(Trwy garedigrwydd Gareth Miles.)

Dicember 1981
Chacra 180
Maryland
9105 Gaiman
Chubut
R.Argentina
Sud America

Annwyl gefnder ar teulu
Diolch yn fawr inwaith eto, am eich llythyr diddorol, ar llyniau o yna ag o Spaen. Biaswn yn meddwl eich bod yn medri rhiw gymaint or iaith, Buneos Dias, nei rhiwbeth tebyg. Rwyf yn medru iaith Spain ai sgweni am ei bod yr un fath ag sydd efo ni yn Argentina. Trwy lythyrau oeddwn yn gael oddi wrth eich annwyl fam[359] am flynyddau, roeddwn yn gwybod am danoch fel plant, ag hanes y gweddill or teulu. Maer teulu ni i gyd yn iawn, ar ol ein gwyl Nadolyg. Cawsom gyfarfod yn y "Capel Treorky" efor plant, a rhany teganau, iddi nhw sydd yn ddifir iawn. Yma yn fy nghartref cael cinio, ein teulu yma, a rhai wedi ei gwahodd. Diwrnod braf a digon o haul poeth, rhiw 30 gradd. Hen dro na biasech yn nes atom yma i ni gyd bod efon gilydd am inwaith mewn oes. Peidiwch bod ofn sgweni yn Saesneg ataf, rwyf yn ei ddeall yn iawn, ag yn medri siarad rhiw gymaint, ond dim yn mentro sgweni. (...) yn eich llythyr roeddech yn holy pwy oedd yn anfon llythyrau ich Mam Mrs Mary Guy yn 1926. Yr in Florence ag sydd yn anfon y llythyr hwn felly nad wyf wedi anghofio am y teulu yna yn Gymry. Am eich annwyl fam ofyn i mi peidio torri cysylltiad efo chi fel teulu pan oedd yn wael ei hiechid. (...)

Cofion oddi wrth fy mab Ronnie, ei wraig Gwen ar plant.[360]
Vy nghofion annwyl inau i chi wraig ar plant.
Florence.

Gweneira Davies de Quevedo, Trelew, 2007
(Eiddo Mari Emlyn)

Gweneira Davies González de Quevedo

(135) Rhan o lythyr Gweneira Davies González de Quevedo at Robin Gwyndaf yn ei hysbysu am farwolaeth ei mam, Elisa Dimol de Davies. Mewn llythyr arall ganddi at Elizabeth Jones (26/12/1980) mae Gweneira yn dweud: 'Diolch o galon am eich cydymdeimlad ar ôl colli mam. Mae hiraeth mawr am dani a ddoe dydd Nadolig eis a blodyn ar ei bêdd achos oedd hi môr barod i ddymuno Nadolig llawen a parsel bâch yn ei llaw bob amser i fynd oi chwmpas.'

(Trwy garedigrwydd Robin Gwyndaf.)

Gweneira Davies de Quevedo
Mitre 655
9100 Trelew – Chubut – Arg
Trelew, 8fed o Chwefror 1981

Annwyl Robin Gwyndaf a'r teulu:

(...) Y mae yn reit galed arnaf ddweyd wrthoch fod mam wedi huno ar yr 16 o Hydref dau ddiwrnod cyn i "Côr Gyfynys" gyrraedd Trelew. Yr oedd peswch cas wedi codi oddiwrth diffig anadl gan fod

ei chalon yn gwanhau a ddaru ni a hi gyda'r doctor benderfynu buasau yn cael mynd ir clinica am 3 neu 4 diwrnod i gryfhau dipin erbyn yr Eisteddfod y 25, ... ond pallodd y galon ar y trydydd dydd a marwodd heb sylweddoli ac heb boen, diolch am hynny, gyda llyfr yn ei llaw, am hanner awr wedi saith y nôs. Buodd hyn yn siom ac yn dristwch mawr i mi a minnau yn y pwyllgor trefniadau y Côr ar ei ymweliad – Yr oedd pawb yn llawn cydymdeimlad ataf, ond ar ôl angladd barchus a gwasanaeth yn Capel Tabernacl cefais ddewrder i gario ymlaen gyda'r trefniadau ac hefyd i arwain cwrdd nos yr Eisteddfod – Oeddwn yn ei gweld o fy mlaen trwyr amser a gorfod i mi dderbyn 3 gwobr am ei gwaith at yr Eisteddfod. Fe gewch gopi ohonynt nes ymlaen Gwyndaf. Wrth lwc, a bendithiaf y cyfle, cafodd ddarllen y llyfr Atgofion o Batagonia,[361] trwy law Irma Hughes oedd wedi ei dderbyn dyddiau yn gynt a cafodd bleser mawr am hynny. Diolch o galon i chwi am eich help a'ch edmygedd tuag ati (...) Gobeithio y caf y fraint o dderbyn gair fel arfer oddiwrthych. Yr wyf finnau yn eich cyfri yn ffrindiau mawr ac mae pleser cael newyddion amdanoch. (...)

Budd rhifyn arbenig o'r Drafod yn dod allan erbyn y 1af o fawrth rwyn meddwl (yr oedd yn 90 oed yr 17 o Ionawr) os felly byddaf yn anfon un i chwi pan caf gyfle. (...) Maddeuwch i mi am oedi ysgrifenny ond yr wyf wedi ateb o leiaf 30 o lythyrau a cardiau yn mis rhagfyr a rhan o Ionawr. Yr oedd yn drist genyf anfon atoch ar ôl derbyn eich llythur llawen ar dymuniadau goreu i ni. Yr oedd yn cael ei phenblwydd y 4ydd or mis yma. Buasai yn 86.
(...) Diolch am fod mor gymwynasgar ac annwyl gyda nain oedd yn feddwl mawr ohonoch.

Gyda cofion annwyl oddiwrth
Gweneira

(136) Rhan o lythyr Gweneira Davies de Quevedo at Robin Gwyndaf yn cadw'r cysylltiad rhyngddynt yn dilyn marwolaeth ei mam.

(Trwy garedigrwydd Robin Gwyndaf.)

Trelew, 29 o Ebrill 1981

Annwyl Gwyndaf a'r teulu

Yr wyf finau yn hoffi tawelwch y nôs i ysgrifenu at fy ngyfeillion hôff – Mae gwynt oer y gaeaf yn dechreu ysgwyd y ffenestri, ond chwarae teg mae mis ebrill wedi bod yn fendith o braf – a cefais y fraint o fyned i Trevelin i gwrdd cystadleuol a chael clywed adrodd a chanu mewn cymraeg hyfryd. Fel yr ydych yn dweyd Gwyndaf mae hiraeth mawr genyf am mam oeddwn i fel merch yn ei edmygu yn fawr am ei chôf ai help at bobpeth oeddwn eisiau ei wybod. Yr ydym ni blant wedi bod allan o'r dyffryn yma am lawer o flynyddoedd ond ar ôl dôd yn ôl ers ugain mlynedd a mam wedi dod i fyw atom, cefais flâs hyfryd ar hanes ein cyndeidiau a mwynhaiais yn fawr ei chwmni ai gwybodaeth am gymaint o brofiad bywyd. Yr oedd yn galw arnaf lawer noson gan ei bod yn mynd ir gwely yn gynnar ac yna yn cofio am rhyw hên gymeriad digri a rhyw ddigwyddiad hynod, a dyna lle oeddwn yn cael hwyl a chwerthin yn brâf. Yr wyf innau yn teimlo yn hapus ei bod wedi cael darllen y llyfr oedd yn cynnwys ei gwaith a diolch o galon i chwi am roi y cyfle iddint ysgrifenu trwy awgrymu y testun yna – Mae pawb yn ei werthfawrogi yn fawr. (...)

Yr ydym wedi cael colled fawr y 21 or mis yma – Mrs Edmunds yn 83 mlwydd.[362] Yr oedd hi yn perthyn i un o gartrefi y Wladfa ac yr oedd ganddi dalent arbenig. Cafodd hi y fraint o fyned i Brifysgol Caerdydd a graddio yno. Yr oedd yn wraig ir profesor E.T.Edmunds fuodd yn Brif athro yn ysgol ganolraddol y Gaiman am flynyddoedd. Rhoddodd ei gwasanaeth fel beirniad yn yr Eisteddfodau bron bob blwyddyn ac yn athrawes ragorol yn yr Ysgol Sul. Dysgodd Saesneg am lawer o amser yn y Coleg yma ac yr oedd yn medru meistroli y tair iaith. Yr oedd grwp o Gymry yma erbyn y Pasc felly cafodd y Parch Geraint Owen wasaneuthu yn yr angladd.

Heddiw mae aelod arall o Capel Tabernacl wedi huno – Mrs Mair Lloyd yn 89. Felly gwelwch fod y colofnau yn myned i lawr o un i un ...

Fe gofiaf yn fyw iawn am barti Menlli fel pob un arall sydd wedi gwrando arnynt. Mae y corau sydd wedi dyfod drosodd wedi rhoi chwythiad a chwant am agoshau ni at ein cenedl cymreig. (...)

Nis gwn pryd y gallaf gyflawni y breuddwyd o fynd drosodd yna. Mae y gost wedi mynd ir dwbl mewn ychydig o fisoedd – ond daliaf i feddwl y daw y penderfyniad i ben rhyw ddiwrnod a cael gweld y cyfeillion lawer wyf wedi adnabod er 1965.

Fe ddaw fy ngymraeg yn well wrth ysgrifeny, gobeithiaf eich bod yn fy neall. Cofion annwyl at Eleri a'r plant a llawer o ddiolch am eich cydymdeimlad tyner a'ch geiriau llawn cariad at mam.

Cofion atoch oddiwrth. Gweneira

Nodiadau

[302] Ar 24 Mawrth 1976 cafwyd *coup* milwrol o dan arweiniad Jorge Rafael Videla. Nod Videla oedd disodli'r mudiadau herwfilwrol ac adfer trefn gymdeithasol. Aeth y lluoedd diogelwch o gwmpas y wlad yn arestio, arteithio, treisio a lladd unrhyw un yr oedden nhw'n ei amau o fod yn gefnogwr adain chwith.

[303] Yn dilyn ei hymweliad, gwnaeth Shân Emlyn Edwards apêl ar deledu HTV am i gopïau o'r *Caniedydd* gael eu hanfon i'r Wladfa. Bu'r apêl yn llwyddiannus iawn.

[304] Y Fonesig Eirys Mary Edwards. Anfonodd lythyr at May Williams de Hughes, 27 Chwefror 1976 yn ymddiheuro na fedrai fynd ar ymweliad â'r Wladfa fel y trefnwyd y flwyddyn honno oherwydd bod 'cyfarfod pwysig iawn wedi cael ei threfnu gan cyfreithwyr yr Urdd er mwyn i roi y cyfansoddiad newydd o flaen Cyngor yr Urdd ac yn y cyfansoddiad y mae'n ddweud fod Llywydd yr Urdd i gymeryd y gadair – a fi'n sy'n digwydd fod y Llywydd'. Ar ddiwedd y llythyr mae hi'n ychwanegu: 'Roeddwn wedi bod yn pendronnu os ddylwn dod oherwydd sefyllfa pethau yn yr Ariannin ... ' Aeth y Fonesig Edwards gyda Norah Isaac ar ymweliad â'r Wladfa ddiwedd 1976 a dechrau 1977.

[305] Bu farw Cristina MacDonald de Humphreys, merch Ewen MacDonald a Nest Roberts (ac felly'n wyres i Edwin Cynrig Roberts) ar 18 Rhagfyr 1975 a'i chladdu ym mynwent Trelew.

[306] Cafodd RBW drawiad ar ei galon pan oedd yn y Drenewydd mewn cyfarfod o Fwrdd yr Orsedd, ychydig fisoedd wedi ei urddo ym 1974.

[307] Bu farw'r Arlywydd Perón ganol 1974 ac fe'i olynwyd gan yr Is-arlywydd anghymwys, sef ei wraig Isabelita Perón.

[308] Lottie Roberts de Hughes, mam Alwina Thomas sef merch-yng-nghyfraith Gwen.

[309] Gw. hanes teulu Twyn Carno yn yr adran 'Llythyrau Twyn Carno' ym mhennod olaf *Llythyrau'r Wladfa 1865-1945*.

[310] Cynan Jones, mab Anne Harrison a John Eryrys Jones a ddaeth i'r Wladfa ar y *Vesta*. (Gw. llythyr 53 gan Mr a Mrs Simon Jones, hen daid a hen nain Hywel ap Cynan Jones o Lanarmon-yn-Iâl yn *Llythyrau'r Wladfa 1865-1945*.) Priododd Hywel ap Cynan Jones ag Elma Roberts, wyres Benjamin Pugh Roberts a Lizzie Freeman. Cadair Hywel ap Cynan Jones a ddefnyddir yn flynyddol bellach yn seremoni cadeirio Eisteddfod y Wladfa. Adnabyddid Hywel ap Cynan Jones fel *Jones Correo* am iddo weithio i'r post yn Esquel. (Gw. hanes boddi Hywel ap Cynan yn llythyr 120.)

[311] Enillodd y goron hefyd yn Eisteddfod y Wladfa 1979.

[312] Egryn Williams (1913-1980). Roedd yn ŵyr i Aaron Jenkins, merthyr cyntaf y Wladfa. (Gw. llythyr 27 am ddyfrhau'r dyffryn a llythyr 32 yn disgrifio dal a lladd llofrudd Aaron Jenkins yn *Llythyrau'r Wladfa 1865-1945*.)

[313] Mrs Blodwen Garner, priod y diweddar Barch. Alun Garner a fu'n gwasanaethu fel gweinidog yn y Wladfa o 1927-1937. Dychwelodd y ddau i Gymru ym 1937.

[314] Mini-eisteddfod/cwrdd cystadleuol Trevelin a gynhaliwyd 27 Awst 1977. Aeth llond bws (40) o Drelew a'r Gaiman draw i Drevelin ar gyfer yr achlysur. Maria Esther Evans (nith Meinir) a fu yn Harlech 1975-76 oedd ysgrifenyddes pwyllgor y Mini-eisteddfod.

[315] Cyrhaeddodd Côr Godre'r Aran Buenos Aires ar 15 Hydref 1977 a chyrraedd Esquel a Threvelin ar 19 Hydref. Trefnydd y daith oedd Tom Jones, Llanuwchllyn.

[316] '*Aburrida*' – 'yn ddiflas'.

[317] Margaret Rees Williams enillodd gadair Eisteddfod y Wladfa 1978 a 1979. Meinir aeth i'r llwyfan i'w chynrychioli ym 1979.

[318] Cynhaliwyd Eisteddfod y Wladfa ar 29 Hydref 1977 yn Neuadd Dewi Sant, Trelew.

[319] Cafodd Egryn Williams gydradd gyntaf hefyd gydag Ifano Evans am draethawd 'Rhagolygon yr Eisteddfod yn Chubut'. Roedd 'ewyrth Egryn' yn frawd i Margaret Jane, mam Meinir Evans de Lewis.

[320] Irma Hughes de Jones. Ei thestun oedd tair cerdd i'r Camwy.

[321] Enillwyd y goron am gerdd *vers libre* yn Sbaeneg gan Nelida Tarche de Jones, Trelew.

[322] Elias Owen, Coetmor yn gefnder i dad Nel, sef Robert (Bob) Owen.

[323] Cynhaliwyd Eisteddfod y Plant yn Neuadd Dewi Sant, Trelew, ar 6 Medi 1980.

[324] Ethel Owen, mam Ivonne.

[325] Bu farw Elisa Dimol de Davies 16 Hydref 1980, ychydig ddyddiau cyn yr eisteddfod. (Gw. llythyrau ei merch Gweneira Davies de Quevedo, rhif 135 a 136.)

[326] Cynhaliwyd Eisteddfod y Wladfa ar 23 Hydref 1982 yn adeilad gymnasiwm Trelew. Nid ymgeisiodd neb ar gystadleuaeth y gadair ac nid anfonwyd yr un gwaith barddonol i Gymru i'w feirniadu ar gyfer Eisteddfod 1982.

[327] Cafodd Côr Trevelin a Chôr Comodoro Rivadavia gydradd gyntaf ar y prif ddarn corawl.

[328] Laura Jones.

[329] Meinir, Jane a Jac Jones, brawd a dwy chwaer.

[330] Catherine Davies.

[331] Maud Griffiths de Morgan, merch hynaf William Gerlan Griffiths a Mary Jones. Roedd hi'n chwaer-yng-nghyfraith i Eirwen Davies de Griffiths.

[332] Elda Griffiths de Gómez, chwaer René Griffiths.

[333] Bu farw tad René sef Owen Griffiths ar 1 Mehefin 1953 wrth foddi yn y ffos.

[334] Bila – Buddug Griffiths de Davies, chwaer-yng-nghyfraith Eirwen Davies de Griffiths a modryb Rini.

[335] Gladys Griffiths de Williams, chwaer-yng-nghyfraith Eirwen Davies de Griffiths a modryb Rini.

[336] Alwina Thomas, Buenos Aires – merch Lottie ag Emrys Hughes, ac wyres i Benjamin P. Roberts a L. Freeman

[337] Evan Roberts, brawd Lottie a thad-yng-nghyfraith Hywel ap Cynan.

[338] Norman Powell, mab Margaret Powell ac ŵyr i Benjamin P. Roberts a L. Freeman.

[339] Joyce Powell, chwaer Norman a merch i Margaret Powell, ac felly'n wyres i Benjamin P. Roberts a L. Freeman.

[340] Ben y Gelli.

[341] Sarah Roberts de Rowlands (1895-1993), mam Celina Rowlands Jones. Bu Celina farw yn 69 mlwydd oed ym 1991.

[342] Margaret Roberts de Powell, gwraig Nesiah Powell a mam i Edward (Teddy), Norman a Joyce Powell.

[343] Mirna Jones de Ferreira (gw. llythyr 145 ganddi).

[344] Einion Owen, gŵr Nel Owen a mab Owen Charles Owen a Margaret E. Evans.

[345] Margaret Roberts de Powell, mam Norman Powell, un o'r ddau ŵr ifanc a foddodd yn yr afon. Collodd Margaret hithau ei nain Mary Ann Freeman ym 1910 pan foddodd yn afon Camwy.

[346] Lilian Jones, merch Modryb Maggie, a briododd ag Alfredo Underwood (mab Martin Underwood a Sarah Ann Griffiths). Modryb Maggie oedd bydwraig ei merch Lilian ar enedigaeth ei merch gyntaf sef Sarah Margaret a enwyd ar ôl ei dwy nain. Dywed Irfonwy Evans de Hughes, a oedd yn un o 12 o blant, yn yr ysgrif am ei mam Margaret Jane Williams (*Byw ym Mhatagonia*, t. 101): 'Ganwyd ni bron i gyd ym Mod Eglur a Mrs. Maggie Freeman de Jones dderbyniondd y rhan fwyaf ohonom.'

[347] Mary Ann (Nan) Hopkins de Hammond – chwaer i Alice Hughes, mam Nel Owen, ac felly roedd hi'n fodryb i Nel.

[348] Priododd nain Nel Owen, sef Ellen Pugh Roberts, ddwywaith – yn gyntaf gyda Griffith G. Hughes (a fu farw ym 1898) ac yna gydag Ivan Hopkins. Cafodd 4 o blant gyda'i gŵr cyntaf: Alice Hughes (mam Nel Owen), Alun Hughes, Mary Hughes ac Esti Hughes; ac yna 5 plentyn arall gyda'i hail ŵr: Gweirydd Hopkins, Margaret Hopkins, Meilir Hopkins, Ida Hopkins a Mary Ann Hopkins (Modryb Nan).

[349] Cafodd weld ei phen-blwydd yn 103 ond bu farw'n fuan wedyn ar 7 Ebrill 1981.

[350] Yn dilyn ei hymweliad â'r Wladfa, cyhoeddodd Norah Isaac ei chronicl bersonol hi o'r daith yn ei chyfrol *Crwydro Gorff a Meddwl*.

[351] Y Fonesig Mary Eirys Edwards (1897-1981), gwraig Syr Ifan ab Owen Edwards.

Norah Isaac oedd ei chydymaith ym Mhatagonia.

352 Syr O. M. Edwards (1858-1920), prif arolygwr ysgolion cyntaf Cymru a golygydd *Cymru* a *Cymru'r Plant*. Roedd yn dad-yng-nghyfraith i'r Fonesig Eirys Edwards.

353 Aeron Jones, tad y cerddor Clydwyn Ap Aeron, Meillionen, Meilir a Dewi Mefin.

354 Emlyn Davies.

355 Selwyn Roderick, cyfarwyddwr 'Plant y Paith'.

356 Mae Fabio González, mab ieuengaf Luned Vychan Roberts de González, yn siarad Cymraeg yn rhugl erbyn hyn ac yn cynorthwyo Tegai Roberts yn Amgueddfa'r Gaiman.

357 Roedd Elin Angharad Edwards, merch hynaf Owen Edwards a Shân Emlyn â'i bryd ar fynd yn gerddor. Ym mis Ebrill 1979 aeth am gyfweliad i Goleg Cerdd Brenhinol Llundain a chael ei derbyn. Mae hi bellach yn canu'r ffidil yn broffesiynol.

358 Ceir llun o Rebeca Henry, wyres Irma, yn ferch fach yn ei gwisg Gymreig ar dudalen flaen *Y Drafod*, haf 1981. Ceir hefyd delyneg Irma am Neini yn 'Gweu':

> ... Ni wyddai hi
> Ei bod fel hyn
> (Ni wyddwn innau chwaith)
> Yn gweu 'run pryd
> Ryw gwlwm tyn
> Rhwng Cymru bell a'r paith.

359 Mary Guy.

360 Blanca Hughes (gw. llythyr 171 ganddi).

361 *Atgofion o Batagonia* – cyfrol o waith ymgeiswyr cystadleuaeth Eisteddfod Genedlaethol Cymru i 'bobl sydd wedi byw yn y Wladfa ar hyd eu hoes ac yn dal i fyw yn yr Ariannin'. Roedd Elisa Dimol de Davies yn un o'r buddugwyr.

362 Anita Roberts de Edmunds.

PENNOD 5

'Dros yr iaith – y paith ar waith' (Llythyrau 1983-2000)

Ymdeimlir â'r gorffennol o bryd i'w gilydd mewn ambell i lythyr o'r Wladfa, ond erbyn diwedd yr ugeinfed ganrif roedd nifer cynyddol o'r Gwladfawyr yn bwrw trem yn ôl gan ymfalchïo yn eu hetifeddiaeth. Fel Archentwyr, mae'r Gwladfawyr wedi perffeithio'r grefft o ddathlu ac mae llythyrau'r cyfnod hwn yn frith o gyfeiriadau at wahanol ddathliadau a choffadwriaethau. Gyda'r Wladfa yn tynnu at ei phen-blwydd yn 135, roedd digon o gyfleoedd am ddathliadau canmlwyddiant gwahanol sefydliadau. Yn eu plith roedd Ysgol Bryn Gwyn yn gant oed ac roedd tri o'r disgyblion hynaf yn bresennol yn y dathliadau ar yr 17eg o Fedi 1983 – Alfred John Thomas, Miss Janet Owen a Mrs Florence May Williams de Hughes (gw. ei llythyr rhif 134). Yna, ym 1984 cynhaliwyd gwasanaeth coffa i Richard B. Davies, Llanelli; John Parry, Rhuddlan a John Hughes, Caernarfon, sef y tri a lofruddiwyd gan yr Indiaid yn Nyffryn Kel Kein gan mlynedd ynghynt. Cafodd John D. Evans ddihangfa wyrthiol ar gefn ei geffyl heini Malacara. Gosodwyd plac swyddogol yn enw talaith Chubut i gofio'r rhai a laddwyd ar y 4ydd o Fawrth 1884 yn Nyffryn y Merthyron. Ym 1985 roedd Cyngor Tref y Gaiman, cyngor cyntaf talaith Chubut, yn dathlu ei chanmlwyddiant. Gan mlynedd yn ôl hefyd y cafwyd 'un o'r teithiau ymchwil pwysicaf a ddigwyddodd yn yr Ariannin' yn ôl RBW (*Y Wladfa* t. 222), sef taith ymchwil Fontana i orllewin Chubut, gan gyrraedd Cwm Hyfryd ar y 25ain o Dachwedd 1885. Ailgrewyd y daith honno ganrif yn ddiweddarach fel y tystia cylchlythyr Alwina Thomas, Luned González a Tegai Roberts. (139)

Ym 1986 aeth arlywydd yr Ariannin, Raúl Alfonsín, i Drelew i ddathlu canmlwyddiant tref Lewis Jones. Dywed Shân Emlyn (oedd ar ymweliad â'r Wladfa ar y pryd) am Alfonsín: 'Mae'n amlwg ei fod yn areithiwr tanbaid – y gwaed Cymraeg ynddo medde nhw fan hyn a'i fod yn annerch yn debyg i Lloyd George.' (140)

Dadorchuddiwyd cofgolofn i Lewis Jones a chafwyd cinio mawr fel rhan o'r dathliadau gyda thros 900 yno'n rhan o'r wledd. Yn eu plith roedd criw o Ferched y Wawr ar ymweliad â'r Wladfa am y tro cyntaf. Arweinydd y cwmni oedd Margaret Lloyd Jones, Fron Goch, awdures *Nel fach y Bwcs* a *Ffarwel Archentina*. Roedd Margaret Lloyd Jones yn ferch-yng-nghyfraith i Ellen Davies de Jones (Nel fach y Bwcs) y gwelir llythyrau ganddi ym mhennod gyntaf y gyfrol hon. Margaret Lloyd Jones hefyd enillodd gadair eisteddfod canmlwyddiant Trelew y flwyddyn honno.

Roedd Capel Seion, Bryn Gwyn yn dathlu ei chanmlwyddiant ar y 10fed o Awst 1988 a disgrifia Irma Hughes de Jones y dathliadau mewn llythyr at Ifor Owen fel a ganlyn: 'Bu'r dathlu yn hwyliog iawn; te a chyngerdd ddydd Sadwrn yr 13 o Awst. Cyfarfod (Cymraeg rwy'n meddwl) brynhawn Sul yr 14, a Chymanfa ganu ddwyieithog yn yr hwyr. Mi gollais i bnawn Sul ond bum yn y lleill. Diweddu drwy i bawb ganu, "¿Pwy fydd yma 'mhen can mlynedd?" ' (141)

Ymhlith dathliadau can mlynedd eraill y cyfnod hwn yr oedd Capel Tabernacl Trelew ym 1989, adeilad hynaf y dref, a phen-blwydd *Y Drafod* yn gant oed ym 1991.

Roedd llewyrch ar y dathlu yn y Wladfa a rhywfaint o optimistiaeth am adfer sefyllfa fregus y wlad yn dilyn dymchwel y llywodraeth filwrol. Ym 1984 sefydlodd Alfonsín a'i lywodraeth newydd gomisiwn i adrodd ar drais gwleidyddol y 1970au a dechrau'r 1980au, ynghyd â chais am wybodaeth am dynged y rhai a ormeswyd. Canlyniad hyn oedd *Nunca Más* (Byth Eto) a dystiolaethodd fod yr unbennaeth filwrol wedi herwgipio, arteithio a lladd o leiaf 9,000 o Archentwyr. Yn sgil y dystiolaeth yma, rhoddwyd ar brawf rai o arweinyddion y jwntâu milwrol, ynghyd â'r penderfyniad hanesyddol i garcharu pump ohonynt am droseddau yn erbyn dynoliaeth.

Er gwaethaf yr optimistiaeth, etifeddodd Alfonsín broblemau economaidd dyrys. Er mwyn ceisio adfer rhywfaint ar sefyllfa fregus yr economi, cyflwynwyd arian newydd i ddisodli'r hen *peso* sef yr *austral.* Fodd bynnag, o fewn ychydig fisoedd, dilëwyd cynilion llawer yn llwyr yn sgil y gorchwyddiant. Mae'n debyg mai'n rhannol oherwydd anallu Alfonsín i adfer yr economi y pleidleisiodd yr Archentwyr ym 1989 am arlywydd gwahanol – Carlos Saúl Menem. Fel hyn y dywedodd Meinir mewn llythyr (146) at Margaret am y cyfnod hwn:

> ... mae costia teithio wedi codi yn ddychrynllyd yma y gaeaf yma, a pris pob peth, nes mae yn amhosib bron pryni dim, hyd yn oed bwyd, i ti gael ryw syniad fel mae roedd dwsin o wya yn costio y flwyddyn ddiwedda 10 austral, a leni maent yn costio 50 austral, yr un, galli gasgli wrth hyna sut mae hi, mae yn adeg bryderus iawn, wrth fod y bwyd mor ddrud. Mae llawar iawn o ddwyn, yn enwedig yn y dinasodd mawr, fel Buenos Aires,

> Córdoba a Rosario, pobl yn mynd yn heidia i fewn ir siopa mawr, a rhuthro ir petha; mi yda ni, hyd yn hyn wedi llwyddo i gael bwyd bob dydd, a llaeth a bara ir plant, ond wir, mae yn ddrwg. Mae na arlywydd newydd ar y wlad ers pythefnos, mae rhai a gobaith fod hwn yn mynd i wneid gwyrthia, ond, am dana i, dwi ddim yn meddwl y gall hwn wneid dim mwy na Alfonsin druan ...

Efallai mai un o gamau pwysicaf Menem fel arlywydd oedd pasio deddf ym 1991 a oedd yn rhoi'r peso Archentaidd ar yr un tir â'r ddoler Americanaidd. Cafwyd peth sefydlogrwydd economaidd (er mai un ffals ydoedd, fel y gwelwyd yn ddiweddarach) am y tro cyntaf mewn tri degawd. Ym 1992 adferwyd cysylltiadau diplomyddol â Phrydain Fawr am y tro cyntaf ers helyntion y Malvinas ym 1982. Gefeilliwyd Porth Madryn, yr Ariannin â Nefyn, gogledd Cymru ym mis Medi 1998. Dyma'r gefeillio cyntaf erioed rhwng tref ym Mhrydain a De America.

Roedd blynyddoedd cynnar y 1990au yn gyfnod eithaf llewyrchus felly i'r Ariannin o'u cymharu â'r blynyddoedd cythryblus blaenorol. Dechreuodd yr Archentwyr deithio tramor eto gan deimlo balchder adnewyddol yn eu gwlad. Aeth corau o'r Wladfa i Gymru: Côr Camwy ym 1987 a Chôr y Gaiman a Chôr Esquel ym 1996. Aeth llawer o Gymry draw i'r Wladfa hefyd yn ystod y cyfnod hwn, gan gynnwys Cwmni Theatr Brith Gof ym 1986. Gwelodd y Gwladfawyr eu bod yn atyniad twristaidd a manteisiwyd ar y ffaith hon drwy godi tai te Cymreig fel madarch. Erbyn 1985 roedd chwech o dai te yn y Gaiman.

Gallasai'r datblygiadau modern ym maes cyfathrebu fod wedi bod yn angau i'r arfer o lythyru ar ddiwedd yr ugeinfed ganrif. Yn achos y Gwladfawyr, y teliffon oedd un o'r datblygiadau hyn. Mewn llythyr gan Meinir at Margaret ym 1995 dywed fod Manon, ei merch: ' ... wedi cael teliffon rŵan, ag mi yda ni yn neyd yn fawr ohono a ddim yn sgrifeni llythyrau! Dyna'r drwg mwya o fod a teliffon, ond mae mor dda clywed y llais o bell ... '

Mewn llythyr arall (154) gan Meinir at Margaret ym 1995 dywed: 'roeddwn yn edrych dros dy lythur cyntaf i fi y bora ma, yn dechrau fel hyn, Anwyl Mrs Lewis, ag yn son am dy fam yn 78 oed, yr un oed a ti nawr, ar dyddiad 1af o Rhagfyr 1965, bron i drideg o flynyddau, go dda ni ynte?'

Roedd rhai o'r to hŷn yn dal ati i lythyru yn y Gymraeg a'r llythyr yn parhau'n gyfrwng allweddol yn y berthynas rhyngom ar ddwy ochr yr Iwerydd. Mae'r llythyrau hyn, nid yn unig yn gyfrwng cyfathrebu pwysig rhwng ffrindiau a theuluoedd, ond hefyd yn gofnod pwysig wrth drosglwyddo hanes teuluol o un genhedlaeth i'r llall. Darganfu Gweneira Davies de Quevedo berthynas iddi o Gymru a dechreuodd ohebu ag o yn ystod y cyfnod hwn. Dywed mewn llythyr (153) at Mici Plwm wrth gyfeirio at ei mam: 'Yn anffodus nid wyf wedi recordio dim o'i llais ond mae wedi ysgrifenu llawer oedd hi yn gofio.'

Diolch bod Elisa Dimol de Davies wedi llythyru mor doreithiog, neu ni fyddai gan ei disgynyddion y stôr o wybodaeth a gofnodwyd ganddi am eu cyndeidiau (er nad yw'r mwyafrif ohonynt bellach yn medru'r Gymraeg, yn anffodus).

Â'r milflwyddiant newydd ar wawrio, roedd y llythyr yn dechrau mynd yn ffurf hen ffasiwn o gyfathrebu bellach, a pherygl gwirioneddol o golli stôr ddihysbydd o ohebu a chofnodi hanes y Gwladfawyr. Faint yn fwy o'r Gwladfawyr fyddai'n gallu siarad, heb sôn am ysgrifennu, yr iaith Gymraeg ymhen ychydig flynyddoedd? Ysgrifennodd Moira o Buenos Aires ym 1984 gan ddweud am ei nain, Lottie Roberts de Hughes: 'Nain Hughes is here in B.A. staying at an elderly's Home – we try to go and see her as often as we can. It's sad to see her a bit "lost". I normally talk in Welsh with her, she speaks very little Spanish – even to the nurses and people there she says anything to them in Welsh!' (137)

Roedd rhai o drigolion yr Andes yn cydnabod bod yr iaith ar drai yno. Ysgrifennodd Fred Green yn ei gyfrol *Pethau Patagonia* (t. 122) ym 1984 am y Wladfa:

> Nid Gwladfa Gymreig mohoni bellach ond Gwladfa Batagonaidd. Daeth cael sgwrs yn y Gymraeg yn anos bob dydd. Gydag un person yn unig y cefais i sgwrs Gymraeg ddiddorol ddoe yn Esquel. Yng Nghwm Hyfryd bellach yr unig adeg y byddwn ni Gymry yn casglu at ein gilydd yw i gael Eisteddfod neu i groesawu ymwelwyr o'r Hen Wlad. 'Rydym hefyd yn llwyddo hyd yn hyn i gael Cymanfa Ganu y Sul ar ôl yr Eisteddfod ...

Roedd siaradwyr a gohebwyr Cymraeg y Wladfa yn heneiddio ac yn prinhau a rhai Gwladfawyr praff yn llawn sylweddoli hynny. Un o'r rhain oedd prifathrawes Coleg Camwy y Gaiman, Luned Vychan Roberts de González. Ym 1995 llwyddodd Luned i gael gwersi Cymraeg swyddogol yn yr ysgol, gan roi'r dewis i'r myfyrwyr astudio Ffrangeg neu Gymraeg. Dewisodd deugain o'r disgyblion ddysgu Cymraeg. Ym 1993 sefydlwyd ysgol feithrin Gymraeg yn y Gaiman. Oedd, roedd yr ieuenctid yn dechrau dangos diddordeb yn iaith eu cyndeidiau. Wrth gefnu ar y

1980au a chroesawu degawd olaf y ganrif, gwelwyd peth adfywiad o safbwynt y Gymraeg ymhlith ieuenctid y Wladfa, yn ddisgynyddion i'r Cymry ac yn Lladinwyr. Mae lle i ddiolch i sawl unigolyn diwyd o Gymru a fu'n dysgu Cymraeg yn wirfoddol yn y Wladfa. Gwnaed hyn o dan adain Cymdeithas Cymru-Ariannin (addaswyd yr enw o 'Gymry Ariannin' i 'Gymru-Ariannin' ym 1999.) Gwnaeth yr athrawon hyn – pobl fel Cathrin Williams, Gwilym Roberts a Pedr McMullen – waith amhrisiadwy dros y Gymraeg yn y Wladfa. Roedd y diddordeb hwn ymysg ieuenctid y Wladfa yn y Gymraeg yn galonogol ac roedd newyddion gwell i ddod eto.

Ym 1996 comisiynwyd yr Athro Robert Owen Jones i gyflwyno adroddiad i'r Swyddfa Gymreig ar gyflwr y Gymraeg yn y Wladfa. Yn ei erthygl 'Gwydnwch y Gymraeg: Brwydr yr iaith yn y Wladfa' (*Taliesin*, haf 2005), dywed Robert Owen Jones iddo gael ei ryfeddu gan adfywiad y Gymraeg trwy drwch y gymdeithas yn y Wladfa: 'Roedd yr union genedlaethau a oedd wedi ymwrthod â'r iaith yn ystod y pedwar degawd blaenorol nawr yn dangos diddordeb ysol ynddi ... Roedd newid rhyfedd ar droed ... '

Derbyniodd y Swyddfa Gymreig holl argymhellion adroddiad Robert Owen Jones. Achos dathlu i bawb a chanddynt ddiddordeb ym mharhad yr iaith yn y Wladfa oedd y cyhoeddiad, ym 1996, gan Ysgrifennydd Gwladol Cymru, William Hague, ei fod yn rhoi £40,000 dros gyfnod o dair blynedd (gan gychwyn ym mis Ebrill 1997) ar gyfer hybu dysgu Cymraeg a meithrin y diwylliant Cymraeg yn Y Wladfa. Sefydlwyd Cynllun Iaith Patagonia gan y Swyddfa Gymreig ar y cyd â'r Cyngor Prydeinig. Heddiw, y Cyngor Prydeinig sy'n gweinyddu'r cynllun ac fe'i hariennir gan Lywodraeth Cynulliad Cenedlaethol Cymru a Chymdeithas Cymru-Ariannin.

Yn adroddiad blynyddol 1996/97 Cymdeithas Cymru-Ariannin cofnodwyd i gyfarfod blynyddol y gymdeithas y flwyddyn honno fod yn un hanesyddol: ' ... Am y tro cyntaf yn ein hanes y mae llywodraeth gwlad wedi cydnabod ein hymdrechion, ac yn bwriadu anfon tri athro i Batagonia am gyfnod o flwyddyn i ddarparu gwasanaeth i'r Dyffryn, ac, am y tro cyntaf, i Gwm Hyfryd. Ar hyn o bryd mae 353 yn mynychu dosbarthiadau Cymraeg ... '

Y tri athro a anfonwyd gyntaf i fraenaru'r tir oedd Hazel Charles Evans (a arhosodd yn Esquel am ail flwyddyn), ac aeth Eleri Hughes a Dewi Evans i Ddyffryn Camwy.

Arwyddair y cynllun, a fenthycwyd gennyf fel pennawd i'r bennod hon yw 'Dros y paith – yr iaith ar waith'. Mae'r cynllun dysgu Cymraeg wedi bod yn amhrisiadwy parthed datblygiad yr iaith a hybu diddordeb yn y diwylliant Cymraeg a Chymreig yn y Wladfa. Gwelir ôl y gwaith yn rhai o lythyrau'r bennod hon a'r nesaf. Dywed Irma Hughes de Jones mewn llythyr (158) at Ifor Owen ym 1999: 'yn gyffredinol yma, mae Cymru'n agosach nag erioed. Amryw o rai ifanc yn cael teithio draw bob blwyddyn i wneud cwrs o ddeufis yn Llanbed i ddysgu Cymraeg. A thros bum cant o rai'n mynychu'r dosbarthiadau hefo'r athrawon o Gymru. Fel hyn mae pethau'n edrych yn addawol iawn am barhâd yr iaith ym Mhatagonia.'

Diddorol yw darllen llythyr gan un o'r athrawon o Gymru a chael ei hargraffiadau hi o'r Wladfa. Ym 1998 aeth Catrin Morris o Lantrisant i Drelew fel athrawes. Dengys llythyr Catrin yn y bennod hon nad hawdd bob amser yw ysgrifennu llythyr. Ymdeimlwn â'i hing wrth i Catrin grio mewn *locutorio* ac wrth iddi gydnabod bod angen 'cryfder' i ysgrifennu o Batagonia. Bu'n rhaid i Catrin yn Nhrelew geisio dygymod â salwch ei Mam yng Nghymru bell: ' ... yr unig beth sydd yn anodd yw fod fy nheulu yn bell, ond mae'r ffôn, a medru sgwennu fel hyn yn help mawr ... ' (159)

Ymgodymodd â'i hiraeth drwy gymorth a charedigrwydd parod y Gwladfawyr a bellach mae hi'n Catrin Morris de Junyent a chanddi hi a Milton ei gŵr ddwy o ferched. Nid Catrin yw'r unig athrawes o Gymru i ymgartrefu yn y Wladfa, fel y gwelir yn y bennod olaf.

Gwnaeth yr athrawon yma o Gymru (ac maent yn parhau i wneud) gyfraniad gwerthfawr i'r Gymraeg yn y Wladfa. Cafwyd adfywiad nerthol i'r bywyd diwylliannol yn y Wladfa a theimlir y bwrlwm hwnnw yno heddiw. Mae'r bennod hon yn cloi gyda llythyrau gan rai o ddisgyblion y dosbarthiadau Cymraeg at un o'r athrawon, sef Sioned Huws, yn fuan wedi iddi ddychwelyd i Gymru. Mentraf honni na fyddai rhai o'r awduron hyn wedi ceisio ysgrifennu yn y Gymraeg oni bai am y dosbarthiadau yma. A fyddai gennym lythyrau'r Wladfa gan unrhyw un o dan oed yr addewid ar ddiwedd yr ugeinfed ganrif oni bai am y cynllun cyffrous hwn? Yn ogystal â chadw'r iaith yn fyw, teimlir, yn sgil ymweliadau'r athrawon o Gymru, bod y ddolen rhwng y ddwy wlad yn dynnach nag erioed, tra'i bod hefyd ar yr un pryd yn cydnabod a pharchu ein bod ni Gymry ac Archentwyr Cymraeg yn perthyn i ddau gyfandir tra gwahanol. Dyma ddyfyniad o lythyr (161) gan ddisgyblion o'r Wladfa at eu cyn-athrawes yng Nghymru:

> ... Wi ti'n gwybod yn well na neb pa mor anodd edi o i mi yn gymraeg!! (...) Dw i newydd orffen darllen "Cysgod y Cryman"

o Islwyn Ffowc Ellis. ¡Ffantastig! Mi griais i fel llo bach ac mi wnes i mwynhau o lot fawr. Dw i'n teimlo'n rhyfedd iawn wrth ddarllen y gymraeg. Mae cymaint o bethau sydd mor gyfarwydd i ni ac ar yr un pryd yn perthyn i byd gwahanol. (...) Wel Sioned, dan i'n cofio am dana ti bob amser. Croeso'n ol a diolch yn fawr am dy oll waith dros lles y cymraeg yn y Wladfa. (...) Cofion cynnes oddiwrth Christine, Romina a Benjy. Sws mawr y ¡hasta pronto! Chau.

'Cwrdd a chanu yr hyms'

(137) Rhan o lythyr Alwina Thomas (Buenos Aires) yn rhoi hanes 'Nain Hughes', sef Lottie Roberts de Hughes (gw. llythyr 119 ganddi) mewn cartref henoed yn Buenos Aires, gydag atodiad o lythyr yn Saesneg gan ei merch Moira.

(Trwy garedigrwydd Beryl Griffiths.)

Bs As May 5 1984

Annwyl Elizabeth ar teulu:

(...) Mae Mam mewn home tua deuddeg square oddiyma ers dai fis fori. Mae pobl y lle yn garedig. Ac yr ydym (rhai ohonom) yn mynd iw gweld bob dydd – ac hyd yn un yn galli mynd a hi am dro bach. Hitha yn mwynhau cerdded. Ac ei gwyneb yn goleuo wrth deimlo yr awyr iach. Mae yn siaradus rhai dyddia. Nain Thomas[363] yn siarad drwyr phone reit aml. Mae wedi fod yn anffodus o golli yr unig chwaer (Auntie Buddug) credaf i chwi ei adnabod y diwrnod daethoch heibio lle Nain gyda Mr a Mrs Gravell – pan ddaethoch gyda'r côr! Mrs Nan Roberts mewn home ers Blwyddyn B.A.B.S (British American Benevolent Society) ond nid iw wrth ei bodd yno. Dydd Sul diwedd y mis yr ydym yn mynd gyda criw yr Eglwys ar organydd i edrych amdanynt – cael te a danteithion: cwrdd a chanu yr hyms, maent yn ddewis. Mae yno rhiw chwedeg oedrannus yn byw yno. (...)

Dear Elizabeth Jones:

(...) How are you and your family? Nain Hughes is here in B.A. staying at an elderly's Home – we try to go and see her as often as we can. It's sad to see her a bit "lost". I normally talk in Welsh with her, she speaks very little Spanish – even to the nurses and people there she says anything to them in Welsh! (...)

Love to your family and thanks again

Moira

Well mae Moira wedi dilyn y llythyr yma dipin mwy rwydd na ei Mam! Cofion anwylaf attoch i gyd

Alwina

Anfonwn y neck-kerchief i gynesu eich gwddf.

Cylchlythyrau

(138) Cylchlythyr gan Alwina Thomas (y Gaiman), Tegai Roberts a Luned Vychan Roberts de González yn rhoi hanes diweddar y Wladfa. Ysgrifennodd Luned ar draws un cylchlythyr ym mis Rhagfyr 1992: 'Och y fi a'r hen "circulars" yma ond nid oes amser i ragor o ddim.'

(Trwy garedigrwydd Robin Gwyndaf.)

Gaiman, Chwefror 17, 1985
Annwyl Robin Gwyndaf a'r teulu
Efallai eich bod yn gwybod erbyn hyn bod "streik bost" wedi mynd ymlaen am rai wythnosau yn ein gwlad a hynny ar yr amser yr ydym ni yn anfon ein cardiau Nadolig. Felly bu rhaid gohirio y gwaith, a rwan mae y ffaith bod Mr Tom Jones ai ferch Aur yn dychwelyd i Gymru yn ein cymell i anfon gair atoch.

Pleser or mwyaf yw gweled cyfeillion o Gymru yn ymweld a'r Wladfa unwaith eto ar ôl peth amser. Cyn y Nadolig yr oedd Mr Elias Garmon Owen a'i gyfeillion Dei, Mair a Gwen yma am amser byr. Ac wrth gwrs yr oedd pawb yn mwynhau sgwrs Don Elias sydd erbyn hyn yn ymgartrefu mor dda yn yr Hen Wlad.

Erbyn y Flwyddyn Newydd yr oeddem yn edrych ymlaen am ymweliad y Parch Eirian Wyn Lewis am dri mis, ond o achos disgwyl am ei "visa" aeth wythnosau heibio cyn iddo gyrraedd. Ar y pryd y mae yn aros yn y Gaiman a bwriada dreulio mis Mawrth yn Nhrelew gyda wib i'r Andes hefyd. Yn anffodus rhaid iddo fynd yn ol dechrau Ebrill, felly dim ond dau fis o'i gwmni y cawn. Gwnewn yn fawr ohonno. Daeth Mrs Laura Henry a'i merch Rebeca[364] yn ôl adref hefyd ac yn brysur setlo lawr yn y fferm yn ardal Treorky. (...)

Daeth Tom Jones a video yn cynnwys ymweliad Cor Godre'r Aran i Australia. Yr ydym yn gobeithio cael y pleser o'i wylio yn fuan. Gyda llaw y mae y Br.Tom Jones yn arwain gymanfa ganu heno yn Nghapel Nazareth Drofa Dulog ac mae y pnawn yn llethol o boeth. Gobeithio na bydd hyn ddim yn amharu ar y trefniadau.

Mae sefyllfa economaidd y wlad yn gwneyd hi yn anodd iawn i ni bobl Patagonia i fynd am dro i Gymru ar y pryd. Mae ein "pesos" yn werth llai bob dydd a'r "dollar" yn costio mwy. Wrth gwrs yr ydym yn werth llai bob dydd a'r "dollar" yn costio mwy. Wrth gwrs yr ydym yn dal i fyw yn gyfforddus yn y wlad gan bod cyflogau yn cael eu codi yn rheolaidd ond mae yn anobeithiol treio mynd allan am

dro i wledydd tramor.

Yr wythnos diweddaf yr oedd mab or dyffryn, y Br. Gwili Roberts, yn agor arddangosfa lluniau. Y mae ef yn fab i E.Morgan Roberts (Llynfab), awdur "Y Gwys agorodd fy Nhad", a hefyd cyfieithydd llawer o emynau o'r Gymraeg i'r Ysbaeneg. Y mae Gwili Roberts yn byw yn nhalaith Cordoba ers blynyddoedd ond yn falch o fod wedi ail gysylltu a chyfeillion a pherthnasau yn nyffryn Camwy. (...)

Bwriedir cynnal noson lawen ar dydd Gwyl Dewi yn Hen Gapel y Gaiman. Yr ydym yn edrych ymlaen am y noson a bydd y Parch Eirian Wyn Lewis yn llywyddu. Fel arfer mae dipyn o ymwelwyr haf yn dod i'r Gaiman ac yn ymweld a'r Amgueddfa a'r tai te Cymraeg. Erbyn hyn mae chwech o dai te "Cymraeg" yn y Gaiman, dyma ei henwau: "Tu draw i'r afon" (Mrs Ada Griffiths), "Ty Nain" (Mrs Gwenmai Foulkes), "Plas y Coes (Gwyn Rhys), "Ty Gwyn" (Mrs Elena Sánchez), "Ty te Eima" (Mrs Eima Jones), "Ty Te Gaiman" (Mrs a Mr Handel Jones). Gwelwch ei bod yn anodd iawn gwneyd "diet" yn y Gaiman.

Wel, dyma y cwbl am y tro. Ein dymuniadau goreu am y flwyddyn 1985 a chofion cynnes atoch oll.
Alwina Thomas, Tegai Roberts, Luned V.R. de González

(139) Rhan o gylchlythyr arall gan Alwina Thomas (y Gaiman), Tegai Roberts a Luned Vychan Roberts de González.

(Eiddo Mari Emlyn.)

Annwyl gyfeillion:
Cylchlythyr i ddymuno i chwi Nadolig Llawen a Blwyddyn Newydd Dda. Dyma ychydyg o hanes y flwyddyn 1985 yma ym Mhatagonia bell.

Uchafbwynt 1985 fu ymweliad y Parch Eirian Wyn Lewis a'r Dyffryn. Gwnaeth waith ardderchog, gan bregethu a chynal dosbarthiadau yn y gwahanol eglwysi. Cawsom ei gwmni hefyd i baratoi Dydd Gwyl Dewi. Hyfryd fuasau cael ymweliadau cyffelyb yn amlach. (...) Yn ystod yr Hydref a'r Gaeaf cafwyd gwithgareddau megis Microeisteddfod Ysgol Camwy, Minieisteddfodau Trevelin, Bethel Gaiman a Dolavon. Bu dathliad swyddogol Gwyl y Glaniad eleni yn y Gaiman. O achos y glaw cynhaliwyd ef yn yr Hen Gapel ac nid yn y "plaza" fel y bwriedid. Yn dilyn bu cyfarfod i goffai yn y Capel newydd.

Ar y 14 o Awst dathlwyd canmlwyddiant sefydlu y Cyngor yma, yn ol cyfreithiau y wlad. Y maer cyntaf oedd E.J.Mostyn, y mae Dr Skinner wedi ysgrifennu amdano yn "Railway in the Desert".

Ym mis Medi daeth Eisteddfod y Bobl Ieuanc a digon o gystadlu a chynulleidfa niferis. (...) Yr oedd cwyno mae ychydig o Gymraeg oedd yn y Gymanfa Ganu, rhaid wynebu cyfnewidiadau. (...)

Gresyn nad aeth neb i Harlech y flwyddyn yma, mae'n debyg fod y sefyllfa economaidd yn ei gwneyd yn anodd. A beth ydych chi yn feddwl amdanom ni wedi newid ein 1,000 PESOS am 1 (un) "austral" (awstral) O drugaredd y mae'r economi yn fwy sefydlog yn awr, i bob ymddangosiad.[365]

Canmlwyddiant arall: darganfyddiad Cwm Hyfryd gan fintau Fontana.[366] Dechrau y flwyddyn gwnaeth teulu González (nid teulu Luned) daith gerdded o Rawson i Drefelin (600 km) i ddathlu'r achlysur. Yn Medi a Hydref aeth dwy fintau arall i'r un daith, ond ar geffylau y tro hwn, llawer ohonynt yn ddisgynyddion i aelodau'r fintai wreiddiol, yn eu plith Caeron a Vernon Hughes, Walter Roberts a Ricardo Berwyn. Caent groeso ar y ffordd ym mhobman, ac yr oedd y fintau ddiwedd yn gorymdeithio yn y dathliad swyddogol yn Nhrevelin ar y 25 o Dachwedd. Sibrydur fod amryw o ferched am fentro y flwyddyn nesaf! Daeth ton o dristwch dros y Wladfa pan gafwyd y newydd o farw sydyn y cyfaill Tom Jones.[367]

Cydymdeimlwn yn fawr a'r teulu. Yr oedd ei gwmni ef ac Aur yn yr haf wedi gadael atgofion melys i ni.

Bu Cymdeithas Cymru Ariannin yn anfon Y Cymro "air mail" yn ffyddlon i amryw ohonom ond oherwydd rhesymau economaidd yn rhoi y gorau i hyn yn 1986. Efallai y gellid anfon UN copi AIR MAIL i Irma Hughes de Jones sydd wedi bod yn rhoi newyddion o Gymru yn y papurau lleol. Hefyd derbyniodd Llyfrgell Eluned Morgan ugain o lyfrau oddiwrth y Cyngor Llyfrau Cymraeg. Diolchwn am yr oll. (...) DIOLCH YN FAWR I LAURA A REBECA HENRY am gario y cylchlythyr yma i Gymru a phob hwyl iddynt draw.

Cofion Cynnes

ALWINA THOMAS TEGAI ROBERTS LUNED GONZALEZ

Dathlu

(140) Rhan o lythyr Shân Emlyn at ei gŵr Owen Edwards pan oedd ar un o'i hymweliadau â'r Wladfa, yn disgrifio dathliadau canmlwyddiant Trelew.

(Eiddo Mari Emlyn.)

Annwyl Owen

Dyma fi yn yfed paned o goffi ganol bora yn Nhrelew 23/10/86 drannoeth dathliadau'r can mlwyddiant. Does gen i ddim papur sgwennu efo mi felly dyma ddefnyddio'r amlen yma.[368] Roedd hi'n ddiwrnod cyffrous iawn yma ddoe o fore gwyn tan nos – gan ddechrau efo dadorchuddio cofgolofn i Lewis J. – roedd i fod am 10.30 – ond roedd Alfonsin hannar awr yn hwyr – wedi cymryd gormod o amser yn yr Arddangosfa fawr sydd ar gyrion y dre. Bum o fewn hyd braich iddo ac fe dynais sawl llun ohono. Draw wedyn i'r Plaza lle cafwyd anerchiad gan May[369] (Llywydd P. y Dathlu), eraill ac un Alfonsin ei hun. Mae'n amlwg ei fod yn areithiwr tanbaid – y gwaed Cymraeg ynddo medde nhw fan hyn a'i fod yn annerch yn debyg i Lloyd George. Yna, cinio'r Dathlu – 900 o bobol – ac fe ges inna docyn gan May. Roedd hi ar y top table efo Alfonsin – yr unig wraig ar y bwrdd. Roeddwn inna yng nghanol Sbaenwyr yn gwneud migmas a deud Gallesa – a'r unig Gymraeg fu rhyngom oedd i'r dyn wrth f'ochr ddeud "mochyn du sydd wedi marw"! Daeth Côr y Camwy i ddiddori – canu Calon Lân a Rachie yn Sbaeneg a'r cytgan yn Gymraeg, ac yna "Duw mawr y rhyfeddodau maith" yn Gymraeg – tynnu'r lle i lawr a phawb yn gweiddi Bravo. Nôl i'r tŷ am siesta – yno gwylio plant ysgol yn gorymdeithio. Ar ôl swper – arddangosfa enfawr o dân gwyllt – yna dawnsio ar hyd y strydoedd. Marged Jones yn ei gwely efo phlebitis ac wedi methu mynd efo M y W i'r Andes. Hyd yn hyn wedi bod mewn 22 o gartrefi! Rini ar y ffôn neithiwr – mae'n dod i Drelew ddydd Gwener – a bydd Eiddwen Ken a finna'n mynd efo hi i'r Andes ar draws y paith ddydd Sul. Mae'r amser yn hedfan a milltiroedd o stwff ar y caset[370] a 4 ffilm wedi mynd – digon i wneud atodiad lliw i'r Dinesydd! Wedi bod mewn 3 asado – bwyta gormod o lawer – bydd raid llwgu ar ôl dwad adra – y ddau ohona ni yn ôl y croeso wyt ti'n ei gael gan bawb. (...) Cerdded y stryd bora 'ma a chlywed rhywun yn chwibianu "Argl. Iesu gad im gerdded" – stopio i sbio – dyn reit dywyll ei groen oedd o. Rhyfedd o fyd! (...)

Mae'r sgidia newydd brynais i ddod yma yn gyfforddus ond wedi'i difetha'n llwyr gan y llwch a'r cerrig – byddaf yn eu rhoi mewn bin cyn dwad adra. Rwyf am eu gwisgo rhag difetha pâr arall.[371] (...)

Pawb yn anhygoel o groesawus – methu mynd i swper neu ginio efo pawb sy'n fy ngwadd.

Echdoe – gwasanaeth ar lan bedd L.Jones – a'r disgynyddion yno – a maer y dre yn rhoi torch o flodau. Y cyfan yn Sbaeneg – ond canu Llef – yn Gymraeg. Dadorchuddio bust o L.J yn yr ysgol yn y pnawn, yna dadorchuddio plaque lle mae nhw wedi plannu coed i gofio am bob plentyn a aned ym mlwyddyn y 100iant. Yna dadorchuddio teilsan yn Y Plaza – lle dechreuodd y Cymry fesur tir Trelew. A fel na mae hi'n mynd – o un prysurdeb i'r llall. Y tywydd yn gynnes iawn ond gwyntog – wfft i ffasiwn dillad a gwallt – does dim amser na chyfle i boeni! Does dim newid yn y trefniada dwad adra – popeth yn iawn. Sut mae Coed y P[372] sgwn i – yn lân a thaclus? (...) Wn i ddim gei di'r llythyr blêr yma – nid wyf i wedi derbyn dim post hyd yn hyn. Mae'n anodd credu mod i mor bell o gartra – mae hi'n teimlo mor normal bod yma rywsut. Wedi sgwennu i lawr enw pawb ydw i'n nabod yma – ac ma hynny dros 2 gant – mwy mae'n debyg nag a wn i amdanyn nhw yng Nghaerdydd. Gobeithio bod Elin a Mari yn cadw llygad arnat ti, a dy fod yn cymryd dy bils ac yn teimlo'n o lew. Steddfod grêt Sad dwytha – gorffen am 2 y bore. A 1 o'r gloch 6 côr yn cystadlu ar yr Haleliwia Chorus – yna i gloi – y 6 yn cydganu – ffantastic. Wel mae'n bryd i mi fynd yn ôl am ginio – picio hwn i'r post – mewn ffydd yr aiff i ben ei daith. (...) Fe anfonaf bwt eto o'r Andes – wedi gweld y rhan fwyaf ohonynt yn y Steddfod – a chroeso mawr yn ein haros medda nhw. Bydd raid i chi ddiodda'r tapia pan ddof yn ôl – eich gweld i gyd yn diflannu fesul un i'r gegin – a dim ond y fi yn gwrando! (...)

X Shân

(141) Rhan o lythyr Irma Hughes de Jones at Winifred ac Ifor Owen yn cyfeirio at ddathlu canmlwyddiant Capel Seion, Bryn Gwyn.

(Trwy garedigrwydd Owain Sion Gwent.)

25 o Awst, 1988

Annwyl Winnie, Ivor a phawb! (...)

Wel mi fu dathlu canmlwyddiant Capel Seion, Bryn Gwyn, ryw bythefnos yn ôl. Popeth yn hwyliog iawn ac mi gyhoeddwyd pamffledyn bach gan Amgueddfa'r Gaiman, (mae ambell i rifyn yn dod yn awr ag yn y man dan yr enw Camwy). Gan fod Taid Erw Fair yn un o'r sylfaenwyr, yn ogystal a chapel Trelew a Treorki yn ddiweddarach, 'rwy'n anfon un i chi. Mae'n ddiddorol oherwydd y plan o'r dyffryn sydd ynddo yn ogystal. Rwyf wedi rhoi x wrth ein ffarm ni, ac hefyd wrth yr un lle magwyd Ehedydd arni yn ardal Bryn Crwn.

Mae'r erthyglau yn ddwyieithog, ond piti nad oes neb wedi rhoi peth o hanes Bryn Gwyn yn ystod yr hanner canrif diwethaf! Sut bynnag, mae'n dda ei chael. Gyda llaw, perthyn i'r Eglwys Fethodistaidd Americanaidd (Wesleaid mwy neu lai) mae Bryn Gwyn ers agos i chwarter canrif bellach "Stwytho i gadw'r drws ar agor" oedd geiriau un wrthyf yr adeg honno. Bu'r dathlu yn hwyliog iawn; te a chyngerdd ddydd Sadwrn yr 13 o Awst. Cyfarfod (Cymraeg rwy'n meddwl) brynhawn Sul yr 14, a Chymanfa ganu ddwyieithog yn yr hwyr. Mi gollais i bnawn Sul ond bum yn y lleill. Diweddu drwy i bawb ganu, "¿Pwy fydd yma 'mhen can mlynedd?" Ac roedd canu bendigedig yno drwy'r amser. (...)

Cofion annwyl iawn

Irma

(142) Rhan o lythyr Irma Hughes de Jones at Winifred ac Ifor Owen yn cyfeirio at ddathlu canmlwyddiant Capel Tabernacl, Trelew.

(Trwy garedigrwydd Owain Sion Gwent.)

Erw Fair Treorki etc. etc.
Ebrill 4ydd 1989

Annwyl Winnie, Ivor a phawb o'r teulu:

Gwynt ofnadwy heddiw, 110 kilometr yr awr, a dim posib gwneud llawer o ddim. Waeth heb na glanhau, mi fydd cawod o lwch dros bopeth cyn pen dim. Mi glywsoch am lwch Patagonia 'rwy'n siwr! Ond mae heddiw'n eithriadol. Dim ond gobeithio na neith o ddim para'n hir. (...)

Mae'r Groglith a'r Pasg drosodd eto. Yn y Gaiman yng Nghymanfa'r ysgolion Sul bum i'r Groglith. 'Roedd Giovanna yn y cymryd rhan arweiniol eleni. Gladys, chwaer Glory yn holi'r plant yn dda iawn. Cyfarfod Cymraeg yn yr hwyr.

Sul y Pasg 'roedd y gwasanaeth cyntaf o nifer o rai i ddathlu Canmlwyddiant Capel Tabernacl, Trelew. Ond allais i ddim mynd i hwnnw, mwya'r piti. 'Roedd "Taid Erw Fair" (brawd hen Nain Winnie) yn un o'r prif sefydlwyr.[373] Mewn gwirionedd y prif un, ynghŷd a Mrs Rhys Williams, Cefn Gwyn. Ac mae plant Ana Maria'n ddisgynyddion uniongyrchol o'r ddau gan fod Mrs Rhys Williams hefyd yn hen nain i fam Jorge, gŵr Ana María – Mary Ruth Price (de Recchia) Wel mae nhw'n deud fod y Cymry'n rhai garw am hel achau yn dydyn? Ac i orffen – priododd merch i Rhys Williams[374] ag Edward Price tad Tom Price – taid Jorge. Tebyg at ei debyg o hyd falle.

Sut mae Gareth, Dyfir, Meilir a'u teuluoedd? Cofion annwyl atynt i gyd. Dyna biti na fyddai pethau'n hwylusach i mi gael mynd acw. Mae arna i awydd sobor eich gweld – a chael 'Steddfod Llanrwst. (...)

Wel, mae'r wyrion yma i gyd yn tyfu a'r tri bron cyn daled a'u rhieni. Mae Giovanna wrth gwrs yn bymtheg oed. Merch ifanc yn ôl safonau Ariannin. Y mae'r "cumpleanos de quince"[375] yn beth i'w ddathlu bob amser. Ac mae llawer oi ffrindiau 'run oed wrth gwrs nes fod aml i "fiesta" wedi bod. (...)

Diolch am y cerdyn Nadolig. Daeth y cwbl yn ddiogel eleni. Efo Nia a'r teulu y treuliason ni'r diwrnod eleni wrth fod Lowri i ffwrdd.

Tan tro nesaf ta, llawer o gariad a'r dymuniadau gorau

Irma

Mae Rebeca'n anfon cerdyn i Mari.[376] Y Radio'n deud yn hwyrach fod y gwynt wedi bod i fyny i 150-160 ar brydiau. Mi greda i hefyd.

'Dylanwad y ferch o Gymraes'

(143) Rhan o lythyr gan Gweneira Davies de González de Quevedo at Robin Gwyndaf yn sôn am ei darlith yn Buenos Aires am hanes y Cymry yn Chubut.

(Trwy garedigrwydd Robin Gwyndaf.)

Mitre 575
9100 Trelew
CHUBUT
ARGENTINA

1 - 1V 1986
Annwyl Gwyndaf a'r teulu:
(...) cefais wahoddiad i Bs As i roi darlith am hanes y Cymry yn sefydly Chubut ac yn enwedig dylanwad y ferch o Gymraes ynghlyn a bwydydd a sut oeddent yn coginio amser y dyrnu a'r gorlifiadau, sut oeddynt yn magu ei plant a disgrifio ei cyfeillgarwch gyda'r indiaid; hanes Maria Humphreys y ferch wen gyntaf-anedig yn Patagonia a darlyn o Rachel Jenkins yn rhoi sylw i'r gŵr sut i ddyfrhau ac yn y blaen. Yr oedd dros gant o ferched yn gwrando ac ar ôl i mi derfynu yr oedd dwy wraig arall yn dangos sut mae gwneyd "teisenau Cymraeg". Caswom hwyl iawn a llawer yn dotio at yr hanes.

Dydd gwener cawsom Gymanfa Ysgolion yn Tabernacl. Cwrdd y pnawn yn ysbaeneg y rhan fwyaf a cwrdd y nos yn gymraeg ar ei hyd, daeth rhyw 80 ynghyd. Yr wyf i yn athrawes ar y plant lleiaf at 9 oed. (...)

Mae criw o ferched y Wawr yn dod mis Hydref. Yr ydym yn cyrchu fel pwyllgor y 12 i drefnu lletiau ac ati erbyn ei ymweliad. Mae Trelew yn gant oed eleni a gobeithio y bydd grym iawn ar yr Steddfod iw disgwyl. (...)

Cofion cynnes atoch fel teulu. Yr wyf yn anfon y Drafod ar wahân. Gobeithio na bydd yn hir yn cyrraedd.

Ydwyf yn gywir
Gweneira

Ysgrifennu yn y Gymraeg am y tro cyntaf

(144) Llythyr Edgar a Meinir Jones wedi ei deipio at Shân Emlyn yn diolch am eu cyfeillgarwch.
(Eiddo Mari Emlyn.)

Comodoro Rivadavia, 8 de Enero de 1987

Ein hannwyl gyfeilles Shân Emlyn
Pleser i mi yw ymdrechu i ysgrifenu gair bach atoch i ddiolch i chi am en cofio, gyd ar llythyr ar darluniau.

Dyma y tro cyntaf (yr wyf yn agos iawn i 70 mlwydd oed) i mi fentro ysgrifenu Cymraeg – mi fedraf ei siared (nid yn rhwydd a chywir) – ond ni chefais erioed addysg nag ysgol i gyfansoddi ar bapur, felly yr wyf yn erfyn maddeuant am pob gwall.

Yn aml iawn, gyd a Meinir yr ydym yn cofio am eich ymweliad gyd a Eiddwen, am fyr amser yn ein cartref yn Comodoro Rivadavia. Hefyd yn cwmni ffrindiau yn ein neuadd "Dewi Sant" yr ydym yn atgofio, rownd y bwrdd rhwng tamed o "asado" a llymediad o win, am y diwrnod difir a llawen a ddarum fwynhau gyd a chwi eich dwy.

At Nadolig daethant am dro in cartref, am ychydig ddyddiau Mr. Arthur Lowndes ai briod Rosa James o Trinidad-Tobago; mae teulu Rosa bron i gyd yn Comodoro; ei mam (dros 90 oed), ac amryw o frodur, ai chwaer Gwen, (Mrs. Eiliw Pritchard) (...)

Mae Meinir yn paratoi i fyned i Porth Madryn gyd ag ein mab carlos, Mabel ein merch yng-nghyfraith, a William Roy a Brenda Lilian y wyrion, ddaru chwi ei hadnabod. Fel rheol mae y tywydd yn llawer gwell yn Madryn i fwynhau glan y mor.

Eto, diolch yn fawr i chi am eich cyfeillgarwch, ac am yr anrhydedd a gawsom o rhoddi croeso i chi ag Eiddwen yn ein cartref. Be fyddem yn falch iawn or un fraint unwaith eto cyn llawer o amser,

Cofion cynes atoch chi ar teulu
Edgar a Meinir Jones

Mirna Anita Jones de Ferreira yn ei chartref yn y Gaiman, 2007
(Eiddo Mari Emlyn)

'Gwaredigaeth Pedr!'

(145) Rhan o lythyr Mirna Anita Jones de Ferreira a'i theulu at Betty a Ned Rowlands. Dywed John a Catherine Rowlands (Yr Eagles Llanuwchllyn), mewn llythyr at eu meibion, Thomas Edward Rowlands a William Price Rowlands, yn fuan wedi iddynt adael am y Wladfa ym 1911: 'Cofiwch fod yn blant da a gofalu am fyned i'r Eglwys ar y Sul a chadw ysgol Sul yna ac ysgol ganu ... ' (Gw. llythyrau 89 a 90 yn *Llythyrau'r Wladfa 1865-1945.*)

Mae Mirna, awdur y llythyr isod, yn orwyres i John a Catherine Rowlands ac felly yn wyres i William Price Rowlands (1887-1943) a'i wraig Sarah Freeman de Rowlands (1895-1995). Mirna yw pennaeth Ysgol Gerdd y Gaiman. (Trwy garedigrwydd Betty a Ned Rowlands.)

Eugenio Tello 851
9105 Gaiman Chubut
Argentina
6/2/89

Annwyl Betty, Ned a'r teulu:

Bydd yn bwrw eira, glaw a popeth am bod Mirna wedi sgrifenu.

Diolch yn fawr am yr anrhegion daeth Aur. Maer tapiau ar videos yn bendigedig, yn ynwedig y cor o fil o leisiau. Da ni byth wedi gweld dim fel yna yma. Armando yn troi yn fwy o gymro bob dydd wrth wrando arnynt (mae neb yn canu fel y cymru!) medda fo.

Dwy i wedi bod yn brysur iawn, gorffen efor ysgol y 20 o Ragfur, a wedyn paratoi y concert at y Nadolig yn y capel, a nawr wedi dechre ar holidays, rwyf adre. Achos os ydym yn meddwl teithio i Gymru ydi Armando dim yn cymerid holidays rwan. Anodd iawn i ni fynd yn mai efo Cor camwy, maer llywodraeth dim yn helpu a cymaent o helynt yma; dani yn trio gwerthu "raffl"? cor yn hel prêss a mynd nes ymlaen. Os fydd hyni dim yn bosybl ydym yn meddwl mind fel teulu. Siwr bod chi yn meddwl : "Gwaredigaeth Pedr"! yr oll griw yma eto. (...)

Derbyniais heddiw y llythr ar lliniai, wedi dod yn fian iawn; maer lliniau yn hyfryd a TAID a NAIN i weld yn "llydan" iawn! (...)

Anfonaf parseli efo Aur, pwrs i uncle Ned cadwi bres lle bod Antie Betty yn gwario fo. *Shól*? i antie Betty am ei bod wedi mynd yn *NAIN*. Gwaith llaw ydyr shôl, wedi cael i neid mewn rhyw fath o fframin pren. Wif yn anfon tâp i chi a un arall i uncle John. Cewch ddewis.

Gobeithio bod chi yn iawn y gyd, fel ni yma. Rhaid gorffen rhwan i gael mynd ar parseli i lle Glenis a Handel am bod Aur yn cychwyn am 8 bore foru.

Cofion a chariad mawr atoch i gyd a 2 sws mawr i chi eich dau

Oddiwrth

Mirna, Armando, Mauro, Marcos y Maria Celina

'Tybed gawn ni gwrdd eto rhywdro?'

(146) Rhan o lythyr Meinir Evans de Lewis at Margaret Rees Williams, o gartref ei merch Manon yn Córdoba, yn rhoi peth cefndir i helyntion economaidd y wlad ac yn crybwyll ei hawydd i ddod i Gymru eto.

(Trwy garedigrwydd Margaret Rees Williams a'i merch Ann Gruffydd Rhys.)

Almafuerte Córdoba
Gorffenaf 17 1989

Annwyl Margaret. (...) mae Madryn fy mrawd hena yn cael ei saith deg ar yr ail o Hydref, ag roedd wedi son unwaith am ddathlu ei benblwydd efo'r teulu i gyd, rwyf yn aros am gael sicrwydd am y peth, os bydd, mi fyddaf yn mynd trwy Bariloche i gael cyfla i fynd o fano efo Nantlais, mae costia teithio wedi codi yn ddychrynllyd yma y gaeaf yma, a pris pob peth, nes mae yn amhosib bron pryni dim, hyd yn oed bwyd, i ti gael ryw syniad fel mae roedd dwsin o wya yn costio y flwyddyn ddiwedda 10 austral, a leni maent yn costio 50 austral, yr un, galli gasgli wrth hyna sut mae hi, mae yn adeg bryderus iawn, wrth fod y bwyd mor ddrud. Mae llawar iawn o ddwyn, yn enwedig yn y dinasodd mawr, fel Buenos Aires, Córdoba a Rosario, pobl yn mynd yn heidia i fewn ir siopa mawr, a rhuthro ir petha; mi yda ni, hyd yn hyn wedi llwyddo i gael bwyd bob dydd, a llaeth a bara ir plant, ond wir, mae yn ddrwg. Mae na arlywydd newydd[377] ar y wlad ers pythefnos, mae rhai a gobaith fod hwn yn mynd i wneid gwyrthia, ond, am dana i, dwi ddim yn meddwl y gall hwn wneid dim mwy na Alfonsin druan, wel well i fi newyd fy stori rhag dy ddiflasi ond, wir, mae yn anodd meddwl na son am ddim byd arall, buas yn y capal neithiwr, ag roedd y brodyr yno yn son hefyd am y peth, ag yn dweid fod yn siwr ein bod yn pryderu a cwyno gormod, ag ar ol o weddio am oleuni a help Duw, ag hefyd gweddio dros ein gylidd a thros y rhai sydd yn llywodraethu.

Rwy wedi meddwl llawar iawn am danat wedi darllen dy lythur, meddwl am nain yn y cartref, a titha dy hunan yn Llys Owen, mi faswn yn rhoi llawar am alli mynd yno eto, ond mae yn siwr fod yno le gwahanol iawn ir hyn oedd pan fuas i draw, heb Jack, heb Nain a heb Ann, mae yn anodd bodloni, rwyn siwr, ond dyna y peth gorau, rwyf yn anfon carden pen blwydd nain yn yr un amlen a dy lythur, mae'n siwr dy fod yn mynd yn amal yw gweld, hyn am fod fy arian yn brin, a pob amlen ar stampia wedi codi gymaint a dyna fi yn ol efo

un tema eto. (...)

Wel Maggie fach, mae gen i ofn mae llythur go ddiflas a bler ydi hwn, wn i ddim beth sydd bod fy llawysgrif mor anwastad heddiw. Dyna'r cwbwl am y tro, gobeithiaf fod a rhywbeth mwy calonog i son am dano y tro nesaf. Cofion anwyl at bawb ydw i yn nabod, yn berthynasau a ffrindiau. Mae gen inau awydd dy weld hefyd, ag rwyf yn meddwl yn amal ¿tybed cawn ni gwrdd eto rhyw dro? Solo lo sabe Dios.

Cofion a cariad mawr atat
Meinir

Hiraeth

(147) Rhan o lythyr Gweneira Davies de Quevedo at Elizabeth Jones yn gobeithio na fydd mwy o helyntion ynglŷn â'r Malvinas.

(Trwy garedigrwydd Beryl Griffiths.)

Trelew 25ain o Ionawr 1985

Annwyl Elizabeth Jones:

(...) yr ydym hiraeth o hyd am y corau godidog oedd yn dod drosodd atom ond daliwn wrth y gobaith y bydd pethau yn mynd yn well ac nid yn waeth gyda busnes yr ynysoedd. Yr ydych yn cael gaeaf garw fel gwelaf yn y papurau ...

Yn gywir iawn
Gweneira

(148) Rhan o lythyr Irfonwy (Monw) a Homer Hughes at Shân Emlyn yn diolch am fod wedi cael ymweld â Chymru ac yn dyheu am gael mynd eto.

(Eiddo Mari Emlyn.)

'TROAD' Brown 474
9100 Trelew
2.5.89

Annwyl Shân,

¡Wel, dyma beth iw oedi! Ond ddim am nad ydym yn cofio amdanoch. Yn cofio yn aml iawn am yr wythnos hyfryd gawsom efo chi yn Caerdydd ac yn meddwl llawer syt ydachi. Dyna dda biasau cael hedfan eto dros y môr mawr i fod am rhai wythnosau yng Ghymru. Yn sylweddoli i bod hi yn inposible i ni ar hyn o bryd efo sefyllfa ein gwlad ar arian mor ddiwerth allan o yma. Yn deall hefyd bod llawer o bethau heb ei gweld yna. Ond yn diolch lawer am ein bod ni wedi bod. Diwedd yr wythnos ddwedda yma oedd Meinir[378] efo ni ar ei ffordd i Córdoba i basio y gaea efo Manon, felly dyma Judith yn dod ar "video" yn fenthig i ni gael gweld y cassetts o Gymru. ¡HIRAETH! Wrth weld Hel Straeon yn y Bala, y swper, eistedd. Porth Madog, Cymru ar Wasgar, Cymanfa Ganu, ac eto mae mor hyfryd bod ni yn gallu mynd dros y peth eto. (...)

Mae bywyd yma yn dal yn debig. Yn teimlo bod ni wedi cael bendith o gael cymaint o ymwelwyr o Gymru yn ystod y flwyddyn er mis Awst pan ddaeth yr athrawese allan. Criw dymunol. Yna Eirian Lewis a'i griw a T.G.Jones ar criw yn rhoi safon uchel ir eisteddfod. Wedi dotio at D.B.Rees yn pregethu a hefyd Mr D.Terry Thomas daeth efo Mr Gravell. (...) Yn ddiweddarach bu Mr D.Morse a Mrs yma am wythnos. Yn dod o Chile, a diolch i Dr Phil Ellis am ofalu am y cysylltiadau. Bobl hyfryd "jest" y peth fiasau yn iawn ir wladfa ar hyn o bryd. Yn gallu y ddwy iaith, yn pregethu ac yn canu. (...)

Homer a fi yn byw ein hunan ac yn ddigon prysur. Homer yn codi am 5 y bore i fynd iw waith a fina yn edrich ar ol yr wyr bach sydd yn 3 oed erbyn hyn ac yn siarad a holu llawer. (...)

Erbyn hyn, mae'r dydd wedi byrhau a wedi bwrw eira yn yr Andes a gwlaw yma, felly mae'r gwynt yn finiog. Diolch am dŷ a thô a thân, a bwyd a iechyd.

Shân, os oes ychydig bach o awydd 'sgwennu mi fiasau yn dderbyniol iawn yr ochor yma. Un abrazo i Elin, yn cofio'r concert gawsom y noson honno yn y ty efo hi.

Ar cofion annwylaf atoch gyda hiraeth mawr am bopeth gan fawr ddisgwyl y cawn gwrdd eto rhyw ddydd, yn rhyw le.

Monw a Homer

(149) Rhan o lythyr Luned Vychan Roberts de González at Robin Gwyndaf yn diolch am y croeso i'w mab Fabio González yng Nghymru.
(Trwy garedigrwydd Robin Gwyndaf.)

Plas y Graig
9 de Julio 253
9105 GAIMAN
Chubut
Argentina
Tachwedd 12, 1994

Annwyl Robin ac Elleri Gwyndaf:
Wel, dyma ddau fis wedi mynd heibio ers i Fabio adael Cymru. Rydym yn dal i sgwrsio am yr holl brofiadau gwefreiddiol. I ddechreu taith y Cor Meibion a wedyn yr Eisteddfod a gallu crwydro rhyw gymaint ar Gymru diolch i groeso a charedigrwydd llawer ohonoch. Diolch yn fawr iawn am eich holl help.

Mae Cymraeg Fabio wedi gwella i rhywle ond nid yw yn gallu ysgrifenny, felly rwyf fi yn cymeryd drosodd y cyfrifoldeb o anfon gair o ddiolch o waelod calon!

Tua deg wythnos bu arhosiad Fabio draw. Llawer rhy fyr i allu ymweld a phawb oedd yn nabod ac oedd yn estyn gwahoddiad iddo.

Wrth glywed yr hanes mae yn codi hiraeth arnaf finnau wrth gwrs ond ar y pryd mae galwadau eraill. Mae gennym wyres fechan sydd yn ein cadw yn brysur. Ei henw yw Luned Nieve (Eira) ac yn fuan iawn bydd efeilliaid yn dod i gadw cwmni iddi hi.

Cawsom ddwy Eisteddfod da iawn. Eisteddfod Chubut yn Nhrelew ym mis Medi ac Eisteddfod y Bobl Ifanc yn y Gaiman wythnos yn ol . Hefyd bu Cor Ceredigion yma a criw o Gymry sydd newydd adael am Gwm Hyfryd. (...)

Mae rhyw fath o "shopping" wedi agor yn y Gaiman. Ei enw yw "Crefft Werin" ac mae yno stondinau efo cynnyrch lleol. Efallau y byddwn yn dechrau allforio "dulce de leche" i Gymru!

Cofion cynnes iawn i chwi oll, Nadolig Llawen a Blwyddyn Newydd Dda.

Luned González
Hwyl! Fabio

(150) Llythyr Irma Hughes de Jones at Rhiain Phillips yn trafod cryfder y dynfa at ei gwreiddiau.

(Trwy garedigrwydd Rhiain Phillips.)

Erw Fair
Tachwedd 11, 1995

Annwyl Rhiain:

Diolch yn fawr iawn am y llyfr a'r llythyr. Cefais lawer o fwynhâd o'r ddau. Ond, rhaid i mi ddweud hefyd fy mod i wedi crio mwrdwr wrth ddarllen y bennod gyntaf am y gwreiddiau. Y frawddeg anfarwol "yma yng nghesail Cymru, yr ydych yn un a holl Lŷn ac Eifionydd". A'r cyfeiriad hyfryd at "Crossing the bay". Caf son am hyn eto. Onid yno mae fy ngwreiddiau innau? Ac yn tynnu'n gryfach o hyd fel rydw i'n mynd yn hŷn. Pan euthum i Gymru'r tro cynta, dyma fi'n deud: "Mae rhyw deimlad rhyfedd arna fi yma, fel tasa 'nhraed i'n glynu ar y ddaear, rywsut." A'r atebiad gefais i oedd, "Ond yma mae'ch gwreiddiau chi." A hynny wrth gwrs ymhell cyn bod sôn am "Roots". A pheth newydd i mi pryd hynny, ond o diar, mae o'n beth cry'.

Mae Bryn Williams yn ei lyfr; "Rhyddiaith Patagonia", yn son am ysgrif o waith fy nhad "yr orau o'r cwbl" yn ôl ei deimlad ef, lle mae o'n sôn am Ddyffryn Ardudwy. Ac ynddo "ddau lecyn cysegredig" Y Las Ynys a mynwent Llanfihangel y Traethau, lle gorffwys Gwyneth Vaughan. A bûm innau yno, lle bu Nain yn yr ysgol ac yn y fynwent, lle mae ei bedd.

Meredydd Evans yn mynd ato bob amser, gan mai yno mae ei dad hefyd[379]. Ac 'roedd o'n daer eisiau i mi ofalu i rywun 'sgrifennu am "Tada" hefyd, cawn weld. A dyna ddigon o hiraethu am heno, ne' mi fydda i'n crio eto!

Wel, teimlo buasai'n dda gen i gael crwydro'r un lleoedd "yn erbyn yr haul" a'r llyfr yma yn fy llaw. Ond nesa peth i hynny ydi eista i lawr gyd a'r nos, y byd a'i helyntion y tu allan ac ar fy aelwyd fwynhau i'r eithaf bob tudalen ohono a'r môr o wybodaeth sydd tu ôl i'r sylwadau, yn ei gwneud yn fwy gwerthfawr byth.

Dw 'i ddim am droi i ddalen arall heno, felly 'rwy'n dweud ta ta. Eto diolch o galon a gobeithio bydd rhywun eto'n barod i gludo hwn drosodd. Efo Phyllis a Meredydd aeth y llall yn y diwedd. Cofion cu atoch (ac at Glyn)

Yn gywir iawn
Irma

(151) Rhan o lythyr Irma Hughes de Jones at Rhiain Phillips yn diolch iddi am dacluso bedd ei nain.

(Trwy garedigrwydd Rhiain Phillips.)

9105 Gaiman, Chubut. Argentina
Tachwedd 25, 1998

Annwyl Rhiain:

Diolch o galon am eich llythyr a'r lluniau. Ond rhaid i mi ddweud mai'r peth cynta wnes i wedi ei dderbyn oedd crio ... ond dagrau o ddiolchgarwch oeddent, yn llifo fel y glaw o sylweddoli fod yna rai ar ôl cymaint o flynyddoedd yn teimlo digon o barch at fy nain – a gafodd fwy na'i siâr o helbulon yn y byd 'ma – i fynd ati i daclu man ei gorffwys, mewn dull mor ymarferol. Wn i ddim sut y galla i ddiolch digon ac mae gen i ofn mai'r unig beth i'w wneud ydi troi eto at eiriau Ceiriog:

"Ti wyddost beth ddywed fy nghalon".

(...) Yn y Gaiman efo Laura yr ydw innau o hyd, er yn hiraethu llawer am y ffarm, a'r holl bethau sydd gen i yno. Er fod gan i "granny flat" yma digon twt, rwyf i'n teimlo fy hun braidd yn dlawd mewn cymhariaeth!

A does dim lle i ddod a chwaneg o drugareddau yma. Ond mae Laura'n dweud y daw hi i aros hefo mi ar y ffarm pan ddaw y gwyliau. Yrwan yr wyr sy'n edrych ar ôl y lle a'r anifeiliaid i mi ac mae'r ty wedi cael tipyn o niwed hefyd efo'r storm.

'Roedd yn ddrwg gen i ddeall mai tywydd cas ydych chwithau'n gael acw a'r llifogydd yn poeni pobl a difetha pethau. Be sy'n bod ar y tywydd 'ma dwedwch? Mi gefais lythyr oddiwrth Cathrin Williams[380] ac 'roedd yn dweud os dwedith rhywun yma wrthi eto: "Fyddwch chi ddim yn cael gwynt fel hyn yng Nghymru" bydd ei fywyd mewn perig! Bod na wyntoedd ofnadwy acw a glawogydd.

(...) Mi gawsom amryw ymwelwyr o Gymru yma dros y 'Steddfod. Ac fe ymwelodd Llysgennad Prydain yn yr Ariannin a'i briod â ni efo ffrindiau iddynt. Buont hwythau yn y Steddfod. Mi fuo fy chwaer Arel yn lwcus i ennill y gadair eleni a pawb yn falch o hynny. Enillodd yn yr Andes hefyd.

Wel, rhyw air fel hyn am y tro a diolch unwaith eto am gofio amdanom. Cofiwch fi at eich ffrind a'r "gweithwyr" hefyd. A chofion at Glyn a'r plant a'u teuluoedd a lot o gariad i chithau efo'r dymuniadau gorau

Irma

Perthyn

(152) Llythyr cyntaf Gweneira Davies de Quevedo at ei pherthynas Mici Plwm.

(Trwy garedigrwydd Mici Plwm.)

Trelew, Chubut, Patagonia
Mai 2/1991

Annwyl Mici Plwm:

Mae eich enw yn gyfarwydd i mi ers amser bellach. Llawer yn son amdanoch – yn dda, reit iawn – ac yn gwybod ein bod ni yn perthyn. Y tro diweddaf buodd y Br Tom Gravell yma gyda criw o Gymru, rhoddais fy nghyfeiriad iddo gan ei fod yn dweyd eich bod yn awyddys i gysylltu a mi.

Dyma gyfle yn awr ar ol i mi ddod ar draws y Dinesydd a gweld eich llun a'ch cyfeiriad ynddo i'r sawl sydd am wireddu breuddwyd.

Llwyddaf fel hyn i gyflawni y breuddwyd yma o ddod o hyd i chwi a deheuaf rhyw dro am gael video ohonoch yn gweithio ar y teledu ar y rhaglenu maent yn frolio yn aml amdanoch. Ni chefais y fraint o'ch adnabod pan fuais drosodd yn 1987. Buodd y daith honno yn fythgofiadwy i mi a mae cofion melys am y croeso ardderchog gefais ar lawer aelwyd.

Mae genyf lawer o ffrindiau erbyn hyn draw dros y môr gan fy mod yn cysylltu a llawer sydd wedi bod drosodd yma. Gobeithio y cewch chwithau gyfle i ddwad rhyw ddiwrnod.

Disgwyliaf air yn ol. Fe hoffwn i yn fawr rhanny y breuddwyd yma gyda un o'm teulu nad wyf yn adnabod eto. Piti garw bod mam ddim ar gael erbyn hyn, mae'n sicr y buasai wedi mwynhau yn fawr cael gwybod amdanoch. Yn wir yr wyf yn gweld eich llygaid yn debyg iawn i'w rhai hi pan yn ifanc. Pob hwyl a cofion cynnes oddiwrth

Gweneira Davies.

(153) Rhan o lythyr Gweneira Davies de Quevedo at Mici Plwm yn ymfalchïo yn y ffaith ei bod wedi derbyn llythyr ganddo ac wedi llwyddo i gysylltu â pherthynas iddi o Gymru.

(Trwy garedigrwydd Mici Plwm.)

Rhagfyr 10fed/91

Annwyl Michael:

Dyma fi or diwedd yn danfon i ddiolch am eich llythur diddorol a llawn gwybodaeth am eich byd prysur (...) Gobeithio y gwnewch faddeu am y gwallau ond mae'r ewyllys yn dda ac yr wyf mor falch o fod wedi llwyddo y cysylltiad yma ac wedi mwynhau yn fawr wrth ddarllen eich llythur. (...)

Diolch am ran o'ch coeden deuluol, yr wyf yn gweld yn awr o ble mae y gwraidd. Dim ond un chwaer, Elizabeth, oedd gan y saith bachgen: Llew Tegid, Penllyn etc etc. a hi ymfudodd i Batagonia a daeth Owen C i edrych amdani yn sicr ond nid oes fawr o'i hanes ar gael dim ond y blodyn sydd yn bla yn y Dyffryn yma ac erbyn hyn mae wedi mynd ymhellach o hyd gyda'r gwynt.[381]

Rwy'n gofyn erbyn hyn pam na gawsoch y fraint o ddod trosodd i De America i adnabod rhan o'ch teulu yn lle crwydro i lawer gwlad arall? Buasai mam wrth ei bodd o fod wedi cwrdd a chwi ond nid oedd yn gwybod am neb ohonoch nes daeth Mrs Tom Jones gwraig arweinydd y cor Godre'r Aran i lawr yma a dyma hi yn son am Kitty Penllyn oedd yn agos i 90 a credaf ei bod wedi cael un neu dau o lythyrau cyn i Kitty farw. Yr oedd mam wrth ei bodd yn ysgrifenu at hwn ar llall ac yr oedd ganddi gof da am hanes. Yn anffodus nid wyf wedi recordio dim o'i llais ond mae wedi ysgrifenu llawer oedd hi yn gofio. Fel y gwyddoch cafodd y tri plentyn ei gadael ym amddifad pan oeddynt yn fach iawn ai chwalu i'w magu. Felly nid oedd ganddi gof am ei rhieni. Nid oes genyf lun o Owen C ond mi edrychaf amdano, mae'n sicr y câf ddod ar ei draws mewn rhyw museo. Fel y dywedwch nid oes cof da amdano ar ol iddo ddod a'r blodyn o Australia rhyw dro. Mae eich cefndir chwi yn ddiddorol dros ben a mae fy mrodyr a'm chwaer wedi bod yn gweithio yn y theatr wrth ei bodd. (...) gobeithio y medrwch ddod rhyw dro i ymweld a'r ychydig deulu sydd lawr yn y gwylodion yma. (...) Cofion annwyl iawn oddiwrth

Gweneira

30 mlynedd o ohebu

(154) Rhan o lythyr Meinir Evans de Lewis at Margaret Rees Williams.
(Trwy garedigrwydd Margaret Rees Williams a'i merch Ann Gruffydd Rhys.)

Trevelin
Tachwedd 2 1995

Annwyl Margaret,
(...) cawsom ymweliad grwp o Gymru, criw roedd Ivonne wedi bwriadi dod efo nw, ag mi fuodd yn anlwcis a chael damwain, nes methu dod ag fe ddaeth Ceris Griffiths[382] yn arweinydd iddi nw. Pedwar ar ddeg oedda nhw, ag fe wnaethon ni le iddi nw aros yn y cartrefi yma yn Trevelin, am bump diwrnod, mi fuas i yn ei harwain nw dipyn o gwmpas, ir amgueddfa a bedd Malacara, Nant y ffol, ag am ddiwrnod i Futalauquen, mewn cwch, neu long fach, ar hyd y llyn, dod nol gyda'r nos i noson lawen, cawsom ni hwyl iawn gyda nw, pobl neis roedd rhai o Lanbedr a Thregaron, ag o Sir Fôn, Caernarfon, a Ceris o Aberystwyth, roedd Marvel a fina wedi bod yn aros efo fo, pan fuo ni draw llynadd, ag mi oeddwn i yn falch iawn or cyfla yma i dalu chydig am y croeso mawr gawsom ni, biti fod cyn llied o amsar efo nw, oddiyma aethant i Drelew, yn y bus, cawsom gwrdd a nw eto, yn eisteddfod Trelew.

Roedd rhai ohona ni wedi uno efo nw i wneid yr wythawd, ag yn wir daethom yn gyntaf, dan feirniadaeth Meredydd Evans, pump o Gymru a thair Patagonian. Eryl ag Arwel Humphreys oedd yn aros yma efo fi, par priod, reit ifanc, fo yr un oed a Marvel a hi yn 38, ces amser hyfryd gyda nw, dim hanar digon, wedi iddi nw fynd, rwy wedi bod yn teimlo hiraeth, fel tasa'r plant wedi bod yma. (...)

Os gweli di Ivor Owen, neu siarad efo fo ar y ffôn, cofia fi ato, eis iw weld y diwrnod oedda ni yn Llanuwchllyn, rydym wedi anfon carden fach ar ddiwedd blwyddyn at ein gilydd ers ugain mlynadd bellach, fo yn anfon un oi waith ei hun, bob tro (...) roeddwn yn edrych dros dy lythur cyntaf i fi y bora ma, yn dechrau fel hyn, Anwyl Mrs Lewis, ag yn son am dy fam yn 78 oed, yr un oed a ti nawr, ar dyddiad 1af o Rhagfyr 1965, bron i drideg o flynyddau, go dda ni ynte? (...)

Tan tro nesa, felly, a chofion cynnes atoch, Dafydd a thithau.

Cariad mawr
Meinir.

Roedd gen ti amlen fach dlws iawn y tro diwethaf ma.

Irma ac Ieuan M. Williams

(155) Rhan o lythyr Irma ac Ieuan M. Williams at ei gefnder John Wyn Jones a'i wraig Nan, Biwmares, Ynys Môn yn diolch am y croeso ac yn ail-fyw eu hymweliad â Chymru. (Roedd mam John Wyn Jones, sef Glenys, yn chwaer i Evan Williams, tad Ieuan M. Williams.)

(Trwy garedigrwydd Nan a John Wyn Jones.)

Bryn Crwn
Tachwedd Sul 23ain 1997

Annwyl Nan a John a'r teulu.

(...) Yn gyntaf oll Diolch yn fawr i chwi am eich croeso ar hyd yr amser y buom drosodd yng Nghymru ac yn neullduol am yr wythnos y buom yn aros gyda chwi a Dafydd a Sera.[383] Yr oeddym yn teimlo mor gartrefol gennych a phe baem wedi eich adnabod erioed, ar wahan i'r drafferth o fynd a ni o gwmpas i weld rhan helaeth o Gymru na fuasem wedi meddwl na medru onibae am hyny. Cymaint mwy diddorol yw darllen ambell lyfr neu bapur newydd o Gymru yn awr ar ôl i ni gael syniad ymhle y mae pob man. Cawsom wythnos fythgofiadwy yn Eisteddfod y Bala hefyd, a chredaf ein bod wedi manteisio i fynd i'r rhan fwyaf o'r cyngherddau oedd yn apelio attom. Yr oedd ambell i un yn rhagori wrth gwrs, er engraifft côr yr Eisteddfod nos Sul a nos Fawrth ac i gloi y cystadleuthau gwrando arnoch chwi gyda'r côr yn rhagori llawer ar y lleill. Yr oeddwn yn falch iawn o fod wedi aros yno hyd y diwedd a chael dy ffarwelio, John, oddi ar y llwyfan. Gorfod i ni fynd cyn cael clywed y feirniadaeth am fod Aur Roberts yn ein disgwyl a'r amser wedi rhedeg ymlaen. Mynd oddi yno i dafarn y Golff Clwb lle roedd yno noson lawen wedi ei pharatoi. Cawsom lond bol o chwerthin yno ac wrth gwrs ambell i lasied bach o win. Buom yno nes oedd yn un o'r gloch y bore.

Canol dydd y Sul cawsom "Asado" i ginio ar ffarm mab Aur sydd yn agos i Llanuwchllyn. Wyddoch chwi beth yw "asado"? Oen wedi ei rostio ar groes o haearn o flaen tân am oddeutu dwy awr sydd yn beth cyffredin iawn i'w fwyta yn y wlad yma. Mae Benet Jones oedd yn cydfyw a ni yn Llanuwchllyn yn gyfarwydd iawn a choginio a chan fod y rhan fwyaf o'r teulu gartref ar y dyddiad hwnnw ac oen i'w gael ar y fferm, penderfynasom wneud y wledd iddynt. Yr oedd yn oddeutu deunaw ohonom i gyd a fawr mor ychydig ohono oedd ar ôl. Rwy'n addo asado i chwi pan y dowch drosodd.

Yn y prynhawn, mynd i'r Gymanfa Ganu. Gwledd arall i gloi'r cwbl. Yr oedd yn fendigedig. Y côr ar y llwyfan a'r babell yn llawn. Golygfa heb ei hail heb sôn am y canu. A diolch yn fawr i chwi am anfon y video. (...) Yr oedd popeth mewn trefn ar y fferm pan ddaethom yn ôl ac erbyn hyn yr ydym yn brysur gyda'r cynhaeaf. Y tywydd yn ansefydlog iawn. Pawb o'r teulu mewn iechyd. Yr ydym yn mynd i'r Capel yn union. Cwrdd Canu yno heno gan ei bod yn "Music Day" yma. Llongyfarchiadau i chwi am ennill y refferendwm. Yr oeddwn yn dychmygu eich llawenydd y dyddiau hynny. Fe fydd Gwilym Roberts, Caerdydd, yn cyrraedd yma ddiwedd y mis hwn a'r plant oedd yn cael cwrs Cymraeg yn Llanbed. Gwnewch chwithau eich meddwl am ddod drosodd cyn pen llawer o amser. Cofion annwyl attoch a maddeuwch ini am fod mor hir. Yr ydych yn ein meddyliau yn gyson.

Yn gywir
Ieuan a Irma

(156) Rhan o lythyr Irma ac Ieuan M. Williams at ei gyfnither Nan Griffiths, merch R. Bryn Williams. Roedd tad RBW, sef Richard Williams ac Evan Williams (tad Ieuan M. Williams) yn ddau frawd. Mae'r llythyr yn datgan pleser yr awduron o fod wedi cyfarfod ag Angharad (merch Nan Griffiths) ar ei hymweliad byr â'r Wladfa.

(Trwy garedigrwydd Nan Griffiths.)

Bryn Crwn
Chwefror 7ed 1999

Annwyl Nan a'r plant;
(...) Pleser o'r mwyaf oedd gennym gyfarfod Angharad a'i ffrind a piti na fuasent wedi medru aros am fwy o amser yn ein plith er mwyn i ni fedru mynd a hwy o gwmpas a chyfarfod a'r teulu i gyda ar ôl iddynt deithio yr holl ffordd o Buenos Aires yma.[384]

Y mae yn eneth ddymunol ac annwyl iawn. Gobeithio ei bod wedi mwynhau yr amser byr gafodd a diolch yn fawr iddi am ddod i edrych amdanom a diolch i chwi Nan am y syniad. Gobeithio y gall ddod yn ôl eto rhyw ddydd a Mam gyda hi. Mae Cymru a'r Wladfa yn dod yn nes bob dydd er pan ddaethoch drosodd yn y flwyddyn 1965. Profiad emosiynol fu cyfarfod a Nia[385] yma fis Rhagfyr. Y peth cyntaf ddywedodd oedd ei bod yn teimlo fod wedi "dod yn ôl gartref" am mai yma oedd ei hatgofion cyntaf ei bywyd pan fu drosodd gyda'i mham a'i thad yn y flwyddyn 1973-74. Mae hi wedi dweud yn bendant ei bod yn dod yn ôl etto. Y peth pwysig yw fod y cysylltiad yn y teulu yn dal ymlaen hyd at y bedwaredd a'r bumed genhedlaeth. (...)

Sut mae Glenys erbyn hyn.[386] Yr oeddwn yn gweld pan fuom drosodd fod ei chof yn pallu ac atgofion ei phlentyndod yn grŷf ac yn sôn lawer am Trelew. Mae pawb ohonom yma yn eithaf da. Edmwnd yn dioddef oddi wrth y galon ond dan ofal y meddyg ers blynyddoedd.[387] Y mae yn amlwg ei fod yn gwaethygu yn araf. Yr ydym wedi cael haf cymysglyd iawn eto eleni a rhai dyddiau poeth iawn ac yn sych a llawer o danau yng nghoedwigoedd yr Andes ac yma ar y paith, rhai oherwydd diofalwch y bobl ac eraill gan fellt. Y mae Rhisiart Arwel B.B.C Caerdydd a Geraint Lloyd o Aberystwyth yma y dyddiau hyn yn trefnu rhaglen rhwng Cymru a'r Wladfa ar y Sul 28ain o Chwefror. (...) Anfonwch air yn fuan. Cofion annwyl attoch i gyd

Ieuan ac Irma.

Nain

(157) Llythyr Sbaeneg gan Moelona Ll. Roberts de Drake (chwaer hynaf Luned Vychan a Tegai Roberts) at ei hŵyr. Daeth Moelona yn gydradd drydydd yn y gystadleuaeth 'Llythyrau' yn Eisteddfod y Wladfa 1998. Cyhoeddwyd cyfres o'r llythyrau yma mewn cyfrol o waith wedi'i wobrwyo yn yr adran llenyddiaeth 1965-2002. Dyma un llythyr o'r gyfres. Bu farw Moelona Ll. Roberts de Drake ar y 7fed o Ragfyr, 2005.

(Cyhoeddir gyda chaniatâd Eisteddfod y Wladfa.)

Gaiman, marzo 20, 1998

Mi querido nieto:
Nos alegraron mucho tus noticias. ¡ Qué bueno que hayas conseguido pensión con esa familia tan buena! Y que estés contento con tu trabajo. Como este año termina la primera etapa de la carrera que estás siguiendo, quiero darte un consejito para cuando salgas a trabajar en serio. Y es que no te afanes por enriquecerte. El viejo Libro lo dice bien: "El amor al dinero es raíz de todos los males." Y lo estamos viendo todos los días, ya que los corruptos parece que abundan más que las moscas.

Que haya transparencia en todos tus actos.

Mi salud está buena, gracias a Dios, pero una nunca sabe ... Estuve muy feliz de tenerte por aquí en tus vacaciones, y espero ansiosa las próximas. Muchas gracias por escribirme siempre. Te abraza.

Nain.

Yr athrawon Cymraeg

(158) Rhan o lythyr Irma Hughes de Jones at Ifor Owen yn gweld gobaith 'am barhad yr iaith ym Mhatagonia'. Mae Rebeca, wyres i Irma, yn athrawes Saesneg yng Ngholeg Camwy a hi bellach yw un o'r athrawon sy'n rhoi gwersi Cymraeg yno hefyd.

(Trwy garedigrwydd Owain Sion Gwent.)

Rhagfyr 8, 1999

Annwyl Ifor (a phawb)

Dyma fi o'r diwedd, ar ôl hir oedi, yn anfon gair atoch. Mae'r Nadolig yn agoshâu ac felly rwy'n cofio am y rhai sy'n bell o'r teulu. (...) yn gyffredinol yma, mae Cymru'n agosach nag erioed. Amryw o rai ifanc yn cael teithio draw bob blwyddyn i wneud cwrs o ddeufis yn Llanbed i ddysgu Cymraeg. A thros bum cant o rai'n mynychu'r dosbarthiadau hefo'r athrawon o Gymru. Fel hyn mae pethau'n edrych yn addawol iawn am barhâd yr iaith ym Mhatagonia. (...)

Caswom ychwanegiad at y teulu yn ddiweddar. Ar yr 17 o Dachwedd, ganwyd gor-ŵyr bach i fy chwaer Arel, mab i Luis, mab ieuengaf ei merch hynnaf hi Dora. Matías yw ei enw Matías Humphreys.

Mae Iván yn dal yn frwdfrydig efo'r rygbi. Yn "Trelew Rugby Club" mae yn chwarae ar hyn o bryd. Dim digon o chwaraewyr i gadw "Draig Goch" y Gaiman ymlaen. Yn yr un tîm ag Iván mae dau o wyrion Arel hefyd yn chwarae. Cafodd hi wobr yn Eisteddfod Genedlaethol Cymru eleni.

Mae ein ffrind Cathrin Williams, yma hefo ni hyd fis Ebrill.

Wel dyna ni am y tro. Dymuniadau gorau i gyd i bawb ohonoch a

Cofion annwyl
Irma

(159) Rhan o lythyr Catrin Morris de Junyent at ei rhieni yn ceisio dygymod â'r wybodaeth am salwch ei mam yng Nghymru. Aeth Catrin i'r Wladfa ym 1998 fel athrawes Gymraeg. Arhosodd yno a phriodi Milton Junyent. Mae ganddynt ddwy ferch, Elen a Maite. Catrin yw un o sefydlwyr Ysgol yr Hendre yn Nhrelew.

(Trwy garedigrwydd Catrin Morris de Junyent.)

Brazil 215,
9100 Trelew,
Chubut
Argentina
Mehefin yr unfed ar hugain

Annwyl Mam a Dada,[388]

(...) Mi ges i ddau lythyr gen ti heddiw Mam – roedd un wedi cymryd 5 diwrnod, a'r llall bron i 3 wythnos! Ond dyna fo. Roedd o'n braf clywed eich hanes, a gwybod dy fod yn ddigon cryf i sgwennu. Dwi ddim yn siwr pam fy mod i wedi cymryd cymaint o amser i ateb eich llythyrau – dwi'n credu fod sawl rheswm: y cyntaf yw fod gen i ormod i'w ddweud a'r ail yw fy mod i ddim isie ypsetio wrth sgwennu achos mi wn mai fel yna fyddai hi, ac yn drydydd dôn i ddim am ysgrifennu rhywbeth a fyddai yn eich ypsetio chi. Felly dyma gael y cryfder rwan.

Pan ffoniais i chi ar ddydd Mawrth, yr ail o Fehefin yn llawn newyddion am Robert Owen Jones a bwcio fy nhocyn adre dôn i ddim yn disgwyl cael clywed dy fod yn mynd i'r ysbyty Mam. Roedd Manon[389] wedi dweud dy fod wedi bod nôl a mlaen i weld arbenigwr, ond nes i ddim disgwyl clywed dy fod yn mynd i gael llawdriniaeth. Rôn i'n hapus reit yn fy myd bach fy hun, ac yn meddwl dim amdanoch chi! Doeddwn i ddim yn credu dy fod yn wirioneddol sâl Mam, paid meddwl mai dyna pam yr ypsetiais i – rôn i'n deall yn iawn, hefyd, mai dyna oedd ar feddyliau pawb – paid meddwl dy fod wedi fy nhwyllo i !!! Ond, mi dries i beidio dangos fy ymateb, ond erbyn i mi roi y ffon i lawr, mi roeddwn i'n beichio crio. Dôn i ddim yna i fod gyda chi ar amser fel yna, i helpu, neu jyst i fod yna – dyna beth oedd yn anodd – a pheidio gwybod yn union beth oedd yn mynd ymlaen. Wel, crio! Rôn i ar fy ffordd i ddysgu yn Rawson, a dyna lle rôn i'n crio yn y locutorio (lle'n llawn o gabanau ffonio), wedyn es allan i ddal y bws, a methu stopio crio. Mi welais i Dewi Mefyn yn pasio yn ei gar, ac mi groesais i'r ffordd a mynd i'w tŷ nhw, lle ces i groeso, paned ac amser i ddweud wrthyn nhw beth oedd yn

bod, ac i ddod ataf fy hun. Mae Eileen a Dewi Mefyn felly wedi edrych ar fy ôl i, ac maen nhw'n gofyn ar dy ôl drwy'r amser Mam – dwi mor ddiolchgar iddyn nhw. Nath Dewi Mefyn hyd yn oed alw fi'n "tercera hijo"" y diwrnod o'r blaen (3ydd plentyn!!! Mae ganddyn nhw 2 yn barod) ac er ei fod yn gor-ddweud o beth wmbreth, roedd y cymhelliad tu ôl i'r geiriau yn annwyl ac yn bwysig iawn.

Beth bynnag, mi es i Rawson yn hwyr, ar ôl ffonio i ganslo fy ngwers gyntaf (dim problem gan mai un oedd yn y dosbarth), ac mi ddysgais am weddill y dydd. Yna, yn hytrach na dod nôl i Drelew, mi es i'r Gaiman lle rôn i wedi trefnu i Manon fy ffonio i, ac mi dreulies i'r noson yno, gydag Angharad. Buodd pawb yn garedig iawn yn holi ar dy ôl di, gan wybod gymaint o ofid oedd arna i. Ond, diolch i Dduw, rwyt ti'n gwella. Ac mi rydw i'n cyfri'r dyddiau cyn medru dod adre i'ch gweld chi.

Ar y llaw arall, dwi'n gwneud y gorau o fy amser yma, ac mae pob diwrnod yn llawn. Dwi dal yn mwynhau, a dal wrth fy modd – yr unig beth sydd yn anodd yw fod fy nheulu yn bell, ond mae'r ffôn, a medru sgwennu fel hyn yn help mawr.

Wel, mi ffoniodd Iestyn ac Iwan[390], a ffoniodd Manon ar ddiwrnod fy mhenblwydd. Mi ges i ddiwrnod i'r brenin! Roedd y newyddion yn dda am dy lawdriniaeth di Mam, felly ar ôl sgwrs ychydig yn ddagreuol efo'r ddau frawd yna sy gen i, mi fedrais symud ymlaen a mwynhau fy niwrnod. Fe baratodd Angharad frecwast penblwydd i mi (gan fy mod yn y Gaiman achos ein bod ni wedi bod yn Comodoro Rivadavia'r diwrnod cynt yn dysgu Cymraeg – y dref nesaf lawr i'r De, taith o 880 km yno ac yn ôl! Ie 880 km!), ac fe roddodd anrheg i mi, sef pot mate, yerba a bombilla – yr offer angenrheidiol i wneud te traddodiadol yr Ariannin, ac mi fydda i'n hoffi cael "tot o fate" yn aml – hyd yn oed yn y gwersi gan ei fod yn rywbeth cymdeithasol mae dyn yn ei rannu rhwng pawb. Ymlaen i Drelew ar y bws, a pharatoi salads ac ati yn y prynhawn gan fy mod wedi gwahodd pobl draw am asado gyda'r nos. Ras i wneud pob peth. Es i draw, efo anrheg at Elena[391] gan ei bod yn cael ei 70 ar yr un diwrnod! Wedyn rasio nôl i molchi cyn i'r bobl cyntaf gyrraedd.

Wel, tua 9 dyma Mario'n cyrraedd – fo ydy'r un sydd yn edrych ar fy ôl i gan mai fo ydy swyddog Cymdeithas Dewi Sant. Wel, mi gynodd y tân yn y "parilla" (math o barbeciw Archentaidd) ac fe roddodd y cig a brynodd o (efo arian gen i) ar y tân. Daeth Richard wedyn (mab i Camwy, ac mae'n dod i fy ngwersi), yna daeth Iris a Ruth ac Antonela (dwy chwaer heb ddim Cymraeg ydy'r ddwy gyntaf a merch fach i Rebecca ydy Antonela, ac mae hi Rebeca yn dysgu Cymraeg). Daeth Santi (byr am Santiago sy'n rhugl yn y Gymraeg gan iddo dreulio blwyddyn yng ngholeg Glynllifon yn byw yng Nghaernarfon, ac mae acen Cofi ganddo), yna daeth Billy a Gladys a'u plant Analyn a Lisa – sy'n Gymry o ran iaith – yn naturiol felly. Yna daeth Rebeca sy'n dipyn o ffrind er nad ydy hi wedi bod yn dysgu Cymraeg ond ers blwyddyn, ac mae cyfathrebu gyda'n gilydd yn dipyn o gamp! Wedyn daeth Fabio, sy'n fab i Luned, ac er mai wedi dysgu Cymraeg mae o, mae o'n rhugl, ac yn olaf Hector Ariel sy'n nai i Elvey MacDonald ac sy'n siarad Cymrage yn naturiol, er ddim yn hollol rhugl. Wel dyna ni, y cwmni bach, heb anghofio Shirley sy'n dysgu yn yr Ysgol feithrin ac sy'n mynd ar gwrs Wlpan Llanbed cyn pen mis. Buon ni'n bwyta ac yfed gwin am oriau, nes iddyn nhw roi cerdyn ac anrheg i mi – a'r anrheg mwyaf bendigedig i mi gael erioed. "Lana" ydy o, neu gôt neu siaced wedi ei wau allan o wlan, ac mae o o'r Ariannin, ac yn go draddodiadol, ac mae'n gynnes – rhywbeth pwysig efo'r tywydd yn oeri. Fedra i ddim pwysleisio gymaint mae'r gôt yn golygu i mi, mae'n jôc erbyn rwan "dwyt ti ddim wedi'i thynnu hi eto." Medden nhw achos dwi'n ei gwisgo i bob man. Ar ôl cynnau y gannwyll ar y gacen (do mi naethon nhw gacen i mi!) mi fuon ni yn chwarae "pictionary" a "charades" yn Sbaeneg – dipyn o gamp os ga i ddweud! Yna, mi aeth rhai adre tua'r 4 o'r gloch yma!! Do, mi ddarllenoch chi'n gywir – 4 o'r gloch, hyd yn oed y plant (er eu bod wedi cysgu'n bell cyn hyn), ac yna mi fuon ni'n dawnsio cyn penderfynu mynd ymlaen i glwb i ddawnsio. Buon ni'n fan 'na hyd 6 o'r gloch y bore!!! Mae'n gyffredin i bobl ifanc wneud hyn – mae llawer o fy nisgyblion i'n gneud, o tua 16 oed ymlaen. Es i ddim i fy ngwely nes 10 o'r gloch yn bore (braidd yn hwyr mae'n rhaid dweud) gan y buon ni'n siarad am hydoedd. (...)

Wythnos dwetha felly, mi fues i'n dysgu ddydd Mawrth, Mercher, Iau fel arfer, gan geisio ymarfer sgetsus hefyd ym Mhorth Madryn gan fod Noson Lawen yn y Gaiman nos Sadwrn. Dyna a wnes, yna mynd i'r Gaiman i weithio ar ddiwedd wythnos, yna dychwelyd pnawn Gwener er mwyn ymarfer sgets Trelew (er bu raid ei gohirio) yna dychwelyd eto nos Wener i ymarfer sgets arall yn y Gaiman. Cafon ni lond y lle o hwyl. Merched y pentref oedd yn dynwared y dynion, ac er nad oedden ni'n dda iawn, fe gafon ni hwyl

– sef prif bwrpas y weithgaredd. Dydd Sadwrn wedyn, (...) ar ôl dychwelyd i'r tŷ fe gyrhaeddodd cyw iâr nes i archebu gan y capel yr un pryd â Billy Hughes, ac fe wahoddodd o ni i gael cinio efo fo a'r teulu (efor cyw iâr wrth gwrs!) (...)

Mae'r gwersi yn dod yn eu blaen yn iawn er fy mod yn amau fy hun weithiau. Mae Robert Owen Jones i weld wedi ei blesio. Fe fydd yn dod i fy ngwersi eto fory, felly fe fydd rhaid i mi baratoi yn ofalus. Dwi'n dechrau poeni yn barod er 'mod i wedi paratoi ers dydd Gwener, dwi am adolygu, ac altro ychydig bach ar fy ngwersi. (...)

Wel, Mam a Dada, dyma gau'r llythyr a dymuno'n dda i chi. Mam, gwella'n fuan a Dada, edrych di ar ôl Mam. Tynnwch gymaint o luniau ag y medrwch a'u hanfon ataf. Dwi wedi tynnu dau ffilm ac am anfon ambell i lun atoch chi efo'r llythyr hwn – fe af â nhw i'r siop fory, ac fe'u caf yn ol ymhen ½ awr – tipyn gwell na Chymru yn te!

Sws mawr i chi'ch dau. Dwi'n eich caru chi lond y lle, ac yn edrych ymlaen i'ch gweld chi'ch dau ym mis Medi. Mae'r tocynnau wedi cyrraedd a byddaf yn glanio ar Fedi'r 1af, efo wythnos gyfan yng Nghymru. Tan y tro nesa' te.

Cariad mawr,
Catrin xxx

(160) Llythyr wedi ei ysgrifennu mewn llythrennau breision gan bedwar myfyriwr blwyddyn gyntaf – Bibiana Portugues, Elisabeth Lorena Jones, Astrid de di Rosa a Mónica Fuentes – at eu hathrawes Sioned Huws. Penodwyd Sioned yn athrawes Gymraeg yn Esquel o 1999-2000 gan y Cyngor Prydeinig.

(Trwy garedigrwydd Sioned Huws.)

Trevelin 3 Gorffennaf 2000

Annwyl Sioned:

Helo! Sut wyt ti? Yn Nhrevelin, mae'n oer! dydy hi ddim yn bwrw eira yn y dref, ond mae'n bwrw eira yn y mynyddoedd. Be' wyt ti'n neud yng Nghymru?

Wyt ti'n dysgu cymraeg? Wythnos nesaf, dan ni'n dechrau gwyliau gaeaf. Efo pwy wyt ti'n siarad sbaeneg? Sut mae'r teulu? Pan wnaethon ni fwyta pizza, wnaethon ni gofio amdanat ti. Dan ni'n ysgrifennu yn y dosbarth. Mae Rhian yn helpu ni. Da ni'n licio'r dosbarth cymraeg yn fawr, ond dan ni ddim yn ynganu "ll"! Wnaethon ni wrando ar "jam llaeth" a dda ni'n deall tipyn bach. Da ni'n anfon dau ffoto o ddosbarth y plant. Maen nhw'n adrodd a dawnsio yn yr eisteddfod, a mae nhw'n cymryd rhan ar 28 Gorffennaf. Da ni'n licio'r athrawes newydd, ond da ni'n colli ti. Tan tro nesa! Ysgrifena!

Bibiana Lorens Astrid Mónica.

(161) Llythyr oddi wrth Cristine Jones a'i phlant, Romina Azzolini a Benjamin Azzolini at Sioned Huws.

(Trwy garedigrwydd Sioned Huws.)

Y 30 ain o Gorffennaf or 2000
Esquel Chubut

Annwyl Sioned.

Dw i wedi bod ar fy nghwylia ac wrth hynny efo mwy o amser i ysgrifenni at y ffrindiau. Wi ti'n gwybod yn well na neb pa mor anodd edi o i mi yn gymraeg!! Sut mae? Ar ôl cymaint o amser. Dw i'n gobeithio fod ti wedi setlo'n ôl yn hapus. Dan i'n falch iawn efo'r athrawesau newydd. Dw i'n credi bod nhw wedi gwneid trefniad iawn rhwng dosbarthiadau Drevelin a Esquel. Rhian ydy ein athrawes ni (fi, Romina a Benjy) Mae'r ddwy wedi bod ar ei gwyliau yn Cataratas a Bs As. Dan i'n cael gaeaf oer, digon o eira, rhew a glaw. Mi wnaeth Benjy fynd i'r Hoya trwy'r gwyliau i sgio. Mae Ileana[392] wedi bod am wythnos o Buenos Aires ond ni gafodd Mauro[393] cyfle i ddod tro ma. Dw i newydd orffen darllen "Cysgod y Cryman" o Islwyn Ffowc Ellis. ¡Ffantastig! Mi griais i fel llo bach ac mi wnes i mwynhau o lot fawr. Dw i'n teimlo'n rhyfedd iawn wrth ddarllen y gymraeg. Mae cymaint o bethau sydd mor gyfarwydd i ni ac ar yr un pryd yn perthyn i byd gwahanol. Fel arfer gawson i swper yn Esquel i dathlu'r Gwyl y Glaniad. ¡Lot o fwyd a digon o hwyl! Joyce yn gwneid i ni chwarae a trio barddoni a Elda yn cyfrifol o'r canu. Mi clywson yr rhaglen o'r y Radio Cymru y bore ma. Neis clywed Sandra ai chymraeg mor rhygl, ffrwyth yr ysgol Gymraeg ia?

Wel Sioned, dan i'n cofio am dana ti bob amser. Croeso'n ol a diolch yn fawr am dy oll waith dros lles y cymraeg yn y Wladfa.

Cofion cynnes oddiwrth Christine, Romina a Benjy

Sws mawr y ¡hasta pronto! Chau

Xxx

Ein cyfeiriad newydd DARWIN 892.

Nodiadau

363 Gwen Thomas (gw. llythyrau 103 a 120 ganddi yn y gyfrol hon). Bu farw 16 Rhagfyr 1987 a'i chladdu ym mynwent Dolavon.

364 Laura a Rebeca, merch ac wyres Irma Hughes de Jones ac Ehedydd Iâl Jones.

365 Etifeddodd yr arlywydd Alfonsín broblemau economaidd dwys yn sgil unbennaeth milwrol y blynyddoedd cynt. Roedd y jwntâu wedi benthyca arian yn rhyngwladol. Er mwyn ceisio adfer rhywfaint ar y sefyllfa fregus ariannol, cyflwynodd llywodraeth Alfonsín arian newydd i ddisodli'r *peso* sef yr *austral*.

366 Taith ymchwil Fontana i orllewin Chubut, gan gyrraedd Cwm Hyfryd 25 Tachwedd 1885. Gw. Atodiad X yn *Y Wladfa*, R. Bryn Williams (t. 222): 'Hon oedd un o'r teithiau ymchwil pwysicaf a ddigwyddodd yn Ariannin, rhoes gyfle i'r Cymry gael gwlad newydd a ffrwythlon i sefydlu ynddi, a bu'n bennaf rheswm dros i Ariannin gadw'r rhannau cyfoethog hyn o'r Andes yn eiddo iddi yn adeg helynt y ffin â Chili.'

367 Bu farw Tom Jones mewn damwain car ar 30 Medi 1985.

368 Fe ysgrifennwyd y llythyr mewn llawysgrifen fân iawn bob ochr i amlen oedd wedi ei hagor yn wastad.

369 May Williams de Hughes.

370 Recordiodd Shân Emlyn gymanfaoedd canu a degau o gyfweliadau ag amryw o'r Gwladfawyr. Mae'r tapiau i gyd wedi eu trosglwyddo i LlGC.

371 Difethodd tir caregog a llychlyd y Wladfa sawl pâr o esgidiau ddoe a heddiw. Ceir amryw o lythyrau gan y sefydlwyr cynnar yn ymbil am esgidiau newydd o Gymru. Dywed y Parch. Abraham Matthews mewn llythyr ym 1866 (rhif 6 yn *Llythyrau'r Wladfa 1865–1945*): 'Y mae fy esgidiau yn darfod yn gyflym iawn ... '

372 Coed y Pry – cartref teulu Shân Emlyn ac Owen Edwards yng Nghaerdydd.

373 William Ellis Williams a'i chwaer Anne Williams (1842-1913).

374 Ruth Williams.

375 Y pen-blwydd yn 15 oed (sy'n gyfystyr i'r 18fed yng Nghymru). Dim ond y merched sy'n ei ddathlu yn yr Ariannin fodd bynnag.

376 Rebeca Henry, wyres i Irma Hughes de Jones; Mari Gwent, wyres i Winifred Owen.

377 Carlos Saúl Menem. Er ei fod yn *Peronista*, mynnodd breifateiddio nifer o'r diwydiannau yr oedd Perón wedi'u gwladoli.

378 Meinir Evans de Lewis, chwaer Irfonwy.

379 Bu Meredydd Evans a Phyllis Kinney ar ymweliad â'r Wladfa ym 1995 a'u gwahodd i fod yn feirniaid canu Eisteddfod y Wladfa yn Nhrelew y flwyddyn honno.

380 Bu'n athrawes Gymraeg yn y Wladfa ac enillodd gadair Eisteddfod y Wladfa ym 1989. Golygodd y cyfrolau *Edau Gyfrodedd* – cyfrol o waith Irma Hughes de Jones; *Bardd y Neuadd Wen* – cyfrol o farddoniaeth James Peter Jones; *Bywyd yn y Wladfa* – casgliad o waith cystadleuwyr o'r Wladfa yn yr Eisteddfod Genedlaethol; cydolygodd *Er serchog Gof* gyda May Williams de Hughes am fynwentydd y Wladfa; cyhoeddodd lyfryn teithio i'r Wladfa *Y Wladfa yn dy Boced* a chyfrol am ei chyfnod o flwyddyn yn y Wladfa *Haul ac Awyr Las*. Mae hi'n cyfrannu erthyglau yn achlysurol i'r *Drafod*.

381 Bathwyd yr enw 'Owen Si' (neu 'Wansi' ar lafar) ar y planhigyn a gyrchodd Owen C. Jones gydag ef o Awstralia i'r Wladfa. Mae'r Gwladfawyr yn dal i'w felltithio hyd heddiw gan fod y planhigyn yn bla erbyn hyn ac nid wnaiff yr un anifail ei fwyta.

382 Ceris Gruffydd – ysgrifennydd presennol Cymdeithas Cymru-Ariannin.

383 Dafydd Meirion, brawd John Wyn Jones.

384 Angharad Gruffydd, merch Nan Griffiths. Aeth gyda'i ffrind Siân Williams i'r Ariannin i briodas ffrind yn Buenos Aires. Aeth i lawr i Ddyffryn Camwy am ychydig ddyddiau.

385 Nia Williams, merch Glyn a Joan Williams. Bu'r tri yn byw yn y Wladfa am flwyddyn tra oedd Glyn Williams yn ymchwilio ar gyfer ei gyfrol *The Desert and the Dream*.

386 Glenys Jones (1915-2004), chwaer R. Bryn Williams a mam Dafydd Meirion a John Wyn Jones. Gadawodd y Wladfa am Gymru yn 16 mlwydd oed.

[387] Edmwnd Williams, brawd Ieuan. Bu farw yn 62 mlwydd oed yn 2000.
[388] John Morris ac Ann Mererid Morris (Bebb gynt).
[389] Manon Llywela Morris, chwaer Catrin.
[390] Iestyn Lewis Morris ac Iwan Bebb Morris, brodyr Catrin.
[391] Elena Davies de Arnold (gw. e-bost 188 ganddi).
[392] Ileana Azzolini, merch Cristine Jones.
[393] Mauro Azzolini, mab hynaf Cristine Jones.

PENNOD 6

'Yma o hyd' (Gohebiaethau 2000-2010)

Aeth y Cynllun Dysgu Cymraeg yn ei flaen o nerth i nerth drwy gael ei adolygu a'i adnewyddu fesul tair blynedd. Mae llythyr cyntaf y bennod hon yn adlewyrchu, nid yn unig y ffaith bod y Gwladfawyr yn fodlon dysgu a gloywi'u Cymraeg, ond hefyd eu balchder a'u hyder yn statws y Gymraeg yng Nghymru, hyd yn oed os nad yn y Wladfa. Ymatebodd dosbarth Cymraeg Rawson i erthygl a ddarllenwyd ar wefan *BBC Cymru a'r Byd* am ddiswyddiad gwraig (o westy'r Celt yng Nghaernarfon) am siarad Cymraeg, drwy anfon y llythyr hwn (162):

> ... mae'n anodd credu eich penderfyniad i wahardd y staff rhag siarad Cymraeg. Rhaid i chi sylweddoli mai un o ieithoedd swyddogol y wlad yw'r Gymraeg. Mae mwy o bobl yng Nghaernarfon yn siarad Cymraeg na Saesneg, ac felly does gennych chi ddim hawl i wahardd y staff rhag defnyddio eu mamiaith. Dach chi wedi torri'r gyfraith a ddim wedi ufuddhau at y Ddeddf Iaith.

Mae'r llythyr yn gorffen yn smala drwy ddweud: 'D.S. Croeso i chi i'n dosbarth ni.'

Law yn llaw â Chynllun Dysgu Cymraeg Chubut, mae Cymdeithas Cymru-Ariannin hefyd yn ariannu cynllun, ar y cyd â Chronfa Mari a Pryderi ar gyfer Patagonia De America, i athrawon o'r Wladfa ddod i Gymru i loywi'u Cymraeg ac i arsylwi dulliau dysgu mewn ysgolion cyfrwng Cymraeg. Yn 2009/2010 daeth chwech o'r Wladfa i'w hyfforddi yng Nghymru. Mae hwn yn ddatblygiad allweddol gan fod llawer yn teimlo bod angen i'r Gymraeg yn y Wladfa sefyll ar ei thraed ei hun, yn hytrach na dibynnu ar gymorth o Gymru'n unig. Rhaid magu athrawon Cymraeg o'r Wladfa er mwyn i'r cynllun fod yn fwy ymarferol a hunangynhaliol. Un o'r rhai cyntaf i ddod i Gymru ar gwrs dysgu Cymraeg dwys yng Ngholeg Prifysgol Llanbedr Pont Steffan oedd gŵr ifanc o'r Gaiman o'r enw Gabriel Restucha. Ni fedrai siarad Cymraeg pan oedd yn ugain oed. Datblygodd i fod yn un o athrawon y Gymraeg yn y Wladfa. Mynegodd yr Athro Robert Owen Jones ei edmygedd ohono yn ei adroddiad i'r Cynllun Dysgu Cymraeg yn 2005:

> Dysgir y Gymraeg yn swyddogol ar gwricwlwm Coleg Camwy eleni a'r athro – Gabriel Restucha sy'n dysgu'r Gymraeg yng Ngholeg Aliwen hefyd. Derbyniodd anogaeth a hyfforddiant drwy'r cynllun hwn a phrin y ceir athro ail iaith cystal ag ef mewn unrhyw ardal yng Nghymru ...

Yn 2007 etholwyd Gabriel Restucha yn faer y Gaiman. Diolch i'w ddycnwch, fe welir heddiw arwyddion dwyieithog (Cymraeg a Sbaeneg) yn y Gaiman. Mae'r Gymraeg erbyn hyn, yn y Gaiman o leiaf, yn elfen weladwy. Gellir dadlau mai peth eithaf arwynebol yw hyn o ran tynged yr iaith yn y Wladfa, ond mae'n atgof beunyddiol i'w thrigolion a'i hymwelwyr fod gan y dref hanes a hwnnw'n deillio o'r sefydlwyr cyntaf a fentrodd draw o Gymru. Enghraifft arall o lwyddiant y cynllun dysgu Cymraeg yw Sion Davies o'r Gaiman a fu, ar un cyfnod, yn teithio unwaith y mis i roi gwersi i ddosbarth Cymraeg Comodoro Rivadavia. Golygai deithio am bum awr bob ffordd ar fws. Mae'n anhygoel hefyd mai Sandra de Pol oedd enillydd gwobr Dysgwr y Flwyddyn yn Eisteddfod Genedlaethol Llanelli 2000. Daw Sandra o La Plata yn yr Ariannin ac nid oes ganddi unrhyw gefndir Cymreig.

Roedd blynyddoedd cyntaf y milflwyddiant yn galonogol iawn o safbwynt y Gymraeg. Rhoddwyd hwb i'r bwrlwm gan ymweliad Dafydd Iwan ym mis Mai 2001. Yn 2002 agorwyd Canolfan Gymraeg yn yr Andes. Yn 2005 dechreuwyd ar brosiect rhwng Cymru a'r Wladfa, sef paratoi gwefan dairieithog ynglŷn â'r Cymry ym Mhatagonia. Mae gwefan *Glaniad*, y cyfrwng modern hwn, yn gaffaeliad mawr i unrhyw un sydd â diddordeb yn hen hanes y Wladfa.

Ar Fawrth y 6ed, 2006 cafwyd datblygiad cyffrous parthed y Gymraeg pan agorwyd ysgol ddwyieithog ar gyfer plant tair, pedair a phump oed. Cefnogir Ysgol yr Hendre, Trelew yn rhannol gan Awdurdod Addysg Chubut. Roedd hwn yn gam pwysig wrth roi statws a chydnabyddiaeth i'r Gymraeg yn Nhrelew.

Mae'r diwylliant Cymraeg hefyd wedi ffynnu yn ystod y degawd diwethaf, drwy'r cylchoedd llenyddol a'r eisteddfodau. Rhoddwyd hwb i'r gweithgareddau hyn pan ailsefydlwyd Gorsedd y Wladfa, Patagonia yn 2001. Cyn-lywydd yr Orsedd hon, y cerddor Clydwyn Ap Aeron Jones, a'i frawd Dewi Mefin Jones (a'i holynodd fel llywydd) oedd prif symbylwyr ailsefydlu'r Orsedd. Aeth yr Archdderwydd Meirion a deg a phedwar ugain o Gymry i'r seremoni ailsefydlu yn y Gaiman yn 2001 ac yn 2008 aeth yr Archdderwydd Dic Jones draw ar gyfer seremoni'r Orsedd a chael ei dderbyn yn aelod am iddo ennill cadair Eisteddfod y

Canmlwyddiant yn 1965 (gw. llythyr 177).

Yn gefnlen i hyn, roedd llwyfan gwleidyddol yr Ariannin yn parhau i fod yn simsan a hynny'n esgor ar wrthdystiadau dramatig. Roedd yr arlywydd Menem wedi addasu'r cyfansoddiad er mwyn galluogi ei hunan i geisio eto am ail dymor fel arlywydd, ac fe enillodd. Ni fu'n llwyddiannus y trydydd tro a bu'n rhaid iddo roi'r gorau iddi ynghanol cyhuddiadau dirifedi o lygredd. Fernando de la Rúa a'i holynodd ym 1999 gan etifeddu problemau ariannol dybryd. Roedd y wlad mewn dyled tramor o 114 biliwn o ddoleri. Bu peth panig gan rai Archentwyr a chodasant eu cynilion o'u cyfrifon banciau a'r llywodraeth wedyn yn ymateb drwy osod cyfyngiadau ar godi arian. Dyma egluro pam y dywedodd John Roberts o'r Waunfawr mewn e-bost (182) yn 2009: ' ... 'does neb call yn Ariannin yn rhoi arian yn y banciau!! ... '

Roedd diweithdra ar gynnydd a'r bobl yn anniddig. Ar yr 21ain o Ragfyr, 2001 dechreuodd trigolion Buenos Aires fynd i'w ffenestri ac i'r strydoedd i guro eu sosbenni. Symudwyd i'r strydoedd ac i'r dinasoedd drwy'r Ariannin. Credir i dros ddeg ar hugain farw yn y gwrthdystiadau hyn. Yn ystod Nadolig 2002 ysgrifennodd Luned Vychan Roberts de González:

> Nid ydym yn cael terfysg yma yn y Gaiman ond yn ddiweddar roedd criw o fobol di-waith yn llosgi hen deiars ar ganol y ffordd sydd yn mynd fewn i Drelew ac felly roeddem yn gorphod mynd rownd dipyn o ffordd i gael mynd yno. Mae ôl y tân ar y pafin. Tro arall roedd criw o fobol parchus o'r Gaiman yn taro sospeni yn y sqwar i brotestio am y bil golau. (174)

Gelwid y protestiadau hyn yn *Cacerolazo* sy'n deillio o'r gair Sbaeneg *cacerola*, sef sosban. Cyrhaeddodd yr anniddigrwydd ei benllanw gydag ymddiswyddiad yr arlywydd De la Rúa. Roedd hi'n amser ansefydlog iawn. Daeth Eduardo Duhalde yn arlywydd ym mis Ionawr 2002 ac yntau'r pumed arlywydd o fewn pythefnos! Diddymodd Duhalde baredd y peso a'r dolar. Darganfu nifer o'r Archentwyr ei bod hi'n anodd iawn cael gafael ar arian parod, ac anghyson iawn oedd taliadau cyflog y rhai a oedd yn ddigon ffodus i fod â gwaith ganddynt. Parodd hyn i lawer o Archentwyr o'r dosbarth canol ymuno yn y gwrthdystio. Yn etholiadau arlywyddol 2003 enillodd Nestor Kirchner y ras yn erbyn Menem, a geisiodd eto am ei drydydd tymor. Roedd llawer o'r Gwladfawyr yn gefnogol i Kirchner gan y deuai o dalaith anghysbell Santa Cruz ym Mhatagonia. Roedd gan Kirchner, fel ei ragflaenwyr, dalcen caled o'i flaen i godi'r bobl o'u tlodi ac i sefydlogi'r economi. Llwyddodd i ddod â pheth sefydlogrwydd i'r wlad gan setlo sawl dyled tramor a hynny'n rhannol yn sgil y ffaith i'r peso rhad rhoi hwb i allforion yr Ariannin.

Ddiwedd 2007 Cristina Fernandez de Kirchner a etholwyd yn arlywydd yn lle ei gŵr. Amser a ddengys a fydd y llywodraeth hon yn parhau i sefydlogi'r economi ac i leihau tlodi.

Ar ben helyntion yr Ariannin mae gofidiau byd-eang yn poeni'r Gwladfawyr, yn arbennig felly afiechydon newydd megis ffliw'r moch a ffactorau fel y newid yn yr hinsawdd. Ar ddydd Mercher y 7fed o Fai, 2008 ffrwydrodd llosgfynydd Chaitén yn Chile yn gawod asthmatig. Gydag Esquel mor agos at y ffin â Chile, gorchuddiwyd ardaloedd yr Andes â chaddug o ludw gwyn gan drawsnewid tirlun Cwm Hyfryd i ymddangos yn debycach i set ffilm ffug-wyddonol iasol. Achoswyd yr anhrefn rhyfeddaf. Caewyd ysgolion a ffyrdd ac effeithiwyd ar amaethyddiaeth a cherddai pobl o gwmpas y lle yn gwisgo mygydau. Amharwyd ar drefniadau Eisteddfod Trevelin ar yr union adeg pan oedd y canwr o Gymru, Rhys Meirion yno'n diddanu ac yn cefnogi'r ymgyrch i godi pres tuag at yr eisteddfod. Pennwyd yr eisteddfod hon yn 'Eisteddfod y Llwch'. Ymddiheurodd un côr am fethu cyrraedd yr eisteddfod a hynny oherwydd gormod o lwch folcanig! Prin fod yr un côr arall yn y byd wedi methu cyrraedd eisteddfod am y rheswm hwnnw!

Ym mis Gorffennaf y flwyddyn honno mae Gweneira Davies de Quevedo yn dweud mewn llythyr (176): 'Mae rhew Glacier Perito Moreno wedi torri a disgyn rhan fawr ohono am 11 heddyw, dydd ein Anibyniaeth. Dyma y tro cyntaf i hyn ddigwydd ynghanol gaeaf ... '

Oedd, roedd pethau rhyfedd ar droed. Ac yna, ddechrau 2010 cafwyd daeargryn dinistriol yn Chile. Unwaith eto, roedd Esquel yn beryglus o agos. Wrth holi Aira Hughes, un o drigolion Esquel, am eu diogelwch, cefais yr e-bost hwn (2/3/10): ' ... Cawsom dipyn o ddychryn, y gwely yn symud yn ofnadwy am hanner awr i dri o'r gloch y bore.'

Ar ddechrau 2010 bu siarad eto am y ffrae rhwng Prydain a'r Ariannin parthed y Malvinas. Bron i ddeg mlynedd ar hugain yn ddiweddarach gyda llwyfan olew Ocean Guardian yn cyrraedd dyfroedd i'r gogledd o ynysoedd y Malvinas, mae'r hen grachen hyll wedi codi ei phen eto. Gyda'r sôn am olew yno, efallai nad oedd dau ddyn moel Borges mor ddwl ag y tybiwyd. Mynegodd Alwen Green de Sangiovanni o Drevelin deimladau llawer yn ei he-bost fis Mawrth 2010 (181): 'Well i ni beidio a sôn am ein Malvinas!! Maent angen eistedd wrth y bwrdd a phenderfynnu beth sydd i bwy yn derfynnol ... '

Mewn llythyr (22 Chwefror 2010) at ei merch Esyllt yn y Gaiman, ysgrifennodd Kathleen Roberts, y Ffôr: 'Ynysoedd y Malvinas yn y newyddion bob dydd yma rwan. Gobeithio na fydd rhyfel arall yn codi'i ben ynte, ond tydi Lloegr fawr eisiau bysnesu ymhob rhan o'r byd beth bynnag fydd y gost? Byddai'n well iddynt geisio gwneud trefn ar ei gwlad ei hun yn gyntaf wir, heb fusnesu efo Cymru nac unrhyw fan arall.'

O safbwynt y cysylltiad rhwng Cymru a'r Wladfa, mae'n debyg mai digwyddiad mawr y degawd hwn oedd yr achos cywilyddus o wrthod dwy ferch o'r Ariannin (oedd am ddod i Gymru i loywi'u Cymraeg) rhag cael mynediad i Brydain yn 2009. Profiad chwerw i'r ddwy ferch, Shirley Edwards o Drevelin a Evelyn Calcabrini o Borth Madryn oedd hwn. Roedd hefyd yn fater diplomyddol o bwys gan i raglaw talaith Chubut, Mario Das Neves a Rhodri Morgan, Prif Weinidog Cymru, arwyddo Memorandwm o Ddealltwriaeth ym mis Mawrth 2007 a oedd yn hyrwyddo'r cysylltiad rhwng talaith Chubut a Chymru.

Esgorodd y digwyddiad gwarthus hwn ar lythyru eger, nid yn unig o Gymru, ond hefyd o Loegr. Roedd amryw wedi'u cynddeiriogi gan ymddygiad gwarthus swyddogion mewnfudo maes awyr Heathrow a hynny'n eu cymell i ohebu ag Elfyn Llwyd, AS Meirionnydd Nant Conwy. Bu Elfyn Llwyd yntau'n ddiwyd ar ran y merched gan lythyru (10 Mehefin 2009) at Phil Woolas, y Gweinidog ar Fewnfudo yn gofyn am eglurhad ac i geisio adfer y sefyllfa a chaniatáu mynediad i'r merched i Brydain. Ymatebodd Woolas (19 Mehefin 2009) gan hysbysu Elfyn Llwyd ei fod yn cefnogi ac yn cyfiawnhau gweithred y swyddogion yn Heathrow. Ei ymateb i gais Evelyn Calcabrini oedd: ' ... she had no evidence to show that she was employed in Argentina or that a job would be available to her on her return, this gave rise to concerns about her intentions to return home at the end of her visit.'

Cafodd Elfyn Llwyd ymateb gan Asiantaeth Ffiniau'r Deyrnas Gyfunol (24 Awst 2009) i'w ymholiadau am eglurhad dros wrthod mynediad i'r merched am yr eildro. Yn ei llythyr amgaeodd Lin Homer, prif weithredwr yr asiantaeth, 'refusal notices' a oedd yn cynnwys y frawddeg ganlynol: 'Although I recognise that there are strong Welsh links between Wales & Welsh Patagonia ... I am satisfied that your intention to learn Welsh (or English) is incidental to your stay in the UK.'

Yn ystod y cyfnod hwn bu Elfyn Llwyd yn llythyru hefyd ag Alan Johnson, yr Ysgrifennydd Cartref ac at David Milliband, yr Ysgrifennydd Tramor.

Apeliodd Shirley Edwards ac Evelyn Calcabrini yn erbyn y dyfarniad

(9 Awst 2009). Enillodd Shirley Edwards ei hapêl (18 Awst 2009). Nid yw Evelyn Calcabrini wedi cael caniatâd i ddod i Brydain hyd yn hyn.

I roi halen ar y briw, ddydd Gŵyl Dewi 2010, cyhoeddwyd rheolau llymach gan y llywodraeth Brydeinig ar fynediad gan fyfyrwyr tramor i Brydain. Erbyn hyn, ceir rheol newydd: 'Under the new rules, applicants will need to speak English to near GCSE Level ... '

Dyna gau'r drws yn glep ar y rhan fwyaf o fyfyrwyr o'r Wladfa, sy'n ddwyieithog yn Sbaeneg a Chymraeg.

Mae natur gohebiaeth y bennod hon yn dra gwahanol i'r penodau blaenorol. A ninnau bellach yn yr unfed ganrif ar hugain, gwelir dechrau disodli'r llythyr gan ffurfiau electronig megis yr e-bost, y gweplyfr ag ati. Mae'n anorfod, gyda'r math hwn o ohebu, bod arddull yr ysgrifennu'n newid. Ceir atebion i ymholiadau o fewn eiliadau ac mae'r ysgrifennu yn fwy llafar, yn fwy sydyn, ac o ganlyniad yn llawer llai blodeuog. Wrth lunio e-bost, mae'r awdur yn aml yn ysgrifennu llif ei feddwl ar yr ennyd honno, yn hytrach nag fel y byddai awdur llythyr da ers talwm yn pendroni uwch pob brawddeg er mwyn llunio llythyr crefftus. Pe byddai e-bost wedi bod ar gael i'r sefydlwyr cyntaf wrth lanio ym Mhorth Madryn, diau y byddai'r rhan fwyaf wedi e-bostio'n syth: 'Dowch i'n nôl ni plis!'

Gwahanol iawn, ond difyr, oedd ymateb Lois Jones, un o swyddogion Menter Iaith Patagonia i Borth Madryn yn ei he-bost hi (165) yn 2009: 'Mi oedd mynd i Madryn i weld lle nath y Cymry cynta lanio yn rili gret a gwyl y glaniad yn ffab, uchafbwyntiau hyd hyn, emosiynol iawn!'

Nid yr ieuenctid yw'r unig rai i fentro gohebu gyda'r dechnoleg newydd. Gofynnodd Elena Davies de Arnold am gymorth ei hathrawes Gymraeg i e-bostio ei chyn-athrawes Gymraeg, Anne-Marie. Roedd Anne-Marie newydd briodi yng Nghymru â Tito, gŵr ifanc o'r Wladfa, ac wedi anfon darn o'r gacen briodas i Elena Davies de Arnold:

> Wel, roedd rhaid ifi hefyd wneud rhywbeth i fod yn y wledd, a felly, am 4, rhoddais i tecell ar y tan, rhoddais lliain ar y bwrdd (dim yn aml yn gwneud) a dod a'r llestri gorau o'r parlwr (dim yn dod allan chwaith, dim ond ar achlysur neilltuol) a gosod y ford yn grand i gael te a blasu'r gacen briodas, ei bwyta yn araf, a ehedig yn fy nychymyg i'r wledd atoch chi, agor fy lygaid yn fawr arnoch, mor hardd eich dau ... (188)

Mawredd y neges yw ei helfen storïol. Mae'r synhwyrau'n chwarae rhan amlwg yn y stori: ysgubo'r dail cyn derbyn y llythyr, gweld y llun, gosod y bwrdd gyda'r llestri gorau a'r lliain, blasu'r gacen ... Mae Elena wedi defnyddio ei dychymyg i 'ehedig' i Gymru i fod yn rhan o'r dathlu. Mae'r neges yn creu darlun ym meddwl y darllenydd o'r pellter llythrennol rhwng Elena ac Anne-Marie a Tito. Dyma Elena yn eistedd wrth ei bwrdd, ar ei phen ei hun yn y Wladfa, yn ceisio rhannu'r diwrnod gyda'r pâr priod yng Nghymru a phrofi'r wledd briodas. Mae'r e-bost hwn yn adleisio un o lythyrau cynharaf y gyfrol hon, sef llythyr Irma Hughes de Jones ym 1946, a hithau newydd briodi, at Winnie Owen yn Llanuwchllyn, hithau hefyd newydd briodi: 'O ie, mi wisgais i ffrog newydd i ddathlu'ch priodas chwi, er fy mod i mor bell.' (7)

Roedd marwolaeth Irma Hughes de Jones yn 2003 yn golled enfawr i'r Wladfa. Gweithiodd yn ddiflino dros y diwylliant a'r Gymraeg. Beth fyddai tynged *Y Drafod* wedi bod ar ôl marwolaeth Evan Thomas ym 1952 oni bai am Irma? Diolch i'w merch, Laura, ei hwyres Rebeca a golygydd y gyfrol hon, Esyllt Nest Roberts am gymryd yr awenau. Diddorol yw sylwi yn y rhifyn cyntaf o'r *Drafod* yn dilyn marwolaeth Irma, bod cyfeiriad e-bost gan y papur am y tro cyntaf. Roedd hi'n amser symud ymlaen.

Er mai drwy lythyr yn bennaf y mae John a Kathleen Roberts, y Ffôr yn gohebu â'u merch Esyllt, sydd wedi priodi a dechrau magu teulu yn y Wladfa, mae'r *Skype* yn ddyfais newydd werthfawr ganddynt: 'Rydym **mor** ffodus y dyddiau yma, yn gallu cysylltu efo'r ffôn a'r SKIPE – dwi'n meddwl fy mod yn glyfar iawn wedi ei feistroli!! Dyna'r unig beth dwi'n meddwl sydd heb fynd yn drech na fi ar y cyfrifiadur.' (190)

Wedi dweud hynny, mae'r llythyr yn parhau i gael ei werthfawrogi gan y Nain a'r Taid wrth hiraethu am eu merch a'u hwyrion:

> Annwyl blant,
> Wel, diolch yn **fawr** am y llythyr ddaeth yr wythnos diwethaf drwy law Morus a Meleri. Mae llythyr **bob amser** yn dderbyniol, rydym mor falch o'i dderbyn a chael hynt a helynt pawb yn enwedig Mabon ac Idris a chlywed sut maent yn datblygu. 'Rydym yn eu colli yn fawr iawn cofiwch ... (190)

Mae un peth yn oesol, a hynny heb newid ers 1865 pan aeth y Cymry cyntaf ar eu hantur fawr i'r Wladychfa Gymreig ym Mhatagonia, a hynny yw hiraeth. Nid yw'r pellter rhyngom ddim llai, ond gellir cysylltu lawer yn haws heddiw na'r dyddiau cynnar pan na fyddai llong yn pasio'r Wladfa am dros flwyddyn, ac felly dim post.

A beth ddaw o'r Gymraeg yn y Wladfa? Beth fydd ei thynged? Ar un olwg, bu'r degawd diwethaf gyda'r mwyaf calonogol o safbwynt y Gymraeg, er gwaethaf swyddogion mewnfudo Heathrow. Ac eto, mae arolwg yr Athro Robert Owen Jones ar gyfer 2009 yn agor yn bur anobeithiol: 'Dyma drydedd flwyddyn ar ddeg Y Cynllun Dysgu Cymraeg yn Chubut ac o bosibl yr un anhawsaf i'w hasesu am nifer o resymau. Hon oedd yr ail flwyddyn yn olynol i bwyllgor y Cynllun fethu anfon i'r Wladfa y cyflenwad arferol o dri athro o Gymru ... '

Hinsawdd economaidd fregus Prydain (a'r byd) fu'n bennaf gyfrifol am fethu anfon tri athro i'r Wladfa. Yr ieuenctid, fodd bynnag, sy'n mynychu'r dosbarthiadau Cymraeg bellach a'r bobl hŷn yn cilio. Mae'r Athro Robert Owen Jones yn cloi ei arolwg: 'Mae'r Gymraeg fel cyfrwng naturiol yn marw gyda'r genhedlaeth hynaf ... '

Ni fentraf amau ystadegau na sylwadau praff yr Athro Robert Owen Jones, ond mae canran uchel o ohebwyr y bennod hon dipyn yn iau na gohebwyr y penodau eraill a hynny i'w weld yn bennaf yn eu gohebiaethau electronig. Dengys hyn bod gan rai o'r bobl ifanc ddigon o hyder i ohebu yn y Gymraeg heddiw, ond a wnânt sicrhau ei bod hi'n cael ei siarad yn y Wladfa yfory? Mae'n debyg na all neb ond y Gwladfawyr eu hunain ateb y cwestiwn hwnnw. Mae gwaith gwerthfawr Menter Iaith Patagonia yn allweddol i hyrwyddo'r Gymraeg yn gymunedol yn hytrach na dim ond ar lawr y dosbarth. Ym mis Hydref 2008 a 2009 aeth criw o aelodau Urdd Gobaith Cymru ar ymweliad â'r Wladfa. Mae Menter Iaith Patagonia nid yn unig yn rhoi cyfle i Gymry ifanc flasu diwylliant De America ond hefyd yn fodd i'r Gwladfawyr ifanc weld bod gwerth cymdeithasol i'r Gymraeg, ac nad iaith Nain a Thaid a'r capel yn unig mohoni.

Mae'r ymdeimlad o berthyn yn parhau i fod yn gryf rhyngom. Mae Lois Jones, swyddog Menter Iaith Patagonia yn yr Andes, yn e-bostio ei chwaer yng Nghymru fis Awst 2009 i ddweud nad oedd hi eto wedi dod ar draws bedd Dafydd Jones Ddolfawr, brawd ei hen hen hen daid! Wrth holi Lois ar ddechrau 2010 fe'm hysbysodd ei bod wedi darganfod ei fedd ym mynwent Tir Halen – profiad emosiynol iddi hi. Dafydd Jones Ddolfawr fu'r symbyliad i'r ffilm ddiweddar *Seperado* gan y canwr o Gymru Gruff Rhys, yntau hefyd yn ddisgynnydd iddo ac yn perthyn felly i René Griffiths y canwr o'r Ariannin. Dau ganwr tra gwahanol, ond yn perthyn i'r un goeden achau. Mae'n debyg y bydd y ffilm *Seperado* yn mynd ar daith o gwmpas Cymru yn 2010. Mae dau frawd o Drevelin yn cymryd rhan yn *Seperado* ac ar wefan *BBC Cymru'r Byd – Tramor* mewn adolygiad o'r ffilm, mae'r ddau, Alejandro a Leonardo Jones yn cael eu cymharu â'r 'Everly Brothers Cymraeg – darganfyddiadau'r cynhyrchiad heb os nac oni bai'.

Mae'r bennod hon yn cloi gyda chyfres o e-byst gan un o'r brodyr hynny, sef Alejandro Jones, gŵr ifanc o Drevelin. Ceir llythyr gan ei hen hen daid Thomas Dalar Evans yn y gyfrol gyntaf – *Llythyrau'r Wladfa 1865-1945*. Enfyn Alejandro ei e-byst at Owain Sion Gwent yn Llanuwchllyn, a bu ei nain yntau, Winnie Owen yn gohebu'n gyson o Gymru at Irma Hughes de Jones. Ceir llythyr gan nain Irma, sef Laura Williams de Ulsen yn y gyfrol gyntaf. Mae cwlwm y cyfeillgarwch dwfn rhyngom yn rhychwantu sawl cenhedlaeth. Rhyfeddod i mi yw bod y cysylltiad rhyngom wedi parhau cyhyd. Oni bai am y gohebu a fu ac sy'n parhau i ddigwydd rhyngom, a fyddai gennym yr un diddordeb yn ein gilydd? Tybed a fydd plant bach y Wladfa yn ysgrifennu at gyfeillion a pherthnasau yng Nghymru mewn blynyddoedd i ddod? Benthycaf eiriau olaf Alejandro yn ei e-bost fis Ionawr 2010:

'Cawn ni weld sut mae pethau yn mynd ymlaen ... '

Yr iaith ar waith

(162) Llythyr gan ddosbarth Cymraeg Rawson at James White, Gwesty'r Celt yng Nghaernarfon yn ei ddwrdio am ei driniaeth o un o'i gyflogwyr Cymraeg ei hiaith.

(Cyhoeddwyd y llythyr yn *Y Drafod*, Ionawr 2001, Rhif 45)

7fed Tachwedd 2000
Mr James White
Gwesty'r Celt
Caernarfon
Gwynedd
Cymru

Annwyl Mr White:

Dan ni, Dosbarth Cymraeg Rawson, wedi darllen erthygl "Gwahardd y Gymraeg Mewn Gwesty", ar BBC Cymru'r Byd o'r We; ac wedi penderfynu mynegi ein teimladau.

Yn gyntaf, dan ni'n meddwl nad ydy'n deg bod y staff yn gweithio gormod o oriau mewn awyrgylch o ddiffyg parch.

Peth mawr oedd deall bod Diane Thomas wedi ei chyhuddo o ddwyn pres, a chael ei gorfodi i ddadwisgo. Hefyd, mae'n anodd credu eich penderfyniad i wahardd y staff rhag siarad Cymraeg. Rhaid i chi sylweddoli mai un o ieithoedd swyddogol y wlad yw'r Gymraeg. Mae mwy o bobl yng Nghaernarfon yn siarad Cymraeg na Saesneg, ac felly does gennych chi ddim hawl i wahardd y staff rhag defnyddio eu mamiaith. Dach chi wedi torri'r gyfraith a ddim wedi ufuddhau at y Ddeddf Iaith.

Dan ni'n credu mai chi yn lle Diane Thomas ddylai fod yn y Llys.

Yn gywir iawn,
Dosbarth Cymraeg Rawson

D.S. Croeso i chi i'n dosbarth ni ...

(163) Rhan o lythyr Lizzie Jones de Lloyd at ei chyn-athrawes, Sioned Huws yn cadw'r cysylltiad.

(Trwy garedigrwydd Sioned Huws.)

17 – 9 – 00
Esquel

Annwyl Shioned:

Nice oedd gwrando arnat trwy'r ffôn (...) Rwyf wedi dechrau mind ir classes cymraeg efo Rian mond Joyce Cristine Ariel[394] a fi, sure byddat yn deit ar ol darllen y llythyr yma "Dydi hon yn dysgu ddim" ond dim bwys!!! Heddiw caswom y newydd fod brawd i M.Maggie[395] wedi marw y diwedda or teulu roedd yn 89, roeddant yn 14 o blant, dim cinema na televition yr adeg hyny ti'n gweld (...)

Oidd mercher yr 20 maen ddiwrnod yr Jubilados[396] yma yn yr Ariannin felly ydym yn cael supper a dipin o hwyl yn yr centro jubilados. Dwy'n dal i weithio yno am ddwi awr bob didd (...) Syd mae dy iechyd dy? Gwelais mewn llythyr Joyce dy fod yn gwneid diet right strict? Hyn am y tro. Un abrazo muy muy grande[397]

Lizzie

Delfina a Victor Ellis, Bryn Amlwg, Esquel, 2007.
(Eiddo Mari Emlyn)

(164) Llythyr gan Delfina a Victor Ellis, Bryn Amlwg, Esquel at Betty a Ned Rowlands, Llanuwchllyn. Mae Victor Ellis yn or-ŵyr i Lizzie Freeman a Benjamin Pugh Roberts, yn ŵyr i Sarah Roberts a William Rowlands ac yn fab i Minerva Rowlands a Dennis Ellis.

(Trwy garedigrwydd Betty a Ned Rowlands.)

27 – 4 – 2001

Annwyl Bethy ac Ned.
Sut dach chi? Gobeithio yn iawn. Dan i wedi cwpod am Ned wedi operatio o llygad. Dwi'n disgwil mae o yn iawn, ac teulu a Neville wedi cal operetion ar apendiciti. Mae o yn golew. Wnaethon i weld o ediw. Dwi mynd y dosbarth gymraeg efo Victor dan nin trio desgy ysgrefenni a siarad yn iawn. Cofion y pawb or bobol Patagonia.

Cofio a mam ac tad. Sws mawr. A sws bach y Uwllyn! Si! Si! Chau hasta la proxima! Tan tro nesa. Xx

Delfina ac Victor
Cofio plant ni

(165) Rhan o e-bost Lois Jones, Swyddog Iaith Menter Patagonia yn ateb ymholiad ei chwaer, Gwawr Jones am fedd Dafydd Jones Ddolfawr. Darganfu Lois fedd Dafydd Jones, fel yr eglurodd mewn e-bost (18 Mawrth 2010) at Mari Emlyn:

> **Do, wedi ffendio bedd Dafydd Jones yn Nhir Halen! Aeth Luned Gonzales a fi i'r fynwent ac ar ol cerdded chydig daethom ar draws ei fedd, moment emosiynol braidd! Mi roedd Dafydd Jones yn frawd i'n hen hen hen daid. Mae o'r un Dafydd Jones wnaeth Gruff Rhys ffilm Seperado amdano!**

(Trwy garedigrwydd Lois Jones.)

Subject: RE: Eisteddfod
Date: Mon, 10 Aug 2009 23:59:29 +0000

(...) Rini ydi cnither mam, ond dwi heb ei chyfarfod eto gan ei bod wedi bod ffwrdd am mor hir!![398] Chwaer Rini, Elda sy'n arwain y cor ... a dwi'n mynd i bractis cor ar nos sadwrn! Ond mae'n ffordd o gyfarfod pobl ... practisio ar gyfer y steddfod fawr ym mis Hydref.

Bedd Dafydd Jones Ddolfawr ym mynwent Tir Halen
(Trwy garedigrwydd Guto Prys ap Gwynfor)

Na, heb ffeindio bedd Dafydd Jones, nes i fynd i'r amgueddfa i edrych yn y llyfr efo enwau pawb ddaeth draw yma ac mi oedd yne rhyw 25 David Jones yn y llyfr! Angen chydig mwy o ymchwil dwi'n meddwl! Elda yn deud bod Rini yn gwybod lot am y teulu felly mi nai holi hi pan ddeith yn ol. Wedi bod yn lle Rini, hotel bach La Chacra am fwyd efo ei merch a'i chariad, nhw'n rhedeg y lle tra mae hi ffwrdd.

Mi oedd mynd i Madryn i weld lle nath y Cymry cynta lanio yn rili

gret a gwyl y glaniad yn ffab, uchafbwyntiau hyd hyn, emosiynol iawn!

Tywydd yn od iawn yma! Ddoe (dydd sul) mi oedd hi'n fendigedig ac mi oeddwn i'n cerdded o gwmpas mewn tshirt, awyr las a run cwmwl yn yr awyr ... heddiw mae hi'n blydi horribl a wedi piso hi lawr trw dydd ... ond ddim rhyw oer chwaith. Dydi aros am fws sydd bob amser yn hwyr am 7:45 yn y bore pan mae hi dal yn dywyll ac yn piso glawio ddim y peth gorau yn y byd ... dwi'n methu'r mini!!

Wedi bod yn brysur dyddiau dwethaf ma'n gwneud chydig o waith cyfieithu, maen nhw wedi ffeindio hen ffilmiau gafodd eu gwneud rhyw 50 mlynedd yn ol yma gan y BBC ac maen nhw'n mynd i'w dangos yn y 'steddfod ... dwi'n cael fy nhalu am y gwaith, felly dyne pan dwi'n neud o!!! Fo sy'n trefnu trip Rhys Meirion yma ac mae am roi mwy o waith cyfieithu i fi. (...) bydd y pres yn handi iawn, dwi ddim yn exactly gwneud lot o arian yma ... er fod pawb yma'n meddwl bod fi'n gyfoethog ... ond dydyn nhw ddim yn deall pa mor ddrud ydi hi byw yng Ngymru! Dwi'n gallu mynd allan yma a chael clamp o bryd a diod am rhyw £3.50!!

Iawn dim llawer mwy i'w adrodd, helo mawr i'r bois!

Lois

(166) E-bost gan Meira Price (disgybl chweched dosbarth yn Ysgol Brynhyfryd a aeth ar ymweliad â'r Wladfa gydag Urdd Gobaith Cymru, fis Hydref 2009) at ei theulu.

(Trwy garedigrwydd Alwena Price.)

2009

Helo pawb! sori bo fi heb gysylltu hefo chi'n gynt, does genai ddim signal ffon yn nunlle yn y wladfa ac rwan am 2;10 ydy'r tro cynta i fi fedru defnyddio cyfrifiadur!!! Mae Patagonia yn anhygoel (wahanol iawn i Gymru ond dwi'n hoffi fo) Nes i gyrraedd yma Dydd Sul a wnaethom ni gael amser i ymlacio a wedyn BBQ yn Casa Verde (yr hostel bendigedig da ni'n aros ynddo) Bore llun wnaethom ni gerdded lawr i'r ysgol gymraeg yn Nhrevelin a gwneud gwahanol weithgareddau fel helpu i ddysgu cymraeg i blant bach ac oedolion. Cawsom ni gwrdd dyn o'r enw Elis, dydi o rioed wedi bod yng Nghymru ond mae ei gymraeg yn ardderchog. Yn y pnawn gawsom ni weithdy clocsio a wedyn gem rygbi hefo rhai o'r trigolion lleol sbaenaidd. Yn y nos cawsom ni Asado yn fferm y Greens, teulu Cymraeg yn Nhrevelin. Roedd y bwyd mor neis a wedyn roeddan ni'n canu ac yn dawnsio am oriau ar ei ol. Ddoe aethom ni i le anhygoel yn y mynyddoedd a mynd ar ganopi uwchben y cwm (high ropes) roedd o'n andros o uchel ag oedd gen a'i ofn ond NES I NEUD O!! Roedd yr olygfa yn wefreiddiol!!! Roedden ni yn gallu gweld rhannau o Gwm Hyfryd. Am 8:00 wnaethom ni gynnal cyngerdd yn Salon Central, Trevelin! Roedd rhai pobl yn gwneud pethau unigol a wedyn wnaeth pawb ganu Ysbryd y Nos yn y cor. Ar ol y cyngerdd wnaethom ni gerdded i nol pizza ar y sgwar, mmmm! Heddiw ges i 'lie-in' bore rhydd! Wedyn yn y pnawn aethom ni i Dy Te Nain Maggie a roedden ni yn cael 2 frechdan scon a 4 cacen yr un am 35 peso – tua £6!! Rydan ni newydd fod yn gwneud cyngerdd arall yn Esquel heno efo cor Cymraeg lleol – Cor Seion a wedyn roeddem ni yn canu ar y bws ar y ffordd yn ol i Casa Verde (adre am y tro)! Dwi'n mwynhau hun lot fawr ac mae Hywel un o'r pobl sydd yn gweithio yn Patagonia ar ran Menter Iaith yn dweud gai gwrdd Maelor wythnos nesa yn Port Madryn. Dwi wedi gwneud llawer o ffrindiau newydd ac wedi cwrdd llawer o bobl diddorol lleol. Newydd fod yn chwarae gem o cheats hefo pawb ac rwyf yn mynd i'r gwely rwan. Na'i drio e-bostio eto yn fuan ond mae o yn anodd rhannu un laptop rhwng 23 o bobl!!!! Cofiwch fi at Robert ac Eurig a'r teulu i gyd. Peidiwch a poeni

amdana fi, fyddai adre'n fuan ond dwi'n gobeithio dod yn ol yma rhyw ddiwrnod achos rydw i yn hoffi fo gymaint!!!

Cariad Mawr

Meira Elin Price

xxx

(167) Cyfres o negeseuon testun gan Elain Mair (disgybl chweched dosbarth yn Ysgol Brynhyfryd, Rhuthun) a aeth ar ymweliad â'r Wladfa gydag Urdd Gobaith Cymru, fis Hydref 2009, yn ateb negeseuon ffôn ei brawd (9 oed), Gwion.

(Trwy garedigrwydd Elain Mair.)

Sender:
ELAIN
Received:
12.41.41
22-10-09

OLA! Chin iawn? Sud ma pawb?? Sori bo fi mor hir yn cysylltu! Cal andros o amser da ... wedi bod yn helpu sgol yr andes hefor plant ar llyfgrell. Hefyd athon ni ar ganopi/zip line drw mynyddoedd yr andes golygfa anhygoel! Fatha croesi bont im a celeb get me out of here! Asados yn lyfli ma, roed di blasu cig oen tebyg a lot o ganu a dawnsio hwyl! Y bobl yn groesawgar ond edrych mlaen i gal mwy o gyfle wsosnesa i sharad fo pobl a chymryd llunie o 'wynebe diddorol' gan fod nhwn reit debyg i nir cymry ma! ... Ar y bys wan i fynd ar daith cered ond tywydd wedi troi i law (er odd hn gaddo eira!) ond wedi bod yn braf a eitha cynes tan wan. Wedi gneud frindie newydd a rhanu sdafell fo gwenno meira a sian o sir fon ... Ond neb yn edrych mlaen ir gymnasium!! Gem ffwti cymru vs argentina foru a wedi bod n marfer ... sa hyw yn falch iawn on sgilie i! gadel nos foru dros y paith ir Gaiman! Sud ma pawb n fane? Unrw news? Xxx

(168)

Sender:
ELAIN
Received:
20.41.45
25-10-09

Haia gwisi! Sud wt ti? Neis clwed gen ti ... sud ath hin car bwt? Rhy wyntog i weld y pengwins heddiw ond wedi gweld morfilod yn agos ir lan! Anhygoel! Newydd fod am de bach ac amgueddfa. Mynd nol

wan am swper. Braf yma. methu chdi hefyd gwi ond fyddai adre mewn 6 dwrnod! Wt tin edrych arol pawb? Gwylie wan. be tin neud? sws mawr
xxx

Ysgol yr Hendre

(169) Anfonwyd yr e-bost gorfoleddus hwn gan Catrin Morris de Junyent at Ceris Gruffudd, ysgrifennydd Cymdeithas Cymru-Ariannin.
(Trwy garedigrwydd Ceris Gruffudd.)

Subject: Newyddion
Date: Monday, 28 July, 2008, 5:56

Yn gyhoeddus ar deledu cenedlaethol yr Ariannin cyhoeddodd Llywodraethwr Talaith Chubut, Mario Das Neves, ei fod yn rhoi $1,000,000 o nawdd i Ysgol yr Hendre, Trelew er mwyn adeiladu'r ysgol.

Mewn seremoni ger Pont yr Hendre,[399] Trelew am 6 y prynhawn ar ddiwrnod Gŵyl y Glaniad, disgwylir y bydd yn gwneud datganiad estynedig o flaen y gymuned leol.

Mae'r newyddion yn syfrdanol ac yn destun dathlu mawr i ni i gyd – yn rhieni, yn staff ac yn ddisgyblion, ac yn gwireddu breuddwyd.

Diolch o galon am eich cefnogaeth a gobeithio y byddwch yn rhannu ein gorfoledd!

Catrin Morris de Junyent

R. Bryn Williams ar ddydd Calan, 1960 'gyda'r gêr criollo' ar y ceffyl
(Trwy garedigrwydd Nan Griffiths)

Gwladfa Patagonia

(170) Rhan o lythyr Irma ac Ieuan Williams at Nan Griffiths yn rhoi hanes y teulu ac yn diolch am gopi o *Gwladfa Patagonia 1865-2000,* sef ailargraffiad tairieithog o'r gyfrol wreiddiol a gyhoeddwyd gan Wasg Prifysgol Cymru, Caerdydd i ddathlu'r canmlwyddiant ym 1965.[400] Dywedwyd yn *Y Drafod* 28 Gorffennaf 1965 (rhif 3794) am y gyfrol wreiddiol: ' ... a ni a gredwn y byddai ei gyhoeddi yn ddwyieithog yn Gymraeg a Sbaeneg yn debyg o ateb diben rhagorol yma hefyd gan nad oes yma lawer o'r genhedlaeth ieuanc yn gallu darllen Cymraeg yn rhwydd erbyn hyn.'

(Trwy garedigrwydd Nan Griffiths.)

Bryn Crwn
Mawrth 9ed 2001

Annwyl Nan a'r plant.

Do, derbyniais eich cyfarchion a'r llyfr Gwladfa Patagonia tua diwedd y flwyddyn. Diolch yn fawr i chwi amdanynt. (...) Credaf y buasau gwerthu da arno yma yn enwedig yn yr amgueddfa a'r tai te lle mae llawer o dwristiaid yn mynychu ac yn awyddus am gael

hannes y sefydliad Cymreig. Tybed a fuasau modd trefnu i gael copiau iw gwerthu? A faint fuasai ei pris. Fe fydd yn rhaid ei pacio fel nad ant i'r customs neu fe fydd talu arian mawr iw cael oddi yno.

Gwelais wall bach yn y tudalen 41 yn y llun 16 Aidel Griffiths[401] sydd ar gefn ei geffyl yn y ffrynt ac Edmwnd[402] iw weld yn y cefn. Bu Bryn yn carlamu am brynhawn cyfan y 1af o Ionawr 1963 neu 1967[403] o gwmpas ardaloedd Bryn Crwn Bethesda a Glan Alaw ac Aidel, Edmwnd a minnau yn cydfynd ag ef ar geffylau. Buom heibio yn gweld Drofa'r Llofrudd y man lle saethwyd y sawl a lofruddiodd Aaron Jenkins. Merthyr cyntaf y Wladfa. Mae llun Bryn ar gefn y ceffyl hwn yn un o'r llyfrau eraill a ysgrifennodd wedi ei dynnu wrth ymyl Capel Bryn Crwn ar ddydd Nadolig yr un flwyddyn. Atgofion hyfryd yn dod yn ôl am bob tro y bu yma, ac er ei fod flynyddoedd yn hŷn na ni, eto yn medru ymwneud a'n harferion ac yn eu mwynhau. (...)

Bwriada Côr o rhyw ugain o fobl ieuanc yn perthyn i'r ysgol gerdd Gaiman fynd drosodd i Gymru ym mis Mehefin i gynnal cyngherddau dan arweiniad Myrna Jones cyfnither i Elvey Mac Donald. Mae wyres i Ethel ac wyres i Owena yn ei plith.[404] Natalia a Soraya Griffiths yw ei henwau. Nid yw ei mhamau o dras gymreig ond deallaf ei bod yn mynd i'r dosbarthiadau i ddysgu cymraeg. (...)

Mae'r papur a'r newyddion yn dod i ben. Cofion annwyl attoch i gyd

Irma a Ieuan.

Helen a Blanca

(171) Llythyr Blanca de Hughes o'r Gaiman at Helen Lloyd Hughes o Gaergybi yn cofnodi marwolaeth Irma Hughes de Jones. Ym 1974 anfonodd Irma lythyr at bapur *Herald Môn* yn holi am lyfrau Cymraeg i blant y Wladfa. Roedd Irma yn fodryb i Ronnie Hughes, gŵr Blanca de Hughes. Ymatebodd Helen Lloyd Hughes o Gaergybi i'w chais ac anfonodd Irma lythyr ati. Dyma ddetholiad o lythyr Irma a llythyr diweddar gan Blanca de Hughes at Helen Lloyd Hughes i ddilyn.

(Trwy garedigrwydd Helen Lloyd Hughes.)

Erw Fair, Treorci
Gaiman Chubut
Argentina
Awst 5ed, 1974

Annwyl Helen;

Diolch yn fawr i chi am eich llythyr a'r cynyg caredig i anfon llyfrau i mi. Buaswn yn falch iawn o'u cael. Mae Ana María (Nia ydym yn ei galw) a hogan bach dipyn dros ei blwydd ganddi, (ac un arall ar y ffordd) ac mae hi a'i gwr eisiau i mi ofalu dysgu Cymraeg i'w plant nhw mwyn tad. Mae mam ei gwr yn Gymraes ond ei dad ddim, felly nid yw ef yn gallu siarad, er yn deall ychydig. (...) Yn y capel ddoe 'ma, wrth y capel, ar ol dod allan chwiliais am 'pen pals' i chi. (...) Cewch chwithau sgwennu i

Sra Blanca de Hughes
Chacra 180
Treorky
Gaiman Chubut.

Bydd yn falch o gael gair (...) Rwy'n siwr y cewch hwyl ar y cyfeillgarwch a dysgu tipyn o Sbaeneg yn y fargen gobeithio a ninnau'r ochr yma loywi'n Cymraeg. (...)

Mae Helen a Blanca wedi bod yn gohebu â'i gilydd ers 36 o flynyddoedd. Mae'r ddwy yr un oed, yn byw ar ffermydd bychain a chanddynt bump o blant yr un. Dywedodd Helen mewn erthygl yn *Ninnau* (31 Mehefin 2006): 'She is my soul-mate on the other side of the world! I also feel we already know each other, although we have never met.'

Treorky
Patagonia
Hydref 6 2004

Annwyl Helen a'r teulu

Wel, dyma penblwydd arall wedi cyrraedd unwaith eto, gobeithio fod chi yn dda a phawb arall yn iawn hefyd, fel yr ydym ni yma. Mae'r wŷrion yn iawn a mae Roni bach wedi geni ers 25 o Awst, mab Christian a Veronica. Mae o yn del iawn ac yn cael i bagi ebo'r brest.

Mae gennym 3 o wartheg yn godro, a Roni yn dosbarthi llaith, dros 200 o defaid, wŷn a moch bach erbyn y Nadolig. Mae'r plant yma wedi planu 800 o plans "cherrys" i cael exportio i England. Rhydan ni wedi cael gaeaf braf iawn eleni eb rew, mae'r apricots yn llawn o ffrwythau.

Rhydan yn edrech emlaen am eisteddfod erbyn y 23 ac wedin cymanfa ac asado mawr i bawb. Mae na dipin o Cymry yn dod. Walla bydd Helen ac Hywel yn dod buasa yn neis.

Dudd Sul cawsom cwrdd coffa yn capel Treorky i Irma Ariannin, llond y capel, canu da a'r cwrdd yn theimladwy iawn ac darllen gwaith barddoniaeth Irma, oedd i yn 85 oed yn marw, oedd yn byw ar bwys i ni ac oedd yn modryb i Roni.

Dymunaf iechyd da a hapusrwydd i chi oll.

Cofion cynnes
Blanca a Roni xxx

Cacerolazo

(172) Rhan o gerdyn post (28/01/2001) Cabo a Marina at eu cynathrawes Sioned Huws, yn cyfeirio at gyflwr truenus y wlad.

(Trwy garedigrwydd Sioned Huws.)

¡¡Hola che!! S'mae? ...
Sut wnest ti dreulio Nadolig a Blwyddyn Newydd? Buom ni efo'r teulu. Wnaethon ni fynd i CHILE a wnaethon ni nabod volcano Osorno, Calbuco a Puntia gudo. Maen nhw'n wych!! Mae Arianin yn un *despelote*!![405] Dan ni wedi cael pump arlywydd mewn deg diwrnod. (Stamp dros yr ysgrifen.)
Cofion annwyl ... xxx
Cabo a Marina
¡Escribi che ...!!

(173) Rhan o lythyr Irma ac Ieuan M. Williams at Nan Griffiths yn trafod sefyllfa gythryblus yr Ariannin.

(Trwy garedigrwydd Nan Griffiths.)

Bryn Crwn
Mai 30/02

Annwyl Nan a'r teulu;

Derbyniaus lythyr oddiwrthych ers dros ddau fis yn ôl. Balch iawn o gael newyddion oddi wrthych am y teulu yn neulltuol, a'ch bod yn pryderu am ein sefyllfa economaidd. Mae'r peth yn effeithio, wrth gwrs, ar y wlad i gyd ac mae'n anhygoel ein bod wedi disgyn i'r fath gyflwr, er ein bod yn gwybod fod llawer o annoethineb a dwyn yn mynd ymlaen gan yr awdurdodau. Mae popeth sydd arnom eisiau ei brynnu wedi codi yn ei bris am fod gwerth y dolar americanaidd wedi codi o 1 peso i 3,40 pesos. Y cyflogau wedi aros yn ei hunfan hyd yn hyn a phrisiau cynnyrch y fferm yr un bris ac yn annodd ei gwerthu. Mae'r gwlan wedi codi rhyw deirgwaith i'r hyn oedd ond mae'r cynhaeaf olaf wedi ei werthu ers misoedd ac ni bydd cneifio eto tan Hydref neu Dachwedd. Gwelir llawer o dlodi o gwmpas y trefi a'r dinasoedd gan mai pobl yn gweithio allan wrth y dydd ydynt ac nid oes posibilrwydd iw cyflogu. Mae'n ddrwg gennym am yr ieuengtyd sydd yn gorffen ei haddysg a dim byd ar ei cyfer. Disgwyliwn y daw rhyw ymwared o rhywle er ein bod wedi byw yn y gobaith hwn ers hanner can mlynedd. Digon o hyn yn awr. Fe fydd yn gyfle da i ymwelwyr o Gymru ddod drosodd gan fod newid yr arian yn eich ffafrio. Cefais air oddiwrth Aur Roberts Llanuwchllyn ac mae yn bwriadu dod a pharti o pobl ieuanc Aelwyd Llanuwchllyn ac maent awydd cymeryd rhan yn yr Eisteddfod. (...)

Yr oeddych yn sôn yn eich llythyr am Gwilym Roberts. Do, fe fu yma ar ddechrau'r flwyddyn ac mae yn dweud yn awr ei fod yn bwriadu dod yn ol eto cyn diwedd y flwyddyn. Hefyd bu Petr Mc Millan sydd wedi bod yn athraw cymraeg yn y Wladfa yn ôl yma ddwywaith yn ddiweddar ar wahan i'r llu fu drosodd erbyn yr Eisteddfod. Yr oeddych yn sôn am y ffilm wnaeth Aled Sam ei chyflwyno, nid wyf wedi ei gweld na chlywed sôn amdani. Mae llawer yn dod drosodd i'r un pwrpas ac yn gwneud elw da am hyny. Cofiaus am bennill sydd gan y diweddar Bryn yn ei lyfr "Crwydro Patagonia" o waith Bonavente:

En este mundo traidor
nada es verdad ni mentira,

todo va con el color
del cristal con que se mira.

Dyma'r cyfieithiad: Yn y byd twyllodrus hwn nid oes dim sydd wir na chelwydd; ymddengys popeth yn ôl lliw y gwydr yr edrychir drwyddo.

Does dim dwywaith na fu trefnu'r daith hon yn elw da i rhywrai ac nid wyf ond gobeithio fod yna lawer o ddaioni yn deilliaw o'r cwbl. Mae tri neu bedwar o efrydwyr o'r Wladfa yn cael cwrs o addysg ar hyn o bryd yn y Ganolfan Iaith yn Nant Gwrtheyrn ac mae llawer yn rhoi ei henwau i mewn er mwyn mynd i Goleg Llanbedr ymhen rhyw ddeufis. (...)

Cofion annwyl attoch i gyd a maddeuwch am i mi fod mor hir cyn anfon gair attoch

Irma a Ieuan.

(174) Rhan o gylchlythyr gan Luned Vychan Roberts de González yn trafod helyntion y wlad ac yn rhoi tipyn o hanes y cylch.
(Eiddo Mari Emlyn.)

Nadolig 2002

Annwyl ffrindie,
Gair bach i ddymuno Nadolig Llawen a Blwyddyn Newydd Dda i chwi oll. Rydym wedi cael blwyddyn gyffrois yma yn yr Ariannin. Pethau yn newid o ddydd i ddydd, o awr i awr bron, heb sôn am ein "savings" yn colli ei gwerth yn druenus. Mae yn amhosibl deall y sefyllfa i ddweyd y gwir ond rydym yma o hyd a digon o bethau diddorol yn mynd ymlaen. Cawsom Eisteddfodau di-ri a rheini yn rhai llwyddiannus iawn. Daeth dipyn o ymwelwyr o Gymru er bod y teledi yn peintio sefyllfa peryg yn y wlad. Credaf iddynt gael amser da yma. Nid ydym yn cael terfysg yma yn y Gaiman ond yn ddiweddar roedd criw o fobol di-waith yn llosgi hen deiars ar ganol y ffordd sydd yn mynd fewn i Drelew ac felly roeddem yn gorphod mynd rownd dipyn o ffordd i gael mynd yno. Mae ôl y tân ar y pafin. Tro arall roedd criw o fobol parchus o'r Gaiman yn taro sospeni yn y sqwar i brotestio am y bil golau. Rydym wedi ffarwelio a Sara Esyllt, Elen ac Ann-Marie, athrawesau sydd wedi dychwelyd adref i Gymru. A rydym wedi croesawu tri athro newydd sydd yma ers rhai misoedd: Nesta Davies, Sara Lewis a Phedr McMullen. Ac ar y pryd mae yr Athro R.O.Jones a'i wraig Nesta yma yn arolygu cynllyn yr iaith Gymraeg. Beth fydd y dyfodol tybed? A fydd y Cynnulliad yn barod i gefnogi y prosiect unwaith eto? Gobeithio bydd barod i helpi. Rwyf fi wedi "ymddeol" ers mis Mawrth ond yn dal mewn cysylltiad a byd addysg, yn enwedig y dosbarthiadau Cymraeg. Mae y tair wyres – Luned Nieve, Tirsa Elen ac Axa Mair yn tyfu yn brysur ac yn treulio peth amser yn ein cartref bob pnawn. (...) Buom yn ffodus o gael gwasanaeth y Parch Gareth Reynolds yn y capeli, ond dyna chi fuan mae chwe mis yn hedfan, mae ef yn mynd adref cyn Nadolig. Rydym wedi colli rhai o'n pobl ifanc gan fod Miriam Jones o'r Gaiman wedi priodi a mynd i fyw i Gaerdydd, hefyd Fabio Lewis o Dolavon yn priodi yn mis Ebrill draw. Mae Ana Clara o Drevelin acw hefyd yn briod a ganddi blentyn. Gobeithio bydd yna ddim rhagor o ymfudo. OND mae'n beth da bod ni yn anfon mewnfydwyr i Gymru sydd yn siarad Cymraeg!

Luned González

(175) Rhan o lythyr Gweneira Davies de Quevedo at Eleri a Robin Gwyndaf yn trafod Nestor Kirchner a gychwynnodd ar ei waith fel arlywydd newydd yr Ariannin ym mis Mai 2003.

(Trwy garedigrwydd Robin Gwyndaf.)

Trelew, Chubut
Mehefin 22/2003

Gyfeillion annwyl Eleri a Robin a Gwyndaf:
(...)
Mae genym Arlywydd newydd er mis Mai yn Ariannin a mae i weld yn siapio yn dda yn ystod y mis cyntaf hwn. Mae yn bwriadu ysgubo y lladron a'r holl anghyfiawnder sydd wedi meddianu ein gwlad, ers blynyddoedd lawer. Mae'n waith mawr a manwl ond mae yn benderfynol o afael yn gyrn y tarw a'i drechu. Mae ein gobaith yn fawr gan ei fod yn ddyn o Batagonia.[406] Gawson ni fawr o sylw erioed gyda'r Llywodraeth gan eu bod yn cyfri mae y wir wlad yn cychwyn o Buenos Aires ir Gogledd ond mae hwn Nestor Kirchner wedi mynd a mwyafrif o'r bobl pwysicaf i'w gylch o'r De.

Yma mae y Gymraeg wedi gwella yn fawr gyda chymorth yr athrawon o Gymru a mae'r cynllun yn cario ymlaen hyd yn hyn, diolch am hynny.

Mae marwolaeth Irma Jones ein prif lenores wedi peri tristwch mawr i ni. Ond diolch ei bod wedi cael byw am hir i wneyd yr holl waith sydd yn ein cyfoethogi fel cenedl. Yr oeddym yn ffrindiau pennaf a mi rwyf yn hiraeth yn fawr ar ei hol.

Dyma orffen yn awr gan fy mod yn manteisio ar ymweliad Mair Davies i Gymru i weld ei theulu a treulio rhyw ddau fis draw. Cofion annwyl iawn a maddeuwch am ateb mor hwyr eich llythyr caredig a'r newyddion mor ddiddorol am eich gwaith

Cofion cynnes
Gweneira

(176) Rhan o lythyr Gweneira Davies de Quevedo at Eleri a Robin Gwyndaf yn cyfeirio at Cristina Fernandez de Kirchner, gwraig yr arlywydd a gymerodd awenau'r arlywyddiaeth ym mis Hydref 2007.

(Trwy garedigrwydd Robin Gwyndaf.)

Trelew, 10fed/07/2008

Annwyl Eleri a Gwyndaf:

Dyma fi yn manteisio ar y merched sydd yn ffrindiau ac yn teithio draw yn fuan (...)

Mae tipin o ffrae yma rhwng y Llywodraeth a'r Amaethwyr. Mae pobl y wlad sydd yn porthi cig, llaeth, gwenith ac ati yn cael eu gwasgu gan grantiau uchel er mwyn talu dyledion i wledydd eraill a mae yr helynt wedi rhanu yr argentwyr yn ffyrnig. Mae y wraig sydd yn ein llywiedu yn awr ers 5 mis yn gyndyn iawn i ddod i ddealldwriaeth a nid yw yn deall fawr ar y busnes. Wedi cael ei gosod gyda'i gwr sydd wedi gorffen ei awdurdod yn 2007 ond mae yn busnesa mewn popeth ac yn llewyddu y Cyngor y P.J. mae y P yn eich atgofio yn sicr am y dyn, ac ar ei ôl ei wraig fuon't yn gwasanaethu am dri cyfnod. Y J. ydyw llythyren gyntaf "Cyfiawnder" nid oes modd i'r argentwyr gydfyw, felly mae wedi bod erioed. Cawn weld yn awr beth fydd ar y gorwel pan fydd canlyniadau cynhesrwydd y byd. Mae rhew Glacier Perito Moreno wedi torri a disgyn rhan fawr ohono am 11am heddyw, dydd ein Anibyddiaeth. Dyma y tro cyntaf i hyn ddigwydd ynghanol y gaeaf. Wel terfynaf yn awr gan fawr obeithio y medrwch fwynhau'r Eisteddfod ac hefyd ymweliad y ffrindiau. Cofion cynnes iawn a phob hwyl. Sws mawr

Gweneira.

Kenneth Evans yn cynrychioli Dic Jones yng nghystadleuaeth y gadair yn Eisteddfod Trelew, 1965. Morris ap Hughes sy'n ei longyfarch a gwelir Robin Gwyndaf a Dafydd Wigley y tu ôl iddo
(Trwy garedigrwydd Robin Gwyndaf)

Gorsedd y Wladfa

(177) Rhan o lythyr Irma ac Ieuan M. Williams at Nan Griffiths yn adrodd hanes ymweliad Dic Jones yn ogystal â rhoi newyddion teuluol.[407]
(Trwy garedigrwydd Nan Griffiths.)

Bryn Crwn, Chwefror 8 – 09

Annwyl Nan;

(...) Yr wyf yn cael ychydig o'ch hanes gan rhywun neu gilydd oedd wedi eich gweld yn Eisteddfod Caerdydd. Da genyf wybod eich bod mewn iechyd eithaf da yn ddiweddar ac yr oeddwn wedi deall eich bod yn dod drosodd erbyn eisteddfod y Wladfa 2008 ond nid felly y bu. Cawsom lawer o ymwelwyr o Gymru ac yn eu plith daeth yr Archdderwydd Dic Jones yr Hendre. Cawsom ei gwmni am rhyw ddwy awr ddiwrnod yr eisteddfod gan ei fod yn ffrind i Kenneth Evans a fu drosodd tua'r flwyddyn 1963 ac yn gweithio yn ffarm y Cilie. Cafodd ef a'i wraig ac Irma a minnau wahoddiad i dê yn nhŷ chwaer Kenneth. Byr fu ei amser yma gan eu bod wedi aros am ddyddiau yn Buenos Aires ac Esquel cyn dod yma. Cafodd ran yng ngweithrediadau yr Orsedd ac yn seremoni'r cadeirio ac yr oedd y grwp oedd yn perthyn iddynt yn aros ym Mhorth Madryn yn hytrach na'i bod wedi aros yn Nhrelew neu Gaiman lle mae mwy o gymdeithas Gymraeg. Mae hyny yn dibynu ar drefnwyr y daith, wrth gwrs. Drwg gennyf ddweud wrthych taw symol iawn yw iechyd Gerallt y mis diweddaf yma.[408] Wedi bod yn ymweld ag amryw o arbenigwyr ond does dim iw wneud iddo ond cael moddion i leddfu'r poenau. Buom yn ei gwmni drwy'r bore heddyw yn yr Ysbyty "Cancer" wedi dechreu yn ei stumog ac wedi chwalu i fannau eraill erbyn hyn. Dathlodd ei ben blwydd yn wythdeg tri ym mis Ionawr.

Sut mae eich teulu chwi Nan? Faint o wyrion sydd gennych erbyn hyn? Mae gennym ni chwech. Dau hogyn gan Judith, dau gan

Brian a merch a bachgen gan Ivon. Mae'n debyg eich bod wedi gweld John a Nan wedi iddynt fod yma. Cawsant hwy gwrdd a'r teulu bron i gyd ac mae yn cael ei alw o gwmpas i ddweud hanes eu Taith ac yn wir buont mewn llawer o lefydd yn y wlad yma nad ydym ni wedi eu gweld etto.

Mae wedi gwneud hâf poeth iawn a sych eleni a chwithau wedi cael gaeaf oer yn ôl y newyddion. Mae Oscar, mab Owena[409] hefyd dan law'r meddyg wedi bod yn cael "QuimioTeropia" Mae tiwmor ar yr ymenydd ac nid yw'r argoelion yn ffafriol. Nid yw'r llythyr hwn yn optimistaidd o gwbl ond dyna fel mae pethau yn digwydd.

Anfonwn ein cofion goreu attoch

Irma a Ieuan

Gŵyl y Glaniad

(178) Rhan o blog Lois Jones yn rhoi hanes Gŵyl y Glaniad 2009. (Trwy garedigrwydd Lois Jones.)

Dydd Mawrth 28ain Gorffennaf 2009
Dwi'n meddwl fod heddiw yn un o'r dyddiau mwyaf swreal o fy mywyd ... mewn ffordd dda hynny yw! Roedd hi'n 28ain o Orffennaf, sef y dyddiad pwysicaf yng nghalendr y Wladfa. 28 de Julio ydi enw'r cwmni bws sy'n rhedeg rhwng trelew a'r Gaiman hyd yn oed! Gwyl y Glaniad oedd hi wrth gwrs ac roedd y dwrnod o'm blaen yn un prysur iawn! Y digwyddiad cyntaf oedd Cyngerdd yng Nghanolfa Dewi Sant yn Nhrelew, ac aeth Catrin a fi i'r bus stop i gyfarfod a Hywel a John i fynd ar y bws drosodd i Drelew, ond nid ni oedd yr unig Gymry ar y bws, roedd dwy ddynes o ochrau Abertawe a thair merch yn mynd i'r un lle a ni, a phwy arall landiodd ar y bws ond Bentley a Noah hefyd![410] (...) Aethom heibio Ysgol yr Hendre a'r gofgolofn i ddathlu'r Cymry yn Nhrelew, cyn cyrraedd y Ganolfan a mynd i nol sedd. Fe lenwodd y lle yn ddigon cyflym a llawer o bobl wedi gwisgo yn eu dillad gorau fel petaent yn mynd i'r capel ar y sul! Roedd llawr o'r wasg yno yn ffilmio ac yn tynnu lluniau ac fe gychwynnodd y cyngerdd gydag anthem yr Ariannin ... dwi ddim wedi ei dysgu eto ... peth arall ar y rhestr o bethau i'w gwneud! Mae gan y faner le amlwg iawn yn yr Ariannin ac mae'n bwysig iawn, mae Diwrnod y Faner hyd yn oed sy'n Wyl y Banc! Roedd baneri o wahanol wledydd i gynrychioli'r mewnfudwyr oedd wedi dod i'r ariannin. Fe gawsom nifer o wahanol eitemau ar ol i'r baneri fynd gan gynnwys Grwp Dawnsio Gwerin Trelew, Cor Merched y Gaiman a wyresau Luned Gonzalez yn adrodd un o'r Salmau ... ac roeddynt yn wych! Fe wnaethom ganu Hen Wlad fy Nhadau i orffen ac roedd y canu mor frwd fe gefais ias lawr fy nghefn ... sy'n beth anghyffredin iawn a finnau ddim yn Stadiwm y Mileniwm! Dwi'n meddwl fod unrhyw un gydag unrhyw dras Cymreig yn dod i'r wyneb ar Wyl y Glaniad!

Wedi'r cyngerdd, ymlaen a ni i Gapel Moriah ar gyrion Trelew i'r Gymanfa Ganu ac roedd y lle yn orlawn erbyn i ni gyrraedd, felly roedd rhaid sefyll yn y cefn! Roeddem ni'n canu emynau Cymreig, ond pennill yn Gymraeg a phennill yn Sbaeneg ... roedd hyn yn od iawn! Ac ew roedd na ganu da fel fasen nhw'n ddeud adre! Fe gafwyd ambell i ddarlleniad yn Sbaeneg cyn i Mair Davies

bregethu'n Gymraeg, ac roedd yn angerddol iawn yn yr hyn oedd ganddi i'w ddweud am ddyfodol yr iaith Gymraeg. Cafwyd moment emosiynol wedyn wrth i'r ddynes hynaf sy'n siarad Cymraeg gael blodau. Oni bai am y Sbaeneg oedd yn cael ei siarad bob hyn a hyn ... roedd yn gymanfa ganu hollol nodweddiadol Gymreig a phan oedd pawb yn siarad tu allan i'r capel ar ol y gymanfa, gallaswn fod wedi bod mewn unrhyw gapel yng Nghymru! Roedd pawb yn eu dillad gorau hefyd ... oni bai amdana i ... crys rygbi Cymru wrth gwrs!

Y stop nesaf oedd nol i'r Gaiman am de! Mae'r te Cymreig yn rhan pwysig o ddathlu Gwyl y Glaniad ac fe wnaethom benderfynu mynd i festri capel Bethel yn y Gaiman i brofi'r te ... cefais sioc pan welais y bobl oedd yn ciwio tu allan i'r capel i fynd i mewn!!! Mae te Gwyl y Glaniad yn rhyw fath o ffenomenen yma, gyda phobl o bob tras yn dod i gymryd rhan! Roedd y Gaiman yn orlawn trwy'r dydd, gyda'r tri chapel a'r holl dai te yn orlawn trwy'r prynhawn. Fe gawsom fynd i mewn ar ol ciwio am rhyw hanner awr ... ac roedd yn werth yr aros, paned ar ol paned ar ol paned a bara menyn, jamiau cartref, sgons a phob math o gacen yn cael eu gweini ... roedd rhaid profi pob un wrth gwrs! Ar ol cael gwerth ein pres, (a phan dwi'n dweud hynny, dwi'n golygu hynny!!) roedd yn bryd i ni symud i rywun arall ddod i'n lle ... a phan aethom allan, roedd y ciw yn hirach fyth. (...) Roedd cyngerdd bach yn digwydd yn festri capel Bethel gydag eitemau gan y Cymry a'r pobl frodorol. Roedd clywed y plant bach yn adrodd adroddiadau Cymraeg o'r eisteddfodau adref yn arbennig iawn! Cefais ias am yr ail dro wrth ganu'r anthem i orffen, rhyfedd iawn canu'r anthem ddwywaith heb unrhyw rygbi'n agos at y lle!!

Doedd fy niwrnod i heb orffen eto ... roeddwn i wedi cael gwahoddiad i fynd i dy Esyllt am swper. Daeth Esyllt allan i'r Gaiman fel athrawes rhyw bedair mlynedd yn ol ac mae hi wedi priodi a chael dau o blant bach bellach a setlo yma ond mae hi'n hoffi cael cwrdd a'r Cymry sy'n pasio heibio! Cefais noson neis iawn gyda hi a'i gwr Cristian, sy'n ddeintydd yn y Gaiman ac yn gwbl rhugl yn y Gymraeg ... a phan adawais am hanner nos ... doedd y diwrnod heb ddod i ben eto! Es i gwrdd a Hywel, John a Catrin yn Gwalia Lan am ddiod er mwyn dathlu'r diwrnod go iawn ... ac roedd hi'n 5 y bore wedi i mi gyrraedd fy ngwely! Roedd wedi bod yn ddiwrnod bythgofiadwy ac emosiynol iawn fydd yn aros yn y cof am amser maith!

'Y byd yn cael ei boeni'

(179) Rhan o lythyr Gweneira Davies de Quevedo a'i merch Susy at Robin Gwyndaf a'i deulu yn trafod y ffliw moch a llosgfynydd Chaitén.
(Trwy garedigrwydd Robin Gwyndaf.)

Trelew 28/4/09

Annwyl gyfeillion
(...) Mae sôn garw y dyddiau hyn bod rhiw ffliw sydd wedi dod oddi wrth virus mae y moch yn fagu ond yn awr wedi cyraedd cyfansoddiad dynol a mae yn cydio o un person i'r llall fel y ffliw cyffredin ond yn beryglach. Gwelais ar y Teledu ei fod ym Mhrydain hefyd. Mae y Llywodraeth yma wedi rhwystro i awyrennau sydd yn dod a bobl o Mexico gan bod llawer wedi marw (150) a'r clefyd wedi ymdaenu i wledydd eraill gyda y rhai sydd yn teithio. Mae clefyd y "dengue" yn y Gogledd Argentina oddiwrth y "moscito" sydd yn magu yno ac yn gadael virus gwenwynig wrth bigo, mae'n anodd gwared a nhw oherwydd ei bod yn pentyrru mewn llynoedd o unrhyw ddŵr sydd ddim yn rhedeg. Felly gwelwn bod y byd yn cael ei boeni gan rhywbeth newydd bob dydd heblaw cyflwr y rhai di-waith ar sefyllfa economaidd, ond Duw yn unig a wyr beth sydd o'n blaenau ond diolch am ei holl fendithion hyd yn hyn. Mae'n sicr mae'r ddynoliaeth sydd yn creu trafferthion. Budd Eisteddfod trevelin yn cael ei chynnal diwedd yr wythnos. Gobeithio y bydd mwy o lwc na llynedd, lle ffrwydrodd llosgfynydd yn Chile a difetha llais Rhys Meirion ddaeth i rhoi hwb o arian at yr Wyl a cafodd y pwyllgor ganiatad y Cyngor i ddathlu gyda'r drysau ynghau. Mae peth o'r lludw yn codi gyda'r gwynt eto yn Trevelin ac Esquel. (...)

Cofion cynnes
Gweneira a Susy.

(180) E-bost Sion Davies o'r Wladfa at Beti George yn cofio am eu taith car o'r Gaiman i'r Andes drwy'r llwch.

(Trwy garedigrwydd Beti George.)

Annwyl Beti,
Braf iawn clywed gen ti un gwaith eto. Mae'r teulu i gyd yn iawn, brysur heddiw, fory a dydd sadwrn gan mae Eisteddfod y plant yn cael ei chynnal dros y penwythnos yma yn y Gaiman. Bydd Nia fach yn cystadlu (canu ac adrodd yn cymraeg) cawn ni gweld. Rebeca hefyd yn brysur gyda'r ysgol feithrin ac bydden nhw hefyd yn cymrud rhan. Tywydd well erbyn hyn a weithiau mae'r gwynt yn codi rhyw niwl rhyfed ... Ie, yr hen ludw yno, Alla i byth anghofio am y taith tra bydda i'n byw!!! Ja ja ja.
cofion cynnes iawn atat ti,

Sion

(181) Rhan o e-bost Alwen Green de Sangiovanni at Mari Emlyn yn trafod daeargryn Chile.

(Eiddo Mari Emlyn.)

From: Alwen Green
Date: 03 Mawrth 2010 19.50
To: Mari Emlyn

Helo Mari
(...) cysgais i drwy'r daeargryn ond fe glywodd Erik cloch sy'n yr ystafell fyw yn canu ... ac yn Esquel roedd y pobl allan ar y stryd, Edith Wyn yn un ohonynt! roedd y lle i gyd yn symud, ond dim byd i gymharu a rhai ardaloedd yn Chile. Maent heb ddwr, a bwyd, na gwely, ond yr awyrenau yn cyrraedd erbyn hyn gyda rhyw chydig o anghenion beth bynnag.

Well i ni beidio a sôn am ein Malvinas!! Maent angen eistedd wrth y bwrdd a phenderfynnu beth sydd i bwy yn derfynnol. Dyna Lywydd difrifol sydd gyda ni ar hyn o bryd! (...)
Hwyl am y tro.
Alwen

'Achos o anghyfiawnder'

(182) Rhan o e-bost gan John Roberts, Waunfawr at Ceris Gruffudd yn trafod gwrthod mynediad i Shirley Edwards i Brydain a'r ffaith iddo gynghori chwaer Shirley, sef Erica Roberts, sy'n byw yng Nghymru i ohebu â'r aelod seneddol Elfyn Llwyd. Mae John yn briod â Glory, sy'n wreiddiol o'r Wladfa ond wedi ymgartrefu yng Nghymru.

(Trwy garedigrwydd Elfyn Llwyd.)

From: JOHNTYHEN
Date: 2009/6/10
Subject: Re: Dim croeso i ddynes o Batagonia

Hi Ceris,
Dwi wedi cynghori Erica i sgwennu at Elfyn Llwyd gyda'r manylion llawn (...)

Mae Erica a'i gwr, Chrisitian yn gweithio ym Mhortmeirion. (...)

Y mae'r ddwy chwaer wedi colli eu mam yn gyntaf ac wedyn eu tad yn ddiweddar. Roedd y chwaer fengaf wedi defnyddio arian ysiwriant ar ol ei thad farw i ddod trosodd er mwyn dysgu cymraeg ac er i'r ddwy fod yn gysur i'w gilydd yn y cyfnod galar. Roedd Erica a Christian yn fodlon ei chynnal yng nghymru.

Ar yr un llaw roedd y swyddog yn dweud fod ganddi ormod o arian a dim prawf o ble gafodd hi'r doleri – hynny yw, dim datganiad banc. Wrth gwrs, 'does neb call yn Ariannin yn rhoi arian yn y banciau!! Ar y llaw arall nid oedd ganddi ddigon i gynnal ei hyn am 6 mis. Nid oeddynt yn credu Erica na'i mam yng nghyfraith er eu bod yn cadarnhau ei rheswm am yr ymweliad.

Doeddan nhw ddim yn deall pam roedd y tocyn return yn dweud 3 mis pan roedd hi'n dweud ei bod yn dod am chwe mis. Deallaf mai tocyn "agored" oedd ganddi ond bod rhaid dangos 3 mis am rhyw reswm.

Gan fod Shirley Edwards wedi rhentu ei chartref yn Trefelin, mae hi yn effeithiol wedi ei anfon yn ol i fod yn ddi-gartref gan nad yw'n gallu ad-feddiannu ei chartref cyn diwedd tymor y cytundeb – a deallaf ei bod yn aros yn Madryn nawr ar ol cael ei hanfon yn ol.

Mae Erica yn rhugl yn y gymraeg a'i chwaer eisio'r un rhan o'i hetifeddiaeth cymraeg.

Mae hwn yn achos o anghyfiawnder (...)

Yng ngeirie'r de "rwy'n grac" tros yr holl beth. Mae Gladys a Glenda, chwiorydd Glory wedi bod trosodd yn yr un modd i wella'i cymraeg ac wedi mynd yn ôl i fod yn rhan o'r gymdeithas trosodd. Nid oes neb o'r Wladfa yn ddigon cyfoethog i allu prynu tocyn a rhedeg y risg o gael ei troi yn ol yn Heathrow.

Hefyd, roeddwn yn fawr synnu fod rhaid i Erica dalu £500 am visa i ddod yn ol at ei gwr yng ngymru ar ol bod yn nyrsio ei thad yn ei waeledd.

John

(183) Llythyr ac e-bost gan Erica Edwards Roberts (chwaer Shirley Edwards y gwrthodwyd mynediad iddi gan swyddogion mewnfudo Heathrow) at ei haelod seneddol, Elfyn Llwyd.

(Trwy garedigrwydd Elfyn Llwyd.)

Sent: 11 June 2009 23.21
To: LLWYD, Elfyn
Subject: Refused entry to the uk from Patagonia
Mr Elfyn Llwyd M.P:
(...) Mr Elfyn Llwyd MP:
I am writing in hope that you can help me with my sister's experience when arriving at Heathrow airport from Patagonia on the 18th May 2009. My name is Erica Edwards Roberts I'm a resident of the U.K through marriage, my husband and his family are Welsh residing in Porthmadog North west wales. My husband and I had planned for my sister Shirley Edwards (23 years old) to spend six to twelve months stay with us, the purpose of the visit was for my sister to improve her Welsh and English and to have break as we have lost both our parents during the last 18 months our father passing away in April 2008. I went home to Trevelin Patagonia when my mother passed away suddenly in august 2007 and stayed on to help my sister care for our father who had developed terminal cancer.

My sister gave up working during this period of time, I stayed on at home after our father died to help my sister arrange the extensive legal paper work our country requires.

In our parents will my sister and I were left the family home and an amount of money. Seeing that I was returning to my husband my sister was given sole use of the family home.

As my sister was coming to the UK for 6-12 months we made arrangements for a family friend to stay in our family home for that period of time. The money that we had was used to purchase a ticket and finance her stay in the uk considering the length of time my sister intended to stay as a general visitor (6 months) or as a family visitor (12 months) my husband and I wrote a letter explaining where my sister would be living the reason for her stay and that we would provide any necessary financial support.

Shirley left Trevelin on the 5th May 2009 for Puerto Madryn where she stayed with our mother's sister. She purchased the ticket in Porth Madryn travel Agents they advised her it would be cheaper coming via British Airways Buenos Aires to Heathrow and then

internal flight to Manchester Airport where my husband and I were waiting to pick her up this was considered the cheapest option. Cost of flight was about £1.000 sterling.

On 15 may 2009 she left Puerto Madryn for Buenos Aires travelling on a coach (20 hs journey) she arrived on saturday 16 May 09 and stayed with a friend, Shirley departed Buenos Aires on Sunday 17 May 2009 (12.00 o'clock Argentinian Time) arriving Heathrow on Monday 18th may 2009 at 7.30 A.M. in terminal 5 Heathrow. When Shirley was going through customs she was taken aside by an immigration Official to determine reasons for visiting U.K. Shirley has a very limited use of the English language so a Spanish translator was provided. The female Immigration officer processed her papers to determine her reason for her visit. Shirley had a valid passport also the letter my husband and I had provided for her explaining everything. When the Immigration Officer read the letter she proceeded through the interpreter to interrogate my sister in a manner that can only be described as aggressive. Through the translator it became apparent that my sister was going to be refused entry to the UK at this point being very tired after the long journey my sister was very upset and could not understand for what reason she should be refused entry having being granted entry in july 2005 along with her parents and auntie for my wedding, when my family came over for my wedding they had a 1 month flight ticket but were granted a six month general visitor visa at Manchester Airport.

When my husband and I arrived at Manchester Airport to pick up my sister I had a message from my mother-in-law on my mobile to contact Immigration at Heathrow. When I contacted Immigration Heathrow I spoke to a lady who asked me if I was expecting somebody I informed her that I was expecting my sister from Buenos Aires, she first asked me the name of my sister and then informed me that she was going to ask me a series of questions she informed me that after asking me these questions she was going to ask my sister the same questions and said that if the answers were identical she would consider allowing my sister entry to the UK. I found out after that my sister had already been asked these series of questions after answering the questions I was told that the lady Immigration Officer would contact me on my mobile in a couple of hours and that I was not to contact her as she was doing her paper work and did not wish to be disturbed. I asked to whom I was speaking and the lady replied "Vanessa" no other name. While I was wait-

ing for a call from "Vanessa" my sister rang from the Heathrow holding area, my sister gave me a telephone number where I could contact her as it was a coin machine. When I contacted my sister she was in a very distressed state telling me that she was going to be returned to Argentina. I tried to reassure my sister that "Vanessa" was going to consider allowing Shirley entry. My sister then informed me that this was wrong as she had been told at 7.30 AM she was being refused entry to the UK, so it was obvious that the Immigration Officer ("Vanessa") had already decided to refuse entry to the UK. Why was it then necessary for her to go through this disgraceful charade. After waiting for a couple of hours without hearing anything from "Vanessa" I phoned to find out what was happening, "Vanessa" seemed annoyed that I was contacting her I explained that I had been talking to my sister on the phone and was told that Immigration had already decided that morning to refuse entry "Vanessa" admited that this was true and that after completing all the necessary paper work she would inform me of her decision, I asked "Vanessa" if she was going to send my sister home and she confirmed that this was true when I asked her to explain she informed me that she did not believe anything my sister or myself had said and that we didn't seem genuine people to her, how she came by this conclusion without seeing me I really don't know (she must be clairvoyant) I asked her to explain why she thought we were not genuine people throughout the time I had contact with "Vanessa" I had been totally honest and my sister also, even answering the most personal questions. Her explanations for not believing what we had said was that she thought that we had no family in Patagonia to return to and my sister had no employment to go back to (which I've explained previous) and she was doubting that we had a home she implied that we had sold our home she asked for proof that we had not sold the house when I informed her that a friend was looking after the house she laughed and said she had too many doubts. She also raised doubts about the amount of money that my sister had with her and that there was no bank statement to verify this. The area of doubt she had was concerning my sister's air ticket as it was an open ticket for three months and we were asking for her to stay for 6 to 12 months. In Argentina you cannot purchase an open ticket for longer that three months and failed to understand this. She told me that I should return to North Wales as under no circumstances was my sister being allowed entry and that the

final decision had been made and she was being deported on the next flight that day. I asked what time the return flight would be arriving in Argentina and flight number so that I could make arrangements for a family friend to meet her in Bs As as we do not live in Buenos Aires we live in Trevelin Patagonia (24 hs journey) she informed me that she would contact me within the next couple of hours with all the relevant information she also informed me in a very off hand manner not to contact her again as I would be wasting her time and mine, the only information she would give me was that my sister would be returning home at 9.45 PM that evening. She failed to understand why Shirley only had a three month ticket and we were asking for my sister to stay longer, if I allow 3 months entry who would guarantee that Shirley would leave the UK at the correct time I informed her that you have my name and address my mobile number, my phone number and my place of employment and she replied in a very off hand way that she could not be bothered. When my husband and I returned home from Manchester to Porthmadog it was around 4 in the afternoon, I phoned my sister to ask if she had been told what time she would be arriving in Bs As and flight number, my sister informed me that she had not spoken to anybody since early that morning when we learnt that they had taken her finger prints and photos like a common criminal this I strongly object to, my sister is an honest law abiding person and has no criminal record in Patagonia. Shirley was given a letter stating reasons for being refused entry and that this information plus finger print and photos would be kept on Immigration records for the next 10 years. After talking with Shirley I phoned Immigration Heathrow and asked if I could speak to "Vanessa" after a pause I was told that nobody using that name worked for Immigration Heathrow it appears that I'd been given false identity by the Immigration Officer dealing with my sister's case. I was informed that the person dealing with my sister's case had left for home and that the decision could not be overruled. I feel very upset and disappointed about the way Shirley has been treated especially as my father was a descendant from Welsh Immigrants living in Bala and Llanelli area of Wales. I myself am fluent Welsh speaking my father had a limited use of the welsh language we have always upheld our links with the welsh culture. I am very upset to think that we could be treated in this manner especially having learnt that the Immigration Officer was of Turkish decent and quite possibly the same Turkish

Immigration Officer that was responsible for deporting Miss Evelyn Calcadrini this week. If at all you can offer me any help in any way my sister and I would be eternally grateful.

Yours Sincerely

ERICA EDWARDS ROBERTS

(184) E-bost Peter Dwyer o Rochdale at Elfyn Llwyd yn mynegi ei fraw a'i ddicter o glywed y newydd am wahardd y ddwy ferch i Brydain.

(Trwy garedigrwydd Elfyn Llwyd.)

From: Peter Dwyer
Sent: 09 July 20.48
To: LLWYD, Elfyn
Subject: Patagonian Campaign

Dear Mr Llwyd,

I have just seen your broadcast on Channel 4 regarding the treatment of the young Argentinean women from Patagonia and was appalled at what I heard. I thought their treatment was completely outrageous.

Every day we seem to become more and more like a police state, where people disappear into secret prisons, a blind eye is turned to renditions and torture and in this case arbitrary decisions are made, without the affected individuals being given a rational explanation.

I am incidentally a fluent speaker, reader and writer of Spanish, so if I can help in any way, please let me know.

Regards
Peter Dwyer
Rochdale

(185) E-bost gan Ddirprwy Brif Weinidog Cymru, Ieuan Wyn at Brif Weinidog Cymru ar y pryd, Rhodri Morgan, ynglŷn â'r egwyddor sylfaenol ynglŷn â hawliau dynol parthed gwrthod y ddwy ferch o'r Ariannin i Gymru:

(Trwy garedigrwydd Elfyn Llwyd.)

From: Ieuan Wyn
To: Rhodri Morgan
Sent: Wednesday, August 05, 2009, 9.59 AM
Subject: Ymwelwyr o Batagonia

I sylw Rhodri Morgan AC, Prif Weinidog Cymru
Annwyl Rhodri Morgan,
Ysgrifennaf atoch mewn perthynas ag achos Shirley Edwards ac Evelyn Calbabrini, y ddwy ferch y gwrthodwyd mynediad iddynt i Brydain, ac felly i Gymru, gan Asiantaeth Ffiniau'r Deyrnas Gyfunol. Fel y gwyddoch, mae'r mater hwn yn peri pryder i lawer iawn o bobl, a chyfyd egwyddor sylfaenol ynglŷn â hawliau dynol yng nghyd-destun y ddwy ferch dan sylw.

Afraid dweud bod y gwrthodiad gwarthus hwn i'w cais rhesymol i ddod i Gymru yn codi cywilydd arnom fel cenedl, ac mae'n tanlinellu diffyg cydnabyddiaeth i'n bodolaeth a'n hawliau cenedlaethol. Mae llawer iawn yng Nghymru o'r farn bod agwedd Asiantaeth Ffiniau'r Deyrnas Gyfunol a'r Swyddfa Gartref yn adlewyrchu hynny. Byddai i Lywodraeth y Cynulliad fethu â sicrhau tegwch a chyfiawnder yn y mater hwn – sef ymddiheuro, digolledu a thalu iawndal i'r ddwy ferch, a chywiro'r drefn i'r dyfodol fel na ddigwydd eto – nid yn unig yn dangos ein hanallu gwleidyddol difrifol fel cenedl ond hefyd ein taeogrwydd gwarthus yn wyneb camwedd amlwg a diymwad.

Gwn fod llawer iawn o'm cyd-Gymry yn edrych ymlaen yn eiddgar at weld cywiro'r sefyllfa bresennol a gwneud yn iawn am y cam a wnaed.
Yn gywir,
Ieuan Wyn

Cariad@iaith

(186) Rhan o lythyr Luned Vychan Roberts de González at Mari Emlyn yn rhoi hanes y dyffryn ac yn cyfeirio at dair priodas wahanol.

(Eiddo Mari Emlyn.)

21/10/00

Annwyl Mari Emlyn

(...) Mae Robert Owen Jones yn cychwyn adref i Gymru fory a felly rwyf am fanteisio i anfon neges.

Yn gyntaf rhaid rhoid gwybod fy mod wedi dysgu gyrru y modur newydd a fy mod yn defnyddio y pumed gear a wnes i ddim cyflawni anfon cerdyn i chwi efo'r rhif pump fel wnes i addo.[411]

Rydym wedi cael blwyddyn efo lot o bethau yn cymeryd lle. Un oedd priodas Catrin Morris efo Milton Yunyent. Roedd y briodas ar y bore gwener cyntaf ym mis Gorffennaf (...) Roedd pawb yn reit emosiynol. Dim ond mam Catrin oedd wedi teithio o Gymru i fod yn yr achlysur pwysig hwn. Roedd Catrin mewn gown hir lliw gwyrdd neu glas y mor. Yn edrych yn hapus iawn. Wedyn aeth criw bychan i restaurant Wancy yn y Gaiman i gael cinio. Dim ond fi a'r gwr a Fabio oedd o'r Gaiman yn y cinio, tri deg oedd yno yn cynnwys y par. (...) Wel, erbyn hyn mae Catrin yn gweithio mewn ysgol ger Trelew ac yn brysyr efo'r Cor Cymraeg Trelew.

Rydym yn gweld eisieu Angharad[412] yn fawr iawn, ond rhaid arfer, mae'n debyg. Hen dro fod Cymru mor bell.

Priodas arall gymerodd lle ym mis Awst oedd un Gabriel Restucha efo Lucia. Y seremoni yng nghapel Bethel a wedyn swper a dawns yn campfa ysgol Bryn Gwyn, tua 300 yn mwynhau asado wedi ei baratoi gan griw y Bwthyn Bach. Maent yn disgwyl babi erbyn yr haf.

A rwan mae Héctor Ariel yn priodi yn yr Andes efo Sonia, sydd yn athrawes gerdd. Ddim o dras cymreig. Mae y briodas sifil yn yr Andes a'r gwasanaeth yn y capel yn y Gaiman wythnos olynol. Mae hyn ym mis Tachwedd ar ol y Steddfod. Mae bobol yn ymarfer bore pnawn a nos erbyn y Steddfod.

Mae Rhisiart Arwel yma efo Dafydd Du yn gwneyd rhagleni bobol ifanc. A mae'n siwr y byddent yn recordio peth o'r steddfod.

Wel, a oes rhagolygon am ymweliad? Bydd yn haws cysylltu rwan gan bod ysgol Camwy wedi cael e-bost. Dyma ein cyfeiriad e-bost: *cymcamwy@infovia.com.ar*

Rwyf wedi llwyddo i anfon rhai negeseuon fy hun ond wrthi hi yn dysgu rwyf ar y pryd. (...)

Mae yr athrawon Cymraeg newydd yn brysyr dros ben, yn y Gaiman mae Nansi Rowlands o'r Waunfawr a Menna George sydd yn dod o'r De. Yn Nhrelew mae Rhys Llywelyn Jones o Nefyn. Yn yr Andes mae Rhian Jones yn wreiddiol o Lanbed ond yn gweithio yn Coleg Llisfasi yn Wrexham credaf a Nia Lewis o rhywle nad wyf yn cofio. (...)

Gan bod Eisteddfod o fewn wythnos mae pawb yn ymarfer bore pnawn a nos heddyw, sydd yn ddydd Sadwrn mae cor y Gaiman yn cael ymarfer extra a wedyn yn cael parti i ddymuno yn dda i Hector Ariel yn ei fywyd priodasol.

Sut mae y bechgyn erbyn hyn sgwn ni. Mae y wyresau yn brysyr. Bu Luned Nieve yn canu yn y Steddfod a chael y wobr gyntaf am adrodd yn Gymraeg i blant chwech oed, dipyn o gamp gan mae athrawes nad oedd yn siarad Cymraeg oedd yn ei dysgu. Canodd hefyd a chael y wobr gyntaf am solo yn spaeneg ac ail wobr am solo yn gymraeg. Wel am nain yn brolio!

Nid oes telyn wedi cyrraedd y Wladfa eto ond mae Catrin wedi dod a'i thelyn hi yma. Ond nid yw hi yn hoffi llawer ar berfformio yn gyhoeddus ond cawsom social yn vestri Bethel i groesawu y Parch Robert Parry a daeth Catrin a'i thelyn a chwarae ton neu ddwy. Roedd yn hyfryd iawn. (...)

Mae Fabio wedi bod yn helpi Tegai yn yr amgueddfa trwy'r gaeaf ac yn dal ymlaen rwan. Bu yn yr Andes yn canu yng nghor Sonia, cariad Hector Ariel, un penwythnos. Roedd hi yn gorfod paratoi cyngerdd yn cynnwys Mass requiem Fauré fel rhan o arholiad terfynol i raddio ac felly aeth Billy Hughes, Fabio a Tito Lewis i helpi gan bod chydig o leisiau dynion yn y cor. Aeth y cyngerdd yn eitha da, mae'n debyg.

Cafwyd tywydd garw iawn dechreu Medi yma a mae miloedd o ddefaid wedi marw ar y paith. Druan o'r bobol sydd yn stryglan i gadw ffermydd defaid allan ar y paith.

Rhaid tewi, mari. Edrychaf ymlaen am gael neges e-bost oddiwrthych. Cofion at y teulu oll.

Cofion cynnes
Luned González
Gaiman.

(187) Rhan o lythyr gan Gweneira Davies de Quevedo, Trelew at Anne-Marie Lewis a Tito adeg eu priodas. Daw Fabio Gustavo 'Tito' Lewis o Ddolavon. Ymfudodd ei hen hen daid, Lewis Davies i Batagonia ar y *Mimosa* ym 1865. Aeth Tito i Gymru fel myfyriwr yn Llanbedr Pont Steffan ac yn Harlech 1999/2000. Cyfarfu ag Anne-Marie Brierley o Lanelli a oedd yn athrawes a ymunodd â'r Cynllun Athrawon Cymraeg.

(Trwy garedigrwydd Anne-Marie Lewis.)

Trelew, 2il o Fai/2003

Annwyl eich dau:

I ddechreu, unwaith eto llongyfarchiadau o galon am y newydd fyd yr ydych wedi ddewis eich dau i'r dyfodol! Pob lwc ac hapusrwydd. Mae y cwbwl o ddifri yn awr ond os oes cariad dwfn i gychwyn bydd popeth yn hwylus i chwi gario pob baich. Felly mae wedi digwydd arnom ninnau ers 54 o flynyddoedd bellach. Cefais ddalen o revista[413] lle'r'oeddech Ann-Marie yn dweyd eich hanes sut y ddaru chwi syrthio mewn cariad a Tito ac mi wnaeth Guillermo, y mab ei gyfieithu a fel yr oeddwn yn gwrando arno yn mynd ymlaen oedd fel tase fi yn gweld darlun o fy mywyd i. Digwyddodd i mi gael fy mhenodi fel athrawes allan mewn pentre bychan ar y paith, Tecka, 100 o km nes yma nag Esquel. Yr oedd yn anodd cael gwaith wedi gorffen fy addysg ond yn sydyn dyma'r hysbysiad yn dod cyn 3 mis, os oeddwn yn barod i'w dderbyn! Tebyg iawn! Nid oeddwn ymhell yn meddwl am gariad gan fy mod yn hoff o drafeilio ac felly meddwl am ennill arian a mynd i grwydro. Ymhen dyddiau dyma fachgen i deulu oedd yn cadw masnach yn dod yn ol ar ol cyflawni ei wasanaeth milwrol am flwyddyn oddicartref a pawb yn ei gyfarch. Yr oedd ein teimladau gredaf i yn union fel yr oeddych yn dweyd yn y papur. Yr oedd ef braidd yn swil a minnau ddim eisiau meddwl na chymeryd arnaf fy mod yn ei hoffi. Oedd rhywyn wedi crybwyll wrtho bod genyf gariad yn Comodoro lle roeddwn yn byw felly mi roedd yn ofalus ac yn talu sylw rhag ofn "patinar"[414] Yr oeddym yn barchus i'n gilydd ond o dipin i beth oeddym yn dod i nabod a deall ein gilydd nes mentrodd ddweyd eu deimladau ymhen rhyw 6 mis. Ac wrth gwrs ni fedrwn innau wadu fy mod yn ei wrthod. Meddyliais lawer i ddechrau mae effaith fy unigrwydd, ymhell o gartref oedd yn dylanwadu a mi gymerais amser y gwyliau ysgol a mynd yn ddigon pell i benderfynu a oeddwn yn ei garu neu yn teimlo yn ffrind iddo ond dyma lythyr pob wythnos yn cyrraedd a gwelais fy mod wedi "syrthio" yn y "lazo"[415] (...)

Ddaru'm briodi mewn dwy flynedd gan nad oedd genyf frys a chael y cyfle i grwydro hyd y wlad fel yr oeddwn wedi meddwl a wnes i ddim camgymeriad yn fy mywyd.

Yn anffodus nid yw yn dda ei iechyd y tymor diweddaf yma gan ei fod wedi bod yn ysmygwr am 50 mlynedd ac yn awr mae y canlyniadau yn boenus. Diffyg anadl a gorfod dibynu ar y beipen oxigeno am oriau lawer. Mae dros ei 80 yn awr ac felly yr wyf wedi gadael y sgets o'r neilldu yn awr gan fy mod innau mewn oed i gymeryd amser i fod gartre a dadflino. Yr wyf wedi mwynhau fy mywyd erioed a gwneyd fy newis gyda rhyddhâd llwyr. Mae hynny yn lot o beth i gyflawni hapusrwydd mewn bywyd priodasol. Mae eu wreiddiau ef yn wahanol iawn i ni y celtiaid. Aeth ei fam a'i dad i ffwrdd o Ariannin i Sbaen pan oedd ef yn ddwy flwydd a buodd yno nes gorffenodd yr Ail Ryfel. Gan fod ei dad ddim yr un dosbarth a Franco gorfodd iddynt ffoi yn ol gyda phedwar o blant.

Ond er ein bod o dir mor wahanol buan iawn y daethom i ddeall ein gilydd a gweld bod bob un yn hoff o wneyd pethau gwahanol a pharchu ein gilydd.

Wel maddeuwch i mi am y llith yma. Nid wyf yn hoff o roi newyddion trwy y cyfrifiadur dim ond ambell i neges gan fy mod i ddim wedi dysgu y sistem eto. Mae popeth genyf wrth law ond ddim cyfle i gymeryd gwers. Mae Susana yn gweithio yn y Brifysgol bore a pnawn a ddim yn medru Cymraeg felly mae yn anodd iddi.

Do, yr ydym wedi colli Irma Jones a mi r'wyf fel llawer arall wedi cael dolur calon o golli ffrind mor agos, hawddgar a thalentog. Ein llenores a'n bardd goreu. Gwnes amser i fynd ati yn ei chystudd nes i'r gwr fethu a gyrru y car o achos ei iechyd.

Cofion annwyl iawn atoch a hwyl iawn yng nghwmni y fam a'r fodryb aethant draw! Da iawn. Tan tro nesa.

Gweneira

Elena Davies de Arnold yn ei chartref yn Nhrelew, 2007
(Eiddo Mari Emlyn)

(188) E-bost gan Elena Davies de Arnold at Anne-Marie a Tito – Fabio Gustavo Lewis, Dolavon ar achlysur eu priodas. Ysgrifennodd Elena y neges yma ar bapur ac fe drosglwyddodd Sara (athrawes Gymraeg yn Nhrelew) y neges i e-bost. Dywedodd Anne-Marie am Elena wrth anfon y neges hwn ataf: 'Mae hi fel mam i fi, buodd hi'n gefen i mi gydol yr amser on i draw (...) ac yn gymeriad arbennig iawn.'

(Trwy garedigrwydd Anne-Marie Lewis.)

Annwyl Ann-Marie a Tito,
Bore heddi (20fed) a fi allan yn sgubo'r dail yn y vereda, gwelais Eulalia[416] yn dod ataf yn wen i gyd. Ni allaf ddisgrifio fy llawenydd o gael newyddion ond, bu'r llawenydd yn fwy gan ei fod yn dod a mwy na newyddion. Fe gollais ddagrau wrth edrych ar y lluniau. Rydych mor ddel. Mor mor ddel ac yn edrych mor llawen.

Fy nymuniad yw i'r llawenydd a'r cariad sy'n eiddo ichi heddiw fod yn eich cadw yn unol ar hyd eich oes a hwnnw yn oes hir.

Wel, roedd rhaid ifi hefyd wneud rhywbeth i fod yn y wledd, a felly, am 4, rhoddais i tecell ar y tan, rhoddais lliain ar y bwrdd (dim yn aml yn gwneud) a dod a'r llestri gorau o'r parlwr (dim yn dod allan chwaith, dim ond ar achlysur neilltuol) a gosod y ford yn

grand i gael te a blasu'r gacen briodas, ei bwyta yn araf, a ehedig yn fy nychymyg i'r wledd atoch chi, agor fy lygaid yn fawr arnoch, mor hardd eich dau.

Roedd y gacen yn flasus iawn (diolch am rannu efo fi eich llawenydd). A dyma fi wedi clirio'r bwrdd a mynd ati'n syth i sgwennu. Tasg digon anodd, fel y gwyddoch.

Diolch i Sara fach am ddanfon hwn ar y we (she made me put that.....!!!!!)

Cofion fil a llawer o gariad,
Elena

(189) Llythyr Esyllt Nest Roberts i bapur bro *Y Ffynnon* yn tybio y bydd y 'garwriaeth yma'n para … '.

(Cyhoeddwyd ym mhapur bro *Y Ffynnon*. Derbyniwyd trwy garedigrwydd John Roberts, Y Ffôr.)

Tŷ Camwy,
Stryd Michael D. Jones
Gaiman,
Chubut,
Patagonia.
Mehefin 2004

Annwyl Ffrindiau,

Tharodd o mohona i tan nos Sadwrn diwetha. Ar ben bryn uwchben tref fach y Gaiman, yma ym Mhatagonia, mi ddoth ar wib fel rhyw long ofod fawr, y sylweddoliad 'mod i yr ochor arall i'r byd, a bod popeth cyfarwydd a chlyd filoedd o filltiroedd i ffwrdd yng Nghymru.

Tan hynny ro'n i'n dechra ama bod 'na waed camelion yn llifo drwy 'ngwythienna. Dwi wedi ymdoddi mor hawdd i'r lle newydd a'r bywyd newydd yma fel athrawes yn y Wladfa nes teimlo'n euog bron bob tro y bydda i'n deud nad oes gen i hiraeth. Ond mi ddaeth ar garlam gaucho nos Sadwrn diwetha.

Roedd yr haul ar fin mynd i glwydo gan daenu blanced binc a phorffor glws dros Ddyffryn Camwy, ond roedd y Gaiman ar fin deffro! Fel 'na maen nhw yma. Y siesta'n para tan tua phump y pnawn ac wedyn bydd hi'n amser te. Ia, go iawn, 'run fath ag oeddan ni'n gael ers talwm. Te, bara menyn a jam, sgons bach del, bara brith, teisen blât neu deisen hufen bechadurus! Dyna gampwaith y Gaiman – y tai te Cymreig sy'n britho'r lle fel cyraints. Mae 'ma dai te ar bob stryd bron, am yn ail â'r siopa sy'n gwerthu bob dim y mae trigolion y dref eu heisiau. Na, does dim rhaid i neb fynd mor bell â Threlew, sydd tua hanner awr i ffwrdd, i wneud negas. Mae'r Gaiman yn ddigon tebol i edrych ar ei hôl ei hun, diolch yn fawr iawn.

Wrth sefyll uwchlaw'r dref mi welwn res o fryniau fel bwrdd cymun mawr gwyn yn y pellter o 'mlaen. Y tu ôl i mi roedd bryn ar siâp teisen gron. Yma, mae'r brynia yn adrodd hen hanes Cymraeg y dref – brynia te bach a brynia cymun capel! Ac wrth sôn am gapel, do, dwi wedi profi fy nghymanfa ganu gyntaf hefyd, a phrofi iasau hŷn na 'ngeni wrth ganu hen emyna Cymraeg ym mhellafoedd byd.

Mor rhyfedd oedd canu "Tydi a Roddaist" a "Calon Lân" gyda hen ŵr mwyn yn mwmian mewn Cymraeg dieithr iawn wrth f'ymyl.

Ac ydi, yn anffodus, mae'r Gymraeg yn hogan ddieithr yma bellach. Mae 'na ddigon o bobol yn ei dallt hi, os nad ydyn nhw'n gafael yn ei llaw hi bob hyn a hyn, ond chlywch chi mohoni'n llancas dros y lle. Berig mai llechu yng nghorneli steddfoda ac amball i bregeth neu wers mae hi amla y dyddia hyn, er bod pobol wrth eu bodda yn deud eu bod nhw'n perthyn iddi.

Hynny ddenodd y deigryn swil. Ond wrth edrych draw ar ddyffryn sy'n prysur gipio 'nghalon, dwi'n rhyw how synhwyro y bydd y garwriaeth yma'n para ...

Plant Patagonia

(190) Rhan o lythyr John a Kathleen Roberts at eu merch Esyllt yn diolch am ei llythyr ac yn rhoi tipyn o hanes y teulu iddi.

(Trwy garedigrwydd Esyllt Nest Roberts.)

Llain Las,
Y Ffôr,
Pwllheli
24/11/2009

Annwyl blant,

Wel, diolch yn *fawr* am y llythyr ddaeth yr wythnos diwethaf drwy law Morus a Meleri. Mae llythyr *bob amser* yn dderbyniol, rydym mor falch o'i dderbyn a chael hynt a helynt pawb yn enwedig Mabon ac Idris a chlywed sut maent yn datblygu. 'Rydym yn eu colli yn fawr iawn cofiwch ac mae'r lluniau sy'n dod ar y wê yn dangos sut maent yn tyfu ac yn mynd yn hogia mawr. 'Rydym *mor* ffodus y dyddiau yma, yn gallu cysylltu efo'r ffôn a'r SKIPE – dwi'n meddwl fy mod yn glyfar iawn wedi ei feistroli!! Dyna'r unig beth dwi'n meddwl sydd heb fynd yn drech na fi ar y cyfrifiadur. (...)

Balch o glywed fod y Steddfod wedi bod yn llwyddiant ac fod seremoni'r orsedd wedi mynd yn iawn er gwaethaf y tywydd. Glaw ynte am y tro cyntaf os deallais yn iawn. Edrych ymlaen i weld yr hanes yn y "Drafod" nesaf. (...)

Cawsom ddiwrnod i'w gofio'n eisteddfod Dyffryn Owen ddydd Sadwrn er gwaetha'r tywydd garw. Fe wnaeth y genod yn ardderchog a bu Anest yn ddigon lwcus a chael *medal*. Tynnu ar ol taid a'i mam mae'n siwr (a'i modryb, Es!) Mae Lleucu'n cael hwyl ar ddysgu chwarae'r "recorder" yn yr ysgol rwan ac mae wrthi o ddifrif chwarae teg iddi.

Anti Jean, Caerdydd yn dweud fod Catrina'n well yn awr. Y misoedd cyntaf oedd y gwaethaf iddi. Wedi penderfynnu peidio cymeryd pigiad y "ffliw moch" y mae hi. Roeddent yn ei chynnig i famau beichiog yn gyntaf. Mae'n anodd gwybod beth i'w wneud. Dad a minnau heb benderfynnu eto – Mis nesaf y maent yn ei chynnig i ni. Beth sy'n digwydd draw yna? Mae plant o dan 5 oed yn cael ei chynnig yma rwan. Dwn i ddim beth mae Fflur am wneud efo Anest. (...)

Cofiwch ni'n fawr at Orlando, Arié, Nain a'r teulu i gyd a gobeithio nad yw Cristian yn gorweithio rhwng y ddeintyddfa ac

adeiladu'r cartref newydd ond mae'n bur debyg fod yn rhaid dal arni cyn i'r gwres mawr ddod fis nesaf. Bydd yn anodd gwneud wedyn. Edrych ymlaen yn fawr at sgwrs ar y ffôn. Cofion a chariad mawr, mawr,

Mam a dad – taid a Nain Ffôr

xxxxxxxxxxxxxxxxxxx

(191) Rhan o neges ar y Gweplyfr gan Vilma Thomas (merch Alwina ac Elwy Thomas, Buenos Aires) at Beryl Griffiths, yn fuan wedi iddi ddychwelyd i'r Ariannin. Bu am swper at Beryl Griffiths yn y Bala ar ei hymweliad â Chymru.

(Trwy garedigrwydd Beryl Griffiths.)

Vilma Thomas Chwefror 14 am 10:02yh

Hi Beryl !! Sut da chwi ??, here we are at home, and remembering the good times we spent over there !!, When I arrived to Aur's place and after speaking with my mum I realized your mum is Elisabeth Jones, that I always saw her envelopes and speaking of her with my Nains, sorry that I had not realized that when I saw you. A big amount of snow has fallen this year in your farm !! is it like that every winter ??. (...) We stay in contact, Diolch am popeth !!! ta ta Vilma xooxox

(192) Rhan o neges gweplyfr Elain Mair o Ruthun at Sibyl Hughes o Drelew. Cyfarfu'r ddwy pan aeth Elain Mair draw i'r Wladfa gyda thrip yr Urdd ym mis Hydref 2009. Mae Sibyl Hughes yn gynorthwyydd dosbarth yn Ysgol yr Hendre, Trelew ac yn astudio i gymhwyso fel athrawes ysgol gynradd. Mae hi o dras Gymreig o ochr ei thad – Erol Hughes a'i mam yn Almaenes.

(Trwy garedigrwydd Elain Mair.)

Pwnc: Sud wyt ti?
Rhyngoch *Sibyl Hughes* a *Chi*

***Elain Mair* Mawrth 16 am 9:16yh**
Haia. Sud wyt ti ers tro? (...) Ydi pawb yn iawn yn Nhrelew ac yn yr ysgol?! Roedd yr amser a gawsom hefo chi yn anhygoel ac rwyf wrth fy modd yn edrych nol ar y lluniau. Mae'n teimlo mor bell yn ol rwan! Meddwl amdanoch yn ystod Gwyl Dewi ac yn meddwl tybed sut hwyl oeddech yn ei gael gyda'r dathliadau yn yr ysgol. Tybed beth oedd y plant yn ei wneud? Sut mae'r wal erbyn hyn?! Ydi Sali Mali a'r Ddraig Goch dal arno! Mi faswn i wrth fy modd yn clwed gen ti yn fuan! Cofia fi at Heather a phlant yr ysgol! Cofion gorau, Elain Mair o Rhuthun, Cymru.

(193) Neges gweplyfr Sibyl Hughes yn ateb Elain Mair.
(Trwy garedigrwydd Elain Mair.)

Sibyl Hughes **Mawrth 17 am 8:15yh**
Helo! sori, dw i ddim yn nabod Heather, ond ydwi'n meddẇl mae hi'n iawn ... =) mae pawb yn arddechog, ar ol gwiliau haf, ac brysur, on hapus, ar diwedd. ydy, mae Sali Mali ac y Ddraig coch yn dal yn y wal! mae nhw'n rhoi lliw ag bywydd i'r mas hwn. diolch yn fawr am atgoffa i! wyt ti'n dod eleni eto? bydd hon yn gwych os gallet dod! Mae'r plantos yn hapus, dw i'n credu, ac mae nhw'n yn dal yn dysgu am Dewi Saint. rhaid i ti chwilio am Ysgol yr Hendre dros y facebook ac byddat gwibod popeth dyn ni 'neud. Mae lluniau o dirnod cyntaf eleni hefyd yna!
wedi bod neis clywedd amdanot ag gobeithio gallet ti sgwennu ynol.
sws mawr, xoxo Sibyl

(194) E-bost Maite Junyent, 7 oed o'r Wladfa at Carys Thorne yng Nghymru, 4 Ionawr 2010.

(Trwy garedigrwydd Catrin Morris de Junyent.)

helo carys
sit wit ti carys?
rydwi yn eisiai ti carys
rydwi yn boith iawn
fi yn mind i symid ty i'r ffarm a fi yn mind i gael ci
cariad mawr Maixxxxxxx

(195) E-bost Carys Thorne o Gymru yn ateb Maite Junyent yn y Wladfa, 17 Ionawr 2010.

(Trwy garedigrwydd Catrin Morris de Junyent.)

helo mai
roedd vi wedi cail bic newedd pink a porfor,
ydi chi yn iawn ?
beth y enw ci ti ?
my enw ci fi yn roxy
carys thorne xxxxxxx

(196) E-byst gan Alejandro Jones o Drevelin at Owain Sion Gwent yn Llanuwchllyn yn anfon llun o'i fab Bryn iddo.
(Trwy garedigrwydd Owain Sion Gwent.)

Subject: Bryn
Date: Sun, 13 Apr 2008 15:18:14 +0000

Helo pawb!
Sori fod dyni n mor hwyr yn anfon llyniau ond dwin ofnadwy i eistedd yn y cyfrifuadur i sgwenu ...
Dyma fi pethbynnag rwan, yn dweud diolch i chi am eich cerddin, am eich ebost a gobeithio fod chich pawb yn cadw yn iawn ...
Hydref wedi cyrraed i cwm hyfryd, maen rhewi yn ofnadwy rwan, a wedi glawio tipin, felly dynin hapus anfod oedd sych iffernol ...
Maer eisteddfod trevelin yn mynd i fod mewn pethyfnos a dynin edrich ymlaen i canu a rhannu amser efo r criw cymru syn dodd, a betincalw Meirion[417] hefyd ...
Mae LLygad y llew yn aul cystadleuaeth, a O fab y Dyn yn pryf ...
Reit, ddigon o sgwrs dw in meddwl, siwr fod chi isio gweld llynuau y babi neisach y byd rwan!
Cofion cynnes
Cariad Mawr
Alejandro, Erica, Luciana a Bryn

(197) E-bost gan Owain Sion Gwent at Alejandro Jones yn ei hysbysu fod ei rieni yn mynd i'r Wladfa.

(Trwy garedigrwydd Owain Sion Gwent.)

Subject: Hola
Date: Fri, 31 Oct 2008 14:00:51 +0000

Su Mai Wa?
Mae yna bron i flwyddyn ers i ni fod acw rwan! Sut mae'r teulu bach? Bryn yn tyfu'n gyflym dwi'n siwr!
Sut aeth y 'Steddfod?
Mae hi wedi bod yn oer iawn ers wythnos gyda peth eira!
Nodyn sydyn ydi hwn i adael i ti wybod fod Mam a Dad a cwpwl arall yn mynd i aros gyda Rini yn La Chacra. Maent yn cyrraedd yno dydd Iau nesaf 06/11/08 am wythnos tan y 13/11/08. Falle y byddi yn eu gweld yn crwydro o gwmpas Cwm Hyfryd!
Wyt ti'n dal i sôn am ddod drosodd flwyddyn nesa i 'Steddfod Y Bala?
Hwyl am y tro a cofia fi at bawb,
Ow Sion